標準言語聴覚障害学

失語症学 第3版

シリーズ監修

藤田郁代　国際医療福祉大学大学院教授・医療福祉学研究科言語聴覚分野

編集

藤田郁代　国際医療福祉大学大学院教授・医療福祉学研究科言語聴覚分野

立石雅子　一般社団法人　日本言語聴覚士協会・副会長

菅野倫子　国際医療福祉大学准教授・成田保健医療学部言語聴覚学科

執筆〔執筆順〕

藤田郁代	国際医療福祉大学大学院教授・医療福祉学研究科言語聴覚分野	阿部晶子	国際医療福祉大学教授・保健医療学部言語聴覚学科
井原浩子	東京造形大学名誉教授	鈴木匡子	東北大学大学院教授・医学系研究科高次機能障害学分野
松田　実	清山会医療福祉グループ顧問・いずみの杜診療所	小森規代	国際医療福祉大学講師・保健医療学部言語聴覚学科
永井知代子	帝京平成大学教授・健康メディカル学部言語聴覚学科	船山道隆	足利赤十字病院神経精神科・部長
菅野倫子	国際医療福祉大学准教授・成田保健医療学部言語聴覚学科	立石雅子	一般社団法人　日本言語聴覚士協会・副会長
小野久里子	国立障害者リハビリテーションセンター学院言語聴覚学科	熊倉真理	社会医療法人緑泉会米盛病院リハビリテーション課
佐藤睦子	総合南東北病院神経心理学研究部門	吉畑博代	上智大学大学院教授・言語科学研究科言語学専攻
水田秀子	藤井会リハビリテーション病院リハビリテーション部	内田信也	国際医療福祉大学教授・成田保健医療学部言語聴覚学科
目黒祐子	東北医科薬科大学病院リハビリテーション部言語心理部門	奥平奈保子	東京都リハビリテーション病院リハビリテーション部言語療法心理科
田村　至	北海道医療大学教授・リハビリテーション科学部言語聴覚療法学科	中村　光	岡山県立大学教授・保健福祉学部現代福祉学科
森岡悦子	大阪保健医療大学客員教授	坊岡峰子	県立広島大学教授・保健福祉学部保健福祉学科・コミュニケーション障害学コース
能登谷晶子	福井医療大学客員教授・保健医療学部リハビリテーション学科言語聴覚学専攻	吉田　敬	愛知淑徳大学教授・健康医療科学部医療貢献学科言語聴覚学専攻
藤原加奈江	東北文化学園大学教授・医療福祉学部リハビリテーション学科言語聴覚学専攻	村西幸代	君津中央病院医療技術局リハビリテーション科言語聴覚室
春原則子	目白大学教授・保健医療学部言語聴覚学科	東川麻里	北里大学准教授・医療衛生学部リハビリテーション学科言語聴覚療法学専攻
遠藤佳子	東北大学病院リハビリテーション部	小嶋知幸	武蔵野大学大学院教授・人間社会研究科
新貝尚子	NTT東日本関東病院リハビリテーション医療部	種村　純	川崎医療福祉大学・特任教授

医学書院

標準言語聴覚障害学
失語症学

発　　　行	2009 年 3 月15日　第 1 版第 1 刷
	2013 年11月 1 日　第 1 版第 6 刷
	2015 年 2 月15日　第 2 版第 1 刷
	2020 年 1 月15日　第 2 版第 6 刷
	2021 年 2 月15日　第 3 版第 1 刷Ⓒ
	2023 年12月15日　第 3 版第 4 刷
シリーズ監修	藤田郁代
編　　　集	藤田郁代・立石雅子・菅野倫子
発　行　者	株式会社　医学書院
	代表取締役　金原　俊
	〒113-8719　東京都文京区本郷 1-28-23
	電話　03-3817-5600(社内案内)
組　　　版	ビーコム
印刷・製本	リーブルテック

本書の複製権・翻訳権・上映権・譲渡権・貸与権・公衆送信権(送信可能化権を含む)は株式会社医学書院が保有します．

ISBN978-4-260-04307-6

本書を無断で複製する行為(複写，スキャン，デジタルデータ化など)は，「私的使用のための複製」など著作権法上の限られた例外を除き禁じられています．大学，病院，診療所，企業などにおいて，業務上使用する目的(診療，研究活動を含む)で上記の行為を行うことは，その使用範囲が内部的であっても，私的使用には該当せず，違法です．また私的使用に該当する場合であっても，代行業者等の第三者に依頼して上記の行為を行うことは違法となります．

JCOPY〈出版者著作権管理機構　委託出版物〉
本書の無断複製は著作権法上での例外を除き禁じられています．複製される場合は，そのつど事前に，出版者著作権管理機構(電話 03-5244-5088，FAX 03-5244-5089，info@jcopy.or.jp)の許諾を得てください．

＊「標準言語聴覚障害学」は株式会社医学書院の登録商標です．

刊行のことば

　ことばによるコミュニケーションは，人間の進化の証しであり，他者と共存し社会を構成して生きる私たちの生活の基盤をなしている．人間にとってかけがえのないこのような機能が何らかの原因によって支障をきたした人々に対し，機能の回復と獲得，能力向上，社会参加を専門的に支援する職種として言語聴覚士が誕生し，その学問分野が言語聴覚障害学（言語病理学・聴能学）としてかたちをなすようになってからまだ100年に満たない．米国では1925年にASHA（American Speech-Language-Hearing Association：米国言語聴覚協会）が発足し，専門職の養成が大学・大学院で行われるようになった．一方，わが国で言語聴覚障害がある者に専門的に対応する職種がみられるようになったのは1960年代であり，それが言語聴覚士として国家資格になったのは1997年である．

　言語聴覚障害学は，コミュニケーション科学と障害学を含み，健常なコミュニケーション過程を究明し，その発達と変化，各種障害の病態と障害像，原因と発現メカニズム，評価法および訓練・指導法などの解明を目指す学問領域である．言語聴覚障害の種類は多彩であり，失語症，言語発達障害，聴覚障害，発声障害，構音障害，口蓋裂言語，脳性麻痺言語，吃音などが含まれる．また，摂食・嚥下障害や高次脳機能障害は発声発語機能や言語機能に密接に関係し，言語聴覚士はこのような障害にも専門的に対応する．

　言語聴覚士の養成教育がわが国で本格化してから10年余りであるが，この間，養成校が急増し，教育の質の充実が大きな課題となってきた．この課題に取り組む方法のひとつは，教育において標準となりうる良質のテキストを作成することである．本シリーズはこのような意図のもとに企画され，各種障害領域の臨床と研究に第一線で取り組んでこられた多数の専門家の理解と協力を得て刊行された．

　本シリーズは，すべての障害領域を網羅し，言語聴覚障害学全体をカバーするよう構成されている．具体的には，言語聴覚障害学概論，失語症学，高次脳機能障害学，聴覚障害学，言語発達障害学，発声発語障害

学，摂食・嚥下障害学の7巻からなる．[注1]執筆に際しては，基本概念から最先端の理論・技法までを体系化し，初学者にもよくわかるように解説することを心がけた．また，言語聴覚臨床の核となる，評価・診断から治療に至るプロセス，および治療に関する理論と技法については特にていねいに解説し，具体的にイメージできるよう多数の事例を提示した．

本書の読者は，言語聴覚士を志す学生，関連分野の学生，臨床家，研究者を想定している．また，新しい知識を得たいと願っている言語聴覚士にも，本書は役立つことと思われる．

本シリーズでは，最新の理論・技術を「Topics」で紹介し，専門用語を説明するため「Side Memo」を設けるなどの工夫をしている．また，章ごとに知識を整理する手がかりとして「Key Point」が設けてあるので，利用されたい．[注2]

本分野は日進月歩の勢いで進んでおり，10年後にどのような地平が拓かれているか楽しみである．本シリーズが言語聴覚障害学の過去，現在を，未来につなげることに寄与できれば，幸いである．

最後に，ご執筆いただいた方々に心から感謝申しあげたい．併せて，刊行に関してご尽力いただいた医学書院編集部に深謝申しあげる．

2009年3月

シリーズ監修
藤田郁代

[注1] 現在は『地域言語聴覚療法学』『言語聴覚療法 評価・診断学』が加わり，全9巻となっている．
(2020年12月)

[注2] 本シリーズでは全体の構成を見直した結果，「Topics」「Side Memo」欄を「Note」欄に統一，また章末の「Key Point」を廃止し新たに言語聴覚士養成教育ガイドラインに沿った「学修の到達目標」を章頭に設けることとした．
(2020年10月)

第3版の序

　言語聴覚障害学シリーズの「失語症学」第2版が出版されてから7年が経過した．この第3版は，その後の学問および臨床技術の進歩や，失語症臨床を取り巻く環境変化を踏まえて内容を更新すると同時に追加し，大幅な改訂を経て出版された．したがって，3版の内容の大部分は新しいものとなっている．装丁も一新したことからこの改訂が特別なものであることをわかっていただけると思う．

　今回の改訂では，事例を増やすなどして，実際の臨床との関連付けがしやすくなるよう工夫している．また第3版から，各章の始めに学修の「到達目標」を設定することとした．これは(一社)日本言語聴覚士協会が2018年に発表した「言語聴覚士養成教育ガイドライン」を参照しており，言語聴覚士を目指す学生の知識・技術の整理に役立つものと思われる．

　本書の初版は2009年に出版されたが，当時と比較して失語症学や失語症言語治療の進歩およびそれを取り巻く環境変化には著しいものがある．たとえば，機能的MRIや拡散テンソルトラクトグラフィーなどにみられる画像技術の進歩は，言語の神経ネットワークや失語症の回復メカニズムについて新しい知見をもたらしている．失語症言語治療においては，クライエント中心とエビデンスに基づく臨床(Evidence-Based Practice)が定着し，機能，活動，参加，背景要因のすべてに介入する包括的治療が浸透してきている．機能訓練においては認知神経心理学的アプローチが標準的治療として取り入れられると同時に，活動や参加を支援する社会的アプローチが重視されるようになった．また医療福祉においては，2014年に医療介護総合確保推進法が制定され，住み慣れた地域で医療・介護サービスを総合的に利用する地域包括ケアシステムの構築が進められており，失語症言語治療においても新しいサービス提供のあり方が模索されている．

　本書は，このような学問の進歩や環境変化を踏まえたものとなっているが，同時に失語症言語治療の基本となる普遍的な理論・技術について体系的にわかりやすく解説している．各章は，基礎的知識・技術を理解した

うえで，その実際的な臨床応用について学べるよう，段階的に構成されている．具体的には，1〜3章では，失語症言語治療の基礎となる知識や臨床の基本概念を説明し，4章と5章において失語症の症状と症候群について詳しく解説している．6〜10章では，評価・診断から訓練・指導・支援までの臨床の展開方法について，理論的根拠を示して実践的に解説している．テーマごとに紹介されている事例は，理論や技法を実際の臨床に適用する橋渡しになるものと思う．巻末の11章では，古代からの失語症の研究史が記述されている．

　本書は，言語聴覚士を志す学生のテキストとなることを念頭において作成しているが，基本的知識から最先端の理論・技術までを含んでおり，失語症言語治療に携わっている方や，各分野の専門家の関心にも応えることができると思われる．

　失語症言語治療に関する知見やエビデンスは，失語症がある人が直面している問題を科学的かつ人間的に追求する臨床・研究場面から生まれる．本書の作成においては，このような臨床・研究に実績がある方々を幅広く執筆者として迎え，標準テキストとして内容に偏りがないよう，基本的な理論・技法はすべて網羅することに努めた．失語症臨床への科学的な眼差しと，熱い思いをもってご執筆いただいた方々に心から感謝申し上げる．同時に，本書の完成にご尽力いただいた医学書院編集部の皆様に深謝申し上げたい．

2020年11月

編集
藤田郁代
立石雅子
菅野倫子

初版の序

　失語症の症状と思われる記述は，古代エジプトのパピルスにまで遡り，失語症は脳とことばの関係を解き明かす緒として，長き時代に渡って研究者の関心を集めてきた．失語症の病態の解明が飛躍的に進んだのは19世紀であり，BrocaやWernickeの活躍に負うところが大きく，すでにこの時代に現在へと続く失語症理論の基礎が築かれた．その後，失語症の病態や発現機序に関する研究は，神経心理学，脳科学，画像診断技術などの進展もあり，着実に進んできた．一方，失語症からの回復に焦点が当てられ，失語症がある人々への言語治療が始まり，本格的な治療研究がみられるようになったのは第二次世界大戦後のことである．このように，失語症の治療研究の歴史は比較的に浅いが，言語治療を専門的に担う職種（言語聴覚士）が誕生することにより治療に関する研究はめざましく進み，現在では失語症の評価・診断・治療について多くのことが学べるようになった．

　本書は，失語症研究の発展の歴史を踏まえ，失語症の基礎と臨床に関する主要な理論と技法を体系化し，臨床に役立つようわかりやすく解説してある．特徴的なことは，評価・診断・治療に多くの頁を割り当て，機能，活動，参加といった幅広い視点から失語症がある人にどのような治療を提供できるかが解説されていることである．特に，評価結果をもとに方針を設定し，治療を実施するプロセスについては，できるだけくわしく説明し，事例を通して具体的に理解できるよう配慮した．治療理論や技法に関しては，現在の臨床で広く用いられている主要なものを整理して網羅した．これらには，適用や効果について科学的検証を経たものだけでなく，その検証が現在，進行中のものも含まれる．学ぶとは，すでに解決され，共通認識となっていることを理解すると同時に，これから解決すべき問題と向かうべき方向を見極め，新たな知と技を創出できるようになることであるので，このような方針をとった．

　本書は，言語聴覚士を志す学生のテキストとなることを念頭において著されており，内容は基本的知識から最先端の情報までを含んでいる．

本書は初学者のほか，専門分野の新しい知識を得たいと願っている言語聴覚士，関連職種，近接領域の学生や研究者にも役立つことと思われる．

　執筆者は，失語症に関する研究や臨床に第一線で取り組んでこられた医師，言語聴覚士，近接領域の研究者である．本書をお読みになれば，治療法の究明は，病態や発現メカニズムの解明が終わってから始まるのではなく，両研究は緊密な関係にあり，相互に影響を及ぼし合いながら進むことがおわかりいただけるであろう．

　最後に，失語症臨床への科学的な眼差しと，熱い思いをもってご執筆いただいた方々に心から感謝申しあげたい．同時に，本書の刊行にご尽力いただいた医学書院編集部の方々に深謝申しあげる．

2009 年 3 月

編集
藤田郁代
立石雅子

目次

第1章 失語症と言語聴覚士の役割 ……（藤田郁代）1
1. 失語症の定義 …… 2
2. 失語症と区別されるコミュニケーション障害 …… 2
3. 失語症臨床における言語聴覚士の役割 …… 2

第2章 言語と脳 …… 5

1 言語の構造 ……（井原浩子）6
- Ⓐ 言語の性質 …… 6
- Ⓑ 音韻 …… 6
- Ⓒ 語 …… 7
  1. 語の構造 …… 7
  2. 心的辞書 …… 8
- Ⓓ 句・文 …… 9
- Ⓔ 談話 …… 10

2 言語の神経学的基盤 ……（松田 実）11
- Ⓐ 左右の半球と脳梁 …… 11
  1. 両半球の働きと脳梁 …… 11
  2. 利き手と言語側性化の関係 …… 11
- Ⓑ 脳構造の成り立ち …… 12
  1. 脳回とブロードマンの大脳地図 …… 12
  2. 大脳の前方と後方―出力系と入力系 …… 12
  3. 一次皮質と連合野 …… 12
- Ⓒ 高次脳機能の大脳における局在をめぐって …… 15
  1. 全体論と局在論 …… 15
  2. 責任病巣の推定方法 …… 16
  3. 症状や機能の水準と神経基盤との関係についての原則 …… 16
  4. 陰性症状と陽性症状と責任病巣 …… 16
- Ⓓ 言語を支える神経基盤 …… 17
  1. 傍シルヴィウス裂言語領域 …… 17
  2. その他の言語関連領域 …… 21
- Ⓔ 言語機能や言語症状からみた神経基盤 …… 23
  1. 全体的展望：古典的失語図式から言語の二重経路モデルへ …… 23
  2. 言語出力系とその障害に対応する神経基盤 …… 24
  3. 言語入力処理の神経基盤 …… 26
  4. 言語入力から出力への変換を担う神経基盤 …… 27
  5. 喚語を支える神経基盤 …… 28
  6. 言語を支える神経基盤のまとめ …… 29
- Ⓕ 古典的失語分類における2つの軸と失語型に対する考え方 …… 29

3 脳血管性の失語と変性疾患の失語 ……（松田 実）31
- Ⓐ 血管症候群としての古典的失語症候群 …… 31
- Ⓑ 変性疾患の失語 …… 31

第3章 失語症の原因疾患 ……………………………………………………（永井知代子） 33

A 脳血管障害 …………………………… 34
1. 脳梗塞 ……………………………… 34
2. 脳出血 ……………………………… 35
3. くも膜下出血 ……………………… 35
4. その他の脳血管障害 ……………… 35

B 頭部外傷 ……………………………… 36

C 中枢神経の炎症性疾患 ……………… 36
D 一過性脳虚血発作 …………………… 37
E てんかん ……………………………… 37
F 脳腫瘍 ………………………………… 37
G 変性疾患 ……………………………… 38
1. 変性疾患の臨床分類 ……………… 38
2. 原発性進行性失語 ………………… 39

第4章 失語症の症状 ………………………………………………………………… 41

1 言語症状 …………………………（菅野倫子） 42

A 発話の障害 …………………………… 42
1. 意図性と自動性の乖離 …………… 42
2. 失語症における発話の流暢性の障害 … 43
3. 構音とプロソディの障害 ………… 43
4. 喚語障害 …………………………… 45
5. 統語障害 …………………………… 47
6. ジャルゴン ………………………… 48
7. 再帰性発話 ………………………… 48
8. その他の発話症状 ………………… 49

B 聴覚的理解の障害 …………………… 49
1. 語音認知の障害 …………………… 49
2. 単語の意味理解障害 ……………… 49
3. 統語理解障害 ……………………… 50
4. 文の理解と聴覚言語性短期記憶 … 50

C 復唱の障害 …………………………… 51
1. 復唱障害の発現機序 ……………… 51
2. 意味理解を伴わない復唱 ………… 52
3. 反響言語と補完現象 ……………… 52

D 読字の障害 …………………………… 53
1. 読解の障害 ………………………… 53
2. 音読の障害 ………………………… 54

E 書字の障害 …………………………… 55
1. 自発書字の障害 …………………… 55
2. 書き取りの障害 …………………… 56
3. 錯書の種類 ………………………… 56

F 数・計算の障害 ……………………… 56
1. 数字の操作能力の障害 …………… 56
2. 計算（演算）の障害 ……………… 56

2 失語症の近縁症状 ………………（小野久里子） 57

A 無動無言症 …………………………… 57
B 保続 …………………………………… 57
1. 保続の種類 ………………………… 58
2. 失語症患者の意図性保続の言語症状 … 58
3. 失語症患者の意図性保続の発現機序 … 58
4. 保続の言語治療 …………………… 59

C 反復言語，語間代，後天性吃音 …… 59
1. 反復言語 …………………………… 59
2. 語間代 ……………………………… 59
3. 後天性吃音 ………………………… 59

D 外国人様アクセント症候群 ………… 60

3 失語症に随伴しやすい障害 ……（佐藤睦子） 61

A 神経学的症状 ………………………… 61
1. 意識障害 …………………………… 61
2. 見当識障害 ………………………… 62
3. 運動障害 …………………………… 62
4. 体性感覚障害 ……………………… 62
5. 視野障害 …………………………… 62

B 運動障害性構音障害 ………………… 62
C 失行 …………………………………… 63
1. 構成失行（構成障害） …………… 63

2. 口部顔面失行 …………………………… 64
  3. 観念失行・観念運動失行 ……………… 64
  4. 肢節運動失行 …………………………… 64
 Ⓓ 失認 ……………………………………… 65
  1. 視覚性失認 ……………………………… 65
  2. 聴覚性失認 ……………………………… 66
  3. 病態失認 ………………………………… 66
  4. 身体部位失認 …………………………… 66
 Ⓔ アパシー・抑うつ ……………………… 66
 Ⓕ 記憶障害 ………………………………… 67
  1. 陳述記憶と非陳述記憶 ………………… 68
  2. 短期記憶と長期記憶 …………………… 69
  3. 前向性記憶と逆向性記憶 ……………… 69
  4. 登録・把持・再生 ……………………… 69
  5. 展望記憶と回想記憶 …………………… 69
  6. 記憶の神経学的基盤 …………………… 69
 Ⓖ 半側空間無視 …………………………… 70

第5章 失語症候群 …………………………………… 73

1 失語症候群の成り立ち ……（水田秀子） 74
 Ⓐ 古典論の成立 …………………………… 74
 Ⓑ ボストン学派による分類 ……………… 75
 Ⓒ 古典分類の有用性と限界 ……………… 75

2 ブローカ失語 ………………（水田秀子） 76
  1. 基本概念・症状 ………………………… 76
  2. 病巣 ……………………………………… 77
  3. 随伴しやすい症状 ……………………… 78
  4. 鑑別診断 ………………………………… 78
  5. 予後・回復 ……………………………… 78
  6. 事例：軽度ブローカ失語 ……………… 78

3 ウェルニッケ失語 …………（水田秀子） 79
  1. 基本概念・症状 ………………………… 79
  2. 病巣 ……………………………………… 82
  3. 随伴しやすい症状 ……………………… 82
  4. 評価・診断 ……………………………… 82
  5. 予後・回復 ……………………………… 82
  6. 事例：中等度ウェルニッケ失語 ……… 82

4 伝導失語 ……………………（水田秀子） 83
  1. 基本概念・症状 ………………………… 83
  2. 病巣 ……………………………………… 85
  3. 随伴しやすい症状 ……………………… 85
  4. 鑑別診断 ………………………………… 85
  5. 予後・回復 ……………………………… 85
  6. 事例：軽度伝導失語 …………………… 85

5 健忘失語（失名辞失語） …（水田秀子） 86
  1. 基本概念・症状 ………………………… 86
  2. 病巣 ……………………………………… 87
  3. 随伴しやすい症状 ……………………… 87
  4. 鑑別診断 ………………………………… 87
  5. 予後・回復 ……………………………… 87
  6. 事例：健忘失語 ………………………… 87
  7. 音韻性失名詞 …………………………… 88
  8. 事例：音韻性失名詞 …………………… 89

6 超皮質性失語 ………………（目黒祐子） 90
 Ⓐ 超皮質性運動失語 ……………………… 90
  1. 基本概念・症状 ………………………… 90
  2. 病巣 ……………………………………… 90
  3. 随伴しやすい症状 ……………………… 91
  4. 鑑別診断 ………………………………… 91
  5. 予後・回復 ……………………………… 91
  6. 事例：超皮質性運動失語（TCMA） …… 91
 Ⓑ 超皮質性感覚失語 ……………………… 92
  1. 基本概念・症状 ………………………… 92
  2. 病巣 ……………………………………… 92
  3. 随伴しやすい症状 ……………………… 92
  4. 予後・回復 ……………………………… 93
  5. 鑑別診断 ………………………………… 93
  6. 事例：超皮質性感覚失語（TCSA） …… 93

- Ⓒ 混合型超皮質性失語（言語野孤立症候群）⋯94
  1. 基本概念・症状⋯⋯⋯⋯⋯⋯⋯⋯⋯⋯⋯94
  2. 病巣⋯⋯⋯⋯⋯⋯⋯⋯⋯⋯⋯⋯⋯⋯⋯95
  3. 鑑別診断⋯⋯⋯⋯⋯⋯⋯⋯⋯⋯⋯⋯⋯95
  4. 予後・回復⋯⋯⋯⋯⋯⋯⋯⋯⋯⋯⋯⋯95
  5. 事例：混合型超皮質性失語（MTCA）⋯⋯95

7 全失語⋯⋯⋯⋯⋯⋯⋯⋯⋯⋯（目黒祐子）98
  1. 基本概念・症状⋯⋯⋯⋯⋯⋯⋯⋯⋯⋯⋯98
  2. 病巣⋯⋯⋯⋯⋯⋯⋯⋯⋯⋯⋯⋯⋯⋯⋯98
  3. 鑑別診断⋯⋯⋯⋯⋯⋯⋯⋯⋯⋯⋯⋯⋯98
  4. 随伴しやすい症状⋯⋯⋯⋯⋯⋯⋯⋯⋯⋯98
  5. 予後・回復⋯⋯⋯⋯⋯⋯⋯⋯⋯⋯⋯⋯98
  6. 事例：全失語⋯⋯⋯⋯⋯⋯⋯⋯⋯⋯⋯99

8 交叉性失語⋯⋯⋯⋯⋯⋯⋯⋯⋯（田村　至）101
  1. 基本概念⋯⋯⋯⋯⋯⋯⋯⋯⋯⋯⋯⋯⋯101
  2. 症状・発症メカニズム⋯⋯⋯⋯⋯⋯⋯⋯101
  3. 事例：交叉性失語⋯⋯⋯⋯⋯⋯⋯⋯⋯102

9 皮質下性失語⋯⋯⋯⋯⋯⋯⋯⋯（森岡悦子）103
  1. 基本概念⋯⋯⋯⋯⋯⋯⋯⋯⋯⋯⋯⋯⋯103
  2. 線条体失語⋯⋯⋯⋯⋯⋯⋯⋯⋯⋯⋯⋯103
  3. 視床性失語⋯⋯⋯⋯⋯⋯⋯⋯⋯⋯⋯⋯105
  4. 鑑別診断⋯⋯⋯⋯⋯⋯⋯⋯⋯⋯⋯⋯⋯105
  5. 事例：視床性失語⋯⋯⋯⋯⋯⋯⋯⋯⋯106

10 純粋型⋯⋯⋯⋯⋯⋯⋯⋯⋯⋯⋯⋯⋯⋯108
- Ⓐ 純粋語聾⋯⋯⋯⋯⋯⋯⋯⋯⋯（能登谷晶子）108
  1. 基本概念・症状⋯⋯⋯⋯⋯⋯⋯⋯⋯⋯108
  2. 病変部位・発症メカニズム⋯⋯⋯⋯⋯⋯108
  3. 評価・鑑別診断⋯⋯⋯⋯⋯⋯⋯⋯⋯⋯109
  4. 訓練・指導・支援⋯⋯⋯⋯⋯⋯⋯⋯⋯111
  5. 事例：純粋語聾⋯⋯⋯⋯⋯⋯⋯⋯⋯⋯112
- Ⓑ 純粋型の発語失行（失構音）⋯（藤原加奈江）113
  1. 基本概念⋯⋯⋯⋯⋯⋯⋯⋯⋯⋯⋯⋯⋯113
  2. 症状⋯⋯⋯⋯⋯⋯⋯⋯⋯⋯⋯⋯⋯⋯⋯113
  3. 病変部位⋯⋯⋯⋯⋯⋯⋯⋯⋯⋯⋯⋯⋯114
  4. 発症メカニズム⋯⋯⋯⋯⋯⋯⋯⋯⋯⋯114
  5. 鑑別診断⋯⋯⋯⋯⋯⋯⋯⋯⋯⋯⋯⋯⋯114
  6. 事例：純粋型の発語失行（失構音）⋯⋯⋯114
- Ⓒ 純粋失読⋯⋯⋯⋯⋯⋯⋯⋯⋯⋯（春原則子）116
  1. 基本概念⋯⋯⋯⋯⋯⋯⋯⋯⋯⋯⋯⋯⋯116
  2. 原因と発生メカニズム⋯⋯⋯⋯⋯⋯⋯⋯116
  3. 症状⋯⋯⋯⋯⋯⋯⋯⋯⋯⋯⋯⋯⋯⋯⋯117
  4. 評価・診断⋯⋯⋯⋯⋯⋯⋯⋯⋯⋯⋯⋯118
  5. 訓練・指導・支援⋯⋯⋯⋯⋯⋯⋯⋯⋯119
  6. 事例：重度純粋失読⋯⋯⋯⋯⋯⋯⋯⋯⋯119
- Ⓓ 純粋失書⋯⋯⋯⋯⋯⋯⋯⋯⋯⋯（遠藤佳子）120
  1. 基本概念・症状⋯⋯⋯⋯⋯⋯⋯⋯⋯⋯120
  2. 病変部位・発症メカニズム⋯⋯⋯⋯⋯⋯121
  3. 評価・診断⋯⋯⋯⋯⋯⋯⋯⋯⋯⋯⋯⋯122
  4. 訓練・指導・支援⋯⋯⋯⋯⋯⋯⋯⋯⋯123
  5. 事例：純粋失書⋯⋯⋯⋯⋯⋯⋯⋯⋯⋯123
- Ⓔ 失読失書⋯⋯⋯⋯⋯⋯⋯⋯⋯⋯（新貝尚子）125
  1. 基本概念⋯⋯⋯⋯⋯⋯⋯⋯⋯⋯⋯⋯⋯125
  2. 原因と発生メカニズム⋯⋯⋯⋯⋯⋯⋯⋯125
  3. 症状⋯⋯⋯⋯⋯⋯⋯⋯⋯⋯⋯⋯⋯⋯⋯125
  4. 評価・診断⋯⋯⋯⋯⋯⋯⋯⋯⋯⋯⋯⋯126
  5. 訓練・指導・支援⋯⋯⋯⋯⋯⋯⋯⋯⋯126
  6. 事例：側頭葉後下部型失読失書⋯⋯⋯⋯126
- Ⓕ 失読および失書への認知神経心理学的アプローチ⋯⋯⋯⋯⋯⋯⋯⋯（春原則子）128
  1. 表層失読と表層失書⋯⋯⋯⋯⋯⋯⋯⋯⋯128
  2. 音韻失読と音韻失書⋯⋯⋯⋯⋯⋯⋯⋯⋯129
  3. 深層失読と深層失書⋯⋯⋯⋯⋯⋯⋯⋯⋯130
  4. 日本語話者の場合⋯⋯⋯⋯⋯⋯⋯⋯⋯⋯130

11 原発性進行性失語（進行性失語）
⋯⋯⋯⋯⋯⋯⋯⋯⋯⋯⋯⋯（菅野倫子）132
- Ⓐ 基本概念・症状⋯⋯⋯⋯⋯⋯⋯⋯⋯⋯⋯132
  1. 非流暢/失文法型原発性進行性失語⋯⋯⋯133
  2. 意味型原発性進行性失語⋯⋯⋯⋯⋯⋯⋯134
  3. ロゴペニック型原発性進行性失語⋯⋯⋯⋯135
- Ⓑ 評価・診断⋯⋯⋯⋯⋯⋯⋯⋯⋯⋯⋯⋯⋯136
- Ⓒ 訓練・指導・支援⋯⋯⋯⋯⋯⋯⋯⋯⋯⋯137
  1. 言語維持訓練⋯⋯⋯⋯⋯⋯⋯⋯⋯⋯⋯138
  2. コミュニケーション手段の指導⋯⋯⋯⋯⋯139

3. 家族・介護者への指導 ……………………… 139
　Ⓓ 社会参加 ……………………………………………… 140
　Ⓔ 事例：非流暢/失文法型 PPA …………… 140

第6章 失語症の言語聴覚療法の全体像 ………………………………………（藤田郁代）143

　Ⓐ 基本的概念 …………………………………… 144
　　1. 生きること全体を視野に入れた包括的介入：
　　　 ICFと失語症の言語治療 ………………… 144
　　2. クライエント中心の言語聴覚療法 …… 145
　　3. エビデンスに基づく言語聴覚療法 …… 146
　　4. チーム・アプローチ …………………… 146
　Ⓑ 失語症の言語治療のプロセス …………… 147
　　1. 評価・診断 ……………………………… 147
　　2. 訓練・支援 ……………………………… 147
　　3. アウトカムの評価 ……………………… 148
　　4. 訓練・支援の終了 ……………………… 148
　Ⓒ 言語聴覚療法の提供体制 ………………… 148
　　1. 急性期 …………………………………… 148
　　2. 回復期 …………………………………… 149
　　3. 生活期(維持期) ………………………… 149
　Ⓓ 失語症者とのコミュニケーションのとり方
　　………………………………………………… 150
　　1. 基本的態度 ……………………………… 150
　　2. 話しかけ方(理解) ……………………… 151
　　3. ことばの引き出し方(表出) …………… 151

第7章 失語症の評価・診断 ……………………………………………………………………… 153

1 失語症の評価・診断 ……………（藤田郁代）154
　Ⓐ 評価・診断の原則 ………………………… 154
　Ⓑ 評価・診断の目的 ………………………… 154
　Ⓒ 評価・診断のプロセス …………………… 155
　Ⓓ 評価の対象 ………………………………… 155
　　1. 評価の領域 ……………………………… 156
　　2. 収集する情報 …………………………… 156
　Ⓔ 評価の方法 ………………………………… 156
　　1. フォーマルな評価 ……………………… 157
　　2. インフォーマルな評価 ………………… 157
　Ⓕ 急性期，回復期，生活期における
　　 評価の特徴 ………………………………… 158
　　1. 急性期 …………………………………… 158
　　2. 回復期 …………………………………… 158
　　3. 生活期(維持期) ………………………… 158

2 情報収集 ……………………………………… 158
　Ⓐ 言語・コミュニケーション面の情報
　　………………………………………（阿部晶子）158
　　1. インテーク面接(初回面接) …………… 159
　　2. スクリーニング検査(鑑別検査) ……… 160
　　3. 総合的失語症検査 ……………………… 161
　　4. 特定検査(掘り下げ検査) ……………… 162
　　5. 活動・参加の評価 ……………………… 165
　Ⓑ 認知機能の情報 ……………………（阿部晶子）167
　　1. 知的機能 ………………………………… 167
　　2. 行為 ……………………………………… 167
　　3. 視覚認知 ………………………………… 167
　　4. 視空間認知 ……………………………… 168
　　5. 構成 ……………………………………… 168
　　6. 注意 ……………………………………… 168
　　7. 記憶 ……………………………………… 168
　Ⓒ 医学面の情報 ………………………（鈴木匡子）168
　　1. 病歴のとり方 …………………………… 169
　　2. 神経学的診察 …………………………… 170
　　3. 画像診断 ………………………………… 171
　　4. その他の検査 …………………………… 173
　　5. 医学的治療と予後 ……………………… 173
　　6. 禁忌 ……………………………………… 175
　Ⓓ 関連行動面の情報 …………………（阿部晶子）175
　　1. 理学療法士，作業療法士からの情報 … 175
　　2. 看護師からの情報 ……………………… 176

3. 医療ソーシャルワーカーからの情報 …… 177
　　4. 心理専門職(臨床心理士，公認心理師)からの情報 …………………………………… 177
　Ⓔ 社会・心理面の情報 ………(阿部晶子) 177

3 情報の統合と評価のまとめ ……(阿部晶子) 178
　Ⓐ 失語症タイプと重症度の判定 …………… 179
　Ⓑ 問題点の抽出 …………………………… 179
　Ⓒ 予後予測および言語治療の適応判断 …… 179
　Ⓓ 言語治療方針の決定 …………………… 179
　Ⓔ 評価サマリーの作成 …………………… 180
　　1. 初期評価 ……………………………… 180
　　2. 再評価(アウトカムの評価) ………… 184

　Ⓕ 評価結果の報告 ………………………… 184
　　1. ケースカンファレンスにおける報告 …… 184
　　2. 本人・家族への説明 ………………… 185

4 鑑別診断 ……………………(小森規代) 185
　Ⓐ 鑑別診断の方法 ………………………… 185
　Ⓑ 関連障害との鑑別 ……………………… 186
　　1. 運動障害性構音障害との鑑別 ………… 186
　　2. 頭部外傷・右半球病変によるコミュニケーション障害との鑑別 …… 187
　　3. 認知症など神経変性疾患によるコミュニケーション障害との鑑別 …… 187
　　4. 純粋型の発語失行(失構音)との鑑別 …… 188

第8章 失語症の回復過程 …………………………………………………………………… 191

1 失語症の神経学的回復メカニズム
　　　　　　　　　　　　　　……(船山道隆) 192
　Ⓐ 失語症の神経学的回復機序の基本概念 …… 192
　Ⓑ 長期予後予測研究からみる失語症の回復に影響する神経基盤 ……………………… 193
　　1. 言語訓練を行った例の予後予測研究から … 193
　　2. 言語訓練を行った例の長期観察研究から … 194
　Ⓒ 症例研究：左半球言語野の損傷で失語症を呈し，回復していたものの右半球への2度目の損傷で回復した言語機能が消失した症例
　　　　　　　　　　　　　　………………… 194
　Ⓓ 研究手法 ………………………………… 195
　　1. MRI拡散強調画像や機能画像 ………… 195
　　2. 失語症の神経学的回復機序への示唆 …… 195

2 失語症の言語・コミュニケーションの回復
　　　　　　　　　　　　　　……(藤田郁代) 196
　Ⓐ 言語・コミュニケーションの回復過程 …… 196
　　1. 初期の回復 …………………………… 196
　　2. 慢性期における回復 ………………… 197
　Ⓑ 言語・コミュニケーション行動の回復メカニズム …………………………… 198
　　1. 言語治療のストラテジー ……………… 198
　　2. 神経学的可塑性と言語治療の関連性 …… 198
　Ⓒ 失語症の予後に関連する要因 …………… 199

第9章 失語症の言語治療の理論と技法 …………………………………………………… 203

1 言語治療の基本原則 ……………………… 204
　Ⓐ 言語治療の枠組み ………(藤田郁代) 204
　　1. 言語治療の目標とアウトカムの評価 …… 204
　　2. 包括的介入—言語治療の側面 ………… 204
　　3. クライエント中心の臨床 ……………… 206
　　4. エビデンスに基づく臨床：EBP ……… 206

　　5. 人生の全ステージにわたる介入 ……… 207
　Ⓑ 病期別の言語聴覚療法 ……(藤田郁代) 207
　　1. 急性期の言語治療 …………………… 208
　　2. 回復期の言語治療 …………………… 209
　　3. 生活期の言語治療 …………………… 209

- **C** 言語治療計画の立案……………（藤田郁代）209
  1. 言語治療の適応……………………………210
  2. 目標の設定…………………………………210
  3. 言語治療方針の決定―ストラテジーと
     プログラム…………………………………211
  4. 期間と頻度…………………………………211
- **D** リハビリテーションにおける連携
  ………………………………（立石雅子）212
  1. 言語聴覚士の職務を規定する枠組み……212
  2. 失語症対応における職種間連携…………213
- **E** 安全管理………………………（立石雅子）215
  1. 失語症のリハビリテーションにおいて
     起こりうるリスクの原因と対応…………216
  2. インシデント・レポート…………………218

2 言語治療の理論と技法……………………218
- **A** 刺激法…………………………（藤田郁代）219
  1. Schuell らの刺激法………………………220
  2. ディブロッキング法（遮断除去法）……221
- **B** 行動変容アプローチ（プログラム学習法）
  …………………………………（熊倉真理）222
  1. 基本概念……………………………………222
  2. プログラム学習の活用例…………………223
- **C** 機能再編成法…………………（藤田郁代）226
- **D** 語用論的アプローチ…………（吉畑博代）227
  1. 基本概念……………………………………227
  2. 語用論的アプローチによる取り組み……227
- **E** メロディック・イントネーション・
  セラピー…………（藤田郁代・藤原加奈江）231
  1. 背景…………………………………………231
  2. 目的と基本原理……………………………231
  3. MIT の訓練プログラム……………………232
  4. MIT の適応…………………………………232
  5. MIT の根拠…………………………………232
  6. MIT の日本語への適用……………………232
  7. MIT の効果…………………………………234
- **F** 認知神経心理学的アプローチ…（藤田郁代）234
  1. 認知神経心理学的アプローチとは………234
  2. 語彙障害への認知神経心理学的アプローチ
     ………………………………………………235
  3. 相互活性化モデルに基づく呼称障害の見かた
     ………………………………………………238
  4. 呼称障害の評価・診断……………………238
  5. 呼称障害の言語治療………………………239
- **G** 社会的アプローチ……………（吉畑博代）241
  1. 基本概念……………………………………241
  2. 社会的アプローチの取り組み……………242
- **H** CI 言語療法……………………（藤田郁代）245
- **I** 非侵襲性脳刺激………………（内田信也）246
  1. 経頭蓋磁気刺激（TMS）…………………246
  2. 経頭蓋直流電流刺激（tDCS）……………247
  3. Naeser らの rTMS 研究……………………247
  4. TMS，tDCS の危険性………………………249

第10章 失語症の言語治療の実際……………251

1 急性期の評価・訓練・支援………（立石雅子）252
- **A** 急性期の評価…………………………………252
  1. 情報収集について…………………………253
- **B** 急性期の訓練・指導・支援…………………257
  1. 訓練・指導・支援の目的…………………257
  2. 働きかけの実際……………………………257
- **C** 急性期の安全管理……………………………258
  1. 基本的事項…………………………………258
  2. 容体急変時の対応…………………………258
  3. 危険行為の防止……………………………259
  4. 働きかけの内容に関する配慮……………259
  5. 心理面への配慮……………………………259
  6. 急性期の事例………………………………259

2 機能回復訓練………………………………261
- **A** 語彙訓練………………………（奥平奈保子）261
  1. 基本概念……………………………………261
  2. 単語の情報処理モデル……………………261

3. 語彙障害の症状・評価・診断 …………… 262
　　4. 訓練・指導・支援 ………………………… 266
　　5. 訓練般化と実用的コミュニケーション能力について ………………………………… 268
　　6. 事例 ………………………………………… 269
　Ⓑ **構文訓練** ……………（藤田郁代・菅野倫子）272
　　1. 文の仕組み ………………………………… 272
　　2. 統語機能障害の基本概念と症状 ………… 273
　　3. 統語機能の評価 …………………………… 279
　　4. 統語機能の訓練 …………………………… 280
　　5. 統語機能障害を呈した事例 ……………… 284
　Ⓒ **文字・音韻訓練** ………………（中村　光）287
　　1. 文字・音韻障害の基本概念と症状 ……… 287
　　2. 評価 ………………………………………… 287
　　3. 訓練・指導・支援 ………………………… 289
　　4. 失語と失読失書が合併した事例 ………… 295
　Ⓓ **発語失行（失構音）訓練** ……（藤原加奈江）296
　　1. 基本概念 …………………………………… 296
　　2. 症状 ………………………………………… 297
　　3. 評価 ………………………………………… 299
　　4. 訓練 ………………………………………… 301
　　5. 事例 ………………………………………… 303

3 活動・参加訓練 …………………………… 305
　Ⓐ **実用的コミュニケーション訓練**
　　　　　　　　　　　　……（坊岡峰子）305
　　1. 基本原則 …………………………………… 305
　　2. 評価 ………………………………………… 305
　　3. 訓練・指導・支援 ………………………… 307
　　4. 事例 ………………………………………… 309
　Ⓑ **心理・社会的問題の支援** ……（坊岡峰子）315
　Ⓒ **重度失語症の訓練** ……………………… 318
　　1. 重度失語症の特徴 ……………（吉田　敬）318
　　2. 基本原則 …………………………………… 319
　　3. 評価 ………………………………………… 319
　　4. 訓練・指導・支援 ………………………… 320
　　5. 事例：重度失語症 ……………（村西幸代）321

4 生活適応期の訓練・支援 ………（東川麻里）324
　Ⓐ 生活適応期とは何か …………………… 324
　Ⓑ 通所系・訪問系サービスにおける
　　評価・訓練・支援 ……………………… 325
　　1. 評価 ………………………………………… 325
　　2. 訓練・支援 ………………………………… 327

5 社会復帰 ……………………………（立石雅子）329
　Ⓐ 社会復帰とは何か ……………………… 329
　　1. 職業復帰率 ………………………………… 329
　　2. 失語症のある人の生活期の状況 ………… 330
　　3. 社会適応に関する調査結果 ……………… 331
　Ⓑ 言語聴覚士の役割 ……………………… 331
　　1. 職業復帰 …………………………………… 331
　　2. 家庭復帰 …………………………………… 332

6 言語治療結果のまとめと報告 ……（小嶋知幸）334
　Ⓐ 言語訓練記録の取り方 ………………… 334
　　1. 電子カルテ時代における言語訓練記録の
　　　あり方 …………………………………… 334
　　2. 言語訓練記録のポイント ………………… 334
　Ⓑ 言語治療サマリーの作成 ……………… 335
　　1. 目的 ………………………………………… 335
　　2. 構成（項目立て） ………………………… 335
　Ⓒ ケースカンファレンスにおける報告 …… 337
　　1. 基本原則 …………………………………… 337
　　2. プレゼン能力 ……………………………… 337
　　3. 日ごろからのスタッフ間コミュニケーション
　　　………………………………………………… 337
　Ⓓ 本人・家族への説明 …………………… 338
　　1. 基本原則 …………………………………… 338
　　2. 説明の範囲 ………………………………… 338
　　3. 改善経過についての説明 ………………… 338
　　4. 予後についての説明 ……………………… 338

第11章 失語症研究の歴史　　　　　　　　　　（種村　純）339

- Ⓐ はじめに ……………………………… 340
- Ⓑ 失語研究前史 ………………………… 340
  1. 古代 …………………………………… 340
  2. ルネサンス期 ………………………… 340
  3. 17世紀 ………………………………… 340
  4. 18世紀 ………………………………… 341
- Ⓒ 古典論の成立 ………………………… 341
- Ⓓ 古典論に対する批判，知性論 ……… 343
- Ⓔ 局在論の復活と展開 ………………… 344
- Ⓕ 失語症評価の歴史的展開 …………… 345
  1. 失語症状の臨床的評価法 …………… 345
  2. 標準的失語症検査 …………………… 346
- Ⓖ 失語症治療介入法の歴史と言語病理学の成立 ………………………………… 346
  1. 19世紀まで …………………………… 346
  2. 20世紀前半 …………………………… 347
  3. 20世紀後半 …………………………… 347
- Ⓗ わが国の失語症研究の歴史 ………… 349

参考図書　351
索引　353

Note 一覧

1. 介護保険主治医意見書の「短期記憶障害の有無」について　27
2. 病理診断名と臨床診断名　38
3. 「失外套症候群」「閉じ込め症候群」　57
4. 滞続言語　59
5. 症候群　75
6. 音声への符号化　77
7. 発話開始困難　77
8. 交感性失行 sympathetic dyspraxia　77
9. ブローカ野限局病巣では，どのような症状が起こるか？　78
10. 陰性症状と陽性症状　80
11. 空語句 empty phrase　80
12. 押韻常同パターン　80
13. 語聾　81
14. ジャルゴン失書　81
15. 復唱型と再生産型　84
16. 二方向性の失名辞　87
17. 様式特異性失名辞　87
18. カテゴリ（範疇）特異性失名辞　87
19. 範疇的態度の障害　87
20. tip of the tongue 現象　88
21. 語義失語　94
22. 非右利き（左利き，両手利き）の失語症　101
23. ダイアスキシス diaschisis　105
24. 非流暢/失文法型 PPA の多様な病型　134
25. PPA の病理学的背景　134
26. 医学モデルと社会モデル　144
27. 「できる活動」と「している活動」　145
28. 科学的根拠に基づく言語聴覚療法（EBP）　146
29. ダイアスキシス（遠隔機能障害）　197
30. A-FROM　204
31. レジリエンス　206
32. リスク管理　208
33. 単語の属性　235
34. 音韻出力辞書の2段階モデルと「音韻性失名詞」　265
35. ピラミッド・アンド・パームツリー・テスト pyramid and palm tree test　266
36. 文法的形態素　273
37. 非可逆文と可逆文　278
38. キーワード法の訓練効果機序　291
39. ISAAC（アイザック）　306
40. VOCA-PEN　313
41. リハビリテーション会議とサービス担当者会議　327
42. coping　331

第 1 章

失語症と言語聴覚士の役割

学修の到達目標

- 失語症の定義を説明できる.
- 失語症と区別すべき言語・コミュニケーション障害をあげることができる.
- 失語症がもたらす心理・社会的問題を説明できる.
- 失語症臨床における言語聴覚士の役割を説明できる.

1 失語症の定義

失語症 aphasia は，脳病変によって生じる後天的な言語機能の障害である．言語機能は，言語を構成する要素（音素や単語など）とその組み合わせに関する規則（音韻規則や統語規則など）を用いて意味を表現し，またその意味を解読することをいう．失語症の定義には，次の4つの要素が含まれる．

- 脳の言語領域の病変によって生じる
- 後天的障害である
- 言語機能の障害である
- 言語の表出と理解に関するすべての言語モダリティが障害される

言語機能は大脳の言語領域に支えられており，その領域がなんらかの疾患や外傷により損傷や病変をきたしたとき，失語症が発症する．言語機能に関与する脳領域としては左大脳半球のブローカ野やウェルニッケ野といった言語野が知られている．また近年の研究[1]では，これらの古典的言語野だけでなく，より多くの皮質領域からなる神経ネットワークが言語処理に関係することを明らかにしている．

失語症ではいったん獲得した言語機能が障害され，特徴的な症状が現れる．言語機能は音韻，意味，語彙，統語などの部門から構成され，各部門に失語症状が見られる．例えば音韻部門では音韻性錯語，語彙部門では喚語困難，統語部門では失文法といった症状がみられる．失語症では言語の表出と理解の両方が障害され，話す，聞く，書く，読むといったすべての言語モダリティが程度に差はあるが障害される．これによって，失語症は特定の入力系や出力系に限定された障害ではなく，すべての言語モダリティに共通する言語機能の障害であることがわかる．

2 失語症と区別されるコミュニケーション障害

言語によるコミュニケーションには，言語機能のほかに発声発語運動，感覚，注意・記憶・知能のような認知機能が関与している．したがって脳病変によってこのような運動，感覚，認知機能が障害されると，言語によるコミュニケーションに問題が生じる．このようなコミュニケーション障害として，運動障害性構音障害，右半球病変や脳外傷によるコミュニケーション障害，アルツハイマー病やパーキンソン病などの神経変性疾患によるコミュニケーション障害が挙げられる．これらのコミュニケーション障害は失語症とは異なり，言語機能は保たれている．失語症とこのようなコミュニケーション障害は訓練・支援方法が異なるので，区別する必要がある．

失語症の近縁障害として，単一の言語モダリティが障害されるタイプが存在する．これは純粋型と呼ばれ，純粋語聾，純粋失読，純粋失書，失読失書，純粋発語失行（失構音）が含まれる．このような障害は言語の限局された入力系または出力系の障害であり，言語機能自体が障害される失語症とは性質を異にする．

3 失語症臨床における言語聴覚士の役割

言語によるコミュニケーションは人間生活における重要な基盤をなしており，その障害は生活全般に影響を及ぼす．特に失語症は人生の途中で突然に発症するため生活や人生への影響が大きく，ことばが話せないといった言語の問題のほかに，職業に復帰できない，人間関係が変化する，心理的ショックが大きくうつ状態になるなど，多彩な問題が生じる．

失語症がある人（以降，失語症者）が直面する問題を ICF の概念的枠組みで捉えると，下記のように整理できる．

- **機能障害**：脳病変によって言語機能が障害され，喚語困難，失文法，聴覚的理解障害のような症状が生じる．
- **活動制限**：生活場面において言語を使用して意思を伝えることが困難となる．
- **参加制約**：社会(家庭や職場)への参加が困難となり，進路や生き方を選択する範囲が狭まる．

このほか失語症はその人の心理面にも影響し，無力感，悲哀，孤独，怒り，不安などをもたらす．活動や参加における問題の深刻さは，機能障害の程度のみによって決まるのではない．これは社会との関係性すなわち失語症者が生活しやすい環境がどの程度社会で整備されているかによっても決まる．

言語聴覚士の役割は，患者が直面しているすべての問題に言語・コミュニケーションの観点から包括的にアプローチし，問題の軽減または解決に向けて支援することである．

第 2 章

言語と脳

学修の到達目標

- 人間言語の特性を理解し，言語の構造と機能の基本概念を理解できる．
- 意味論，形態論，統語論，語用論の基本概念を説明できる．
- 日本語の言語構造の特性を説明できる．
- 脳の構造と機能の概要を説明できる．
- 脳機能の側性化，二重乖離，神経ネットワーク，局在論，全体論の基本概念を説明できる．
- 陰性症状，陽性症状および離断症状を説明できる．
- 脳病変部位マッピングの基本的方法を説明できる．
- 言語に関連する脳領域と血管支配を説明できる．
- 主要な言語症状と脳病変部位との関連性を説明できる．

1 言語の構造

A 言語の性質

　言語は一種の記号体系である．その最も小さい構成単位は「音」であり，「音」が組み合わさって「語」（正確には「形態素」）が構成され，「語」が組み合わさって「句」が構成され，さらに「句」が組み合わさって「文」が構成される，という階層性がみられる．逆からみると，「文」は意味をもつ「語」に分節され，「語」は意味をもたない「音」に分節される．このように二段構えで下位単位に分けることができる性質を**二重分節性**または**二重性**という．

　仮に言語が二重分節性をもたず，1つの音が1つの（語の）意味を表すとすると，語の数だけ音が必要になってしまう．また，文が意味をもつ語の組み合わせではないとすると，「猫がミルクを飲んだ」と「猫が魚を食べた」はまったく異なる音の連続で表され，文の意味の数だけ異なる音の連続が必要になってしまう．このように，言語が二重分節性をもつことで，限られた数の音を組み合わせて多くの語を作ることができ，さらに語を組み合わせることで無限に近い数の文を作ることができるのである．

　「語」は音形（**シニフィアン**，**能記**，記号表現）と意味（**シニフィエ**，**所記**，記号内容）からなるが，多くの場合，音形と意味の組み合わせには必然性がない．そのため，日本語では[neko]と呼ぶ動物を，英語では[kæt]という異なる音形で呼ぶのである．この性質を**言語の恣意性**という．言語の恣意性は語が指示するモノや出来事にもみられ，言語によって外界世界の分割の仕方（カテゴリー化）が異なる場合がある．例えば，日本語では「帽子を被る」，「服を着る」，「靴下を履く」，「手袋をはめる」，「カーディガンを羽織る」など着衣にかかわる動作を，身体のどこをどのように覆うかによってカテゴリー化し動詞を使い分けるが，英語では区別せず put on で表現する．一方，音形と意味の組み合わせに必然性がある関係を**有契性**または**有縁性**といい，時計の音〔チクタク（日），ticktack（英）〕や猫の鳴き声〔ニャー（日），meow（英）〕のような擬音語では言語が異なっても類似した音形で表されることが多い．また，擬態語では音形と意味（形）に有契性を示す音象徴という現象がみられる．例えば，/moma/，/kipi/ という音形はそれぞれ丸い形，尖った形と結びつき，逆ではないと感じる．この現象は 25 か月の幼児にすでにみられ，音象徴が子どもの言語獲得に重要な役割を果たしていると考えられている[1]．

　多くの「語」の音形と意味の組み合わせは恣意的であるが，言語を構成する各レベル（音＜語＜句＜文）の構成要素は無秩序に結合されるのではなく，一定の規則に従って結合される．例えば，同じ要素で構成されていても「猫が犬を追いかけた」と「犬が猫を追いかけた」は意味が異なり，「を犬が猫追いかけた」は日本語として許容されない．これは文を構成する名詞や助詞の並べかたに約束事があるからである．約束事は言語によって異なるが，句や文だけではなく語や音のレベルにもある．

　このような各レベルでの構成単位が一定の約束事に従って結合される性質を**言語の規則性**という．

B 音韻

　人は発声器官を使ってさまざまな音色の言語音を発する．ある言語で意味の違いをもたらす単音（母音，子音）を**音素**という．例えば，「線」

(/sen/)と「面」(/men/)という最小対(同じ位置,この場合は語頭で単音が1つだけ異なる単語の対)から/s/と/m/はそれぞれ異なる音素であることがわかる.しかし,物理的に異なる音声がすべて異なる音として機能しているわけではない.例えば日本語の「ん」で表される音は,後に①[b][p]などの両唇音が続く場合は[m](例;憲法[kempo:]),②[d][t]などの歯茎音が続く場合は[n](例:剣道[kendo:]),③[k][g]などの軟口蓋音が続く場合は[ŋ](例:健康[keŋko:]),④何も続かない場合は口蓋垂音[N](例:剣[keN])となるが,どれも同じ/N/という音素である.このように同じ音素とみなされる異なる単音を**異音**という.各異音が現れる環境が異なり同じ位置には現れない場合,それらの異音は**相補分布**をなすという.言語によって音素の体系は異なるため,ある言語では同じ音素とみなされる音が,別の言語では異なる音素である場合がある.幼児が母語の音韻体系に合致した音声知覚能力を示すのは母音で生後6か月前後,子音で生後10か月前後といわれている.

音素同士のつながりのパターンを**プロソディ(韻律)**という.母音を中心としたまとまりを**音節(シラブル)**といい,例えば英語の「straight」は1音節からなる.日本語の場合,子音+母音(CV),促音「っ」,撥音「ん」を1つのまとまり(**モーラ,または拍**)と考えるので,「ストレート」は5モーラになる.音節とモーラは重なる場合も多いが異なることもある.例えば,「ガーン」のモーラ数は3,音節数は1となる.母音音素で終わる音節を開音節,子音音素で終わる音節を閉音節という.日本語の音節の多くは開音節で,促音「っ」と撥音「ん」で終わる場合だけ閉音節となる.

語のレベルのプロソディには**アクセント**がある.日本語(以下の例は東京方言の場合)では,「か」り」(=狩り)〔 〕はそこでピッチが下がることを表す)と,「か[り」(=借り)〔[はそこでピッチが上がることを表す〕,「た]つ」(=立つ)と「た[つ」(=龍)のように高低アクセントを用いるのに対し,英語では強弱アクセントを用いる.日本語ではピッチの急激な下降の有無と位置が重要であり,その下降を引き起こす力をアクセント核と呼び,「狩り」では「か」にアクセント核がある.アクセント核の位置は単語に固定しているため,その位置を間違えると別の単語になってしまう.また,アクセント核の位置はモーラ数と同数あり,さらに無核を加えるとピッチパターンはモーラ数n+1あることになる.例えば,2モーラの例(箸,橋,端)では「箸で」(は]しで)は1モーラ目に,「橋で」(はし]で)は2モーラ目にアクセント核があり,「端で」(はしで)は無核である.

語

1 語の構造

語はその機能によって名詞,動詞などの品詞(統語範疇)に分類されるが,実質的内容を表す内容語と,文法的機能を表す機能語に二分する分類法もある.内容語に対応する品詞は名詞,動詞,形容詞,副詞などであり,機能語に対応する品詞は前置詞,後置詞,冠詞などである.

語は意味をもつ最小単位である**形態素**からなる.形態素を形の点から考えると,「花」や「水」のように単独で語を形成することができる自由形態素と,「お花」の「お―」や「子ども達」の「―達」のようにほかの形態素と結びつかなければ語が形成できない拘束形態素に分けることができる.拘束形態素のうち派生や屈折などに関連するものは**接辞**と呼ばれ,接辞による語形成を接辞付加という.接辞には品詞や意味を変える**派生接辞**(例:「可愛さ」の「―さ」や「春めく」の「―めく」)と,時制や複数語尾など文法的機能を表示する**屈折接辞**(例:「走った」の「―た」)がある.また,接辞には,語の前に付く**接頭辞**(例:非科学的,か弱い)と,語の後に付く**接尾辞**(例:飽きっぽい,基本的)があ

る．これに対し，接辞以外の語と語が結びついて形成される語を**複合語**という（例：猫缶，草刈り）．

　いずれの語形成も，構成要素の組み合わせ方に関して，一定の規則性がみられる．第一に，語を構成する要素の結びつきは対などではなく，主要部と呼ばれる要素と補部と呼ばれる要素で構成される．一般的に主要部が品詞を決定するのに対し，補部は意味的に主要部を補う．例えば，「小さい猫」は形容詞「小さい」と名詞「猫」から構成され，全体の品詞は主要部である右側の「猫」によって決定されている．「深さ」の場合は，形容詞「深（い）」と接尾辞「―さ」からなり，主要部である接尾辞「―さ」が品詞を決定している．第二に，3つ以上の要素が結びついている場合，構成する要素が2つずつ結びついた階層構造をもつ．例えば，「踏み込みやすさ」の場合，［［［踏―込み］―やす］―さ］のようになる．

　語形変化は言語によって異なるが，日本語の場合，名詞は語形変化しないが，動詞は「書く」，「書けば」，「書かない」，「書きます」のように活用する．意味的にまとまりのある部分を**語幹**（kak-），語幹以外の部分を**語尾**（-u, -eba, -anai, -imasu）という．

　「隅々」，「人々」，「国々」のように同じ語をくり返して複合語を作る場合，後半部分が有声音になる**連濁**という現象がしばしばみられる．連濁は複合語（sake「酒」→ shiro<u>z</u>ake「白酒」, hatake「畑」→ kyabetsu<u>b</u>atake「キャベツ畑」）や接頭辞の付いた語（<u>k</u>urai「暗い」→ usu<u>g</u>urai「薄暗い」）でもみられる．また，am<u>e</u>「雨」→ am<u>a</u>yadori「雨宿り」, sak<u>e</u>「酒」→ sak<u>a</u>daru「酒樽」のように母音が交替する現象もみられる．単独での形態素と連濁や母音の交替で現れる形態素を同一形態素の**異形態**という．「酒」を例にとると，単独での形態素（sake），連濁（zake），母音の交替（saka）は互いに異形態の関係にある．

2　心的辞書

　人が言語を理解したり産出したりする際には頭の中にある**心的辞書**（メンタルレキシコン）を使っている．この辞書には各語彙項目に関する音韻，形態，統語，意味の情報が秩序だって蓄えられている．なかでも文を構成する中心的な役割を担う述語に関する情報は重要である．文が成立するために述語は名詞句を必要とする．「恵が踊る」の「恵」のように必須要素としての名詞句を**項**といい，「恵が舞台で踊る」の「舞台」のように必須ではない要素を**付加詞**という．文中で名詞句が担う意味機能を**意味役割**（または主題役割）という．意味役割には，意志的に動作を行う主体である動作主，動作の影響を被る被動者，位置や状態の変化を被る対象，移動・状態の変化の出発点である起点，到着点である着点などの種類がある．

　（1）<u>恵</u>（動作主）が<u>純子</u>（被動者）を押す
　（2）ゴジラが<u>建物</u>（対象）を壊す
　（3）<u>東京</u>（起点）から<u>札幌</u>（着点）まで飛行機で行く

　述語の語彙項目には必須要素とそれらの必須要素に対応する意味役割の情報だけでなく，必須要素の名詞句が文中で担う文法的な役割（主語，目的語など）に関する情報も含まれている．例えば，「割る」という動詞は2つの名詞句を必須とする2項動詞であり，1つの項は動作主をもう1つは対象の意味を担い，動作主は主語に，対象は目的語に対応するという情報も含まれている．この**項構造**と呼ばれる情報は，x＜y＞（「割る」のような他動詞），x＜　＞（「踊る」のような自動詞），＜y＞（「割れる」のような自動詞）のように表記されることもあり，xを**外項**（動作主で主語に相当），yを**内項**と呼ぶ．

　語同士は心的辞書内でバラバラに存在するのではなく，形（主に音形）の類似性や意味的な関連性によって結びついている．単語連想課題（被験者に，提示されたある語を聴いたり読んだりしたあとに，思い浮かんだ最初の語を言ったり書いたり

するよう求める実験)の結果は，意味的に関連ある語が結びついている可能性を示している(例：蝶→蛾)．また，日常的にみられる言い間違いは意味的な関連性だけでなく，音形的な類似性によっても語が結びついている可能性を示している．(4a)は類似した音形が誤って発話された言い間違いであり，(4b)は意味的に関連性のある語が間違って発話された例である．

(4) a. ワーかわいい！ これ，フラメンコ(「フラミンゴ」と言おうとした)？
  b. 洗う物は自分で冷蔵庫(「洗濯機」と言おうとした)に入れなさい

D 句・文

　句や文を構成するためにはその構成要素を各言語の規則に従って並べなくてはならない．日本語であれば「が」や「を」などの格助詞は名詞のあとに位置し，動詞は通常文末に置かれる．一方，英語の場合，前置詞は名詞の前に位置し，動詞は主語より後，目的語より前に置かれる．主語(S)，目的語(O)，述語動詞(V)の順序に基づく**基本語順**により世界の言語を分類すると，SOV型(日本語，トルコ語，ヒンディー語など)が最も多く約半数の言語がこの語順をもつ．第2位はSVO型(英語，フィンランド語，フランス語など)，第3位はVSO型(アラビア語，アイルランド語など)といわれている．基本語順は名詞と形容詞の相対的語順や前置詞と後置詞のどちらを使うかなどと相関関係がある．

　複数の構成素から成る句や文は(5)に示すように，動詞句(純子を押す)や名詞句(恵が，純子を)のようなひとかたまりの単語の列である構成素が階層構造をなしている．階層構造，語順，および構成素の統語範疇(名詞句，動詞など)に関する情報の総体を**句構造**といい，(5)のような樹形図だけではなく，[$_S$[$_{NP}$ 恵が] [$_{VP}$[$_{NP}$ 純子を] [$_V$ 押す]]] (S = 文，VP = 動詞句，NP = 名詞句，V = 動詞)のようにラベル付き括弧でも表示できる．文を構成している構成素の結びつきは対等ではなく，主要部と補部の関係が句や文にもみられ，日本語では主要部は右に(5a)，英語では左に(5b)位置する．

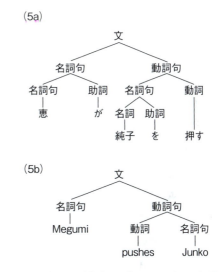

(5a)

(5b)

　また，文はD構造と呼ばれるもともとの構造に操作が加えられて最終的な構造や語順(S構造)が生成されると想定することで一見異なる言語現象を同じように説明することが可能になる．例えば，結果様態を表す副詞は他動詞(6a)やある種の自動詞(6b)とは共起できるが，別の種類の自動詞(6c)とは共起できない．

(6) a. 恵はコップを粉々に割る(＝割った結果，コップが粉々になる)
  b. コップが粉々に割れる(＝割れた結果，コップが粉々になる)
  c. *恵はクタクタに踊る(≠踊った結果，クタクタになる)
  d. *恵はコップをクタクタに割る(≠割った結果，恵がクタクタになる)

　(6)の各動詞の項構造を「割る」は外項と内項，「割れる」は内項のみ，「踊る」は外項のみと想定すると，結果状態を表す「粉々に」や「クタクタに」は内項だけを修飾するという説明ができる．その前提として，「割れる」のような動詞の主語に相当す

る名詞句はもともとのD構造では「割る」と同様に内項の位置にあるが，最終的なS構造では主語の位置に**移動**すると考える．(6a〜c)の各構造の概略を以下に示す．(*t*は**痕跡**と呼ばれ移動した要素の移動前の位置を，*i*は同一指示を表す．)

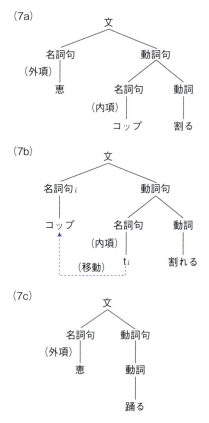

ここで前提とした移動は，受動文(「コップが粉々に割られた」ではS構造のコップはD構造では「割れる」同様，目的語の位置にあった)やかき混ぜ(「純子を恵が押した」はD構造では「恵が純子を押した」)などほかの言語現象を説明する際にも有効である．

文を構成する要素には名詞句や動詞句などのほかに**態**(**ヴォイス**：使役や受け身)，**時制**(**テンス**：出来事の成立時点を表す)，**相**(**アスペクト**：出来事の全体が成立するのか，部分が成立するのかを表す)，**法制**(**モダリティ**：出来事の成立する可能性に対する発話者の捉え方を表す)がある．日本語の場合は「そのころすでに勉強させ(態)られ(態)てい(相)た(時制)らしい(法制)ね(法制)」のように，態，相，時制，法性の順に述語に膠着される．

文は文字どおりの意味だけでなく，その文が発話される状況により，さまざまな意味をもつ可能性がある．例えば，「この部屋はひどく暑い」という文の文字どおりの意味はその部屋の温度についての叙述であるが，発話される状況によって，窓を開けてほしいという要求やエアコンの故障についての苦情などにも解釈できる．話し手と聞き手は会話が円滑に行われるよう互いに協力し合っており(「**協調の原理**」[2])，その前提があることで，一見不適切に思われる発話から話者の意図を読み取ることができる．例えば，「彼女はダンス上手なの？」という質問に「あ，5時だ．帰るね」と答えれば「関係のあることを話す」という公理に，「上手ではないと言えなくはないけどね」と答えれば「明確に話す」という公理にそれぞれ違反することで「下手だよ」という直接的表現を回避する意図が読み取れる．

E 談話

通常，複数の文が連なった全体としてまとまりのある内容を**談話**という．談話は話し手から聞き手へ効率的に情報が伝わるように構成される．談話の構成にかかわる主な要素として，**旧情報**と**新情報**，主題と題述などがあげられる．話し手が発話時点で聞き手の意識の中にあると判断した情報を旧情報といい，聞き手の意識の中にないと判断した情報を新情報という．旧情報は省略(例：「ケータイは？」「(ケータイは)忘れた」)，指示表現(例：「恵，来ないね」「彼女，忙しいからね」)などの形で現れる．一般的に旧情報は前文に近い文頭または文頭に近い場所に置かれることが多く，新情報は旧情報よりもあとに置かれる．新情報のなかでも特に情報価値の高い部分を**焦点**といい，文のより後方に置かれる傾向がある．また，1つ

の文の中には何について述べようとしているかを表す「主題」（旧情報）とその主題に新たな情報を加える「題述」があり，日本語では「田中（主題）いつも素敵だ（題述）」のように，主題は名詞＋助詞「は」の形で表される．

引用文献
1) Imai M, et al：Sound symbolism facilitates early verb learning. Cognition 109：54-65, 2008
2) Grice P：Logic and Conversation. In Cole P, Morgan JM(eds)：Syntax and Semantics 3：Speech Acts, pp 41-58, Academic Press, 1975

2 言語の神経学的基盤

A 左右の半球と脳梁

1 両半球の働きと脳梁

大脳半球は左右に2つあり，脳梁という交連線維の太い束が両半球をつないでいる（図2-1）．一般に言語，行為，計算などについては左半球が主に担当しており，視空間認知や注意については右半球が主導的な働きをする．記憶についても言語性の記憶は左半球に，視覚性の記憶は右半球で主に処理される．こうした認知機能の各モダリティに関して一側半球が主に担当しているということを**側性化**という言葉で表し，「左半球は言語優位半球であり，右半球は注意や視空間認知についての**優位半球**である」という表現をする．「優位」という記述の仕方は，「非優位」半球（あるいは劣位半球）にもそのモダリティに関する機能が皆無ではないことを表現しているともいえる．特に計算については言語の側性化ほどには左優位ではなく，右半球も大きな役割を果していることがわかっている．

左半球は分析的で時間的，系列的な処理に優れ，右半球は統合的で全体的な処理に優れるという考え方もある．まさに言語は時間軸上に展開するものであり，系列的な処理を得意とする左半球が担当することは理に適っている．逆にいうと，言語のなかでも系列的処理を必要とせず全体的処理を主体とする作業については右半球でも担当できる可能性があることになる．一例として，漢字の意味理解などは右半球でも可能な場合も多い．

脳梁が切断されると両半球の連絡が遮断されるため，**脳梁離断症状**が生じる．例えば（目隠しをして）左手で触知した物品の名前を言う課題では，右半球に入力された体性感覚の情報が言語処理を担当する左半球に伝達されないため，呼称ができなくなる（左手の触覚性呼称障害）．

2 利き手と言語側性化の関係

右利きの人ではほとんどの場合，左半球で言語機能が営まれている．すなわち左半球が言語優位半球である．したがって，失語症をきたすのは左半球損傷の場合である．右利きの人が右半球損傷で失語症をきたす場合は**交叉性失語**と呼ばれ，全失語症の1〜2％にすぎない．

左利きの人の言語優位半球が左右どちらの半球にあるかは，いろいろなデータがあるが左半球にある場合が多い．したがって，左利きの人でも右半球損傷による失語よりも，左半球損傷による失語のほうが多い．また，左利きでは左右両半球に言語機能が分散する傾向があり，どちらの半球損傷でも失語が出る可能性があるが，右利き左半球損傷の失語よりも症状が軽度で回復がよい傾向が指摘されている．

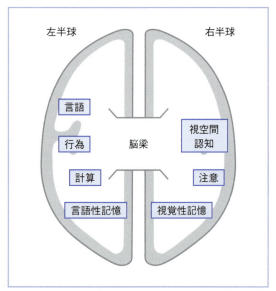

図2-1　両半球の働きと脳梁

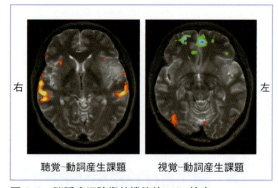

図2-2　脳腫瘍切除術前機能的MRI検査
本例では，動詞産生課題では右半球の賦活のほうが強く，言語優位半球は右側である可能性が高いと判断された．

　言語優位半球が左右どちらにあるかは，脳腫瘍の手術などで治療法の選択に影響する場合もある．言語半球の推定のために以前は頸動脈に麻酔薬を注入する**和田テスト**が用いられていたが，近年では非侵襲的な**機能的MRI検査**が用いられる場合が多い(図2-2)．また，最近は覚醒下で脳手術を行い，言語優位半球の決定だけではなく，電気刺激で脱落言語症状が出る部位の切除を避けるような術式が盛んに行われている．

B　脳構造の成り立ち

1　脳回とブロードマンの大脳地図

　脳の解剖とさまざまな認知機能との対応を考えるにあたっては，大脳皮質の大まかな構造や成り立ちを理解しておく必要がある．大脳の部位を示すには脳溝を目安にして区切られた脳回の名称を用いたり，**ブロードマン**Brodmann**の大脳地図**を用いたりする(図2-3，4)．後者は大脳皮質の細胞構築を調べた結果から得られた地図で，1つの番号で表される区域は組織学的に比較的均質な部分を表している．脳回とブロードマンの地図とは境界が一致しない場合が多い．

2　大脳の前方と後方—出力系と入力系

　脳の前半部，すなわち中心溝よりも前方の部分は運動などの出力系に関与し，脳の後半部，すなわち中心溝より後ろの部分は感覚などの入力系に関与している．ここでいう「入力」「出力」は大脳の部位間の入出力ではなく，あくまで大脳と大脳以外の部位との関係に関して用いられており，大脳と自己身体，あるいは大脳と外界との関係における入出力といってもよい．前頭葉は行為や運動を統制し出力するが，外界からの視覚刺激は後頭葉に，聴覚刺激は側頭葉に，自己身体からの体性感覚は頭頂葉に入力され，これらの入力系はすべて中心溝より後方に位置する．入力刺激には視覚，聴覚，体性感覚以外に味覚や嗅覚があるが，言語に大きな関係はなく，ここでは省略する．

3　一次皮質と連合野

　視覚刺激は視神経から視床の外側膝状体を経由して後頭葉鳥距皮質(第一次視覚野，ブロードマンの17野)に至る．聴覚刺激は聴神経，脳幹の蝸

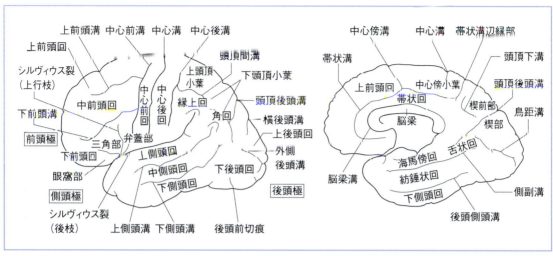

図 2-3　脳溝と脳回の名称

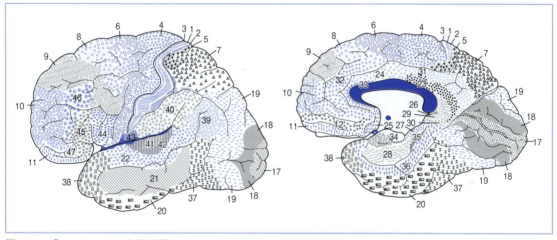

図 2-4　ブロードマンの大脳地図
脳回とは無関係に細胞構築の違いから区切られており，同じ脳回内でも区域が区切られたり，逆に 1 つの番号の区域が複数の脳回にまたがったりする場合もある．

牛神経核，視床の内側膝状体を経て側頭葉横側頭回（ヘシュル Heschl 横回，第一次聴覚野，41，42 野）に至る．体性感覚は全身の感覚神経から脳幹，視床を経て頭頂葉の最前部で中心溝の後ろにある中心後回（第一次体性感覚野，3,1,2 野）に至る．一方，運動の大脳皮質における最終出力は中心溝の前部に位置する中心前回（第一次運動野，4 野）である．このように，入力系では大脳の中での刺激の最初の到達部位，運動系では最終的出力部位を大脳一次皮質と呼んでいる（図 2-5）．

視覚，聴覚，体性感覚，運動の一次皮質はその中で細かい局在が認められるという特徴がある．例えば，視覚野では視野に対応した局在があり，体性感覚野や運動野では手や足や顔などに対応した**ホムンクルス（体性局在）**がある（図 2-6）．聴覚野では音の高低による局在があるとされる．中心前回の **precentral knob** と呼ばれる領域は手指の運動を司る領域である（図 2-7 参照）．

なお，右視野からの視覚入力は左視覚野に，右半身からの体性感覚入力は左視床から左頭頂葉に

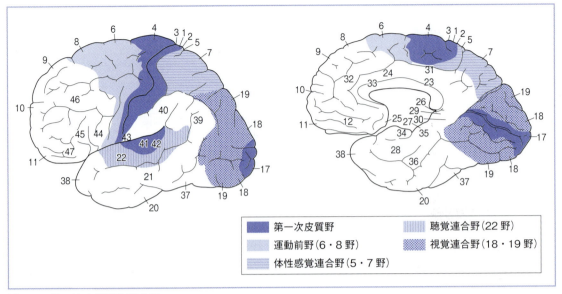

図 2-5　第一次皮質野と連合野

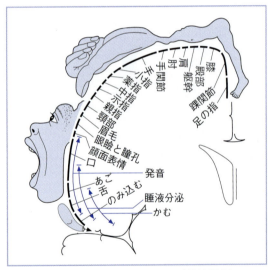

図 2-6　一次運動野のホムンクルス（体性局在）

到達し，右半身の運動は左運動野が司るといったように，大脳構造とそれが表象する身体的機能はおおむね交叉性の性質を持っているが，聴覚だけは交叉性線維の優位性はさほど大きくなく両耳からの聴覚入力とも両半球性に処理されている．

さて，一次皮質に入った刺激は，一次皮質と隣接する連合野へと送られる．それぞれ視覚連合野（18，19 野），聴覚連合野（42 野の一部と 22 野），体性感覚連合野（5，7 野）であり，そこで一次皮質からの刺激入力をさらに詳しく分析していると考えられる．処理を重ねるほど情報は精緻になるが，一次皮質が持っていた局在性は失われる．

最もよく研究されている視覚処理経路を例にとると，一次視覚野から頭頂葉に向かう背側への流れは対象の空間的情報（位置や動き）を分析する経路であり，一次視覚野から側頭葉に向かう腹側への流れは対象が何であるかの認知や同定にかかわる経路である（図 2-8）．すなわち，腹側と背側で機能分担があり並列処理をしていることになる．また前方に行くほど情報処理が高度になるという階層性がある．一次視覚野では視覚刺激が「見えるか見えないか」だけが決定され，処理が進むにつれて対象が「どこにあるか（where）」や対象が「何であるか（what）」といった分析が並列的に行われると考えられる．そして，情報が前方に送られ処理が進むほど，一次視覚野が持っていた視野対応性は明確ではなくなる．**並列性**と**階層性**という概念は神経系の情報処理を理解するために重要な鍵である．

出力系の運動に関しては第一次運動野だけの興奮では単純な運動が起こるだけであるが，より複

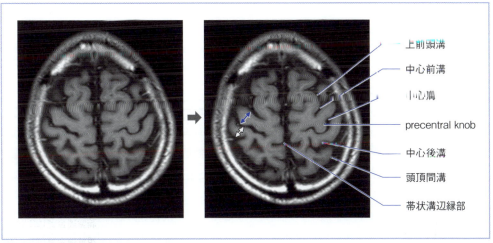

図 2-7 中心溝の同定法
①独立している：他の脳溝と交わらない，②中心前溝が上前頭溝と交叉する，③帯状溝辺縁部のすぐ前方，④脳回の前後幅：中心前回(↔)は中心後回(⇔)より幅が広い，⑤ precentral knob sign.

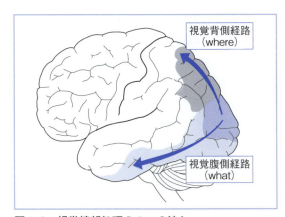

図 2-8 視覚情報処理の 2 つの流れ

雑な運動をするための調節をしているのが，一次運動野の前方に位置する運動連合野の運動前野（6，8 野）であると理解される．

　各モダリティの連合野は連合線維によってほかのモダリティの連合野と連絡し，交連線維によって対側半球の連合野と連絡する．また大脳皮質の中には 1 つのモダリティを越えて異なったモダリティ間の連合処理を行う連合野もある．後頭葉と頭頂葉の境界領域や後頭葉と側頭葉の境界領域にはそうした多種感覚性連合皮質がある．特に角回は，頭頂葉，後頭葉，側頭葉のすべての連合野と情報をやり取りする「連合野の連合野」であると Geschwind によって位置づけられ，言語活動におけるその意義が強調された[1]．Geschwind によると異種感覚の連合こそが言語活動の基礎だからである．例えば，物品に名前が与えられるためには，物品の形態（視覚）や物品を触った感覚（体性感覚）と音韻系列としての名称（聴覚）が連合しなければいけない．

　また前頭葉の**前頭前野**と呼ばれる大きな領域は多くの連合野や皮質下領域との相互連絡があり，行動や抽象的思考や判断など高次の活動に関与する最高位中枢とも呼ばれている．

C 高次脳機能の大脳における局在をめぐって

1 全体論と局在論

　脳と心の関係を研究する神経心理学においては，**全体論**と**局在論**の戦いの歴史がある（11 章参照）．全体論とは脳は全体として働くものであり，高次の機能について特定の脳部位に局在させるこ

とを否定する立場である．現在の神経心理学は基本的には，さまざまな心的機能を一定の脳部位に局在させる局在論の立場に立っていると考えられる．しかし，単純に局在論が全体論に勝利したというわけではない．言語障害を知性障害とみた Marie，局在よりも神経系の階層性を重視した Jackson，象徴という概念を重視した Goldstein などが全体論者として引用されることが多いが，彼らも局在そのものを完全に否定しているわけではない．さらに彼らの学説には現在にも十分に通用する重要な教えが含まれている．また，現在の脳局在論は特定の心的機能を一定の脳部位に還元するというよりも，特定の心理過程も多くの脳部位が関連した脳のネットワークによって営まれているという考え方が主流である．

2 責任病巣の推定方法

症候と責任病巣の関係について，Teuber が提唱した**二重乖離の原理**が有名である．a という症状が A という病巣で出現したからと言って，a の責任病巣が A であるとはいえない．同様に，b という症状が B という病巣で出現しても，b の責任病巣が B とはいえない．病巣 A では a が出現するが b は出現しない，病巣 B では a は出現せず b が出現する，ということが示されれば，症候と病巣の関係について二重乖離が証明されたことになり，a の責任病巣が A，b の責任病巣が B であると推定できることとなる．

また，a という症状の有無と病巣 A の有無が正確に対応していれば，a の責任病巣が A であるという確率は高くなる．最近は，脳画像についての統計処理方法が進歩し，脳組織を小さなボクセルの集合とみなし，ボクセルごとに病巣の有無と症状との対応をみる **voxel-based lesion symptom mapping（VLSM）** という手法が用いられることが多くなっている．ただし，二重乖離の原理や統計学的方法論も，症候や対象症例の選択などによっては，誤った結論が得られる場合もあり，

絶対的な基準と考えてはいけない．

3 症状や機能の水準と神経基盤との関係についての原則

神経系疾患における症状と病巣の対応は，一般的に低次の単純な症状ほど責任病巣も固定しており，症状の変動も少ない．例えば，錐体路が障害された場合の運動障害では，あるときは動くがあるときは動かないといった症状の変動はほとんどなく，第一次視覚野が障害された場合の視野欠損も固定的な症状である．しかし，言語，認知，さらには行動や思考や判断など水準の高い機能ほど，関連している脳領域や神経ネットワークの広がりは大きく，結果として症状と病巣の対応は低次の症状ほど固定的なものではなくなる．症例による個人差も大きく，状況や課題によって神経ネットワークの働き方も異なることが推測される．したがって，高次の機能の障害ほど，あるときはできるがあるときはできないといった症状の揺れもみられやすい．無意識の自動的な行為はできるのに意図するとできなくなるという**自動性と意図性の解離**はその代表であり，失語や失行など左半球損傷による高次機能障害にしばしば認められる現象である[2,3]．

症状を機能に単純に置き換えることには注意を要する（下記参照）が，脳機能と脳部位との対応も同じことがいえる．一次皮質の機能は固定的なものであるが，処理水準が高く複雑化している連合野の機能や，さらに多くの連合野が関与する神経ネットワークで支えられている高次の脳機能ほど，文化による差や個人差が大きいと考えられ，一定の脳部位に固定することが困難となる．

4 陰性症状と陽性症状と責任病巣

陰性症状と**陽性症状**という考え方がある[3,4]．重要な概念なのでここで解説しておく．神経系の一定の部位が障害されるとその部位が担っていた

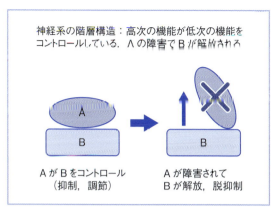

図2-9 神経系の階層構造, 陰性症状と陽性症状

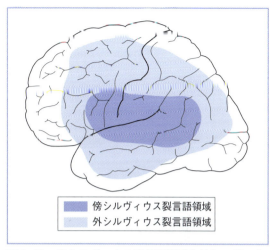

図2-10 傍シルヴィウス裂言語領域と外シルヴィウス裂言語領域

〔Benson DF：Aphasia, Alexia and Agraphia. Churchill Livingstone Inc, New York, 1979；Benson DF, Ardlia A：Aphasia, A clinical perspective. Oxford University Press, New York, 1996 より改変〕

機能が欠損する．これが陰性症状である．これに対して，陽性症状とは障害を免れた神経系の働きが生み出す症状である〔Note 10（➡ 80頁）参照〕．神経系の働きは階層性をもち上位の神経系が下位の神経系を抑制調節している場合が多いので，健全な状態では抑制されていた機能が上位の神経系の障害によって解放され陽性症状として出現する場合も多い（図2-9）．

錐体路障害による麻痺は陰性症状，反射亢進や異常反射の出現は陽性症状である．前頭葉障害で認められる吸引反射や把握反射などの原始反射も陽性症状と理解される．反響言語（エコラリア）や反響行為などの機序はさほど単純ではないが，正常では抑制されていた原始的行動が前頭葉の障害によって解放されて出てきた陽性症状とも解釈できる．失語の症状でいえば，喚語困難は陰性症状であり，錯語は陽性症状ということになる．

症状と病巣について単純な足し算などの計算式が用いられる場合があるが，こうした計算式は陰性症状については正しいが，陽性症状については正しくない場合も多いので注意が必要である．例えば，全失語はブローカ Broca 失語をきたす病巣（中大脳動脈上行枝灌流域）とウェルニッケ Wernicke 失語をきたす病巣（中大脳動脈下行枝灌流域）とがともに障害される（中大脳動脈基幹部閉塞）ことにより生じることが多い．しかし，全失語で認められる再帰性発話は陽性症状であり，

ブローカ失語とウェルニッケ失語の症状の足し算からでは決して予想できない症状である．

D 言語を支える神経基盤

1 傍シルヴィウス裂言語領域

a 傍シルヴィウス裂言語領域とは

シルヴィウス裂をはさんで分布しているブローカ野とウェルニッケ野，両者を結ぶ白質線維である弓状束，さらには縁上回，中心前回や中心後回下部などをまとめて，**傍シルヴィウス裂言語領域** preisylvian language area と呼ぶことがある[注1]．ブローカ失語，伝導失語，ウェルニッケ失語など主要な失語型は，傍シルヴィウス裂言語領域を障害する病巣によってもたらされる（図2-10）．

注1) 環シルヴィウス裂言語領域，シルヴィウス周囲言語領域などとも訳される．

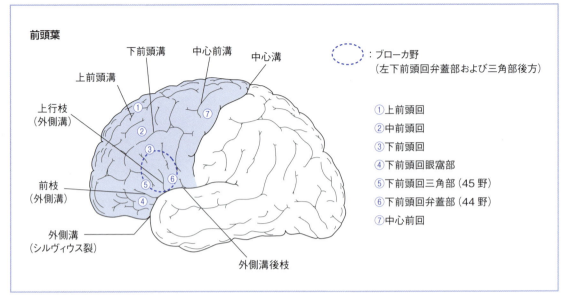

図 2-11　前頭葉の構造

　これに対して傍シルヴィウス裂領域よりも外側の領域（**外シルヴィウス裂言語領域**と呼ぶことがある）の障害で起こる失語は，復唱が保たれていることが特徴とされ，超皮質性失語や健忘失語などがこれにあたる．外シルヴィウス裂領域失語症候群は中大脳動脈領域と前大脳動脈および後大脳動脈の灌流領域の境界領域で起こる失語という意味から**境界領域失語症候群**と呼ばれることもある．

　総じて，傍シルヴィウス裂言語領域は言語の音韻的側面を支えるのに重要な役割を果たしており，外シルヴィウス裂領域は意味や喚語に関係していると考えられる．

b　ブローカ野

　ブローカ野の厳密な境界は学者によってさまざまであるが，基本的には左下前頭回後方（脚部ともいう）すなわち下前頭回弁蓋部だけを指すか，あるいは弁蓋部にその前方の三角部（またはその一部）を合わせた領域を指していることが多い（図2-11）．下前頭回はシルヴィウス裂の前水平枝と前上行枝によって前方から眼窩部，三角部，弁蓋部に分けられる．図2-12にMRI矢状断での部位を示す．MRI矢状断ではM字型を呈することになり，部位同定の1つの目印になる．

　Geschwind は**下前頭回弁蓋部，三角部**だけでなく，中心前回下部や中前頭回後端部も加えた領域が広義のブローカ野を形成していると考えている．狭義のブローカ野（三角部と弁蓋部）だけの病巣では典型的なブローカ失語は生じず，一過性の軽症失語を生じ非流暢な発話はさほど目立たない．さらに，ブローカ野が障害されてもまったく言語症状を呈さない場合もある[5]．したがって，ブローカ野を「その損傷で**ブローカ失語**の生じる部位」とは定義できないことになる．典型的なブローカ失語は，ブローカ野だけでなく，中心前回中下部を含む中大脳動脈上行枝領域が損傷された場合に生じる．

c　ウェルニッケ野

　通常は左上側頭回の後半部または後方1/3を指すことが多いが，これに隣接する中側頭回後部も含める立場もあり，さらに縁上回や角回までも含めて広義のウェルニッケ野としている場合もある（図2-12，13）．こうした状況はブローカ野の場合と類似している．さらに，ウェルニッケ野を

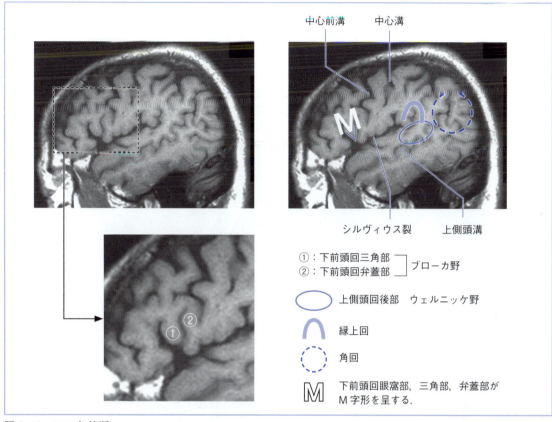

図2-12　MRI矢状断

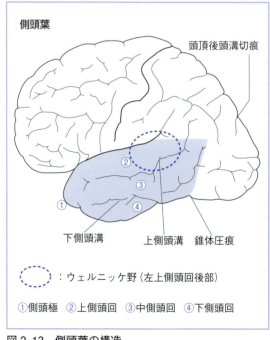

図2-13　側頭葉の構造

「その損傷で**ウェルニッケ失語**が起こる領域」と定義すると，ブローカ野の場合と同じ問題が生じる．狭義のウェルニッケ野だけの病巣をもつ例はほとんどなく，典型的なウェルニッケ失語は中大脳動脈下行枝の閉塞に伴って起こり，その病巣は上側頭回だけでなく中側頭回後部や縁上回，角回をも含んでいることが多いからである（図2-14）．

d　ブローカ野とウェルニッケ野の位置と言語的機能

前述のようなやや複雑な事情があるものの，教科書的にはブローカ野は下前頭回後部，ウェルニッケ野は上側頭回後部と理解しておいて大きな誤りはない．近接するほかの領域との位置的な関係を考慮すると，ブローカ野が構音を営む運動皮質を上位から調節する連合野に相当し，ウェル

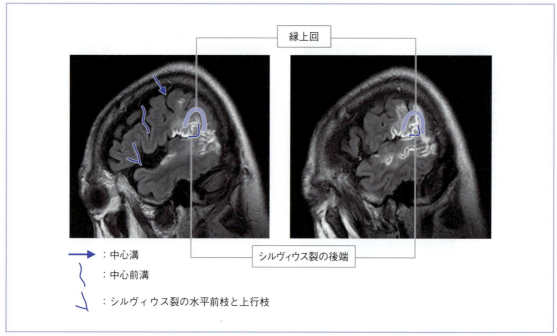

図2-14 ウェルニッケ失語症例の頭部MRI所見

ニッケ野が一次聴覚野に入力された聴覚刺激を処理する聴覚連合野の部位にあたると考えられる．そうすると，発話を調節するのがブローカ野，言語音を分析して意味理解につなげるのがウェルニッケ野という考え方が理解できる．古く，Wernickeはブローカ野を構音心像の座，ウェルニッケ野を聴覚的言語心像の座と考えた[6]が，この考え方は現在にも通じるところがある．

しかし，ブローカ野やウェルニッケ野が真にどういう機能を果たしているかについては，いまだに一定の見解があるわけではなく，脳賦活機能画像を用いた研究でもいろいろな結果があり意見の一致をみているわけではない[7]．

e 縁上回

縁上回は下頭頂小葉の中で角回の前方に位置し（図2-15），シルヴィウス裂の後端をまたぐ位置にあり馬蹄形をしている脳回である（図2-12）．縁上回は伝導失語の責任病巣として重要な部位であり，ウェルニッケ野で分析された言語音を正しく発話に展開するためのインターフェースとして働いているとされる．位置的にもウェルニッケ野と前方発話領域を連絡する部位にあり，ウェルニッケ野で精緻化された語音形式やその連鎖を，出力形式に転換するための領域と考えることは自然である．

f 弓状束と島

弓状束を復唱経路として重視したのはGeschwindに代表されるボストン学派であるが，最初のWernickeの論文では弓状束ではなく島がウェルニッケ野とブローカ野をつなぐ通路として重視されていた．Damasioは島の最外包を重視する説を発表している．しかし，復唱の機能を一定の線維束に帰する議論には限界があるといわれている．

島という部位は中大脳動脈基幹部からの穿通枝で栄養されるという血管支配の事情からも，中大脳動脈領域の皮質性梗塞では最も病巣に含まれやすい部位である．したがって，一定の症状の責任病巣を脳梗塞の病巣重ね合わせで調べると，島が

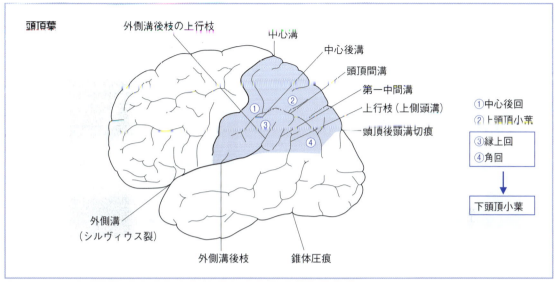

図 2-15　頭頂葉の構造

誤って責任病巣とされる可能性が高いので注意が必要である．

2　その他の言語関連領域

a　角回

　上側頭溝の後端に存在する脳回であるが，その境界は必ずしも明瞭ではない．角回を傍シルヴィウス裂言語領域に含める考えもあるが，シルヴィウス裂には接していない．頭頂間溝の下で縁上回と角回が**下頭頂小葉**を形成し，**角回**は縁上回の後方に位置する（図 2-15）．MRI 水平断では側脳室後角の延長線上に位置する場合が多い（図 2-16）．しかし，個人差も多く正確な同定は必ずしも簡単ではない．
　Dejerine は角回を文字の視覚心像の座と考え，**失書を伴う失読（失読失書）**の責任病巣とした[8]．角回は後頭葉と頭頂葉と側頭葉の連合野が接合する部位であり，視覚，体性感覚，聴覚という異なるモダリティの連合が行われる部位であると考えられ，Geschwind が「連合野の連合野」と呼んだことは前に述べた．読字や書字の機能は視覚や聴覚さらには運動覚などの体性感覚の連合の上に成り立つと考えられ，それらの連合を営む角回が文字言語の中枢とされるのは説得力がある．しかし，脳機能画像などでは文字を用いた課題で角回が賦活されるというデータは乏しい．まだまだ角回は謎の多い脳回であるが，中下側頭回とともに意味や喚語を担うネットワークを形成しているという考え方も強い．

b　側頭葉（ウェルニッケ野以外）

　中側頭回，下側頭回の後部は一次聴覚野やウェルニッケ野で処理された音韻系列を意味処理するための重要な経路と考えられている．また，喚語にも重要な役割を果たす．上側頭回からシルヴィウス裂をめぐって前頭葉に至る経路が音韻処理に重要であるのに対して，側頭葉の下部は意味処理や喚語に重要な役割を果たしているという考えが強くなっている〔「全体的展望：古典的失語図式から言語の二重経路モデルへ」（➡ 23 頁）参照〕．

c　補足運動野

　補足運動野は前頭葉の内側面で 6 野の一部である（図 2-17）．中心前回運動野の足の領域の前方

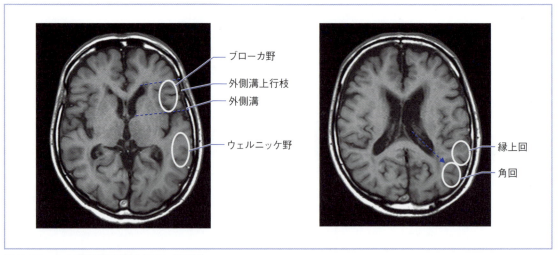

図 2-16　主な言語関連領域（MRI 水平断）
基底核が見えるスライスで，側脳室前角の外側をたどり，島の外側に遊離して見える皮質がブローカ野，ウェルニッケ野は外側溝と上側頭溝の間である．角回は側脳室後角の延長線上，角回の前が縁上回である．しかし，必ずしも同定は容易ではない．

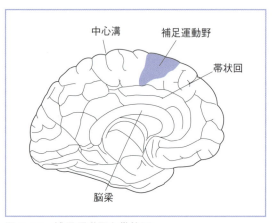

図 2-17　補足運動野と帯状回

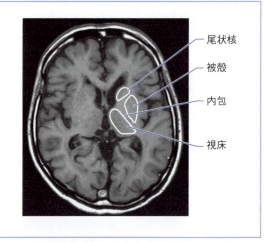

図 2-18　MRI 水平断における視床，内包，基底核の関係

にある．その機能は十分には解明されていないが，運動の企画や開始に関与しているとされ，言語では発話開始や発話維持に重要な役割を果たしていると考えられる．なお，補足運動野は前大脳動脈領域にあり，その閉塞で**補足運動野失語**が起こる．理解や復唱や呼称などの言語機能そのものはさほど障害されないのに，発話開始が困難で自発話が極端に減少する．視覚性呼称に比して語列挙が著明に障害されるという特徴がある．

d　視床，基底核

MRI 画像を**図 2-18** に示す．**視床**や**基底核**がどの程度言語に関与しているかはよくわかっていない．視床の定位脳手術や電気刺激のデータでは左視床の刺激や破壊で発話の減少，声量の低下，喚語困難などが生じることが報告されている．視床の血管障害による失語では出血によるものが多いが，比較的広がりをもつものが多いため視床だけ

に責任病巣を求めてよいかは疑問が残る．しかし，視床に限局した梗塞で言語に関連した症状を呈することも報告されており，声量低下や喚語困難が主症状で復唱は比較的良好である．ただSPECTなどでみると視床が投射する皮質領域の機能低下が起こっていることが多く，視床そのものの欠落症状ではなく間接的症状であるという議論もある．

基底核についても基底核だけに限局した病巣で失語をきたしたという報告はきわめて少なく，隣接する白質への障害が言語症状の原因である可能性が高い．比較的大きな**線条体内包梗塞**で言語症状をきたしている場合は，いったん閉塞した中大脳動脈が再開通した場合が多く，大脳皮質にも不完全梗塞が起こっているための症状であるという説もある．さまざまな程度の構音障害，喚語困難が主な症状であり，構音は復唱で改善することが特徴とされている．

結局，視床や基底核などの皮質下領域の言語機能は不明であるが，ともにその障害で喚語の障害や独特の錯語がみられる場合もあることから，左視床や左基底核が語彙の呼び出しや制御になんらかの役割を果たしている可能性がある．

e 右半球（言語非優位半球）

右半球が言語にどのようにかかわっているのかは非常に重要な問題である．右半球損傷では交叉性失語や左利き右半球失語の場合を除けば明らかな言語症状は呈さない．記号としての言語の操作に右半球はかかわってはいないと考えられる．しかし，左半球損傷による失語の回復には残存左半球による機能再編成だけでなく右半球の代償の力が大きいといわれており，左半球が機能しなくなった場合，右半球が持っていた潜在的な言語機能が活動しだすという可能性はある．

こうした代償能力とは別に，談話やコミュニケーションという大きな枠組みで捉えると，右半球独自の働きも指摘されている．右半球損傷患者ではユーモアや皮肉が通じにくくなる，比喩の理解が障害される，などの記載がある．確かに，左半球損傷の失語症者とは言語症状による意思疎通困難があっても，大きなコミュニケーションの枠組みは崩れず感情的な疎通は十分にとれることが多いのに比較して，右半球損傷者とは言語自体は通じているのにコミュニケーションとしては何かしっくりこないと感じさせられる場合は多い．喜びや怒りなどの言語の情動的なプロソディの表出や理解が障害される場合があり，こうした病状を**アプロソディア** aprosodia と呼ぶ学者もある．

E 言語機能や言語症状からみた神経基盤

1 全体的展望：古典的失語図式から言語の二重経路モデルへ

現在でも多くの教科書に採用されている失語分類は，**ウェルニッケ-リヒトハイムの図式**（➡74頁参照）に始まり，ボストン学派によって継承された**古典分類**である．発話の中枢であるブローカ野，理解の中枢であるウェルニッケ野，および二つの中枢を連絡し復唱経路として働くとされた弓状束が主たる言語領域であり，傍シルヴィウス裂言語領域と呼ばれる．傍シルヴィウス裂言語領域を障害する病巣で，復唱障害をきたす主要失語型が出現し，傍シルヴィウス裂言語領域を保存しその周囲を障害するような病巣では復唱が保たれる超皮質性失語が生じるとされる．

一方，古典的失語図式の中核をなすウェルニッケ野⇒（弓状束）⇒ブローカ野という復唱経路をおおむね認めた形で，それを背側経路あるいは音韻経路とし，それと対比する形でシルヴィウス裂よりも下方に腹側経路を設定し，腹側経路が意味処理を担うとするのが，**言語処理の二重経路モデル**である[9]（**図2-19**）．したがって，二重経路モデルも傍シルヴィウス裂言語領域が音韻を担う経路であると認めているのであるから，古典論を真っ

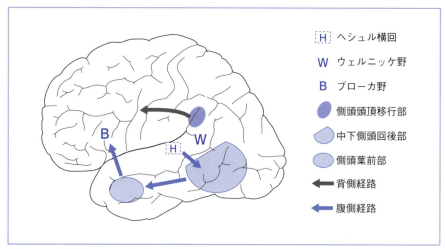

図 2-19 言語処理の二重経路モデル

向から否定するものではない．二重経路モデルの正しさを支持する多くの証拠があるが，腹側経路（意味経路）を担う正確な位置（どの線維束が重要なのか）や役割（どのような意味処理を営まれているのか）などについては，学者によって一定しているわけではなく，現在も多くの議論がなされている．

2 言語出力系とその障害に対応する神経基盤

a 発話衝動（発話意欲）の低下とその神経基盤

運動の開始や維持に補足運動野が重要な働きをすること，特に外的刺激によらない自発的な運動の開始に補足運動野が重要な働きをすることはよく知られた事実であり，この障害で発話衝動の低下を主症状とする**補足運動野失語**が生じる．

最近は補足運動野だけではなく，その投射線維の障害が注目されている．これには拡散テンソルトラクトグラフィーなどの技術的進歩により白質線維の走行が可視化できるようになったことも大きな貢献をしている．特に注目されているのが，補足運動野を含む内側前頭葉からからブローカ野など前頭葉下部外側面への**投射線維**であり，その障害で発話衝動の低下が生じることがわかってきた．

b 発話運動の障害：
発語失行とその神経基盤

発語失行 apraxia of speech（AOS）とは構音運動のプログラミングの障害とされており，具体的な症状は構音の歪みと音から音への渡りの悪さ（断綴性），探索行動や努力性発話であり，プロソディの障害を伴う．**失構音** anarthria と呼ばれることもある．運動障害性の構音障害と違って，舌や軟口蓋などの構音器官に構音の異常に見合うような運動障害を同定することができない[10]．発語失行の責任病巣は中心前回の中下部であることが，脳血管障害の検討から明らかにされている．なお，欧米ではその責任病巣を島やブローカ野に求める説もあったが，誤りであったことが明らかにされつつある．

ほかの言語障害を伴わない**純粋発語失行**をきたした症例の典型的 MRI 画像を図 2-20 に提示する．MRI による部位同定のために，キーポイントになることが多い中心溝の同定法を図 2-7（→15 頁）に示した．

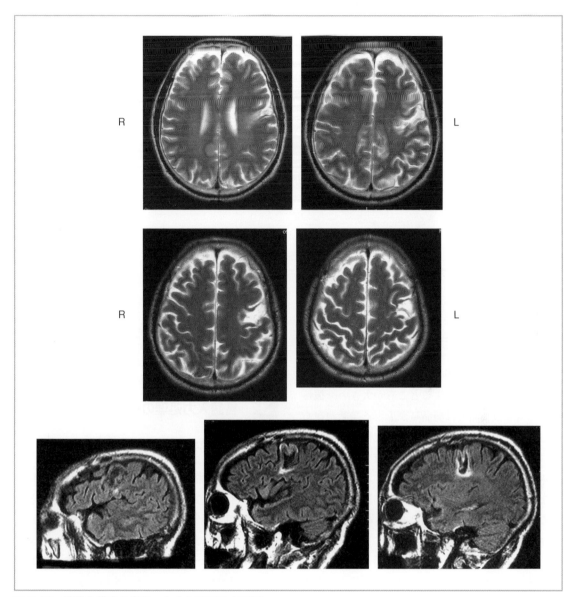

図2-20 純粋失構音の病巣：左中心前回の中下部

C 文法障害とその責任病巣

発話面における**文法障害**は機能語が脱落して名詞の羅列になる電文体失文法が有名であるが，膠着語である日本語では典型的な電文体をみることは少ない．しかし，発話される文が単純で短くなるという特徴は認められる．複数の名詞から文を作成する課題から，文を構成する能力の低下が証明されることが多い．文法障害は理解面にも認められ，統辞に依存するような文の理解が障害される．ベッドサイドでは2つの物品を用いて「～で～を触ってください」といった可逆文を用いた命令に対する理解障害が認められる．文法障害に対応する責任病巣は，機能的MRIでの研究結果などからも中前頭回も含めたブローカ野（左前頭葉外側面）と考えられるが，必ずしも諸家の意見が一致しているわけではない．より広い領域が関与している可能性も指摘されている．

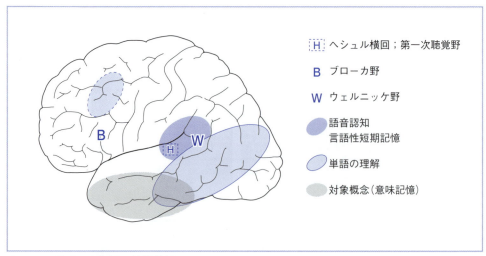

図 2-21　言語入力処理の神経基盤

d 非流暢性失語と流暢性失語

失語を**非流暢性失語**と**流暢性失語**に大別する考え方はボストン学派によるところが大きい．彼らは前方病巣の失語では発話量が少なく発話が遅く努力性で文が短くたどたどしい非流暢な発話になり，後方病巣の失語では発話量が減少せず正常の長さの文を発し構音も明瞭であるが錯語が多い流暢な発話が特徴的であるとした．非流暢性—流暢性の区別はさまざまな批判はあるものの，現在も受け継がれている．

ただ，非流暢性発話をきたす要因が何であるのかは学者によって考え方が異なり，発語失行を非流暢性の最も大きな要因と考える立場以外に，文法障害(失文法)や文構成能力，発話衝動，などを重視する立場もある．「発語失行あり＝非流暢性発話」「発語失行なし＝流暢性発話」とする極端な考え方では，中心前回を含まない多くの前方病巣による失語が流暢性失語に分類されることとなる．実際，前方病巣で流暢性発話を呈する超皮質性感覚失語をきたすこともまれではないが，この場合も超皮質性運動失語との境界は不鮮明である．変性疾患である進行性非流暢性失語の症例の蓄積からも，中心溝より前方病巣では非流暢性失

語になる場合が多いと考えても大きな誤りではないと考えられる．

3 言語入力処理の神経基盤(図 2-21)

a 語音認知を支える神経基盤

音声は突き詰めれば物理的な波にすぎないが，これを言語的な既知の音韻として同定することを**語音認知**という．語音認知の障害は**語聾** word deafness と呼ばれ，ほかの症状を伴わないときには**純粋語聾**という．語音認知に対応する神経基盤は上側頭回である．その中でも第一次聴覚中枢である**ヘシュル** Heschl **横回**とその外側後方の上側頭回(側頭弁面)が重視されている．また語音認知は両側性に処理されているという意見が多く，たしかに純粋語聾は両側性病変例が圧倒的に多い．

b 言語性短期記憶を支える神経基盤
（→ Note 1）

（聴覚性)**言語性短期記憶** verbal short-term memory(vSTM)とは言語入力を一時的に蓄えておく記憶である．短期記憶は臨床的には即時記憶とほぼ同等であり，言語性短期記憶は復唱のとき

に働く記憶であるとともに，文などの言語理解にも重要な役割を果たしている．例えば「掃除が終わったら食事にしましょう」という文を想定すると，後半部分を聴いている間に前半部分が記憶から消えて「食事にしましょう」という音韻イメージだけが残ると，誤った意味が入力されてしまうことになる．聞いた言葉や文を一時的に受けとめておくための受け皿と考えると理解しやすい．また，新しい言葉を覚えるためにも重要な働きをしている機能だと考えられている．確かに，頭からすぐに消えてしまう言葉はなかなか覚えられない．

言語性短期記憶には入力された聴覚性の言語刺激のイメージの単なる維持に働く貯蔵庫とリハーサルのための**構音ループ**の存在が仮定されており，前者は上側頭回，後者は側頭葉から縁上回も含めて復唱の神経基盤と同一であると考えられる．

c 理解や意味記憶を担う神経基盤

音韻が受容され把持されても，その意味理解が障害される超皮質性感覚失語の病巣解析から，ウェルニッケ野の後方下方領域（具体的には角回，中下側頭回），さらに前方では中前頭回などが単語理解の神経基盤としてあげられることが多い．近年では，意味性認知症の臨床病理学的検討から側頭葉前部も理解にかかわる部位として重要視されるようになった．しかし，これだけ多くの領域がかかわっていることからもわかるように単純な要素的機能ではなさそうである．文の中での単語の理解や独立で単語を提示されたときの理解など，状況によって働く部位が異なる可能性も高

> **Note 1. 介護保険主治医意見書の「短期記憶障害の有無」について**
> 介護保険の意見書には短期記憶の有無を記載する項目がある．しかもあるかなしかの二者択一である．この場合，多くは認知症の記憶障害のことを問題としていると考えられるので，「近時記憶」を尋ねるべきである．学問的にいえば，通常のアルツハイマー病の主要徴候に短期記憶障害はないからである．

い．また単語の品詞や抽象性と具象性の区別，単語が表す概念のカテゴリーなどで部位が異なる可能性も指摘されている．

文の理解は単純に考えても単語の理解，統辞構造の理解が必須であり，言語性短期記憶やワーキングメモリだけでなく状況の理解能力も必要となるまさに複合的な能力であり，単語理解の神経基盤に加えて，傍シルヴィウス裂言語領域も関係してくることが推測される．

なお，側頭葉前部は意味性認知症で最も障害が強い部位であり，意味性認知症では単語理解だけでなく対象の概念そのもの（意味記憶）が障害されてくることが特徴的である．側頭葉前部に多様式の認知情報が集合して意味記憶の中心部位として働くという **semantic hub 仮説** が有名であるが[11]，必ずしも一定の見解になっているわけではない．また，対象概念としての意味記憶は両側性に表象されていることにも注意が必要である．

4 言語入力から出力への変換を担う神経基盤（図 2-22）

a 復唱障害の神経基盤

復唱が可能であるためには，聴覚刺激を受容し言語音を分析して同定し，さらに言語音の連鎖を一時的に短期記憶に貯蔵し，それを発話に際して正しい音韻系列に展開するという一連の作業が必要となる．したがって復唱は語音認知障害でも，伝導失語に特徴的な音韻性錯語でも，非流暢な発話障害でも障害されうる．文や無意味語，多音節語の復唱では，言語性短期記憶障害でも障害されることとなる．

傍シルヴィウス裂言語領域が復唱を担当しているというのが古典論の考え方であるが，多くの臨床的データからは復唱に最も関与している皮質領域はウェルニッケ野から縁上回にかけての領域である．復唱に対応する神経基盤として，弓状束をはじめとする白質連絡路が重要なのか，縁上回な

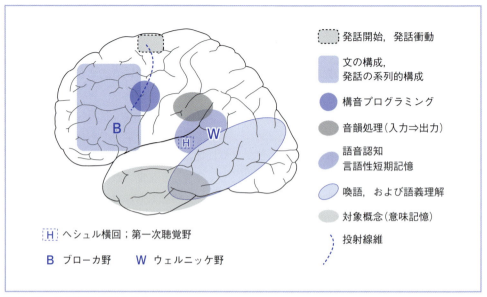

図 2-22　言語機能の脳内分布
出力部位，入力部位に加えて，音韻入力（音韻イメージ）を出力に変換する部位を加えた．

どの皮質領域が重要なのかは，いまだに一定の結論は出ていない．ただ，傍シルヴィウス裂言語領域のうち，ブローカ野の復唱への関与は否定的な見解が多い．ブローカ野だけが障害された場合に起こる**ブローカ領域失語**では復唱はほとんど障害されないからである．

b 音韻性錯語の神経基盤

言語入力あるいは音韻イメージを出力に変換する部位としてシルヴィウス裂後端を囲む皮質領域，具体的には上側頭回後端，および縁上回が重要視されている．この領域が障害されることにより，言語性短期記憶障害とともに音韻性錯語が出現する．これが伝導失語である．入力された（あるいはイメージされた）音韻列を，系列的に正しく運動出力に変換する機能の障害により音韻性錯語が出現すると考えられる．ただし，音韻性錯語は陽性症状であり，ブローカ失語でもウェルニッケ失語でも認められる．

5　喚語を支える神経基盤

ほとんどの失語型（失語症候群）は喚語障害をその部分症状としてもっており，その神経基盤も広く多様である．単語の意味理解にかかわる角回，中下側頭回を中心に，ブローカ野や補足運動野もさらには側頭葉前部も加えた多くの領域が喚語に関与していると考えられる．そもそも語彙をどこから呼び出すのかという基本的な事実もまだ闇の中である．一口に喚語といっても，会話の中での語彙呼び出しの場合と指示された物品を呼称する場合，さらにはカテゴリーや語頭音からの語列挙など，さまざまな場合が想定され，それぞれに神経基盤が異なる可能性も高い．物品呼称でも通常の視覚入力からの呼称以外に，触覚や聴覚からの呼称，さらに言語性定義による呼称など，入力モダリティが異なれば処理様式もその神経基盤も異なる可能性がある．さらに，単語意味理解の場合と同様に品詞やカテゴリーによって神経基盤が異なる可能性も高い．なお，物品呼称のカテゴリー特異性については生物，道具，身体部位などで部

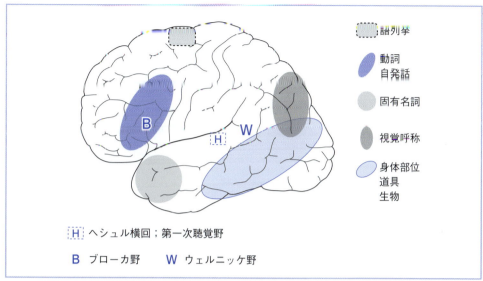

図 2-23 現在までに報告のある喚語にかかわる脳部位

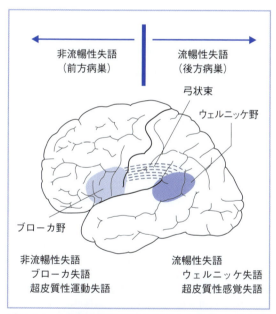

図 2-24 古典的失語分類のための2つの軸：1.非流暢性-流暢性

6 言語を支える神経基盤のまとめ

以上，各領域と言語との関係を解説したが，ほとんどすべての領域が言語活動に関連していることがわかる．主体となる左傍シルヴィウス裂言語領域は言語の道具的側面，特に言語の音韻的側面を担当し，その周りの大脳皮質（特に側頭葉）が意味や喚語にかかわるネットワークを形成していると考えられる．内側の補足運動野は言語の発動性にかかわり，皮質下領域も注意や制御の役割をもって言語活動を下支えしており，さらに右半球はコミュニケーションという大きな枠組みで言語活動にかかわっているといえる．結局，言語活動には大脳全体を使っていると結論される．

F 古典的失語分類における2つの軸と失語型に対する考え方

非流暢―流暢の区別，復唱が障害されるか否かの区別が，古典的失語分類の2つの大きな軸である（図 2-24，25，表 2-1）．2つの軸ともに上に記したしたようないくつかの問題点があることを

位特異性がいわれることがあるが，定説とはなっているわけではない．ただ，側頭葉前部は固有名詞との関係が深いという報告が多い．図 2-23 に現在までに報告のある語列挙やカテゴリー特異性についての神経基盤をまとめた．

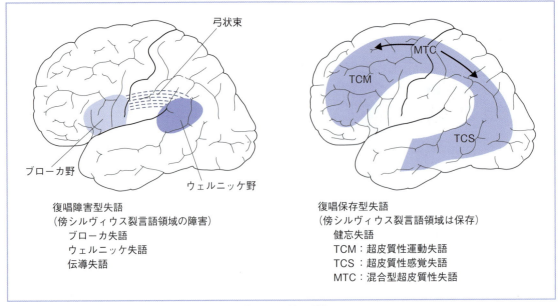

図 2-25　古典的失語分類のための2つの軸：2. 復唱が可能かどうか

表 2-1　失語分類における2つの軸

	前方型（非流暢性）	後方型（流暢性）
復唱障害あり	ブローカ失語 純粋発語失行（純粋語唖）	ウェルニッケ失語 伝導失語
復唱障害なし	超皮質性運動失語	超皮質性感覚失語

理解しておけば，臨床的にはこの2つの軸は有用な目安となるであろう．ただし，これだけではウェルニッケ失語と伝導失語の区別はできない．両者の主な違いは理解障害の有無であるが，それだけではなく発話特徴も異なる．

失語型とは決して単一の言語機能の障害を表すものではなく，いくつかの言語症状からなる症候群であることに注意が必要である．また，失語症の臨床は失語型の診断に終わるものではなく，個々の症例の本質的な障害がどこにあるかを見抜き，そこにどうアプローチするかを考える姿勢こそ重要である．

引用文献

1) Geschwind N：Disconnexion syndromes in animals and man Part I. Brain 88：237-294, 1965
2) 山鳥重：ジャクソンの神経心理学．医学書院，2014
3) 松田実：全失語における偶発性発話．神経心理学 30：176-184，2014
4) 山鳥重：神経心理学入門．医学書院，1985
5) 松田実：非流暢性発話の症候学．高次脳機能研究 27：139-147，2007
6) Wernicke C：Der aphasisch Symptomencomplex：eine psychologisch Studie auf anatomischer Basis〔C. ウェルニッケ（著），濱中淑彦（訳）：失語症候群―解剖学的基礎に立つ神経心理学的研究―．秋元波留夫，大橋博司，杉下守弘，他（編）：神経心理学の源流，失語編　上．pp109-134，創造出版，1982〕
7) 松田実：Broca失語，Wernicke失語．平山惠造，田川皓一（編）：脳血管障害と神経心理学第2版．pp104-112, pp119-126，医学書院，2013
8) J. デジェリーヌ（著），杉下守弘（訳，解説）：運動失語とその皮質局在．秋元波留夫，大橋博司，杉下守弘，他（編）：神経心理学の源流，失語編　上．pp57-107，創造出版，1982
9) Hickok G, Poeppel D：The cortical organization of speech processing. Nat Rev Neurosci 8：393-402, 2007
10) 松田実：前頭葉障害による発話障害の諸相．高次脳機能研究 36：227-235，2018
11) Patterson K, Nestor PJ, Rogers TT：Where do you know what you know？ The representation of semantic knowledge in the human brain. Nat Rev Neurosci 8：976-987, 2007

脳血管性の失語と変性疾患の失語

A 血管症候群としての古典的失語症候群

　Wernicke, Dejerine などの連合主義を発展させた形で引き継いだボストン学派による失語症の研究や古典的失語分類は，主に脳血管障害における失語症の観察から蓄積されてきた．したがって，脳の血管支配を大まかにでも理解しておくことは重要である．傍シルヴィウス裂言語領域は中大脳動脈の灌流領域にあり，したがって主な失語は中大脳動脈やその分枝の閉塞によって生じる．表2-2 に主な脳梗塞のパターンと失語症候群との対応を示している．このなかで**内頸動脈閉塞**と**混合型超皮質性失語**との関係は重要であり，画像変化がまだ明らかでない急性期の段階で，失語症状から閉塞血管を予想できる場合もある[1]．

B 変性疾患の失語

　変性疾患の失語が最近は非常に注目されるようになっている．原発性進行性失語は別項で詳述される〔5章-11（➡ 132頁）参照〕が，原発性進行性失語ではない通常の認知症性変性疾患でも言語症

表 2-2　血管症候群と古典的失語分類

MCA 主幹部閉塞	全失語
MCA 上行枝閉塞	ブローカ失語
MCA 下行枝閉塞	ウェルニッケ失語
MCA の頭頂葉枝閉塞	伝導失語
IC 閉塞による分水嶺梗塞	混合型超皮質性失語
ACA 閉塞，ACA-MCA 分水嶺梗塞	超皮質性運動失語
MCA-PCA 分水嶺梗塞	超皮質性感覚失語

MCA：中大脳動脈，IC：内頸動脈，ACA：前大脳動脈，PCA：後大脳動脈

表 2-3　脳血管障害と変性疾患の違い

	脳血管障害	変性疾患
時間的要因		
発症	急性	緩徐
経過	不変～回復 機能代償が生じる	進行性 機能代償は生じにくい
空間的要因		
好発部位	血流支配や血管構築による 機能とは無関係	血流支配には無関係 機能別に障害される可能性
病巣の広がり	局在性病変（血流支配に一致） 一側性	多少ともびまん性 両側性
病巣の性質	完全破壊が多い	初期は軽度の変性
健常部位	健常	完全に健常なことは少ない
その他		錐体外路や辺縁系も障害されやすい

状がみられることを認識しておく必要がある．例えば，アルツハイマー病では傍シルヴィウス裂言語領域は強い障害を受けずその後方が障害されることが多いので，健忘失語や超皮質性感覚失語を呈することが多い．変性疾患における失語症候群の神経基盤もおおまかには脳血管障害による失語と変わらないが，決して同一ではない．脳血管障害と変性疾患との根本的な病理の違いが重要である（表 2-3）．特に急激に症状が完成する脳血管障害と徐々に進行する変性疾患という時間的要因の差，局所に損傷が限局する脳血管障害と多少ともびまん性に両側性に障害が進行する変性疾患という空間的要因の差が，両者の言語症状に差を与えていると考えられる．例えば，脳血管障害で起こるWernicke失語の急性期にしばしば認められる新造語性ジャルゴン（→80頁）は，変性疾患の失語でみられる頻度は少ない．また再帰性発話（→48頁）は脳血管障害による重度の非流暢性失語ではさほど稀ではないが，変性疾患の失語ではほとんど報告がない．脳血管障害による伝導失語では音韻性錯語が必発であるが，同じような部位を責任病巣とするロゴペニック型原発性進行性失語（→135頁）では，音韻性錯語が必発ではなく，音韻性錯語があっても，伝導失語ほどには目立たない場合が多い．

脳血管障害による失語と変性疾患による失語の，こうした言語症状の差異は上述した基礎疾患の性質の違いを反映しており，言語症状を病巣に対応した固定した症状と捉えるのではなく，よりダイナミックな過程と捉えるべきことを教えていると考えられる[2]．

謝辞：多くの図の作成にあたり，金城大学の前島伸一郎学長，東北大学大学院高次機能障害学分野の飯塚統先生の多大な援助を受けました．深く御礼申し上げます．

引用文献

1) 田川晧一：脳血管障害と失語症．田川晧一（編）：脳卒中症候学．pp692-716, 西村書店，2010
2) 松田実：変性性失語と脳血管性失語．神経心理学 26：264-271, 2010

第 3 章

失語症の原因疾患

学修の到達目標

- 失語症の原因疾患をあげることができる.
- 失語症をきたす脳血管障害,頭部外傷,変性疾患の病態を説明できる.
- 原発性進行性失語症の病態を説明できる.

失語症は言語に関わる脳領域の損傷によって生じる．あらゆる中枢神経系の疾患が原因になりうるが，発症パターンから，①急性発症して持続するもの，②一過性に症状がみられるもの，③緩徐に進行するもの，の3つに分けることができる（表3-1）．①の代表は脳血管障害であり，ほかに頭部外傷や炎症性疾患がある．②には一過性脳虚血発作とてんかん，③には種々の変性疾患と脳腫瘍がある．このうち，特に頻度が高く重要なのは，脳血管障害と変性疾患である．

A 脳血管障害

急性発症する脳血管障害 cerebrovascular disease（CVD）を脳卒中 stroke, apoplexy という．血管の狭窄・閉塞による虚血性疾患として脳梗塞，血管の破綻による出血性疾患として脳出血・くも膜下出血がある．脳血管障害には脳卒中以外の疾患も含まれるが（図3-1），ここでは脳卒中について述べる．

1 脳梗塞

脳梗塞 cerebral infarction はその原因から3つに分けられる．**アテローム血栓性脳梗塞**は脳動脈の血管壁が動脈硬化（アテローム）により狭窄・閉塞するもので，リスクとして高血圧，糖尿病，喫煙，脂質異常症があげられる．**心原性脳塞栓症**は心臓や主幹動脈にできた血栓が剥離して流れ，脳血管を閉塞する．急激に発症し，一般に血栓性脳梗塞より重症である．心房細動などの不整脈や心疾患がリスクとなる．**ラクナ梗塞**は，脳深部を支配する穿通枝動脈の動脈硬化により生じる，直径15 mm 以下の小梗塞を指す．前二者に比べ軽症である．前二者では，超急性期に適応基準を満たせば t-PA 静注療法を行う．急性期以降は，アテローム血栓性脳梗塞，ラクナ梗塞には抗血小板療法，心原性脳塞栓症には抗凝固療法を行う．

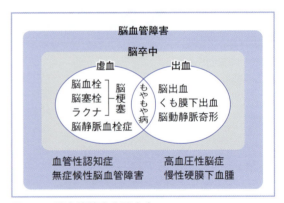

図3-1 脳血管障害と脳卒中

表3-1 失語症をきたしやすい中枢神経疾患

臨床形式		主な疾患
①急性発症	脳血管障害	脳梗塞，脳出血，くも膜下出血，脳動静脈奇形，もやもや病
	頭部外傷	脳挫傷，びまん性軸索損傷
	炎症性疾患	脳炎，クロイツフェルト・ヤコブ病，多発性硬化症
②一過性	一過性脳虚血発作	内頸動脈系閉塞
	てんかん	てんかん性失語重積状態，ランドウ・クレフナー症候群
③進行性	変性疾患	前頭側頭葉変性症（ピック病，大脳皮質基底核変性症，進行性核上性麻痺），アルツハイマー病
	脳腫瘍	神経膠腫（グリオーマ），髄膜腫，転移性脳腫瘍，中枢神経系原発悪性リンパ腫

脳梗塞は支配血管ごとに症状に特徴がある（表3-2）．失語症を生じる頻度は中大脳動脈が最も高く，あらゆる失語型を生じうる．前大脳動脈閉塞では前頭葉内側面が損傷し，超皮質性運動失語を生じる．後大脳動脈閉塞による失語は少ないが，視床に梗塞が及ぶときには失語を生じることがある．椎骨脳底動脈閉塞では，通常失語は生じない．

2 脳出血

脳出血 cerebral hemorrhage では急性期に頭痛を呈することが多く，重症では意識障害を呈する．高血圧性脳出血が多く，病巣は被殻と視床が多い．片麻痺や感覚障害が残るが，失語を含む高次脳機能障害が残ることもある．高齢ではアミロイド血管症も多く，大脳皮質・皮質下の出血を起こす．若年では，脳動静脈奇形やもやもや病，脳腫瘍，出血傾向に伴って生じることもあり，その場合はさまざまな部位に出血を起こして局所の症状を呈し，失語をきたすこともある．脳梗塞と異なり，頭部CTによる診断が有用である．脳幹出血や意識障害を伴う場合には予後不良である．軽症では血圧管理と脳浮腫対策，大出血なら血腫除去術を行う．

3 くも膜下出血

くも膜下出血 subarachnoidal hemorrhage（SAH）は，くも膜下腔に出血が及んだ状態を指す．女性に多く，男性の2倍といわれる．前交通動脈などにできた脳動脈瘤が破裂して生じる場合が多い．高血圧・喫煙・アルコール多飲がリスクとなり，またくも膜下出血の家族歴があることも重要である．典型的には，突然の激しい頭痛と嘔吐で発症し，意識障害をきたす．致死率が20〜30％と高く，頭部CTで脳槽内に出血が確認されたら，24時間以内に動脈瘤クリッピングやコイル塞栓術などの外科手術が必要である．

くも膜下出血だけで失語を生じることは少ないが，脳内出血を伴う場合や，発症後に脳血管攣縮を起こして脳梗塞を併発した場合には失語を生じる．

4 その他の脳血管障害

若年性脳出血，くも膜下出血をきたす疾患として，先天性脳血管奇形である**脳動静脈奇形**がある．また，**もやもや病**はウィリス動脈輪閉塞症ともいい，小児期には脳梗塞，成人期には脳出血をきたしやすい．ウィリス動脈輪を形成する主幹動脈が狭窄・閉塞していて，それを代償する側副血

表3-2 支配血管別の臨床症候

支配血管	主な運動・感覚障害	主な失語型	その他の主な高次脳機能障害
①前大脳動脈	下肢に強い片麻痺，尿失禁，原始反射	超皮質性運動失語	発動性低下，道具の強迫的使用，模倣行為
②中大脳動脈	片麻痺，半身感覚障害，構音障害	ブローカ失語，ウェルニッケ失語，伝導失語，健忘失語，全失語，超皮質性失語（運動・感覚・混合）	古典的失行（肢節運動失行・観念運動失行・観念失行），着衣失行，半側空間無視，構成障害，ゲルストマン症候群
③後大脳動脈	同名半盲，皮質盲	視床失語	視覚性失認，相貌失認，街並失認，大脳性色覚異常，純粋失読
④椎骨脳底動脈	片麻痺・四肢麻痺，半身感覚障害，眼球運動障害，構音障害，嚥下障害，運動失調	−	

行路として発達した異常血管網が，血管造影でもやもや見えることからこう呼ばれる．その他，静脈洞に血栓が生じて血液・髄液の循環障害をきたす疾患である脳静脈洞血栓症がある．

B 頭部外傷

　頭部外傷（または脳外傷，traumatic brain injury；TBI）は，交通事故や転倒などにより頭部に損傷を生じた状態で，急性期には意識障害，慢性期には運動障害や高次脳機能障害が問題となる．意識障害が6時間以内に改善すれば脳振盪であるが，それ以上持続し，改善後も局所症状が残存すれば脳挫傷である．脳挫傷の好発部位は，眼窩回を含む前頭葉下面と，側頭極・側頭葉内外側である．これは，特に後頭部を打撲した場合，打撲部位の反対側の損傷がより大きいことを示している（反衝損傷）．一方，受傷後意識障害が強いのにCT上の損傷や出血が軽微な場合，**びまん性軸索損傷** diffuse axonal injury（DAI）が疑われる．MRIでは脳梁や脳幹に好発する病巣を確認できる．外傷による出血は頭蓋内血腫を形成し，生じる場所により急性硬膜外血腫・硬膜下血腫・脳内血腫に分けられる．硬膜外血腫では，受傷直後は意識清明なのに時間がたってから意識障害をきたすことがあるので注意が必要である．

　頭部外傷に伴う失語は15〜30％程度といわれる[1]．しかし，失語で問題となる音韻論，意味論，統語論的な問題よりは，談話障害や語用論的な問題が前景に出たコミュニケーション障害になる場合が多い．非失語性呼称障害も頭部外傷に多い[2]．びまん性軸索損傷の後遺症では，運動面では小脳失調と麻痺，認知面では記憶障害や遂行機能障害，社会的認知障害が指摘されている[3]．これらの認知機能の障害は，前頭連合野を主体とした領域の機能低下が背景にあると思われ，上記のコミュニケーション障害を形成している．

C 中枢神経の炎症性疾患

　中枢神経系の感染症には，炎症が髄膜に及び頭痛などの髄膜刺激徴候を呈する髄膜炎と，炎症が脳に及び，意識障害，けいれんをきたして，高次脳機能障害が後遺症として残る脳炎がある．病原体として細菌・ウイルス・真菌があるが，ウイルス性，特に**単純ヘルペス脳炎**は重要である．側頭葉を中心とした大脳辺縁系が壊死し，致死率も高い．髄液PCRでウイルスのゲノムが検出されれば確定診断がつくが，結果を待たずにアシクロビルを投与することが推奨される．後遺症として健忘や**クリューバー・ビューシー症候群**が有名であるが，語義失語や健忘失語を呈する場合もある．

　プリオン病は，異常型プリオン蛋白（PrP）が脳に蓄積して発症する，致死性の感染性神経疾患である．**クロイツフェルト・ヤコブ病**はヒトのプリオン病で，感染性・遺伝性・孤発性があり，孤発性が最も多い．感染性では異常PrPが脳に感染して発病する．硬膜移植術や下垂体製剤使用後に生じることがある．記憶障害や抑うつで発症し，週や月の単位で認知機能障害が急速に進行し，半年で無動無言になる．治療法はなく，約1〜2年で死亡する．初期には失語を呈することがあり，原発性進行性失語の経過をとることもある．

　自己免疫疾患も，失語をきたしうる炎症性疾患である．膠原病のうち，全身性エリテマトーデスは血管炎により中枢神経障害をきたし，失語を呈することがある．多発性硬化症は，代表的脱髄疾患である．白質の損傷により処理速度の低下や遂行機能障害を呈しやすいが，炎症をくり返すうち，脱髄だけでなく軸索が損傷を受けると失語をきたすことがある．

D 一過性脳虚血発作

一過性脳虚血発作 transient ischemic attack (TIA) では，脳梗塞と同様の症状が出現し，24時間以内に消失する．ラクナ梗塞の機序によるものが25％と最も多く，アテローム血栓性と心原性はそれぞれ15％ほどである．治療も脳梗塞に準ずる．通常，症状持続は2〜15分程度と短いが，患者の一部は後に脳梗塞を発症し後遺症を残す場合がある．その原因は血栓が最多で，心原性は少ない．脳梗塞を起こすのは2日以内が多く，リスクとして60歳以上・高血圧・糖尿病のほか，TIAの持続時間が長いこと，臨床症状として麻痺や言語障害があることがあげられる．

TIAの症状は内頸動脈系と椎骨脳底動脈系に分けられる．内頸動脈系では，麻痺や感覚障害，構音障害のほか，失語をはじめとしたさまざまな高次脳機能障害を一過性にきたすことがある．**一過性黒内障**も，内頸動脈の枝である眼動脈の閉塞により生じる有名な症状である．椎骨脳底動脈系の閉塞では，脳幹症状として麻痺・感覚障害のほか複視・構音障害・嚥下障害などをきたしやすいが，失語は通常みられない．小脳症状としてはめまいや失調，後頭葉症状としては同名半盲などの視覚異常もみられる．けいれんや意識障害の存在はTIA以外の可能性を示唆する．

近年の画像診断法の進歩により，症状が消失したあとでも，MRI拡散強調画像 diffusion-weighted image（DWI）では異常所見の持続があることがわかってきた．そのような場合には脳梗塞を起こすリスクが高くなる．

E てんかん

てんかん（epilepsy）とは，ニューロンが過剰に放電して反復性の発作を起こす慢性疾患である．てんかん発作のうち，全般性発作は強直性・間代性けいれんと意識消失をきたす．局在関連性発作には意識消失を伴う複雑部分発作と伴わない単純部分発作があり，放電の生じた脳領域によって，身体運動が生じたり（自動症），直前に行っていた動作が止まったり（言語停止など），幻覚や夢幻様状態などさまざまな発作を呈する．発作は通常1〜2分で停止するが，5分以上続く場合はてんかん重積状態と判断する．原因疾患が明らかでない特発性と，原因が特定できる症候性てんかんがあり，後者の原因には脳腫瘍や脳血管障害，頭部外傷，脳炎などがある．診断には脳波が必須で，棘波・鋭波などの突発波がみられる．治療にはバルプロ酸やカルバマゼピンなどの薬剤を使うが，難治性の場合には焦点部分の切除術など外科的処置が必要になることもある．

てんかん発作では，前兆として失語などの言語症状がみられることもあり，単純部分発作において失語発作がみられる割合は7.5％と報告されている[4]．このうち理解・表出障害は同程度で，左前頭側頭葉病巣の関与が示唆される．発作間欠期の言語症状については，呼称・読解・自発話・談話産生障害が多い[5]．非けいれん性てんかん重積状態のうち，左半球のてんかん発作波に一致して失語症状を呈するものを**てんかん性失語**といい，成人発症のものはてんかん性失語重積状態，小児発症は**ランドウ・クレフナー症候群**である[6]．

F 脳腫瘍

脳腫瘍（brain tumor）とは，頭蓋内に発生する腫瘍性病変の総称である．頭蓋内の細胞が腫瘍化する原発性脳腫瘍と，頭蓋外の悪性腫瘍による転移性脳腫瘍がある．原発性脳腫瘍のうち，脳実質内にできる腫瘍で最多なのは**神経膠腫（グリオーマ）**と神経膠芽腫（グリオブラストーマ）で，後者

がより悪性度が高く予後不良である．その他，中枢神経系原発悪性リンパ腫も悪性度が高い．脳実質外にできる腫瘍は良性のものが多く，髄膜腫が最多である．下垂体腫瘍はホルモン異常と視野障害(**両耳側半盲**)をきたす．小児に多い頭蓋咽頭腫は，下垂体機能不全と水頭症をきたす．神経鞘腫は主に聴神経にできる良性腫瘍で，CT上で小脳橋角部腫瘍として捉えられる．難聴・耳鳴・めまいを来し，耳鼻咽喉科を受診する場合が多い．転移性脳腫瘍の原発巣は肺癌が多く，ほかに乳癌や胃癌などがある．予後はきわめて不良である．

脳腫瘍の症状には，頭痛や嘔吐などの頭蓋内圧亢進症状と，腫瘍の増大・浸潤に伴う脳実質の障害による症状がある．後者のうち全般性症状はけいれん発作であり，脳腫瘍の30％にみられる．局所性症状は脳腫瘍のできた部位によって異なり，言語にかかわる領域にできた場合には失語や読み書き障害を生じる．

G 変性疾患

神経変性疾患とは，なんらかの原因で神経細胞が広範に変性・脱落していく疾患の総称である．共通特徴として，臨床的には緩徐進行性であること，病理学的には系統変性(錐体路，錐体外路など特定の神経系統が変性する)の形をとることがあげられる(➡ Note 2)．遺伝性と孤発性があり，病理所見がなければ正式には診断できないものが多い．近年では，それぞれ特有の異常蛋白が蓄積することがわかってきて，その分類も変わりつつある．

1 変性疾患の臨床分類

a パーキンソニズムを主体とする疾患

パーキンソン病(Parkinson's disease)は頻度の高い代表的な変性疾患で，黒質線条体ドパミン系細胞の変性により，安静時振戦，筋固縮，無動，姿勢反射障害などの錐体外路症状をきたす．パーキンソニズムとはこれと似た症状を呈するものをいい，進行性核上性麻痺や大脳皮質基底核症候群，脊髄小脳変性症の一部があげられる．レビー小体型認知症もパーキンソニズムを呈する場合がある．

b パーキンソニズム以外の運動障害を主体とする疾患

筋萎縮性側索硬化症 amyotrophic lateral sclerosis(ALS)が代表的で，上位・下位運動ニューロン障害による筋萎縮が特徴である．ハンチントン病は常染色体優性遺伝疾患で，尾状核を中心とした萎縮により，舞踏運動と認知症を特徴とする．このほか，前述の進行性核上性麻痺や大脳皮質基底核症候群，脊髄小脳変性症も，パーキンソニズム以外の運動障害(不随意運動や運動失調)を呈する．

> **Note 2. 病理診断名と臨床診断名**
>
> 変性疾患においては，類似した病名が存在して混乱することがある．これは，変性疾患が基本的に病理学的にしか確定診断できないという特性が関係している．例えば，前頭側頭葉変性症と前頭側頭型認知症がある．前者は病理名，後者は臨床名として浸透しているが，わが国の指定難病名は前者が採用されている[1]．
>
> また，大脳皮質基底核変性症(CBD)と大脳皮質基底核症候群(CBS)がある．これも前者が病理名，後者が臨床名である．もともとCBDは，基底核症状としてパーキンソニズム，皮質症状として失行や皮質性感覚障害がみられ，左右差が顕著な変性疾患というイメージで捉えられてきた．ところが，研究が進むにつれ，このような臨床像であっても別の疾患であることが非常に多いことがわかってきたので，この臨床像をもつものを症候群(CBS)とし，従来のCBDは病理名として用いることになっている[2]．
>
> 1) 日本神経学会：認知症疾患診療ガイドライン 2017. 医学書院，2017
> 2) 永井知代子：頭頂葉損傷による神経心理学的症候：頭頂葉症候の診かた—こんな依頼がきたらどうするか．神経心理学 31：160-168, 2015

表 3-3　原発性進行性失語（PPA）の分類と特徴

PPA 亜型	言語特徴	萎縮・血流低下部位	主な背景病理（蓄積蛋白）		主な原疾患名	
①非流暢／失文法型（nfvPPA）	ブローカ失語型	下前頭回弁蓋部〜運動前野，島，補足運動野	FTLD-tau	3リピートタウ	ピック病	前頭側頭葉変性症
				4リピートタウ	進行性核上性麻痺，大脳皮質基底核変性症	タウオパチー
②意味型（svPPA）	語義失語型	前部側頭葉	FTLD-TDP（TypeC）			
③ロゴペニック型（lvPPA）	伝導失語型	側頭頭頂接合部（下頭頂小葉〜側頭葉後方）	Aβ，3/4リピートタウ		アルツハイマー病	

C　認知症を主体とする疾患

アルツハイマー型認知症 Alzheimer's disease が代表的で最も頻度が高く，次に高いのはレビー小体型認知症である．その他，ピック病を含む前頭側頭葉変性症がある（後述）．

2　原発性進行性失語

変性疾患は，症状進行中にさまざまな高次脳機能障害を呈する．そのなかで，特に失語症状だけが目立って進行するものを**原発性進行性失語** primary progressive aphasia（PPA）という．現在，臨床的に3型に分けられており[7]，その背景疾患を臨床型からある程度推測できることがわかってきた（表3-3）．詳しい臨床像は，「原発性進行性失語（進行性失語）」（➡ 132頁）を参照のこと．

非流暢／失文法型PPA（non-fluent variant；nfvPPA）は，ブローカ失語類似の臨床像を取るタイプで，画像上で萎縮・血流低下が最も顕著なのは左下前頭回弁蓋部から運動前野である[8]．背景病理は**前頭側頭葉変性症** frontotemporal lobar degeneration（FTLD）のうちタウ蛋白が蓄積するFTLD-tauが多く，このなかに従来はピック病，進行性核上性麻痺，大脳皮質基底核変性症と呼ばれてきた疾患が含まれる．意味型PPA（semantic variant；svPPA）は，以前から意味性認知症と呼ばれてきたもののうち失語が前景に出るタイプで，左優位に前部側頭葉が強く萎縮している．語義失語の臨床像を呈し，その8割はTDP43という蛋白が蓄積するFTLD-TDP（TypeC）である．したがって，これら二型はFTLDが多いといえる．なお，発語失行が前景に出て失語が明らかにならない非流暢タイプは，nfvPPAと区別して原発性進行性発語失行 primary progressive apraxia of speech（PPAOS）と呼ばれるが，原疾患は進行性核上性麻痺が多く，運動前野・補足運動野の障害が主である[9]．

一方，ロゴペニック型PPA（logopenic variant；lvPPA）は呼称・復唱障害が強い伝導失語類似の臨床像を呈し，この型だけはアルツハイマー病が多い．病巣も前二者と異なり，より後方の側頭頭頂接合部に変性が強い．アミロイド蛋白とタウ蛋白が蓄積するのが特徴である．

このように，近年は変性疾患が蓄積する蛋白によって再編成されつつある．タウ蛋白ならタウオパチー，TDP43ならTDP43プロテイノパチー，αシヌクレインが蓄積するパーキンソン病やレビー小体型認知症，多系統変性症（脊髄小脳萎縮症の一種）はαシヌクレイノパチーといった具合である．なお，ALSを合併しやすいFTLDがあり，これはTDP（TypeB）が多いといわれる[10]．ちなみに，TypeAは3型いずれを呈する場合もある．

引用文献

1) 種村純, 椿原彰夫：外傷性脳損傷後の認知コミュニケーション障害. リハ医 43：110-119, 2006
2) 東谷則寛, 浅野紀美子, 滝沢透, 他：非失語性呼称障害とその周辺. 失語症研究 6：1043-1048, 1986
3) 益澤秀明：びまん性軸索損傷と'脳外傷による高次脳機能障害'の特徴. 高次脳機能研究 35：265-270, 2015
4) 兼本浩祐, 馬屋原健：失語発作を呈した42例のてんかん患者の臨床的検討. 失語症研究 13：230-236, 1993
5) Bartha-Doering L, Trinka E：The interictal language profile in adult epilepsy. Epilepsia 55：1512-1525, 2014
6) 佐藤正之：てんかん性失語. 神経心理学 31：239-245, 2015
7) Gorno-Tempini ML, Hillis AE, Weintraub S, et al：Classification of primary progressive aphasia and its variants. Neurology 76：1006-1014, 2011
8) Tee BL, Gorno-Tempini ML：Primary progressive aphasia：a model for neurodegenerative disease. Curr Opin Neurol 32：255-265, 2019
9) Josephs KA, Duffy JR, Strand EA, et al：Clinicopathological and imaging correlates of progressive aphasia and apraxia of speech. Brain 129：1385-1398, 2006
10) Mackenzie IR, Neumann M, Baborie A, et al：A harmonized classification system for FTLD-TDP pathology. Acta Neuropathol 122：111-113, 2011

第 4 章

失語症の症状

学修の到達目標
- 失語症の症状を説明できる．
- 失語症の症状を調べる基本的技法を説明できる．
- 失語症の近縁症状を説明できる．
- 失語症に随伴しやすい障害を説明できる．

1 言語症状

　失語症は，後天的な脳病変によって言語記号の操作が困難となる言語機能の障害である．失語症の言語機能障害は，聴覚，構音，手指の運動機能の障害によって入力や表出が阻害された状態とは異なる性質や発現機序をもつ．言語機能は，発話（話す），聴覚的理解（聞く），読解と音読（読む），書字と書き取り（書く）といった言語様式（言語モダリティ）に分けて考えることができる．失語症においては，重症度の差はあれ，すべての言語モダリティに障害をきたす．

　しかし，その症状の現れ方は多様であり，すべての症状が，一人の失語症者に現れるわけではない．失語症の症状を理解し，分析することによって，症状の出現パターンから失語症候群を分類することが可能となる．また，詳細に症状を分析することによって，言語処理の障害メカニズムを検索して治療仮説を立てることができる．

　言語症状を観察し，記述，分析できることは，失語症臨床の重要な要素である．したがって，言語聴覚療法では，失語症の言語症状を正確に理解し，言語の状態を観察して，症状の分類や分析を行えるようになることが求められる．

発話の障害

　失語症者の多くは「言葉がうまく話せない」と訴える．失語症の発話の障害は，麻痺による運動障害や欠損による器質的障害がないにもかかわらず，語や文が話せない，誤った言葉を話す，努力的に苦しそうに話す，といった症状が出現する．しかし，すべての失語症者において一律に同様の症状が出現するわけではない．各失語症者に出現する症状は多彩であり，さらに時間経過や言語聴覚療法によって変化していく．

　私たちが言葉を話すときには，言いたい内容（意味）を音声符号に変換し，発声発語器官から経時的に表出する．語の意味を音声符号に変換する過程にもいくつかの段階がある．失語症においては，意味を音声符号に変換する過程のいずれかの操作が障害されることによって，発話面の症状が出現する．発話の障害は，あらゆる失語症タイプで出現するが，特にブローカ野を含む脳の前方病変例で顕著である．

1 意図性と自動性の乖離

　発話とは，音声言語を用いて，自分の考えを述べたり，情景や事物を叙述したりすることである．情報を伝達するだけにとどまらず，日常生活における挨拶や，会話におけるあいづち，など社会的行為としての側面ももつ．失語症においては，事物や考えを意図的・随意的に言語化する随意的発話が障害される．一方で重度の失語症であっても，自然な状況の下で意図せずに発せられるような自動的発話は残存する傾向がある．例えば，すれ違うときに挨拶したら，「どうも」とか「やあ」など自然に発話されるが，身近な物品の名称を言えない，といったことが生じる．また，プレゼントを渡したときには「ありがとう」と自然に言えたが，対面で座って「ありがとう，と言ってください」と求められると，「あ・・あり・・・」と意図的には言えない，ということが生じる．これは，**意図性と自動性の乖離**と呼ばれる現象である[1]．

　意図性と自動性の乖離は，一般に失語のみならず，失行などの左半球による高次脳機能障害にしばしばみられる．乖離があまり生じない例として，低次の比較的単純な機能である第一次視覚野

の損傷で生じる視野欠損や，錐体路障害における運動障害がある．これらの場合には，症状と病巣との対応は固定的で浮動性が少ない．一方で，言語や行為，判断や思考といった高次脳機能においては，関連している脳領域や神経ネットワークの広がりが大きいために，症状と病巣との対応が必ずしも固定的ではなく，ある時にはできるけれども，ある時にはできない，という症状の浮動性が生じる．

2　失語症における発話の流暢性の障害

失語症の臨床においては，発話面の特徴から非流暢型失語症と流暢型失語症に大別する．この考え方にはボストン学派の影響が大きく，脳画像がない時代においては，発話面から病巣部位を推定するなどの診断的意味合いも大きかった．現代における非流暢性および流暢性の区別については，分類の限界や非流暢性を構成する要因について，さまざまな批判もある．しかし，臨床上の失語型診断や専門職間の共通言語として，現在においても**発話の流暢性**fluencyは有用な視点として用いられる．

失語症における発話の流暢性には，発話speech面の要因と言語language面の要因が含まれている．この点において一般用語や吃音における発話の特徴を示す「流暢性」とは意味が異なる．失語症における流暢な発話とは，①発話量が豊富であり，②構音・プロソディが正常であり，③句の長さが長く，④文法的に変化に富んだ文が発せられるが，⑤発話量や滑らかさに対して，情報量は少ない傾向にある（例：「これが，去年のじゃなくて，今，7月ですから，来月の11だとちょっともってるんですよ．ちょっと，間違いないと思いますけどね．それまでに，はい，まあ，ある程度はあったんですけどね」．）

一方，失語症における非流暢な発話は次の特徴を示す．①発話量が少なく，②努力性を伴う構音・プロソディの障害を認め，③文法の形態は貧困となって語や短い句のみがみられるが，④少ない発語は情報のある言葉のみから構成される傾向にある，という特徴をもつ（例：「さんぽ・・さんぽにしている．ぼうしをとばす．この，ぼうしがかわにおちるのが，おちて，これの，なんか，・・・」）．

発話の流暢性の評定には，ボストン失語症診断検査 Boston Diagnostic Aphasia Examination (BDAE)[2]における「話し言葉の特徴に関する評価尺度プロフィール」が用いられる（図4-1）．この尺度は7項目あるが，聴覚的理解を除いた発話に関する6項目（メロディ，句の長さ，構音能力，文法的形態，会話中の錯語，喚語）を用いて，7段階の尺度（1〜7）で評定する．評定尺度は基本的に"1"が最大の異常な状態を指し，"7"が正常な状態を指す．「メロディ」，「句の長さ」，「構音能力」，「文法的形態」については，中間の"4"を中心に，"7"に近くなれば流暢であり，"1"に近づけば非流暢となる．また，「会話中の錯語」については，実際には，流暢であれ非流暢であれ，症例によってさまざまな尺度にプロットされる．評定項目「喚語」については，ほかの項目と異なり，中間の"4"が正常な状態を示し，"1"は流暢であるが情報がない異常な状態，"7"は情報のある言葉だけからなる異常な状態を示す．典型的な流暢性発話と非流暢性発話のプロット例を図4-2に示した．

その他の流暢性の評価としては，ベンソンBensonの評価尺度がある．これは，①発話量が正常か少ないか，②努力性の有無，句の長さが正常か短いか，④プロソディが正常か異常か，⑤内容語の割合として名詞が欠如しているか，名詞が多いか，⑥錯語が頻回か少ないかという二分法で評定し，流暢型失語と非流暢型失語を特徴づけている．

3　構音とプロソディの障害

失語症においては，発声発語器官に明らかな麻痺がないにもかかわらず，構音とプロソディの障

第4章 失語症の症状

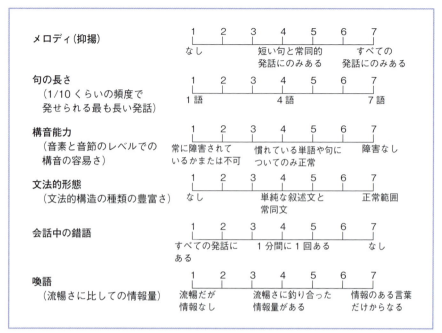

図 4-1　ボストン失語症検査（BDAE）における発話の流暢性評価
〔Goodglass, et al（著）．笹沼澄子，他（訳）：失語症の評価．p32, 1975 より改変〕

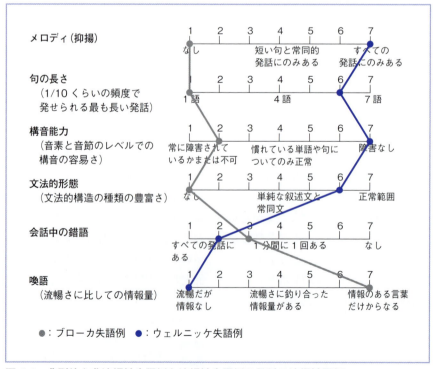

図 4-2　典型的な非流暢性失語例と流暢性失語例の発話の流暢性評価

表 4-1 発語失行，音韻性錯語，運動障害性構音障害の違い

	発語失行	音韻性錯語	運動障害性構音障害
発声発語器官の運動麻痺や失調	なし	なし	あり
声（高さ・大きさ・声質）の異常	なし	なし	あり
音の誤りの一貫性	なし	なし	あり
構音動作の探索	あり	なし	なし
発話開始の困難	あり	なし	あり
プロソディ障害	・障害あり ・発話速度低下 ・一音ずつ区切る	障害なし	障害あり
構音の複雑さの影響	・影響あり ・構音動作が難しい音をやさしい音に誤るとは限らない	・影響なし ・構音動作が難しいかどうかは関係ない	・影響あり ・構音動作が難しいほど困難

害を伴うことがある．この構音とプロソディの障害を**発語失行** apraxia of speech もしくは**失構音** anarthria と呼ぶ．運動障害性構音障害 dysarthria が，麻痺による構音運動の実行過程の障害であるのに対して，発語失行は構音運動を企画（プログラミング）する過程の障害と考えられている．病変部位は，左半球中心前回中下部の皮質・皮質下白質が有力視されている．

発語失行の発話特徴は，発話の開始が困難となり，不自然な間や努力的で探索的な構音動作を認める．発話のリズム，アクセント，イントネーションに異常をきたし，音の高低が平板化し，音と音との間が途切れるなどのプロソディ障害を呈する（例：「a: mo i mo: a: da bo da Q ta」（甘いもなかをもらった）．同じ音系列をくり返し発話すると，一貫性が欠如した構音の誤りを呈する（例：「pa ta a pa da ka paka」（[pataka] の連続発話）．発話開始の困難や探索的な構音動作，ストレスの異常については，運動障害性構音障害でも出現するが，麻痺の有無によって区別することができる．また，一貫しない音の誤りは後述する音韻性錯語でも出現するが，音韻性錯語では探索的な構音動作や発話開始困難を伴わないため，両者を区別することができる（表 4-1）．

4 喚語障害

喚語障害 word finding deficit は失語症の中核症状であり，意図した語を喚起できない状態である．失語症例は，例えばりんごの絵を見て「りんご」と言おうと意図するが，その語が喚起できない．結果として，言葉が出ない（**喚語困難**），異なる語が出る（**錯語**），別の言い方で何とか表現しようとする（**迂回反応**）という失語症状が出現する．喚語障害は，線画や事物を見て呼称する課題のみならず，会話場面においても出現する．

喚語障害は，すべての失語症例に出現するが，障害の程度や特徴は失語症例によって異なる．言おうとする単語の出現頻度，事物や単語のなじみの程度（**親密度**），単語の意味のイメージのしやすさ（**心像性**）によって，喚語のしやすさは影響を受ける．例えば，一般に親密度が高い「学校」よりも親密度が低い「更迭」は喚語しにくい．また，心像性が高い「金魚」よりも，心像性が低い「優雅」は喚

語しにくい．さらに，喚語は名詞，動詞といった品詞の種類によっても影響を受け，名詞は発話できるが，動詞は発話できない症例が存在する一方で，動詞は発話できるが，名詞の発話は難しい症例も存在する．また，名詞において特定の意味カテゴリー（例：動物，食品，道具，身体部位など）に障害が強く現れる場合がある（**意味カテゴリー特異性**）．例えば，動物の名称は容易に喚語可能であるにもかかわらず，道具の名前はどうしても言うことができない，といった症状が出現することがある．

a 喚語困難

喚語困難 word finding difficulty は，喚語障害とほぼ同義であるが，狭義には，目標語を喚起できない無反応のみを指すことがある．例えば，りんごの絵をみせて名称を言うように求めたときに，まったく音声が表出されない場合や，「えーと，えーと」や「なんだっけ，えーと・・・」などの反応として観察される．「えーと」や「なんだっけ」といった発話は，喚語困難で生じる間を埋めており，フィラーと呼ばれる．語頭音「り」や，意味情報「真っ赤で丸い・・」などの手がかりを与えると，喚語が促進されることがある．

ウェルニッケ失語においては，喚語困難が根底にあるために，話す量に比べて情報量が少なく，それ，あれといった指示詞に代表されるような**空語句**が頻発し，**空疎な発話** empty speech となる．

b 迂回反応（迂言）

迂回反応（迂言） circumlocution は，語が喚起できないときに，別の言い方で説明する状態を指す．一般に名詞が出てこないときに，動詞や形容詞などを用いて，用途や形態などの特性で表現する．例えば，「爪切り」の絵を見て「パチンパチンとする，あの・・・」，「豆腐」の絵をみて，「白くて，やわらかくて，鍋にするといいんだよね，なんだっけ」といった症状である．

c 錯語

錯語 paraphasia は，意図した語を言おうとするが，異なる語に言い誤ってしまう状態である．例えば，「りんご」の絵を見て「みかん」と異なる語に言い誤ったり，「きんご」と音の一部を言い誤ったりする．錯語は，異なる語に言い誤る**語性錯語**と，目標語の音の一部を誤る**音韻性錯語**に大きく分けることができる．特に，語性錯語は「どのような語に誤るのか」について，より詳細に分類することができ，語を喚起する過程のどこに問題があるのかについて検討する手がかりとなる．

1）語性錯語

語性錯語 verbal paraphasia は，目標語がほかの語に置き換えられる誤りであり，下記のようにいくつかの種類に分けることができる．

(1) 意味性錯語

意味性錯語 semantic paraphasia は，目標語と意味的に関連する語への誤りであり，例えば「りんご」の絵をみて，同じ果物カテゴリーの「みかん」というような場合を指す．目標語との間に音韻の類似性はない．錯語のなかでも頻繁に出現する．

(2) 無関連錯語

無関連錯語 irrelevant paraphasia は，目標語と意味的に関連がない語への誤りであり，例えば「りんご」に対して「猫」というような場合を指す．目標語との間に音韻の類似性はない．

(3) 形式性錯語

形式性錯語 formal paraphasia は，目標語と意味的関連はないが，音韻形式が似た語へ誤る場合を指す．例えば，「りんご」に対して「さんご」，「つむじ」に対して「つつじ」というような場合を指す．

(4) 混合性錯語

混合性錯語 mixed paraphasia は，目標語と意味的関連をもち，かつ音韻形式も類似した語に誤る場合を指す．例えば，「鏡餅（かがみもち）」に対して「柏餅（かしわもち）」というような場合を

1 言語症状

指す．

2）音韻性錯語

音韻性錯語 phonological paraphasia は，意図した語（目標語）の音の一部を誤る状態である．表出された語は，無意味語（非語）であるが，目標語が何であるかは推察することができる．音韻性錯語の誤り方にはいくつかの種類がある．**置換**は，ある音がほかの音に置き換わる誤りである．日本語を例にとると，「りんご」の絵に対して「がんご」と言う場合，音節[ri]が[ga]に置換している．**転置**は目標語に含まれる音の位置が入れ替わる誤りである．例えば，「りんご」を「りごん」と言う場合，[-n ŋo]が[-ŋo n]と入れ替わっており，音節[n]と[ŋo]が転置している．**省略**は，ある音素が省略される誤りである．例えば，「ふすま」に対して「ふま」という場合，[su]が省略されている．**付加**は，目標語に余分な音が付加する誤りである．例えば，「つくえ」に対して「つくえげ」と言う場合，音節[ge]が付加されたということができる．

音韻性錯語は音の誤りであるが，個々の音素や音節の構音は容易である．置換や転置もためらいなく行われる点に注意を要する．これは音韻性錯語が，語を喚起する過程において適切な音韻を喚起できず，異なる音韻が選択されているために生じているからであり，構音の運動過程の問題ではないためである．音韻の誤りを自覚できる場合には，何度も言い直して修正をくり返し，目標語の音韻になんとか近づけようとする**接近行為 conduite d'approche** を認める．ただし，接近行為が成功して，目標語が言えるとは限らない．

d 新造語

新造語 neologism は，音素の置き換えが著しく，モーラ数も異なり，日本語の語彙に存在しない無意味な音節群に置き換わっている．目標語は推察できず，例えば，「りんご」に対して「けくとうな」と言うような場合を指す．**語新作**とも呼ばれる．大脳半球の後方病変による重度の失語症で出現する．

e 記号素性錯語

記号素性錯語 paraphasia monémique は，出現頻度は低いが，皮質下病変などによる失語症において出現する．2つ以上の形態素が結合した実在しない複合語への誤りである．複合する形態素は，名詞や動詞のみならず，接頭語，接尾語，語幹を含む．例えば，りんごに対して「りんごさと」と名詞「りんご」と名詞「さと」が結合するといった誤りを示す．

5 統語障害

失語症における発話面の統語障害を**失文法** agrammatism と呼ぶ．失文法は，ブローカ失語において出現する．しかし，文法的な文を発話する障害は，ウェルニッケ失語などの脳の後方病変でも出現することがある．これは，**錯文法** paragrammatism と呼ばれる．発話における統語障害は，統語操作が困難となり，文法的に正しい文が発話できない状態である．文は短く，統語構造が単純である．重度の場合，発話は1つの語や句からなり，文の構造をなさない（**断片的発話**：例：「風，帽子，くるっと」）．格助詞の脱落や誤用を認め，この脱落や誤用がはなはだしい場合には，**電文体発話** telegraphic speech となる．電文体発話では，語順は保持されているが格助詞などの機能語の脱落が顕著である．左半球病変の失文法例で常に生じるわけではないが，右半球病変による交叉性失語において認めることがある（例：「奥さん・・息子・・電話あった」）．

日本語においては，助動詞の使用は制限される（助動詞の例：れる，られる，せる，させる）．中等度の場合には句または短く単純な文が発話される（例：「男の人が　歩く．帽子，飛んだ」）．動詞は脱落，誤用，または名詞化されることがある（例：泳ぐ→水泳）．日本語においては，動詞の活

用や時制，相や終助詞，副助詞はほぼ保持される[3]．

6 ジャルゴン

ジャルゴン jargon は，多くの錯語や新造語からなる意味の取れない発話である．自分の発話が意味をなしていないことを自覚せず，無反省に発せられる．重度のウェルニッケ失語にみられる．新造語が意味をなさない「単語」であるのに対して，ジャルゴンは流暢な「まとまった長さの発話」である．Alajouanine は，ジャルゴンを未分化ジャルゴン，無意味ジャルゴン，錯語性ジャルゴンの3型に分類した．以下に，それぞれの特徴を示す[4]．

a 未分化ジャルゴン

未分化ジャルゴン undifferentiated jargon は，語や音節で明瞭に区切ることができない多様で未分化な音素が途切れることなく続く発話である．まとまった長さをもつが，統語構造を明確に把握することは困難である．発話者の第一言語の音素として記述することが困難な場合もある（例：リンゴの絵を見て，「kasumtz〜〜〜（表記不能）」）．**音素性ジャルゴン** phonemic jargon とも呼ばれる．

b 無意味ジャルゴン

無意味ジャルゴン asemantic jargon は，新造語を多く含み，意味が取れない発話であるが，助詞や助動詞が部分的に認められ，文形式が読み取れる発話を指す（例：「ま，さついですね，やなぎすみのだし，ま，なんつか，ちょっと，じゅう，へね？」）．Kertesz ら[5]はこれを新造語性ジャルゴン neologistic jargon と呼んでおり，同義と考えてよい．

c 錯語性ジャルゴン

錯語性ジャルゴン paraphasic jargon は，語性錯語が絶え間なく出現し，意味が理解できない発話である．個々の単語は実在するが文全体として意味をなさない（例：「あそこの扉が雀のって言ってるじゃない」）．**意味性ジャルゴン** semantic jargon とも呼ばれる．

※ Alajouanine のジャルゴンの3型のほか，マンブリングジャルゴンという症状が存在する．マンブリングジャルゴンは構音・発声障害を伴い，「もぐもぐとつぶやくような」不明瞭で理解困難な発話である．マンブリングジャルゴンは構音・発声障害を伴う，という点で未分化ジャルゴンと明確に区別される．

7 再帰性発話

再帰性発話 recurring utterances は，発話しようとすると，言語としての意味にかかわらずすべて同じ発話となってしまう場合をいう．**常同言語** verbal stereotype ともいう．再帰性発話は，無意味な音素や音素列の場合もあれば，実在語が意味や文脈にかかわらずに発話される場合もある．例えば，「お名前は？」と尋ねると「とまして」，「ご住所は？」に対して「とまして」，リンゴの絵を見せて「これは何？」に対して「とまして」といった具合である．Paul Broca による歴史的症例においても「タン，タン」としか話せなかったという再帰性発話の症状が記載されている．再帰性発話は，きわめて重度の非流暢性失語で認められる．

きわめて重度の失語症の発話症状としては，何か言おうとすると決まった実在語しか出てこない**残語** residual speech がある．残語は再帰性発話に似ているが，必ずしもまったく同義ではなく，重度の失語症にもかかわらずに残存した語句を文脈に応じて多様なイントネーションを伴って用いている場合に用いられる．

8 その他の発話症状

脳の前方領域の病変では，発症初期に**無言** mutism〔「失語症の近縁症状」（➡57頁）を参照〕を呈することがあり，まったく発話しなかったり，著しく発話が減ったりする．

重度のウェルニッケ失語では，発症初期に，相手がさえぎらない限り話し続け，止まらなくなる**語漏** logorrhea という症状が出現することがある．発話量が過大となる**多弁**，急いで話す**発話衝迫** press of speech を伴うことが多い．

B 聴覚的理解の障害

聴覚的理解 auditory comprehension とは，音声で提示された言葉を聞いて意味を理解することである．失語症による聴覚的理解障害は，末梢性の聴力障害などの感覚障害が原因ではないため，純音聴力の低下を認めない．また，雷鳴や電話の着信音といった非言語的な環境音の意味を理解することは損なわれない．会話では，質問に対する応答が食い違う，「うん，うん」ととりあえずうなずいているなど，理解しているかどうかあいまいな反応をすることなどから聴覚的理解障害の徴候を発見することがある．

聴覚的理解障害は，あらゆる失語症タイプで出現しうるが，特にウェルニッケ失語や超皮質性感覚失語など，脳の後方病変による失語症で顕著である．

聴覚的理解の過程には，いくつかの段階があることが知られている．しかし，実際の失語症例においては，語音認知の障害，単語の理解障害，統語理解障害が混在して出現することが多い．

1 語音認知の障害

語音認知とは，聞いた語音がその言語内のどの音韻なのかを同定することである．語音認知が障害されると，「かだん」と聞いても「ただん？」や「た？か？」など，語音「か」を正しく同定できず，結果として意味を理解することができなくなる．しかし，純音聴力には低下を認めず，環境音の認知は可能である．語音が認知できると，たちどころに意味を理解できる．例えば口形を視覚提示してどの語音か推察できると，すぐに意味を理解することができる．語音認知を評価するためには，口形を隠して「た」，「か」と聞かせ，2音が同じ音か違う音かを判定させる語音弁別課題を用いる．語音認知の障害が単独で現れる場合を**純粋語聾** pure word deafness と呼ぶ．

2 単語の意味理解障害

単語の意味を理解する場合には，同定された音が語として認知されて，意味と結びついている．これが障害されると，語の意味を理解することができない．失語症における単語の意味理解障害は，事物の意味自体が失われているのではなく，音韻系列に意味を結びつけることが困難なために生じる．つまり，仮に「やかん」や「ガスコンロ」という語を聞いて理解できなくても，やかんやガスコンロという事物の意味概念は保持されているため，やかんやガスコンロを適切に使うことができる．

意味理解の障害を測定する課題の1つとして，語を聞かせ，対応する絵や物品を複数の選択肢の中から選ばせる課題（**語と線画／物品のマッチング課題**）がある．失語症の聴覚的理解障害においては，語を聞いて絵や物品を指し示すことが困難となる．

失語症の聴覚的理解は，単語の**出現頻度**，事物や単語のなじみの程度（**親密度**），単語の意味のイメージのしやすさ（**心像性**）によって，影響を受ける．

3 統語理解障害

統語理解障害 syntactic comprehension deficits/asyntactic comprehension は，格助詞や語順の解読といった文法的な情報を用いて文の意味を理解することの障害である．統語理解障害は，ブローカ失語のみならず，伝導失語やウェルニッケ失語といった後言語野病変でも生じうる．

失語症例は，例えば，「男の子」，「女の子」，「追いかける」という各単語の意味はわかっても，「女の子を　男の子が　追いかける」という文の理解ができない場合がある．これは，文が単に単語を寄せ集めたものではなく，名詞や動詞が格助詞などの機能語と一定の規則（文法規則）で結びつき，個々の単語の意味とは異なる「文の意味」を構築しているためである．失語症の統語理解障害は，この文法規則を解析して文の意味を解読することが困難となる．失語症における統語理解障害の症状には，下記のような特徴がみられる[6]．

(1) 可逆文は非可逆文よりも理解が困難である

非可逆文 irreversible sentence は，名詞を交替すると意味が成立しなくなる文である（例：「男の子が　ボールを　追いかける」．一方，可逆文（reversible sentence）は，名詞を交替しても意味が成立する文である（例：「男の子が　女の子を　追いかける」）．非可逆文は語の意味が手掛かりとなるため，統語理解障害を呈する場合であっても，文の意味を理解することができる．一方，可逆文は，格助詞などの統語的情報を用いて文を理解する必要があるため，統語理解障害を呈する失語症では理解が困難となる．

(2) かきまぜ語順（転換語順）文は基本語順文よりも理解が困難である

日本語の基本語順 canonical word order は，【主語－目的語－述語】である（例：「男の子が　女の子を　追いかけている」）．かきまぜ語順（転換語順）は基本語順を転換したものである（例：「女の子を　男の子が　追いかけている」）．基本語順文においては，文頭の名詞句に【動作主】の主題役割を付与するという認知方略を用いることによって，統語理解障害を呈する場合であっても文の意味を解読することができる．一方，かきまぜ語順文は，語順の認知方略だけでは正しく理解できず，統語的情報を用いて文を理解する必要があるため，統語理解障害では理解が困難となる．

(3) 統語構造が複雑な文は単純な文よりも理解が困難である

統語理解障害がある失語症例では，統語構造が複雑な文の理解が困難となる．例えば，「［花瓶を割った］女の子が　母に　謝った」という文は，主文「女の子が母に謝った」と補文「（女の子が）花瓶を割った」から構成されており，関係節文と呼ばれる．関係節文は単文よりも理解が困難である．そのほか，受動文（例：男の子が犬に追いかけられる）や使役文（お母さんが子どもを買い物に行かせる）も統語構造が複雑な文といえる．

4 文の理解と聴覚言語性短期記憶

文の聴覚的理解は，次々と入力される語の音韻・意味・統語情報を処理し，それらを統合している．このような過程には処理資源 resource が必要である．この情報の一時的保持と操作を可能とする認知システムを**ワーキングメモリ**（作業記憶）と呼ぶ（図 4-3）．ワーキングメモリと統語理解との関係は，記銘の負荷が異なる関係節文を用いて検討されている．しかし，失語症においては，ワーキングメモリを測定するための言語性のリスニングスパンテストは，実施することが困難である．そのため，明確な結論は得られておらず，今後もデータの蓄積が必要である．

記銘と統語理解の関係については，**聴覚言語性短期記憶** auditory verbal short term memory（AMS）からも検討されている．系列指示 pointing span と呼ばれることもある．しかし，AMS の低下があっても複雑な統語構造の文が理解できる症例が存在する．したがって，統語理解と AMS 低下との関連性は低い．統語構造が複雑になること

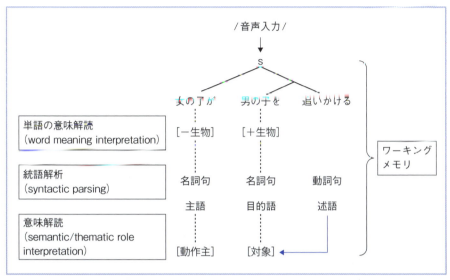

図4-3 文の聴覚的理解過程
〔Saffran EM：Effects of language impairment on sentence comprehension. Handbook of Neuropsychology 2nd ed. Vol.3 R.S. Berndt(ed)：157-171, 2001 に基づき，日本語に適用〕

によって1文の語数が多くなる場合には，AMSと文の理解が関係する可能性がある．

C 復唱の障害

復唱 repetition とは，例えば，「みかん」と聞いて「みかん」とくり返すように，聞いた音声をそのまま模倣して発話することである．復唱は，日常会話の文脈においても自然に行われている．失語症によって復唱が障害されると，聞いた言葉を正確にくり返すことができなくなり，「みかん」と聞いて「えーと…」とくり返せない，あるいは誤って「きかん」とくり返す，といった症状が出現する．

復唱障害の有無は，後述する「失語症候群の成り立ち」（➡74頁）において，重要な鑑別点の1つである．復唱が障害されると，一般に実在語は非語よりも復唱しやすい．音節数が多くなるほど復唱しにくくなる**語長効果**を認めることがある．また，非語において音形を正確に再生できず，音形の似た実在の単語に置き換えて復唱する語彙性変化(語彙化)を認めることがある．

したがって，復唱を詳細に評価する際には，語音，単語，文の復唱について調べるとともに，実在語と非語(例：けいと，タケロ)，音節数による違い(2～5音節，例：さら，めがね，たけのこ，クリスマス)について評価するとよい(表4-2)．

1 復唱障害の発現機序

復唱には複数の処理が含まれる．そのため，復唱障害の発現機序は単一ではない．例えば，「みかん」という単語を正確に聴き取れなければ，正確に模倣できず，復唱は困難である．また，「みかん」という音韻系列を一時的に保持できなかった場合も復唱することはできない．さらに，各音韻が適切に表出できなければ，正確な再生はなされず，復唱の障害が出現することになる．復唱障害の発現機序には下記に示すように複数の要因が考えられ，それぞれが重複して出現することが多いが，まれに単独の原因で生じることもある．

表4-2 復唱の症状を分析する視点

1) 評価要素
　語音　　「み」「の」「わ」
　単語　　「くすり」「げんかん」「カレンダー」
　文　　　「青い　空に　白い　雲が　浮かぶ」

2) 語彙性および音節数

音節数	単語例	非単語例
1音節	き／ひ／と	―
2音節	くつ／すえ(末)	キツ
3音節	けいと／すだれ	カウト
4音節	さいころ／てぬかり	セイクレ
5音節	クリスマス／てりかえし	キロセムサ

3) 文節数

文節数	文例
2文節文	雨が　降る
3文節文	犬が　えさを　食べる
4文節文	兄が　妹に　本を　貸す
5文節文	家の　庭で　母と　花を　植える

a 語音認知の障害による復唱障害

語音認知が困難な場合，例えば，単音節「き」を復唱する場合に「し？」など語音を正確に聴き取ることができず，結果として復唱することができない．単語の復唱においても，(けいと)に対して「て・・てい・・ていと？」と誤って復唱するか，「え？なんでしたっけ？」などと語音そのものを聞き返す症状が出現する．

b 聴覚言語性短期記憶障害による復唱障害

聴覚言語性短期記憶の障害によって，聴覚提示された音韻系列を一時的に脳内にとどめておくことができないと，結果として復唱することができない．これは，**復唱型** repetition type の障害と呼ばれる．例えば，「雨が降り続いているので今日も散歩に行けません」という文を復唱する場合に，「雨が降り続いて・・・えーとなんだっけ」と，文そのものを継続できない症状や，「雨が降りつづいているので，散歩には行けない」のように，文意は理解できたことを示すが，音韻系列は正確に再生できない，といった症状が出現する．

c 音韻の誤りが多発することによる復唱障害

ある語や文を聞いて保持できたとしても，発話する際に音韻を再生できないと，結果として復唱することができない．これは再生産型障害 reproduction の障害と呼ばれる．例えば，(はくさい)と復唱する際に，「さ，さくらい，はくらい，さくさい」といった音韻の誤りが生じ，正確な復唱が困難となる．

2 意味理解を伴わない復唱

復唱の仕方には2種類ある．1つは，聞いた語や文の意味を理解して，そのままくり返す場合である．例えば(りんご)と聞いたら意味を理解して「りんご」とくり返すような場合であり，一般的な復唱と考えてよい．もう1つは，意味を理解しないままくり返す復唱(意味理解を伴わない復唱)である．例えば，(セイクレ)のような非語や，まったく聞き覚えのない外国語の単語をくり返す場合には，意味理解を伴わない復唱となる．失語症のなかでも，超皮質性感覚失語や語義失語においては意味理解を伴わない復唱が目立ち，「飛行機」と聞くと「飛行機」と正しく復唱できるが，「飛行機って，どういうものでしたっけ？」と意味を理解していないと推察される応答がみられることがある．

3 反響言語と補完現象

反響言語(エコラリア) echolalia は，意味理解を伴わずに聞いた語や文をオウム返しに発話する言語反応である．強迫的に自動的なくり返しが生じる発話を自動性反響言語 automatic echolalia と呼ぶ(検査者:「体調はどうですか？」→患者:「体調はどうですか？」)．自動性反響言語は，超皮質性運動失語や混合型超皮質性失語にみられることが多い[7]．これに対して，相手の質問などをくり返しては言うものの，多少変更したり，修飾が

加わったりするものを**反問性反響言語** questioning repetition, あるいは**減弱性反響言語** mitigated echolalia という（例；「あなたのおなまえは？」→「私のお名前は○○です」）．反問性反響言語は超皮質性感覚失語にみられることが多い[7]．

補完現象 completion phenomenon は，反響言語と同様に，反響的症状の1つであり，検査者が文やことわざ，慣用句を途中まで言って聞かせると，求められないのに残りの部分を補う自動的反応である．例えば，検査者が「おなかが・・・」というとあとに続けて「すきました」，検査者が「犬も歩けば・・・」と言うと，「棒にあたる」と続けるなどの反応として観察される．補完現象は超皮質性失語のほか，重度の失語症例においても出現することがある．

D 読字の障害

読字とは，文字を読むことであり，文字列を意味と結びつける**読解** reading comprehension と文字を声に出して読む**音読** reading aloud に分けることができる．文字の読み書き能力は，子どもが就学前後に話し言葉（音声言語）を基礎として学習するものであり，音声言語に先立って習得することはまれである．世界には文字言語をもたない民族も存在し，音声言語に比して教育歴や職業による個人差が大きい．

日本語には漢字と仮名文字（ひらがな，カタカナ）という2種類の文字表記体系がある．漢字は1つの文字が複数の読みをもち，意味との体系性が高い形態素文字であり，仮名文字は音が表現されている表音文字である．仮名文字は一般的に文字と音節が1対1で対応し，音との結びつきが規則的である．例えば，「ま」や「マ」という仮名文字は，常に /ma/ と読む．一方，漢字「間」は /ma/ とも読むが /aida/ とも読む，というように音韻との対応は1対1ではなく，1つの文字に複数の読み方がある．日本語の失語症状においては，このような文字の性質の違いによって，漢字と仮名文字の読字において異なる障害特徴を呈する．

失語症における読字の誤りを**失読** alexia と呼ぶ．失読は，左角回や左後頭葉後下部を中心とした病変によって生じる．失読において，読解と音読は常に同程度に障害されるとは限らない．また，音声言語の障害（聴覚的理解，復唱）の重症度や性質とは，必ずしも対応しない．左後頭葉内側部から脳梁膨大部にかけての病変により，読字の障害のみが純粋に出現する場合があり，**純粋失読** pure alexia と呼ばれる〔「純粋失読」（➡ 116頁）を参照〕．

1 読解の障害

読解 reading cognition は文字言語の意味理解を指し，文字は視覚情報であることから，視覚的理解と呼ばれることもある．読解の過程には，いくつかの処理が存在する．失語症例において，通常の文字の形態認知は保持されているが，意味理解の障害と構文の理解障害が混在して出現することが多い．しかし，視覚性失認を合併すると文字の形態認知が困難となり，結果として視覚提示された語が理解できない場合がある．

a 文字の形態認知の障害

文字の形態認知の障害とは，視覚的に提示された文字の形態を弁別し，日本語の文字として認知する過程の障害である．文字の形態的な弁別課題（例：は／ほ，間／関，などの異同弁別）等を用いて調べる．

b 語の読解障害

語の読解では，文字の系列を語として認知し，それを意味と結びつけている．これが障害されると，語を意味と結びつけることができず，読解の障害を呈する．

読解の誤りは，聴覚的理解と同様に，同一の意

味カテゴリー内の異なる語彙と混同することが多い（例：「うさぎ」と「にわとり」）．また，ある特定の意味カテゴリーの理解がほかの意味カテゴリーの理解に比して困難な場合がある点も聴覚的理解と同じである．しかし，聴覚的理解の障害と読解の障害が，常に対応しているとは限らない．

読解が聴覚的理解と異なる点は，**文字表記**が漢字であるか，仮名文字であるかによって読解の困難度が異なる点である．失語症例は一般に仮名文字に比して漢字の読解が良好であるが，逆に仮名文字のほうが保持されている症例も存在する．さらに，語が通常，漢字で表記されるのか，仮名文字で表記されるのか，加えて，ひらがななのかカタカナなのか，という**表記妥当性**によっても影響を受ける．例えば，「ごちそうさま」は通常仮名で表記され，「御馳走様」と漢字表記されることは少ない．さらに，「パン」はほぼ常にカタカナで表記され，「ぱん」とひらがなで表記されることは少ない．一般に，表記妥当性の高い語よりも，低い語のほうが読解は困難である．

c 文の読解障害

聴覚的理解における統語理解障害と同様に，読解においても文の統語理解障害が生じる．単語の読解と同様に，一人の失語症例において，必ずしも聴覚的理解と読解の障害の程度が同じとは限らない．

聴覚的理解と異なる点として，読解における文の理解障害は，AMSの影響が小さい可能性がある．理由としては，文字列全体が提示されているため，何度も前の箇所を読み直すことができるため，経時的に消えていってしまう音声よりも処理容量への負荷が低いことがあげられる．

2 音読の障害

文字を声に出して読むことの障害である．音読では，文字列を音韻に変換して表出するが，文字列が有意味語の場合，意味を理解して音読することが一般的である．しかし，「たぽか」のような非語であっても，われわれは音読可能であり，常に音読に意味理解が伴うわけではない．

音読の障害では，文字列を音韻に変換することが困難となり，さまざまな読み誤り（**錯読**）が生じる．音読の誤りには，漢字と仮名文字という文字表記の違いが影響を与える．

仮名文字では1文字が音節と対応しているため，たとえ文字列を語として捉えなくても，文字と音韻を規則的に変換することによって音読することが容易である．これに対して漢字は，文字と音韻の変換規則のみでは正確に音読することができず，漢字文字列を「語」として認識し，一般に意味が喚起されて初めて音読可能となる．例えば，「境」という漢字は，「心境」と「境内」とではそれぞれ「しん**きょう**」，「**けいだ**い」と語彙に応じて読み方が異なる．

錯読にはさまざまな種類があり，それぞれ特徴が異なる．

a 錯読の種類

1）視覚性錯読

視覚性錯読は，視覚的な形態が似た文字への読み誤りを指し，**形態性錯読**とも呼ばれる．例えば，「木」という文字を「本（ほん）」と読み誤る，「め」を「ぬ」と読み誤るなどである．視覚性錯読は，文字形態の視覚的類似性を反映した錯読であり，漢字，仮名のどちらの表記においても出現する．

2）音韻性錯読

音韻性錯読は，音韻の混同や置換，配列の誤りのなかでも，元の語が推測な読み誤りである．例えば，「つくえ」を「くつえ」と読み誤る，「くるま」を「くたま」と読み誤るなどである．音韻性錯読は，仮名の音読で出現しやすい．

3）意味性錯読

　意味性錯読は，意味的に関連する語への読み誤りである．例えば，「犬」を「猫」，「つえ」を「ステッキ」と読み誤る．漢字単語の音読で出現しやすいが，仮名でも現れることがある．

4）類音性錯読

　類音性錯読は，1つひとつの漢字の音には対応しているが，全体としては意味をなさない読み誤りである．例えば，「青空」を「せいくう」，「土産」を「どさん」と読み誤る．漢字の音読においてのみ生じる．

E 書字の障害

　書字とは，文字を書く機能を指すが，自発的に自分の考えや対象物を文字で表現する**自発書字** writing と，聴覚的に与えられた情報を文字で表現する**書き取り** dictation に分けることができる．失語症においては，一般に，重症度の差はあれ，自発書字および書き取りの両方に障害を呈する．しかし，読字と同様に，漢字と仮名の性質を反映して，重症度や誤りの性質に違いが生じる．漢字の誤りでは文字想起が困難となり，無反応や不完全な形態の誤りが多い．仮名の誤りでは，文字想起が困難となることに加えて，文字の配列の誤りが生じ，仮名文字の省略や付加，転置といった症状が出現する．

　左脳の前方病変による失語症では，病初期に，**鏡像書字**を呈することがある．鏡像書字は，左右反転した文字となる症状である．通常は一過性であり，速やかに消失する．一方，左脳の後方病変により重度の書字障害を呈すると，漢字，仮名文字ともに，**新造文字（新作文字）**を呈する場合がある．新造文字（新作文字）は，日本語にない文字であり，実在の文字の「へん」や「つくり」の一部が置換したり，加わったり，脱落したりすることが多い．また，大量の文章を書き連ねるが，意味をなさない症状を呈する場合があり，**ジャルゴン失書**と呼ばれる．ジャルゴン失書は左脳の後方病変や右半球病変による交叉性失語において生じる．

　書字障害は，前方病変および後方病変のいずれにおいても出現し，多くの失語タイプで認められる．書字の過程に関わる脳部位として，特に，左角回から後頭葉にかけての皮質および皮質下白質領域が指摘されている[8]．さらに，左側頭葉後下部（37野）は漢字の読字および書字にかかわる脳領域といわれる．失語症に出現する失語性失書のほか，左頭頂葉病変，または左中前頭回後部（エクスナー Exner の書字中枢）病変により，書字以外の言語機能は保持されているが，書字のみが障害される**純粋失書** pure agraphia が出現する．

1 自発書字の障害

　自発書字の障害は，自発話と同様に喚語障害や構文障害の影響を受ける．単語の自発書字は，例えば「りんご」の絵や実物を見て仮名文字で書字をする場合，語を喚起し，「ご」や「り」や「ん」といった文字の形態を想起したうえで，「り」，「ん」，「ご」と正しく配列し，実際の書字運動へと変換する．これらの過程のどこに障害があっても単語の書字は困難となる．喚語障害は失語症の中核症状であり，喚語障害が重度の場合，自発書字は困難となることが多い．しかし，使用頻度や親密度が高い漢字語（例：車）や，自分の氏名や住所は喚語できなくても書字できることがある．

　文の自発書字は，構文機能に障害があると困難となり，文構造が単純化するなどの構文障害の症状が出現する．一般に文の書字は漢字と仮名が混合しており，格助詞や助動詞などの機能語（例：が，を，られ）や，動詞の活用語尾（例：歩い－て）といった文法的要素は仮名で表現される．したがって，仮名の書字が困難な場合には，文の仮名文字部分の誤りが出現することになる．

2 書き取りの障害

書き取りの障害は，聴覚的に与えられた語や文を文字で表現することができない状態である．例えば「りんご」と聞いて書き取る場合には，各音韻に対応する文字を想起し，正しく配列し，書字運動へと変換することが必要である．この過程のいずれかが障害されると書き取ることができなくなる．書き取りは語が音声で与えられるため，自発書字とは異なり，語を喚起する必要がない．

3 錯書の種類

a 形態性錯書

形態性錯書は，視覚的に似たほかの文字へ書き誤りである．「へん」や「つくり」が置換する誤りや漢字を構成する線の長さや位置が異なるなどの視覚的誤りを呈する(例：国→団，計→討，ぬ→め)．漢字および仮名のどちらにも出現する．

b 音韻性錯書

音韻性錯書は，仮名文字が異なる文字に置換する誤りである．例えば，「しんぶん」を「しんびん」と仮名文字が別の仮名文字に置換する誤りや，「もなか」を「なもか」のように転置が生じる．仮名文字にのみ出現する．

c 意味性錯書

意味性錯書は，意味的に関連する語に誤る．例えば，「松」を「竹」と書字する誤りである．漢字に多く現れる．

d 類音性錯書

類音性錯書は，語の意味とは関係なく，漢字を表音文字のように用いる誤りを指す．漢字にのみ出現する．例えば，「時計」を「都形」と書字する誤りである．

F 数・計算の障害

失語症は数や計算の障害を伴うことが多く，**失語性失算**とも呼ばれる．失語性失算においては，一般に数の概念は保持されている．しかし，重度の失語症例においては，数の概念自体が障害される場合がある．

1 数字の操作能力の障害

失語症においては，主として数字の操作能力の障害が生じ，数を表す音声や文字と数の意味との対応付けが困難となる．例えば，数の意味(3個のトークン)と音韻 /saN/ との対応付けが困難であると，/saN/ と聞いても3個のトークンを選べないという聴覚的理解の誤りが生じうる．また，発話においても3個のトークンのことを /go(5)/ と誤って発話する錯語的誤りが生じうる．また，文字言語との対応においても，数字「3」と意味との対応付けが困難な場合には，3個のトークンを見て「3」と書字できない自発書字の誤りや，「3」という数字を見て，その意味がわからない読解の誤りを呈する．さらに，数字「3」と音韻 /saN/ の対応付けが困難であると，音読や書き取りが困難となる．

数字の操作能力の障害は，時間や日付の表出や理解の誤りとして出現することが多い．

2 計算(演算)の障害

失語症においては，数字の操作能力に加えて，計算の手続きが障害される**失演算** anarithmetia を呈することがある．計算には，$1 + 4$ や，$2 × 2$ のように，高頻度で単純なために答えが知識となっているような計算(算術的事実 arithmetical fact)と，$325 - 48$ や，$19 × 14$ のように，繰上りや，繰り下がりの知識を正しい順番で実施する

必要がある計算とがある．計算手続きの遂行には，注意やワーキングメモリなどの高次脳機能がかかわり，失語症において困難となることがある．

失語症の計算の障害においては，加減乗除のそれぞれについて，算術的事実と計算手続きを評価する．

引用文献

1) 山鳥重：ジャクソンの神経心理学，2014
2) Goodglass H, Kaplan E（著），笹沼澄子，物井寿子（訳）：失語症の評価．p32, 1975
3) 藤田郁代：統語障害—日本語の失文法—．高次脳機能研究 33：1-11, 2013
4) 日本高次脳機能障害学会教育・研修委員会（編）・錯語とジャルゴン．pp41-56, 新興医学出版，2018
5) Kertesz A, Benson DF：Neologistic jargon：a clinicopathological study. Cortex 6：362-386, 1970
6) Coltheart M：Lexical access in simple reading tasks. In Underwood G(ed)：Strategies of information processing. pp151-216, Academic Press, San Diego. 1978
7) Berthier ML, Torres-Prioris MJ, López-Barroso D：Thinking on treating echolalia in aphasia：recommendations and caveats for future research directions. Frontiers in Human Neuroscience 11：164, 2017
8) 櫻井靖久：読み書き障害の基礎と臨床．高次脳機能研究 30(1)：25-32, 2010

2 失語症の近縁症状

ここにあげる症状はすべて脳の**器質的損傷**によって生じ，言語行動になんらかの異常が現れるものである．言語聴覚士はこれらの症状にも適切に対処すべきである．

A 無動無言症

無動無言症 akinetic mutism は，遷延性意識障害の一種である（➡ Note 3）．患者は正常より多く睡眠するが，睡眠と覚醒のリズムがある．しかし「覚醒」しているときでも，物や人をじっと見たり追視したりするものの，声を発せず，呼びかけにも反応せず，自発的に体を動かすこともない．痛覚刺激に対し手足を引っ込めたり，刺激を取り除こうとするような緩やかな動きをする．口に食物を入れると嚥下する[1]．頭部外傷などによって橋や中脳，視床の意識を司る上行性網様体賦活系が部分的に障害されて生じる．

B 保続

保続 perseveration は，いったん賦活された心理過程が不必要に持続する状態で，脳損傷後によくみられる[4]．

> **Note 3.**「失外套症候群」「閉じ込め症候群」
>
> 　無動無言症と類似した症状を呈し，やはり遷延性意識障害の一種とされているものに失外套症候群 apallic syndrome[2]がある．「外套」は大脳皮質・白質を意味する解剖用語で，その外套の広範な損傷によって生じる．睡眠と覚醒のリズムはあり，眼球を動かしたり，何かを見つめているように見えたりするが，それ以外の自発的な動きはない．
>
> 　実際の患者の病巣の広がりや症状は，無動無言症か失外套症候群かに明確に分類できるものばかりではない．さまざまな症例について「意識とは何か」という問題とともに分析が試みられている[3]．
>
> 　なお，橋腹側の損傷により眼球の垂直運動とまばたき以外の随意運動がまったくできなくなる閉じ込め症候群（locked-in syndrome）は上記2つとは明確に異なる．

1 保続の種類

ここでは**構えの保続**，**知覚性保続**，**運動性保続**に分けて概説する．

a 構えの保続

いったん，抱いた概念や心の構え（セット）を転換してほかの概念や心の構えへ移ることが困難になる症状で，遂行機能障害をきたす要因の1つである．前頭前野の損傷によって生じる[5]．

b 知覚性保続

いったん成立した知覚表象が，対応する外界刺激がなくなっても持続あるいは再現する状態である[4]．テレビで顔をこする人を見た後，妻を見ると，妻も顔をこすっているように見えたが，実際は手は腰のところにあったという視覚保続の例のほか，聴覚や触覚保続の報告もある[6]．

c 運動性保続

一度始めた行為の不適切なくり返し[7]で，間代性 clonic（または連続型 continuous）と，意図性 intentional（または再帰型 recurrent）に分けられる[8]．**間代性保続**は一度始めた行為を不必要に反復するもので，例えば丸を1つ描くよう求めると，いくつも書き続けてしまう．語間代，反復言語はこの範疇に入る．一方，**意図性保続**は新しい行為を起こそうと意図した際，以前実行した行為がくり返される症状である．運動性保続は前頭葉病巣のほか，側頭葉，頭頂葉，基底核や視床の病変によっても生じる．ただし症状の特徴は病巣により異なる可能性がある[9]．

2 失語症患者の意図性保続の言語症状

多くの失語症患者が発話や復唱，書字や音読などで意図性保続を示す．Yamadori は失語症患者86.8％（38例中33例）に意図性保続を認めたという[10]．ただし，保続の出現頻度は患者により，ま

表4-3 呼称課題における意図性保続の例

課題語 （絵を呈示）	発話反応	
鉛筆	…鉛筆	（正答）
バナナ	えーと…鉛筆…じゃなくて…バナナ．	①
靴	靴	（正答）
ご飯	えぇーと…ご飯	（正答）
ノート	あの…鉛筆	②
鞄	えん，えんぴ，ちがう…	③
テーブル	テーブル	（正答）
天ぷら	テーブル，ちがう，テーブラ	④
傘	傘	（正答）
電話	雨	⑤

①～⑤は本文参照．

た発症からの経過により異なる．

呼称課題の例をみる（表4-3）．①は直前の反応を再度表出した直後型の保続，②はいくつか前の反応を表出した遅延型である．また，③は単語の一部が保続として表出された例である．課題語と保続反応との意味的／音韻的関連性に注目すると，①は課題語「バナナ」と保続「鉛筆」の間に関連性がないが，②は課題語「ノート」と意味的関連性があるために保続「鉛筆」が誘発された可能性がある．また④は課題語「天ぷら」と音韻的関連性がある「テーブル」が保続となった可能性がある．「テーブラ」は「テーブル」と「天ぷら」の音韻が混じって無意味語になった保続と推察される．遅延型ではこのような意味的／音韻的関連性のある保続が多いとの指摘がある[11]．なお，⑤は直前の「傘」がそのまま保続になるのではなく，それと意味的関連性のある「雨」が次の課題語「電話」に対して表出されている．これは意味性保続という．

3 失語症患者の意図性保続の発現機序

次々に変化する刺激に適切な反応をするには，脳内で興奮と抑制の機構が適切に働かなければならない．脳損傷によって音韻表象や意味表象の興奮と抑制の機構になんらかの不具合が生じて保続が起こると考えられる[9]．

4 保続の言語治療

言語聴覚士は保続反応を抑制し，より多く正反応を引き出すよう保続訓練を行う．例えば呼称訓練では，さまざまな観点（表4-4）から患者の反応を分析し，その結果に基づき訓練を立案する．原則として，重度患者には相互に意味的/音韻的関連がない高頻度単語リストを用い，中・軽度になれば互いに関連のある語に変える．頻度は徐々に下げ，訓練語数は増やしていく．また呈示間隔は初期は十分に空け，喚語能力の改善に伴い徐々に短くする．なお，発話における保続を減らす訓練法の1つにTAP（Treatment of Aphasic Perseveration）がある[12, 13]．

表4-4 保続反応の生起に影響を与える可能性のある変数

- **課題の種類**：呼称は音読より起こりやすいなど，課題によって保続の生起頻度が異なる可能性がある
- **語の使用頻度**：低頻度語で保続が生起しやすい
- **訓練語リストの相互の意味的/音韻的関連性**：関連性があると保続が生起しやすい
- **呈示間隔**：刺激を呈示し反応が終了してから，次の刺激を呈示するまでの間隔が短いと，保続が生起しやすい
- **練習する語数と呈示順序**：語数が多いと，後半に保続が生起しやすい

〔浜田智哉，田中果南，今井友城，他：失語症者の保続症状に対するTAP（Treatment of Aphasic Perseveration）の効果．高次脳機能研究 37：228-235，2017．石川幸伸，藤田郁代：失語症患者における言語性保続の発生に関係する要因の検討．高次脳機能研究 35：325-331．2015 より〕

C 反復言語，語間代，後天性吃音

1 反復言語

反復言語 palilalia は，自らの発話する語・句を強迫的にくり返す症状である[15]．発話の最後で生じ，くり返すに伴い発話速度が上がり声量は下がることが多い（例：年齢を尋ねられ「54歳です，54歳です・・・，54歳です，54歳です・・・」[16]）．くり返し回数は多く，1か所につき52回くり返した例がある[17]．パーキンソン病やアルツハイマー病，進行性核上性麻痺，外傷性脳損傷などにより両側の大脳基底核が損傷されて起こるとされており，運動低下性構音障害とともに生じることが多い（➡ Note 4）．

なお，反響言語は反復言語とは異なる症状で，相手の発話をくり返す（➡52頁参照）．

2 語間代

語間代 logoclonia は，言語表出面に表れた間代性保続である．Kraepelin[18] は「抑揚のない音節が不随意的に付加し連続する．特に語の末尾に起こる．患者はしばしば明瞭に抵抗するにもかかわらず，最終音節を3，4回，発語器官が平静になるまで，時に急速にくり返す」と定義した（例"Anton-ton-ton-ton"/復唱で卵を「たまごごご」）[18-20]．一般にアルツハイマー病でみられる言語症状として知られるが，脳卒中による報告もある[20, 21]．

3 後天性吃音

吃音 stuttering は，音・音節のくり返し，引き伸ばし，ことばを出せずに間が空くこと（ブロック）を中核症状とする流暢性の障害で，発達性と後天性がある．この流暢性の障害 disfluency は失語症状を表す非流暢 non-fluent とは概念が異なる．

後天性吃音 acquired stuttering は神経原性 neurogenic と心因性 psychogenic とに分けられる．**神経原性吃音**は神経学的疾患により発症（または

> **Note 4. 滞続言語**
> 発話をくり返す症状には滞続言語もある．話しかけられるなどの刺激に対して，その文脈に無関係に毎回決まった比較的長い文を発するもので，前頭側頭葉型認知症をはじめとする変性疾患でみられる．

発達性吃音が再発あるいは悪化）し，一過性あるいは持続性である．また，単独で表れる場合と，失語症や発語失行症，構音障害とともに生じる場合がある．症状は，発達性吃音と比較して，語頭以外の語中／語尾にも吃症状がみられる，内容語だけでなく機能語にも吃症状がみられる，適応効果（くり返し音読をすると吃症状が軽減する現象）が少ない，吃に対し不安を抱くことが少ない，しかめ面やまばたきなどの二次的身体症状がまれである，などの傾向が指摘されているが，個々の患者に必ず当てはまるわけではない[22-24]．

失語症や発語失行症を伴う場合，吃症状とは別に語，文法，構音の誤りを自己修正する試みが非流暢性として表れている可能性がある．また，パーキンソン病による運動低下性構音障害を伴う場合は，運動開始困難やすくみ，加速といった運動障害が発話面に表れている可能性もある．各患者の症状を分析し，これらと吃症状とを切り分けることが必要である．

原因疾患は外傷性脳損傷と脳卒中が多く，その他パーキンソン病，進行性核上性麻痺，認知症などの変性疾患などである[22]．病巣は左半球の前頭葉をはじめとする脳葉や基底核のほか，脳梁，右半球，小脳，脳幹部など多様である．発現機序は解明されていないが，これらの部位がなんらかの共通のネットワークを成して吃音を生じさせている可能性や，逆に異なる局在をもつ異なるタイプに下位分類できる可能性などが指摘されている[23, 24]．

なお，神経学的疾患に伴うストレスによって心因性吃音が生じる場合もある．心因性吃音は数回の言語治療で明らかな治療効果が表れることが多いのが特徴とされる．神経学的疾患のある患者が呈する吃症状が神経原性か心因性か，その重複かについて慎重に見極める必要がある．

以上のように自己の発話をくり返す症状は複数ある．個々のくり返し症状について，その症状のみからこれらのいずれであるかを判定しようとするのは適切でない．その患者の原因疾患や病巣，ほかの言語／非言語症状，心因性疾患の有無，発話以外の反復的な行動の有無，これらの経過などを総合して判断するべきである．

D 外国人様アクセント症候群

外国人様アクセント症候群 foreign accent syndrome（FAS）は，聞き手に「外国語を話しているようだ」という印象を与える発話症状である．日本語母語話者では，その発話特徴によって中国語・韓国語のように聞こえる例や，英語のように聞こえる例がある．精神疾患や心因性，発達性の報告もあるが，ここでは脳の器質的損傷によるもの（neurogenic FAS）について述べる．

FASの原因疾患は脳血管障害が多いが，外傷性脳損傷，神経変性疾患，脳腫瘍，多発性硬化症，脳炎など多様である．病巣は左半球が多く，なかでも中心前回，弁蓋部損傷例が多いが，頭頂葉，基底核，皮質下病変例もある．さらには右大脳半球や脳幹，小脳の報告もある[25, 26]．失語症や発語失行を伴う例も多いが，外国語のように聞こえるには，それらが重度でなく言語能力がかなり保たれていることが必要である．

FASの発話特徴についてはピッチやストレスの異常，アクセント位置の移動，イントネーションの異常などのプロソディ変化や音節の引き延ばし，機能語の省略された電文体発話など多様な報告がある．その発現機序は明らかでないが，発話の企画と実行の両方に影響するような脳内ネットワークが障害されている可能性や，中心前回中部損傷による喉頭筋の調整・制御障害が中核である可能性が指摘されている[25, 26]．FASの病巣や症状は多様で，これらすべてが同じ機序によって生じている同一の障害か否かは検討の余地がある．

引用文献

1）Cairns H, Oldfield RC, Pennybacker JB, et al：Akinetic

mutism with an epidermoid cyst of the 3rd ventricle. Brain 64：273-290, 1941
2) Kretschmer E：Das apallische Syndrom. Neurol Psychiat 169：576-579, 1940
3) 濱中淑彦：臨床神経精神医学　意識・知能・記憶の病理．医学書院，1986
4) 山鳥重：失語症状における保続の役割．失語症研究 7：25-29，1987
5) 鹿島晴雄，加藤元一郎：前頭葉機能検査；障害の形式と評価法．神経研究の進歩 93-109, 1993
6) 山鳥重：神経心理学入門．50-54，医学書院，1985
7) Neisser A：Krankenvorstellung (Fall von Asymbolie). Allg Z Psychiat 51：1016-1021, 1895
8) Sandon J, Albert ML：Perseveration in behavioral neurology. Neurology 37：1736-1741, 1984
9) 鹿島晴雄，佐久間啓：脳損傷と保続．神経内科 36：332-341, 1992
10) Yamadori A：Verbal perseveration in aphasia. Neuropsychologia 19：591-594, 1981
11) 宮﨑泰広，種村純，伊藤慈秀，他：失語症例における言語性保続の出現機序について．高次脳機能研究 23：289-296, 2003
12) Helm-Estabrooks N, Emercy P, Albert ML：Treatment of aphasic perseveration (TAP) program. Arch Neurol 44：1253-1255, 1987
13) 浜田智哉，田中果南，今井友城，他：失語症者の保続症状に対するTAP(Treatment of Aphasic Perseveration)の効果．高次脳機能研究 37：228-235, 2017
14) 石川幸伸，藤田郁代：失語症患者における言語性保続の発生に関係する要因の検討．高次脳機能研究 35：325-331, 2015
15) Souques MA；Palilalie. Rev Neurol 16；340 342, 1908
16) 波多野和夫：反復言語paliialiaと反響言語echolaliaについて　失語症研究 7：21-24，1987
17) LaPointe L, Honer J：Palilalia. J Speech Hearing Disord 46：34-38, 1981
18) Kraepelin E：Psychiatrie, 8te Aufl. Johann Ambrosius barth, Leipzig, 1910
19) 波多野和夫：反復性発話について．失語症研究 14：140-145, 1994
20) 船山道隆，小嶋知幸，名生優子，他：新たな右半球損傷により失語症が増悪した症例．高次脳機能研究 27：184-195, 2007
21) 中島悦子：感覚性失語，聴覚失認とともに語間代を呈した1例．音声言語医学 38：235-242, 1997
22) Duffy JR(著)，苅安誠(翻訳)：運動性構音障害基礎・鑑別診断・マネージメント．282-305, 医歯薬出版, 2004
23) バリー・ギター(著)　長澤泰子(監訳)：吃音の基礎と臨床―総合的アプローチ―．416-434, 学苑社, 2007
24) Lundgren K, Helm-Estabrooks N, Klein R：Stuttering following acquired brain damage：A review of the literature. J Neurolinguistics 23：447-454, 2010
25) 東山雄一，田中章景：Foreign accent syndromeについて．神経心理学 34：45-62, 2018
26) Mariën P, Keulen S, Verhoeven J：Neurological aspects of foreign accent syndrome in stroke patients. J of Commun Disord 77：94-113, 2019

3 失語症に随伴しやすい障害

左大脳言語野損傷による失語症では，損傷の程度によってさまざまな神経学的・神経心理学的症状が随伴しうる．以下に概説する．

A 神経学的症状[1]

意識障害

脳幹網様体をはじめとして脳機能が全体的に低下すると**覚醒** vigilance が低下し**意識障害** disturbance of consciousness をきたす．意識レベルの判定には，諸外国では Glasgow Coma Scale (GCS) が用いられるが，わが国では **Japan Coma Scale** (JCS) が用いられることが多い（表4-5）．JCSでは，意識清明の状態を0，自発的に開眼していれば1，刺激によって覚醒すると10，刺激をしても覚醒しない状態を100と，1桁から3桁の数字で表す．

失語症の評価は意識レベルが良好な状態で検索されることが望ましいが，発症後早い時期や脳損傷が広範囲に及んでいる場合は意識障害を伴っていることが多く，そのような状態であっても症状の有無を判定せざるをえないこともある．そのような場合は，JCSなどを用いて意識レベルも同時に評価しておくべきであろう．

表4-5 Japan Coma Scale（JCS）

0. 意識清明	
Ⅰ. 刺激しなくても覚醒している（1桁の数字で記載する）	
Ⅰ-1	大体意識清明だが，今一つはっきりしない
Ⅰ-2	見当識（時，場所，人）障害がある
Ⅰ-3	自分の名前，生年月日が言えない
Ⅱ. 刺激すると覚醒するが，刺激をやめると眠り込む（2桁の数字で表現する）	
Ⅱ-10	普通の呼びかけで容易に開眼する
Ⅱ-20	大きな声または体を揺さぶることで開眼する
Ⅱ-30	痛み刺激を加えつつ呼び掛けをくり返すと辛うじて開眼する
Ⅲ. 刺激をしても覚醒しない（3桁の数字で表現する）	
Ⅲ-100	痛み刺激に対し払いのけるような動作をする
Ⅲ-200	痛み刺激で少し手足を動かしたり顔をしかめる
Ⅲ-300	痛み刺激にまったく反応しない

注　R：Restless（不穏），I：Incontinence（失禁），A：Akinetic Mutism（無動性無言）またはApallic State（失外套状態）
記載例：JCS 1，JCS 3R，JCS 200などと記載する

2　見当識障害

　見当識orientationとは，自分が今どこでどのような状態でいるのかを認識する機能である．見当識障害とは，場所，日付，季節，人，自分の症状などについての認識が低下している状態のことをいう．上記のJCSの項目にもあるように，見当識障害が認められる場合は意識清明とはいえずなんらかの意識障害が疑われる状態である．また，見当識障害は記憶障害の一症状として現れることもある．

3　運動障害

　運動は**皮質脊髄路**によって達成される．皮質脊髄路は大脳皮質→内包後脚→中脳→橋→延髄と進む．左中大脳動脈灌流域の脳梗塞や皮質下出血，大脳基底核部出血，視床出血などは失語症をもたらすが，同時に運動線維の損傷を伴っていると右片麻痺が生じる．片麻痺とは，上下肢ともに同側の筋力が低下した状態である．運動野近傍が損傷されるブローカ失語例では右片麻痺を随伴することが多い一方，ウェルニッケ失語の場合，左側頭葉に限局した損傷であれば運動野は保たれているので運動障害は生じない．

4　体性感覚障害

　表在感覚（触覚や温痛覚など）と深部感覚（筋肉や関節の動きの感知）は**体性感覚**と呼ばれる．感覚刺激は，末梢受容器から脊髄後根を通り延髄で交叉し視床を経て大脳皮質中心後回に至る．延髄交叉より上が損傷されると，病巣反対側の半身に感覚障害が生じる．感覚求心路は運動神経と近接して走行する部分が多いので，運動麻痺と感覚障害は併存することが多い．ブローカ失語例では右運動麻痺と同時に右体性感覚障害を示すことが多い．ウェルニッケ失語の場合，体性感覚は保たれることが多いが損傷部位が中心後回に及んでいる場合は感覚障害が随伴しうる．

5　視野障害

　網膜に入力された視覚刺激は，視神経→視交叉→視床外側膝状体→後頭葉内側有線領皮質に至る．損傷の部位によってさまざまな視野障害が生じる．視交叉より後ろに損傷がある場合，左眼でも右眼でも同じ側の視野が損なわれる同名性視野障害となる．失語症では，右の**同名性半盲**や同名性四分の一盲を随伴することが多い（図4-4）．

B　運動障害性構音障害

　構音が達成されるためには，口唇，舌，軟口蓋，声帯，呼吸筋などの構音器官が正常に機能する必要がある．構音にかかわるこれらの実行器や

その司令塔である大脳ならびにそれらを結ぶ経路が損傷されると**運動障害性構音障害** dysarthria をきたす．運動障害性構音障害は，原因疾患によって一般に6つの症状タイプに分けられる（表4-6）[2]．

表4-6に示した6つの運動障害性構音障害のうち，失語症に随伴しやすいのは上位運動ニューロンの錐体路損傷による痙性麻痺性の構音障害である．上位運動ニューロン（皮質延髄路）が一側性に損傷されると対側上下肢とともに構音器官にも運動障害が生じる．皮質延髄路は両側性支配のため，構音障害は一側性損傷では軽度にとどまるが両側損傷になると**偽性球麻痺** pseudobulbar palsy となり重篤になる．皮質延髄路損傷による痙性麻痺性の構音障害では，構音が歪み粗糙性嗄声で発話速度が低下し抑揚が乏しくなる．基本的に誤り方には一貫性があり，ブローカ失語や発語失行に見られる非一貫性の誤り方とは異なっている．

C 失行

失行 apraxia とは，脳損傷の結果，それまでに獲得されていた動作や行為が意図的にできない状態のことをいう．運動麻痺，失調，不随意運動，感覚障害によるものではない．さまざまな失行症状が報告されている[3]が，ここでは，失語症に随伴しやすい失行として，**構成失行** constructional apraxia，**口部顔面失行** bucco-facial apraxia，**観念運動失行** ideomotor apraxia，**観念失行** ideational apraxia，**肢節運動失行** limb-kinetic apraxia について述べる．

1 構成失行（構成障害）

構成失行は失語症に随伴することが多い失行の

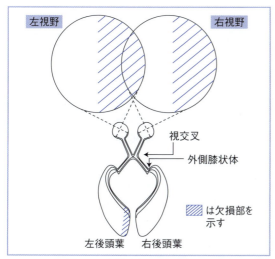

図4-4 視覚路：同名性半盲出現の模式図
視交叉を過ぎてから後頭葉へ至るまでのどこかが損傷されると，左眼でも右眼でも病巣と対側の視野が欠損し，同名性半盲となる．頭頂葉損傷では下1/4，側頭葉損傷では上1/4の視野が，それぞれ欠損する．左眼の右視野欠損部は，右眼の左視野で補われる部分があるため，自覚症状としては「右眼が見えない」と訴える症例もいる．

表4-6 運動障害性構音障害の症状分類と障害部位

症状のタイプ		障害部位
(1) 弛緩性麻痺による構音障害	球麻痺・末梢性	下位運動ニューロン
(2) 痙性麻痺による構音障害	偽性球麻痺・一側性障害	上位運動ニューロン
(3) 失調性構音障害		小脳・小脳路
(4) 運動低下性構音障害	パーキンソン症候群など	錐体外路系
(5) 運動過多性構音障害	舞踏病・ジストニアなど	錐体外路系
(6) 混合性構音障害	筋萎縮性側索硬化症・多発性硬化症など	複数の系

〔廣瀬肇,他：言語聴覚士のための運動障害性構音障害学．医歯薬出版，2001を改変〕

1つで，視知覚機能や運動機能に問題がないにもかかわらず，自発描画や模写課題などの構成課題で歪んだ図形を描いたり，まとまりのない仕上がりになったりする症状である．書字の際も，字画の方向がバラバラになり文字形態や書字内容全体のバランスが崩れたりすることがある．構成失行による書字障害は**構成失書**と呼ぶが，構成失書と構成失行は必ずしも同時に生じるわけではない．

構成失行は左右いずれの半球の損傷によっても生じうるが，左半球損傷の場合は行為のプランニング障害と考えられる一方，右半球損傷の場合は主に視空間障害によるものと考えられている．行為のみならず視覚認知機能も関与している可能性があることから，近年，構成失行というよりも**構成障害**と呼ばれることも多い．

2 口部顔面失行

指示理解に問題がなく，また無意識のうちに舌尖で口唇をなめることができても，指示されると動きが止まったりぎこちない動きになったりする症例がいる．これは**口部顔面失行**である．口部顔面失行は口舌顔面失行や口腔顔面失行などと呼ばれることもある．

口部顔面失行では，自動的な表情は豊かで，感情を伴った笑顔や泣き顔は自然に表出できる．原則として口腔器官や顔面の筋力に問題はない．しかし，唇を突き出す，唇を横に引く，唇をなめる，舌打ちをする，咳払いをする，頬をふくらませる，開閉眼をするなど，顔面動作の指示に対して困惑し動作ができなくなる．模倣はできることもある．

口部顔面失行は，ブローカ失語に随伴することが多いが，その他の失語症タイプに随伴することもある．病巣については，中心前回弁蓋部や島前部など左前方病変例が多いが，左中心後回，縁上回下部，角回などの左後方領域損傷例もある．

3 観念失行・観念運動失行

左頭頂葉は道具の使用に関して中枢的役割を担っているとされ，この領域が損傷されると**観念失行**が生じることがある．観念失行は，その道具の名称や使用目的は理解しているにもかかわらず実際の使用場面になると使えなくなる症状である．誤った用い方をして**錯行為**になることもある．例えば，歯ブラシで髪をとかそうとしたり，はさみで書く動作をしたりするなどである．いくつかの動作がつながって1つの行為となる系列動作では，動作の順序を間違えて，あとにするべきことを先に行ってしまうこともある．例えば，お茶をいれる一連の行為では，急須に茶葉を入れる前にお湯を注いだり，お湯を入れる前に急須を傾けてお茶を注ごうとしたりするなどである．観念失行は，必ずしも失語症に随伴するわけではないが，言語理解障害との相関が高いという報告もある[4]．

観念失行に近似した失行に**観念運動失行**がある．観念運動失行は，さようならと手を振る動作や歯を磨く真似など身振りで意味を伝えるような動作が，検査場面で指示されるとできない現象である．自然状況下では自発的にできることが多い．失語症が重度の場合，検査指示の理解が難しいため観念運動失行の有無を判定することは困難である．

観念失行と観念運動失行の違いについて，山鳥[3]によれば，自発的にも検査場面でも物品使用が困難な場合は観念失行，身振りや仕草など社会的慣習動作が自発的にはできるが指示されるとできなかったり模倣できなかったり道具使用のパントマイムが困難な場合は観念運動失行と判断される．

4 肢節運動失行

肢節運動失行とは，多少の脱力や感覚障害はあってもそれらの症状から想定される以上にボタンのかけ外しや物をつかむ動作が拙劣になる現象

表 4-7 視覚性失認の障害水準

タイプ	損傷部位	症状
(1) 知覚型（統覚型）視覚性失認	両側後頭葉内側損傷	簡単な幾何学図形もわからず模写もできない．動きや明暗，色，質感などは正常に知覚できる．
(2) 統合型視覚性失認	左紡錘状回中〜前部	対象の部分的な形はわかるが，それを全体として捉えることができない．模写は，断片的に描きながら形にしていくので時間がかかる．
(3) 連合型視覚性失認	左舌状回・紡錘状回・下後頭回	対象の形を認識することはでき模写も迅速にできるがそれが何なのかがわからない．形を意味に結び付けられないために生じるとされる．

である．意図性と自動性の乖離が認められないことから失行には含めずに**拙劣症** clumsiness と呼ぶ立場もある．中心前回・中心後回の損傷によると考えられる．

D 失認

失行 apraxia と同様に，失認もさまざまに分類されている．**失認** agnosia とは，脳損傷の結果，視覚・聴覚・触覚などの一次性感覚障害がないにもかかわらず，ある感覚様式では認識できないが別の感覚様式で提示されると即座に認識できるという状態である．また，感覚様式特異的ではない，病態失認や身体部位失認もある．いずれも言語性障害や知的機能障害によるものではない．以下に代表的な失認をあげる．

1 視覚性失認

視覚性失認 visual agnosia は，視力や視野が保たれているにもかかわらず視覚刺激を認知できない現象であり，視覚以外の感覚様式で入力されると認識できる点が特徴である．知覚水準の違いによって分類すると表 4-7 のように，(1)**知覚型（統覚型）視覚性失認** apperceptive visual agnosia, (2)**統合型視覚性失認** integrative visual agnosia, (3)**連合型視覚性失認** associative visual agnosia

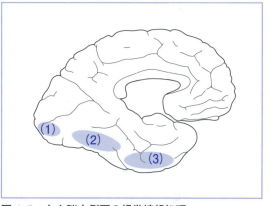

図 4-5　左大脳内側面の視覚情報処理
視覚情報は，後頭葉(1)から前方方向(3)へ流れていくにつれて色，形，意味へと処理が進む．(1)は両側性に損傷されると知覚型，(2)は統合型，(3)は連合型の視覚性失認の大まかな損傷部位を示す．

の 3 つに分けられる．
また，対象の違いによって，**物体失認** object agnosia, **相貌失認** prosopagnosia, **街並失認** landmark agnosia などに分類される．文字に特化した視覚性失認としては**純粋失読** pure alexia がある〔「純粋失読」(➡ 116 頁)を参照〕．純粋失読の詳細については他項を参照されたい．これらの失認は一側損傷で生じるとされ，言語的に処理可能な情報は左の側頭葉，顔や景色など言語的に説明するのが難しい情報は右の側頭葉で処理される．したがって物体失認や純粋失読は左側損傷，相貌失認や街並失認は右側損傷によると考えられている．言語的に処理される視覚情報は，図 4-5 のような流れで処理されるといわれる．

失語症に随伴する可能性のある視覚性失認としては物体失認があげられる．物体失認では，例えば，マッチ箱を目の前に示された際，見ただけ（＝視覚のみの刺激提示）では何なのかわからないが，箱に触って（＝触覚が加わる）硬さや形がわかったり，箱を振ってマッチ棒の音が聞こえたりする（＝聴覚が加わる）と，即座にマッチ箱とわかる．

2 聴覚性失認

聴覚性失認 auditory agnosia は，原則として純音聴力は保たれており，音は聞こえているにもかかわらず，それが何の音なのかわからない状態のことをいう．聴覚以外の感覚様式で提示されると問題なく認識できる．

聴覚性失認は，対象が言語性か非言語性かによって分類されることが多い．言語性刺激の際の症状は**純粋語聾** pure word deafness，非言語性の場合は**環境音失認** auditory agnosia for environmental sounds や**感覚性失音楽** sensory amusia と分類される．環境音失認では，ドアをノックする音や踏切の警報音など日常的な音の認知に支障をきたす．感覚性失音楽では，メロディを聞いても何の曲なのかわからなかったり，歌を聴いても音程が合っているのかどうかがわからなかったりする．純粋語聾については他項（➡ 108 頁）を参照されたい．

非言語性環境音は両側の側頭葉皮質で処理され，左聴覚連合野は意味情報の処理，右側は環境音刺激の弁別に関与すると考えられている．したがって，左側損傷例では意味的誤りを生じやすく，右側損傷例では聴覚的に似た別の音に聞き誤る傾向があるとされる[5]．環境音失認は失語症の随伴症状になりうるが，感覚性失音楽は一般に右側頭葉損傷で生じるが発症前の音楽機能に左右されることが多いので一概に失語症に随伴するとは言い切れない．

3 病態失認

病態失認 anosognosia とは，自身の症状（病態）に関する認識が低下している状態である．片麻痺や半側空間無視に対する病態失認例が多い．右半球損傷による症状とされることが多いが，ウェルニッケ失語やジャルゴン失語の症例で病態失認が見られることがある．錯語やジャルゴンなど自分の言語症状を認識しておらず，コミュニケーション場面でも支障を感じていないように見える．病態失認はリハビリテーションの阻害因子になる．

4 身体部位失認

身体部位失認 autotopagnosia は，身体部位の呼称はできるにもかかわらず指示された身体部位を指差せなかったり描けなかったりする症状である．深部知覚障害によるものではない．身体に関する空間的な知識やイメージの障害によると考えられている．左頭頂葉損傷によって生じることが多いといわれる．左頭頂葉損傷による代表的な症状に，**失書，失算，左右障害，手指失認**の四徴候を示す**ゲルストマン症候群** Gerstmann's syndrome がある．このうちの**手指失認** finger agnosia については，手指は身体の一部ではあるものの手指失認例では指の名前を呼称できないことから，身体部位失認とは異なる病態の症状であると考える立場もある[6]．身体部位失認は，失語症に随伴することはあるがもちろん言語理解障害によるものではない．

E アパシー・抑うつ

脳卒中や脳外傷のあとに**アパシー** apathy や**抑うつ** depression がみられることがある．アパシーと抑うつは，双方とも興味の減退や活動性の低下を示し併存することもあるため，臨床的には

表4-8　やる気スコア

	まったくない	少し	かなり	大いに
1) 新しいことを学びたいと思いますか？	3	2	1	0
2) 何か興味を持っていることがありますか？	3	2	1	0
3) 健康状態に関心がありますか？	3	2	1	0
4) 物事に打ち込めますか？	3	2	1	0
5) いつも何かしたいと思っていますか？	3	2	1	0
6) 将来のことについての計画や目標を持っていますか？	3	2	1	0
7) 何かをやろうとする意欲はありますか？	3	2	1	0
8) 毎日張り切って過ごしていますか？	3	2	1	0
	まったく違う	少し	かなり	まさに
9) 毎日何をしたらいいか誰かに言ってもらわなければなりませんか？	0	1	2	3
10) 何事にも無関心ですか？	0	1	2	3
11) 関心を惹かれるものなど何もないですか？	0	1	2	3
12) 誰かに言われないと何にもしませんか？	0	1	2	3
13) 楽しくもなく，悲しくもなくその中間位の気持ちですか？	0	1	2	3
14) 自分自身にやる気がないと思いますか？	0	1	2	3
	合計			

Apathy Scale 島根医科大学第3内科版：16点以上を apathy ありと評価
〔Starkstein SE, Fedoroff JP, Price TR, et al：Apathy following cerebrovascular lesions. Stroke 24：1625-1630, 1993 から引用，翻訳作成〕
参考文献
1. 岡田和悟，小林祥泰，青木耕，他：やる気スコアを用いた脳卒中後の意欲低下の評価．脳卒中 20：318-323，1998
2. Okada K, Kobayashi S, Yamagata S, et al：Poststroke apathy and regional cerebral blood flow. Stroke 28：2437-2441, 1997

混同されやすい．しかし，同じ"意欲低下"であっても，臨床像は異なっている．

アパシーは，感情，情動，興味，関心が欠如した状態と定義される．意欲そのものが希薄で，発動性や持続性，活動性，社会参加の低下が認められる．しかし病識はなく悩まず悲嘆や罪業感がない．抗うつ薬の効果もみられないことから抑うつとは異なることがわかる．やる気スコア（表4-8）で評価され，16点以上であればアパシーと判定される[7]．アパシーの脳局在に関しては，両側前頭前野の血流低下や右半球損傷との関連性，あるいは傍辺縁系と皮質の機能的断裂などが推察されているが多くの説があり，いまだ明確にされているわけではない．

一方，**脳卒中後うつ** post-stroke depression（PSD）では，抑うつ気分，自殺念慮，自己非難，罪業感，絶望感などの悲観的感情，意欲の低下が目立つ．また，焦燥感や感情失禁を伴うとされる．PSDをきたすと，入院期間の延長や機能回復の遅延，QOL（quality of life：生活の質）の低下をもたらす．失語症の発症に伴い反応性うつも生じうるが，PSDは必ずしも反応性とは言えず，左前頭葉や大脳基底核部の損傷によって生じる病態と考えられることが多い．しかし，アパシーと同様，病変部位についてはいまだ不明な点も多い．臨床症状は日本脳卒中学会作成の脳卒中うつスケール Japan Stroke Scale（Depression Scale）；JSS-D で評価できる（表4-9）．JSS-D のカットオフ値は3点とされる[8]．

F 記憶障害

言語は幼少時からの学習による記憶の積み重ねであり，その障害である失語症はある意味で記憶の障害と捉えることもできる．しかし，一般に記憶という場合は，言語だけではなく行為や知識

表 4-9　日本脳卒中学会・脳卒中うつスケール Japan Stroke Scale (Depression Scale) (JSS-D)

[1] 気分	
A：気分爽快やうつ気分はなく，普通にみえる	☐ A＝－0.98
B：気分がふさいでいる様子がある	☐ B＝－0.54
C：気分が沈む，寂しい，悲しいという明らかな訴えや素ぶりがある	☐ C＝　1.52
[2] 罪責感，絶望感，悲観的考え，自殺念慮	
A：特に自分を責める気持ちはなく，将来に希望がある	☐ A＝－2.32
B：自分は価値がない人間だと思い，将来に希望をなくしている	☐ B＝－0.88
C：明らかな罪責感をもつ(過去に過ちをした，罪深い行為をしたなどと考える)ないしは死にたいという気持ちを持つ	☐ C＝　3.19
[3] 日常活動(仕事，趣味，娯楽)への興味，楽しみ	
A：仕事ないしは趣味・娯楽に対して，生き生きと取り組める	☐ A＝－1.17
B：仕事ないしは趣味・娯楽に対して，気乗りがしない	☐ B＝－0.94
C：仕事ないしは趣味・娯楽に対して完全に興味を喪失し，活動に取り組まない	☐ C＝　2.11
[4] 精神運動抑制または思考制止	
A：十分な活気があり自発的な会話や活動が普通にできる	☐ A＝－0.84
B：やや生気や意欲に欠け，集中力も鈍い	☐ B＝－0.53
C：全く無気力で，ぼんやりしている	☐ C＝　1.37
[5] 不安・焦燥	
A：不安感やいらいら感はない	☐ A＝－1.11
B：不安感やいらいら感が認められる	☐ B＝－0.64
C：いらいら感をコントロールできず，落ち着きない動作・行動がしばしばみられる	☐ C＝　1.75
[6] 睡眠障害	
A：よく眠れる	☐ A＝－1.83
B：よく眠れない(入眠障害，熟眠障害ないしは早朝覚醒)	☐ B＝－0.64
C：夜間の不穏(せん妄をふくむ)がある	☐ C＝　2.47
※付加情報：Bを選択した場合，以下のうち認められるものに○をする．複数選択可． 　　入眠障害(　)　　途中覚醒・熟眠障害(　)　　早朝覚醒(　)	
[7] 表情	
A：表情は豊かで，明るい	☐ A＝－0.52
B：表情が乏しく，暗い	☐ B＝－0.79
C：不適切な感情表現(情動失禁など)がある	☐ C＝　1.31

Total	
Constant	＋9.50
Total score ＝	

〔日本脳卒中学会：脳卒中感情障害(うつ・情動障害)スケール．脳卒中 25：211, 2003 より〕

どども含めた経験全体のことを指していうことが多い．したがって，記憶についてその概念は多様であり分類も多層的である．以下に示した記憶機能が障害されると，さまざまな**記憶障害** memory disturbances を呈する．

1　陳述記憶と非陳述記憶

記憶の内容が言語的に説明できるかどうかによって，**陳述記憶** declarative memory と非陳述記憶 non-declarative memory に分けられる．陳述記憶は説明可能な記憶であり，"いつどこで何をした"というような出来事に関する記憶すなわ

ちエピソード記憶episodic memoryと，"リンゴは果物でジュースの原料にもなる"というような知識すなわち意味記憶semantic memoryに分けられる．一方，非陳述記憶は言葉で説明するのが困難な記憶を指し，自転車の乗り方や楽器演奏などのような技能の記憶すなわち手続き記憶procedural memoryや，以前経験した先行刺激によって意識しなくてもその後の刺激処理が容易になる現象，すなわちプライミングprimingなどに分けられる．健忘症amnesiaは主に陳述記憶が障害された状態である．

2 短期記憶と長期記憶

記憶している時間の長さによって，短期記憶short-term memory，長期記憶long-term memoryに分けることもある．作業をする際に一時的に情報を保持しておく作業記憶working memoryは短期記憶である．上記の陳述記憶や非陳述記憶は長期記憶の範疇に入る．把持時間による分類として臨床神経学では即時記憶immediate memory（数唱課題など非常に短時間保たれる記憶），近時記憶recent memory（昨夜の食事内容などの記憶），遠隔記憶remote memory（学生時代の居住地などの記憶）に分けられる．何秒以内が即時記憶，何日以上が遠隔記憶と厳密に定められているわけではない．

3 前向性記憶と逆向性記憶

発症時を起点として，発症時より前の記憶である逆向性記憶と，発症時点より後の記憶である前向性記憶に分けられることもある．それぞれの障害は，逆行性健忘retrograde amnesia，前向性健忘anterograde amnesiaと呼ばれる．逆行性健忘は発症以前の物事を思い出すことの障害，前向性健忘は発症時以降の物事を記憶していくことの障害である．

4 登録，把持，再生

記憶の処理過程からみると，登録registration，把持retention，再生retrievalに分けられる．これらは記銘，保持，想起ともいわれる．刺激情報が記憶貯蔵庫に記録され（登録），一定時間留め置かれ（把持），必要な時にそれらの情報が取り出される（再生）という過程をたどって記憶処理されると考えられている．

5 展望記憶と回想記憶

一般に記憶は過去の出来事の記銘・再生を示すことが多い．それらは回想記憶といわれるが，一方で，未来の記憶ともいうべき機能がある．例えば，"来週水曜日に駅で友達と会う"というような，予定を適宜思い出す機能で，これは展望記憶prospective memoryと呼ばれる．

6 記憶の神経学的基盤

以上のような記憶機能は，脳損傷によってさまざまに障害されうる．記憶に関与する脳部位としては，パペッツの回路Papez circuitが知られている．パペッツの回路は，海馬→脳弓→乳頭体→乳頭体視床束→視床前核→帯状回→海馬傍回から再び海馬へという閉鎖回路で，この回路のどこが損傷されても記憶障害が生じうる．また情動の回路といわれるヤコブレフの回路Yakovlev circuitも側頭葉皮質→扁桃体→視床背内側核→前頭眼窩皮質→鉤状束から再び側頭葉皮質へと巡る閉鎖回路であるが，この回路の障害によっても記憶障害がもたらされるといわれている．さらに前脳基底部の損傷により上述の展望記憶の障害が生じるとされる．

失語症例では，原則としてエピソード記憶や意味記憶，手続き記憶は低下しないが，言語性短期記憶verbal short-term memoryに支障をきたすことがある．左シルヴィウス裂近傍損傷による失

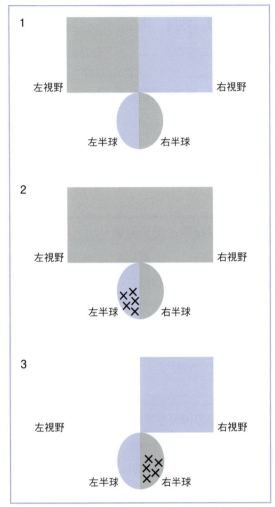

図 4-6 注意配分の大脳半球左右差に基づく半側空間無視の発生機序
1 健常者の注意配分：左半球は右視野，右半球は左右両視野に，それぞれ注意配分がなされる．
2 左半球損傷例：右視野に対する注意配分は減少するが右半球が全視野に注意配分しているので，無視症状は生じない．
3 右半球損傷例の注意配分：健常な左半球が右視野の注意を担っているが，右半球損傷により両視野への注意が減弱する結果，左視野への注意配分がなくなり半側無視が生じる．

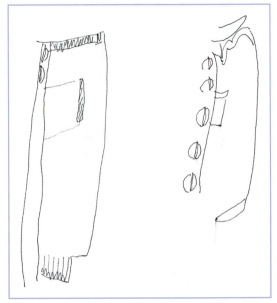

図 4-7 左半側空間無視例の自発描画
右側頭—頭頂葉皮質下出血により左半側空間無視を示した症例（72 歳，男性，右利き）が描いたパジャマのズボンと上衣．明らかに左部分が欠落している．

語症例では文レベルの把持が難しくなることがある．さらに，変性疾患による語義失語では記号や物事などの意味記憶が障害される[9]．語義失語については，言語の障害に含めるべきか記憶の障害に含めるべきか明確には分類されがたいが，語の辞書的な意味の記憶障害であることから，記憶系の障害が言語系の症状をもたらしたものと考えられている．語義失語は左側頭葉萎縮によるとされる．

G

半側空間無視

半側空間無視 unilateral spatial neglect（USN）は，大脳損傷の反対側の外界空間や身体に対して注意が向かず反応しない症状である[10]．左右どちらの大脳損傷でも生じうるが，一般的には**右半球損傷**で左半側空間無視を示すことが多い．左右半球で注意の配分が異なり，通常，左大脳は右空間へ，右大脳は左右空間へ注意を払うと考えられているからである．つまり，左半球が損傷されても右大脳が両側空間に注意を払えるので無視症状は生じないが，右半球損傷の場合は左半球が右空間のみに注意を払うために左空間への注意がおろそかになる．したがって，右半球損傷によって左半

側無視が生じることになる（図4-6）.

　半側空間無視の症例は，線分や文字の抹消課題で左側の刺激を取り残したり，線分二等分課題で右寄りに反応したりする．また，運動麻痺のない症例では入退室時に左肩をドアにぶつけたりすることがある．ヒゲの左側を剃り残す男性例や，左の眉の描き方が粗雑な女性例もいる．自発描画では，図4-7のように左側が欠落した絵を描くことが多い．右側頭—頭頂—後頭葉接合部の損傷によって生じることが多いが，右前頭葉損傷例も報告されている．

　なお，左半球損傷による右半側空間無視がまったくないわけではない．発症後早期の失語症例で，右半側無視が認められることがある．検査場面で右側に示した選択肢を見つけられなかったり右側に置いた文字カードを読みにくそうにしていたりする現象は，急性期の臨床場面ではよく経験されることである．しかし，右半側無視は，左半側無視に比べると比較的軽症でかつ症状の持続期間も短いとされ，回復期や生活期まで右半側無視が持続することは少ない．

引用文献

1) Waxman SG：Clinical neuroanatomy, 27th ed. McGraw Hill Education, New York, 2013〔ワックスマン（著），樋田一徳（監訳）：ワックスマン脳神経解剖学；臨床に役立つ．西村書店，2019〕
2) 廣瀬肇，柴田貞雄，白坂康俊：言語聴覚士のための運動障害性構音障害学．医歯薬出版，2001
3) 山鳥重：神経心理学入門．医学書院，1985
4) De Renzi E, Pieczuro A, Vignolo LA：Ideational apraxia；a quantitative study. Neuropsychologia 6：41-52, 1968
5) Schnider A, Benson DF, Alexander DN, et al：Non-verbal environmental sound recognition after unilateral hemispheric stroke. Brain 117：281-287, 1994
6) 鶴谷奈津子：自己身体部位失認．神経心理学 27：304-314, 2011
7) やる気スコア．http://strokedatabank.ncvc.go.jp/f12kQnRl/wp-content/uploads/yaruki_score.pdf（2020年12月閲覧）
8) 日本脳卒中学会・脳卒中うつスケール．https://www.jsts.gr.jp/img/jss-d.pdf（2020年12月閲覧）
9) 田辺敬貴，池田学，中川賀嗣，他：語義失語と意味記憶障害．失語症研究 12：153-167, 1992
10) 石合純夫：半側空間無視の評価．田川皓一（編）：神経心理学評価ハンドブック．pp230-244, 西村書店，2004

第 5 章

失語症候群

学修の到達目標

- 失語症の古典的分類の基本概念について説明できる.
- 古典的分類における失語症タイプの主要症状および病変部位を説明し,分類できる.
- 交叉性失語,皮質下性失語,原発性進行性失語の主要症状および脳病変との関連性を説明できる.
- 純粋型(純粋語聾,純粋発語失行,純粋失読,純粋失書,失読失書)の症状および病変部位を説明し,分類できる.
- 各失語症タイプに随伴しやすい症状を説明できる.
- 各失語症タイプの一般的な予後を説明できる.

1 失語症候群の成り立ち

A 古典論の成立

1861年のBroca，1874年のWernickeの論文以来，実に数多くの失語症候群の分類が提唱されてきた．大別すると，これらには，症状と脳の解剖学的構造との関連を重視する立場と，心理学ないし言語学的側面に立脚する立場がある．本項では，現在最も広く用いられ，本書の分類にも採用されている古典論による分類を解説する．これは前者の立場に立つものである．

Wernickeは当時の解剖学的知見に基づき，聴覚的側面である音響心像は側頭葉上回に貯蔵され，言語の運動的側面である運動表象は前頭葉下回後方1/3に貯蔵され，両者は島葉を介して弓状束で連合されていると考えた．これにより，前頭葉下部病変による運動性失語と側頭葉上部病変による感覚性失語，および両者の線維連絡障害による伝導失語が分離された．

1885年，LichtheimはWernickeの想定に加え，大脳半球知覚全領域の共同作用としての概念領野を仮定し，この3点と末梢を結んだ図5-1を発表した．これによって概念から切り離された運動性の失語と，概念への連絡を絶たれた感覚性の失語が区別されることとなった．また彼は音響中枢と運動中枢の連合の障害が，臨床的には，復唱の障害として発現することを指摘した．WernickeはLichtheimの構想に批判的に手を加え，今日でいう**ウェルニッケ-リヒトハイム** Wernicke-Lichtheim**の図式**およびその**失語分類**（図5-1）ができあがった．その後，Dejerineらの業績なども加わって20世紀初頭までに，古典論は1つの学問体系として完成された．

その後，全体論の隆盛などにより，一時衰退していたが，1960年代，Geschwindら**ボストン学派**[注1]による再評価によって，再び脚光を浴びることとなった．

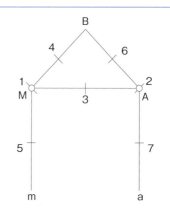

図5-1 ウェルニッケ-リヒトハイムの図式およびその失語分類とそれに対応する現在の名称

〔山鳥重：失語の分類とその実際—古典的分類とGeschwind派の分類．神経進歩 21：869-878，1977 より〕

注1) Boston大学，Harvard大学，BostonVA病院失語研究センターを中心に活動する学派．N. Geschwind，F. Benson，H. Goodglass，M. Alexanderら．新古典学派ともいう．

B ボストン学派による分類

　ボストン学派による古典分類では，図5-1の7型に加え，健忘失語，失読失書，純粋失読，純粋失書，超皮質性混合失語（言語野孤立症候群），全失語，皮質下性失語などの臨床型が提唱されている．なお，Wernickeが使用した皮質性，皮質下性の名称は除かれ，皮質下性運動失語なども純粋語唖，純粋語聾が用いられるようになった．

　ボストン学派の失語症候群の診断では，2つのパラメーターが重要視される．流暢性/非流暢性の区分と復唱が可能かどうかである．これに理解の程度や錯語の様相などが加味され分類される．

C 古典分類の有用性と限界

　失語症分類は，病因・病態生理などに基づく疾病分類とは異なる．失語症患者が示す症状を，その症状特徴の組み合わせに基づいて分類するものである．臨床的に古典分類が広く用いられているのは，患者とのやりとりやごく簡単なテストから診断が付けられ，また，ほかの臨床家とも共通認識が得やすいという大きな利点があるためであろう．

　しかし，古典分類の限界もまた，さまざまに指摘されている．例えば**認知神経心理学**などでは，こうした症候群としての分類そのものを否定している．言語治療の立場からいえば，古典分類から即治療方針が導き出せるわけではない．ましてや，言語治療は何かの分類型に押し込めラベリングして終わるものではない．そもそも古典論の症候群的分類（➡ Note 5）は，症候「群」と病巣との対応関係を想定するものである．症候群を構成する1つひとつの症状に対して，その基底障害やメカニズムを特定することをめざしているわけではない．このような分類から障害された言語機能を同定し，いかにして回復させるか，という指針を得ようというのはないものねだりともいえる．

　今日，われわれ言語聴覚士は，症状の原因であると想定される機能的障害を同定し，それへのアプローチを可能とするよりよい理論と手段を得つつある．しかし，失語症者の全体像を把握するための大きな枠組みを提供するものとして，古典論的分類は，今なお有用である．全体像の大略の把握なしに，どこから言語検査なり日々のアプローチへのあたりをつけることができるだろうか．どのタイプに近いか，あるいは，どこが教科書にある典型例や経験してきた類同の失語例と異なるのか，といった考察を通じて，目の前の症例自体の理解を深めることができる．そういった臨床観察を，絶え間なく検証し修正し確認していく作業を通じて，実りある経験が蓄積していくものと思われる．よって失語症のタイプ診断をすることは，一人ひとりの患者に応じた言語治療を実施するうえで，必須の臨床行為である．

> **Note 5. 症候群**
> 　いくつかの症状がまとまって出現しやすい傾向があるときに，そうした症状の一定の組み合わせを症候群としてまとめ，名づけることにより，分類・整理に供する．

2 ブローカ失語

1 基本概念・症状

Broca(1861)の発見に始まる失語型である．比較的良好な理解と，発話面全般に認められる重度の非流暢性を特徴とする．**運動(性)失語**とも呼ばれる．

1) 自発話

自発話の量は少なく，句の長さは短く，努力性で音の歪みが認められる．試行錯誤を伴う探索，くり返しによってしばしば渋滞する．**プロソディの障害**も認められるが，不自然なピッチや引き伸ばし，ゆっくりで単調なリズム，途切れ途切れ，あるいはたどたどしさ，音節から音節へのつながりの悪さなど，その現れ方は症例によって異なる．錯語は**音韻性錯語**も**意味性(語性)錯語**もともに認められる．しばしば助詞の脱落，末尾の省略などがみられ，文が単純化する失文法的な発話となるが，意味を担う名詞などの実詞がよく表出されるため，情報伝達力は相対的に高い．しかし重度になると，発話がほとんどなく**残語**が聞かれる程度になることもある．こうした場合にも歌唱や系列語は保たれることが多い．

発語失行(失構音)（→ Note 6）の重症度と失語症状の重症度とは並行しない．**喚語障害**は必発で，相当に重い喚語障害が発話の渋滞に隠れていることも多い．非流暢性は発語失行(失構音)以外にも，喚語障害〔健忘失語(失名辞失語)（→ 86 頁），Note 34（→ 265 頁）〕，発話開始困難（→ Note 7），文構成能力の低下などの多くの要因から構成される．これらの要因の分離はしばしば困難だが，こうした視点を持って発話の非流暢性を観察する態度が重要である．

発症時には，まったく発語がない状態が続く例も多いが，数日以内には発語がみられるようになる．なかには意図的な呼気の誘導によってようやく発声/発語が可能となった後，急速に自発話が増える例もある．

発話例：[ ]は検者，/は音節が途切れて（断綴的）聞こえる箇所，○は聴取不能．

[子どものころはどんな絵を？]「いや，ら，ら/く/が/き，て/ど/ですな」
[男の子だったら飛行機とか？]「… そんなん，いっしょ/けんめ，かいて/ま/し/た」
[さささーっと？]「いや，も，………　うーん，それも，へ/た/○　よこ，よ/こ/ず　き，て一，て/ど/ですね」

2) 呼称

発語失行(失構音)，探索などの自発話での諸特徴が呼称でも認められる．呼称能力と（自発話内での）喚語能力とが並行しない例もある．音韻意味性錯語を認め，数は少ないが音韻性錯語も認めることがある．

呼称は，語頭音キューでしばしば促進される．音形は準備されているのに，何かのきっかけがないと発話しにくい状態にあると考えられる場合もある．

3) 聴覚的理解

日常的な単語レベルは保たれるのが基本である．また発話面に比べれば良好とはいっても，少なからず障害が認められる．**系列指示** pointing span は 2 個から指せないことが多い．また統語的処理能力の低下が認められる．

4) 復唱

発語失行(失構音)による歪みなど呼称と同様の特徴が認められる．復唱のほうが自発的な発語より，より容易である場合が多いが，発語失行(失

構音)の特徴は残っている．重度では，復唱もほとんど不可能である．

5) 読み書き

読解は比較的良好であるが，深部病変例では重度の読解障害を呈することがある．仮名より漢字のほうが良好なことが多いが，重度例でもSLTAレベルの高頻度語であれば仮名単語の読解は比較的保たれる．

音読は発話と同様の特徴を示す．重症度は患者ごとに異なる．漢字単語の音読は呼称の成績よりややよく，錯読としては音韻性が主だが，時に意味性の錯読が示す例がある．仮名一文字は概して不良である．

書字では，失語性失書がおおむねそうであるように，自発書字と書き取りが障害され，写字は保存される．なかなか書こうとしない例もあれば，口頭言語を補おうと積極的に筆記具を手に取る例もあり，個人差は大きい．積極的に書く場合も漢字の断片的表出が多く，仮名は少ない．また仮名では錯書が認められる．また文字の脱落などがみられ，文の形態をとることは少ない．口頭言語の失文法と書字のそれとは並行しないことがある．

右麻痺のため左手に筆記具をもたせることが多くなるが，特に初期には**鏡像書字**がみられることがある(通常は速やかに消退する)．非利き手の書字は病前の利き手での書字による字体とだんだん似てくるものだが，交感性失行(➡ Note 8)により拙劣さが顕著な場合では，書字の実用性が大きく損なわれる．

残語程度の発話に限られるほとんど全失語といってよい重度のブローカ失語例が，(高頻度語の)漢字や仮名単語の一部が左手でかなり書けることがある．山鳥[4]はこれを右半球による書字表出と考えている．

2 病巣

典型的には左中大脳動脈の上方枝の閉塞による梗塞によって発現する．すなわち，左中心前回とその前方領域(中下前頭回の後半部)，島が多く含まれる．また左側頭葉の前上方部や頭頂葉の一部

Note 6. 音声への符号化

発語失行(失構音)は症状把握や鑑別に迷うことも多いが，理解への参考となる2つの考えを紹介する．

Levelt[1]は音韻の符号化のあと音声符号化を経て構音へと至る発話過程で，syllabaryというものを想定している．syllabaryには，個々人それぞれが幼少時から蓄えてきた発音(音節の抽象的な構音動作プラン)が貯蔵されている．われわれの音韻はたかだか数十個にすぎないが，次の段階に位置するsyllabaryに貯蔵されている数はおよそ数千にものぼるとされる[2]．

山鳥[3]は，選択・配列された音韻群の実際の音声への変換に際して，構音素(その音の構音に必要な運動プログラムをすべて備えた記憶)の正しい選択・駆動を想定する．そして音韻から構音素へ変換する過程でも，構音素による運動ニューロンの制御障害によっても，発語失行(失構音)は生じるとする．

もちろん，いずれの考えも，このあとに構音器官による運動の実行過程を想定し，そこでの障害(dysarthria)とを区別している．

Note 7. 発話開始困難

前頭葉損傷後，**発動性の低下**，あるいは言語活動全般の発動低下をきたす場合がある．しかし，こうした全般的な発動低下を伴うことなく，発話の起動(initiation)が選択的に障害される場合がある．いったん発話が開始されると正しく文を産生する．こうした開始機構の障害が超皮質性運動失語に認められる．またブローカ失語の非流暢発話にも含まれている場合がある．

Note 8. 交感性失行 sympathetic dyspraxia

ブローカ失語などの右片麻痺をもつ失語例で，左手で書字を行うと，非利き手では説明できないほどに拙劣であることがある．Liepmannは失行において一側の上下肢が他側よりも強く侵されると考え，その場合の軽いほうの左側の失行を交感性失行と呼んだ．右片麻痺の場合の左側の失行(麻痺がなければ失行がでる)も同様に考えた．ブローカ野の皮質下の病巣によって，左半球に優位な行為の領域から右半球の運動領野が離断されているというのがその機序である．利き手交換を試みる際には十分注意する．

の皮質皮質下，側脳室周囲白質が含まれることも多い．ブローカ野のみでは，ブローカ失語は生じないことが知られている．ブローカ野のみの病巣では一過性の失語症が生じるといわれている（➡Note 9）．発語失行（失構音）に関しては，**中心前回下部**が責任病巣と想定されている．

広範囲の病巣では初期に全失語を呈し，後にブローカ失語に移行することが多い．被殻出血では，前方に進展し前頭葉白質を広範に損傷する場合に起きる．

3 随伴しやすい症状

神経学的には右片麻痺（右顔面神経麻痺を伴う）を多く合併する．強い上肢の麻痺を伴う場合は，頭頂葉や側頭葉前方部にも病巣が及んでいる可能性がある．右半側体知覚障害も少なくない．

ほとんどで**口舌顔面失行**を伴う．ただし発語失行（失構音）と重症度は相関しない．観念運動性失行も多い．交感性失行も多い．発動性の低下，抑うつを呈することもあり，リハビリテーションでは注意を要する．

4 鑑別診断

全失語とは理解障害の程度で区別する．単一の日常物品の指示程度は確実で，「yes-no」で答える簡単な質問にもおおむね答えられるレベルの理解があれば，ブローカ失語と判断できる．

理解良好だが，発語がない場合，書字能力によって純粋語唖と区別する．

言語活動全体の駆動性や，まれだが発話の起動（initiation）が選択的に障害されている場合もあり，復唱などによって言語活動が表出されないかを観察する（超皮質性運動失語）．

5 予後・回復

発症初期からブローカ失語を呈す症例は，全失語から回復しブローカ失語となった例よりも予後は良好である．

発症初期のブローカ失語から，急速にいわゆる**純粋語唖**へ変わる場合がある．また，経過とともに，発話はなめらかさに欠ける程度，喚語困難もごく軽度となり，**失名辞失語**ないし**残遺失語**に近い病像となる場合があるが，改善しても自らの発話への不全感はかなり強くもつ．復唱が改善し，**超皮質性運動失語**のタイプへ近くなる場合もある．

6 事例：軽度ブローカ失語（図5-2）

女性．右不全麻痺と重度の言語障害にて発症．某院退院後の発症2か月時から言語聴覚療法を開始した．発話は単調でとぎれがち．浮動的な音の置換や歪みが目立つ．発語の開始困難はさほど強くなく，喚語困難も目立たない．呼称は発語失行（失構音）での誤りはあるが100語呼称検査で98個正答．復唱・音読は自発話・呼称と同質の誤りを認める．理解はSLTA上はかなり良好である．しかし，系列指示は2個．失語症構文検査では聴理解で語順レベルが通過できない（読解は語順レベル）．読み書きでは，仮名1文字の処理が不安定で文字－音韻の対応の障害が推測された．漢字に軽度想起困難がある．文レベルの自発書字が可能だが，迂遠な表現が多く，まとまりにくい．

復唱例：隣の町で火事があった ➡
「と<u>だ</u>りのまちで，と<u>な</u>にのまちで…アー…」
（下線部は歪みがつよい）

> **Note 9.** ブローカ野限局病巣では，どのような症状が起こるか？
> ブローカ野単独ではブローカ失語にはならない．比較的流暢な発話を示す失語症が多く，軽度の喚語困難と文の理解が障害されることが多い．**ブローカ領域失語**と呼ばれることもある．多くは軽快する．
> 画像研究で，身振りや模倣などの際に，ブローカ野の活動が高まるとの報告がなされ，大きな注目を集めている（ミラーニューロン）．

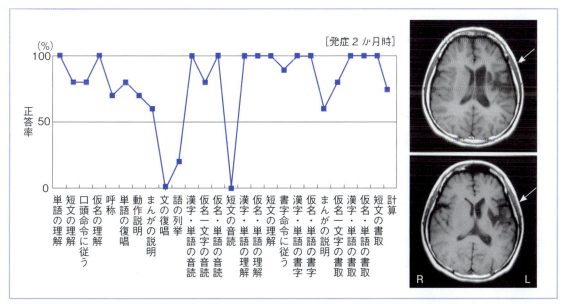

図 5-2　軽度ブローカ失語（事例）の SLTA プロフィール，MRI 画像
画像は発症 2 か月時の MRI T1 強調画像．左下前頭回後方から中心前回下部，島に病巣を認める（矢印）．

書字例：「ざるそば」の説明　➡　東京で毎日にたべる．

その他，口舌顔面失行はなし．右側の口唇に若干の感覚低下がある．図 5-2 に示すように病巣は左下前頭回後方から中心前回下部，島などの皮質下であった．

引用文献
1) Levelt WJM：Accessing words in speech production：stages, processes and representations. Cognition 42：1-22, 1992
2) 水田秀子：語の産生過程をどう考えるか．神経心理学 22：247-251，2006
3) 山鳥重：神経心理学から見た言語の産出と理解．辻幸夫（編）：ことばの認知科学事典．pp251-259，大修館書店，2001
4) 山鳥重：漢字仮名問題と大脳半球の左右差．神経進歩 24：556-563，1980

3　ウェルニッケ失語

1　基本概念・症状

　Wernicke（1874）によって初めて記載されたことからウェルニッケ失語と呼ばれる．古典論にいう皮質性感覚失語である．感覚面（すなわち理解面）の障害が主要症状であるが，表出面にも多彩な症状がみられる．ブローカ失語にみられるような運動性の渋滞や発語失行（失構音）はみられない．**感覚（性）失語**とも呼ばれる．

1）自発話

　発話の流暢性がよく保たれている．すなわち，構音に努力やためらい，開始の困難はなく，音の歪みも認めない．また発話の速度も保たれ，多様

な文形態が観察され，プロソディにも不自然なところがない．しかしその内容は空疎で，発話量に比べ情報量は少ない．しばしば**多弁**で**発話衝迫** press of speech がみられ，発症初期には相手がさえぎらない限り話し続ける状態（**語漏** logorrhea）となることも多い．**音韻性，語性ないし意味性，新造語などの種々の錯語や空語句，保続**で埋められるため，喚語困難による渋滞はみられない．しかし，渋滞（空隙）がみられないだけであって，その背景に重篤な喚語の障害があることを忘れてはならない（➡ Note 10）．

出現する種々の錯語などの割合は，症例によって異なる．重篤な場合には大量の錯語のために発話の意味がまったく把握できなくなるジャルゴン（➡ 48 頁）となる〔**新造語性ジャルゴン**（下記発話例）が多い〕．

発話例：〔○○さん，退院おめでとうございます〕　おかげさまで，まあ，ねえ．〔家では一人で？〕まあ，イカダンでたら，しばらくね，できたら寄って，またね，あの，オト，オト，あの息子の，あっちのほうのアカ（赤ちゃん？）が，もうじきできるワカね，またあの，モシキたったら，またちょこちょこみたいな，エーユーらしいんで，〔来て下さるのね〕そんなでできるから，ケッキュラシから，どうなるかわからんけど．

しばしば自己の誤りに気付かない．**錯文法**が指摘されるが，内容語部分が錯語に置き換わるために，明確にどの部分が文法障害を示すのかを示すのは案外難しい．文全体がまとまりにくい傾向も認められる．一般に**病識**の改善とともに発語量は減る．

2）呼称

非常に重い喚語障害を認める．自発話に同じく，種々の錯語や空語句（➡ Note 11），保続が出現する．自発話ではみられなかった新造語が呼称では認められる場合も多く，呼称，自発話，あるいは音読などで出現する錯語の割合は，個々人のなかでも異なる．どのような錯語が多いかは，訓練や予後の重要な指標となりうる．**語頭音キュー**は無効なことが多い（➡ Note 12）．

呼称例：鉛筆 ➡ えっと，エー，イショ，ちがうわ，イヒドーだったか，イヨー，ノーダッチショ．

犬 ➡ イ，イ，イーットじゃなしに，やま，えーっと，ヨコワカ，ヨコ，イヒド，じゃなし，あ，犬，犬．

3）聴覚的理解

聴覚的理解では，単語レベルから障害が認められる．このなかには**語音認知**の障害である語聾的側面と語義理解の障害である**語義聾**的側面とがあ

Note 10. 陰性症状と陽性症状
症状の発現に対して，陰と陽の2面から捉える視点は重要である．例えば，目標語が出てこない状態は陰性症状であり，目標語の代わりに間違った語が出てしまうのは，陽性症状である．

Note 11. 空語句 empty phrase
決まり文句，相づち，慣用句のような言葉で，情報を何も伝達することのない内容空疎なことば（単語，句，文章）．

Note 12. 押韻常同パターン
ジャルゴンでは，同じような語が少しずつ形を変えてくり返し出現する傾向がある．韻を踏むようにもみえることから，押韻常同パターン[1]という．波多野[2]は音韻性変復パターンと呼び，また同様に，錯語性（意味性）ジャルゴンなどで，一度出た語の意味野に属する語が次々と出る場合があり，意味性変復パターンと呼んでいる．

自験例：ワ，ワックサン，どない言うの，ネック，ネック，ネークサン，ネークサン

自験例の呼称：10円玉 ➡ これはリーフちゃうかね．リーフちゃうね．<u>バレーの玉</u>いうたらちゃうんやね，<u>ワンパット</u>も違うわけや，そこの<u>問題</u>が違うんか，<u>マイナスの点</u>やね，いわゆる，ひとつのボールが足らんわけやね，ここが，ひとつ私の<u>採点</u>が違うんか…．（意味的に類似の語を下線部で示した）

り，通常これらがさまざまな程度に障害されている（➡ Note 13）．また時間が経つにつれ，どちらかがより目立ってくる場合が多い．最初の言葉は理解されやすく，後続の語が埋解されにくい傾向をもち，保続による干渉などが考えられている．語音の把握では，しばしば単音の同定より単語の同定のほうが容易である．また，意味的に似た単語への誤りや音韻的類似語への誤りが認められる．これらは語の使用頻度，心像性，文脈の有無などに左右されやすい．

重症例では，物品の指示も行えない．また，例えば「指差してください」という指示そのものが了解不能となる場合も少なくない．あるいは，こうした具体的な状況に即した問いかけにはかなり反応がよくても，その場に即さないあるいは抽象的な問いには困難を示す．よって検査や訓練のやり方を了解してもらうのに難渋する．また了解していたはずが途中から突然違うやりかたを始めてしまうこともある．軽度になってもこのような了解面での不安定さを残すことも特徴である．

4) 復唱

重度の障害が認められる．できるときとできないときの浮動性の高さも特徴の1つである．自己の誤りに気付きにくく，自己修正も試みられないことが多い．単音節の復唱から障害を示す例が多く，音節が加わったり（せ ➡ て，すて）（太陽 ➡ たいよーわ）や無意味音系列の単語化（くらが ➡ くらげ）もよくみられる．種々のレベルでの保続の関与が観察され，また無関連な語の挿入もみられる．

　　単語復唱例：馬 ➡ 　ねうら　眼鏡 ➡ めうら，
　　　　めうて　水 ➡ めうす
　　文復唱例：友達に手紙を出した ➡ 友達をまちた［再刺激］　友達をテレビを出す

単音の復唱ができないといっても，語レベルができないわけでなく，逆に語レベルが可能でも，単音が不良な場合もあり，両者の成績を把握しておくことが必要である（語形聾➡ Note 13）．

5) 読み書き

読解は聴埋解に並行する場合が多い．しかし視覚的埋解が，かなり軽度である場合がある[6]．漢字のほうが理解しやすいのはブローカ失語と同様だが，漢字と仮名の乖離はブローカ失語ほどはっきりしない．

音読では，自発話同様に錯語が多く混じる錯読となる．仮名のほうがやや読みやすい傾向をもつ場合もあるが，音読できても意味とはつながりにくい．語聾が強いタイプでは音読はかなりよい．

書字は強く障害されている場合が多く，漢字・仮名とも障害され，**新造文字**（新作文字）が書かれる場合もある．氏名の書字や写字も成功しないことがある．ジャルゴン失語例で，発話の亢進性は高くても書字も同様に多量の書字を呈す（**ジャルゴン失書**➡ Note 14）ことはめったにない．むしろ書字は拒否されることが多い．文レベルが書け

> **Note 13. 語聾**
> 聴覚的理解障害を考える際に，語聾の3つの区分に沿って考えると理解しやすい[3]．
> ①語音聾とはいわゆる純粋語聾のことを指し，語音レベルの聴取ができない．
> ②語形聾は語音の受容にはほとんど問題がないが単語としての音韻列（音韻語形）が認知できない．辞書レベルに障害があり，語彙判断（聞いた語が実在語かどうかの判断）が不良となる[4]．
> 以上の2型は単語の復唱になんらかの障害を示す．
> ③語義聾は語音の聴取，語彙判断も可能であり，語を正しくくり返せるが，その意味がわからない．例えば「太陽，太陽」と刺激語をくり返しながらも，該当の絵を指せない．脳内辞書との照合はできているので単語（実在語）としての既知感は生じるが意味は生起されない．聞いた語が意味へと結びつかないアクセス障害と考えられている．純粋型では語彙/意味（視覚的理解が保たれていることで確認できる）が保存されている[5]．

> **Note 14. ジャルゴン失書**
> ずらずらと大量に文章を書き連ねているが，その文意はまったくとれない．新造語や新作文字もしばしばみられる．側頭葉てんかんや右半球損傷急性期にみられる過書 hypergraphia とは異なる．文法的に正しくないものがほとんどを占める．

る場合は，発語では明らかでなかった統語的誤りが認められる．

単語音読例：茶碗 ➡ ちゃわちゃん　手紙 ➡ てがみとみ　時計 ➡ たかどけん　いぬ ➡ しーや，いぬや　ちょうちん ➡ ちょうわちょん

2　病巣

ウェルニッケ野（左側の上側頭回後半部あるいは後 1/2 から 1/3，ブロードマンの 22 野）の限局病巣では一過性のウェルニッケ失語にとどまるとされ，典型的なウェルニッケ失語ではウェルニッケ野のほか左側頭葉中下方や頭頂葉なども含まれる．また左側頭葉上面の横側頭回とその皮質下も病巣に含まれやすく，**語音認知障害**と関連する可能性がある．後方に進展すると読み書きの障害が強くなる．脳梗塞では左中大脳動脈下行枝の閉塞により起こることが多い．

3　随伴しやすい症状

急性期には精神運動性の興奮状態を示すことがある．多幸的で**病態失認**的傾向をもつ例が多い．

視野障害（右上四分盲，右同名半盲）を伴いやすい．また右方向への注意が多少減弱する場合もみられる．

4　評価・診断

理解障害の重さ，発話の質から判断する．理解障害に比べ復唱の障害が軽い場合は**超皮質性感覚失語**を疑う．表出面に意味性錯語がみられないのに聴理解が低下している場合は，語彙に**伝導失語**が重複している場合がある．

5　予後・回復

発症から経過を経るにつれ，次第に**病識**が生じ，**多弁**傾向，**言語衝迫**が減り，発話量が少なくなる場合が多いが，自らの言語障害を軽く見積もる傾向は持続することがある．

予後に関しては，ウェルニッケ失語をいくつかの型に分け報告されている[7]．①**語音弁別不良**で無意味音節の復唱が特に不良な復唱Ⅰ型の例は，聴理解が急速に改善し，次第に**純粋語聾**へ移行し，原職に復帰できた．②語音弁別はⅠ型より良好だが単語の復唱はこれより悪い復唱Ⅱ型は，聴理解が改善し，呼称も新造語から音韻性錯語に代わり，**伝導失語**に近くなった．③語音弁別には問題なく，5～12 音節の復唱可能だが意味理解を伴わない意味理解障害型は，**新造語**が次第に語性錯語へと代わり，予後不良であった．ただしこの型の一部には軽い聴理解障害と喚語困難を残すのみとなる例があった．

6　事例：中等度ウェルニッケ失語（図 5-3）

男性．脳梗塞により重度ウェルニッケ失語で発症．某院にてリハビリテーション後の 2 か月後より，外来で言語聴覚療法開始．このころには，多弁傾向はなく，自発話では新造語は目立たなくなっていた．呼称では，新造語，語性錯語，音韻性錯語，音断片など多彩な誤りが認められる．復唱では 2～3 文節文が可能なことがあるが浮動的．単語の聴理解では異カテゴリー内の指示でやや遅延が認められるもののほぼ正答可能．同一カテゴリー内ではさらに遅延し，9 割程度．**系列指示**は 2 個．**語音弁別検査**は指示が通らず施行不能．音読は比較的良好だが，音韻性，意味性の読み誤りを認める．読めても意味理解につながりにくい．書字では文レベルが可能だが，錯書あり．口頭では呼称可能でも書称では錯書を呈す．病巣は左側頭・頭頂葉にみられ，やや後方へも進展する．

書称例：牛乳 ➡ 牛にうう
　　　　テレビ ➡ テレベー
　　　　エレベーター ➡ えりばと

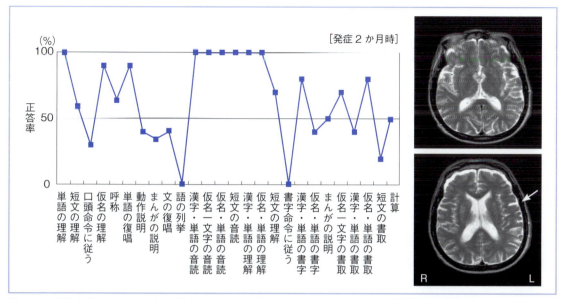

図 5-3 中等度ウェルニッケ失語（事例）の SLTA プロフィール，MRI T2 強調画像
画像も発症 2 か月時．左側頭・頭頂葉から後方へも進展する病巣を認める（矢印）．

引用文献

1) Green E：Phonological and grammatical aspects of jargon in an aphasic patients：a case study. Lang Speech 12：103-118, 1969
2) 波多野和夫：ジャルゴン失語症補遺―「意味性変復パターン」と「音韻変復パターン」．失語症研究 6：1152-1158, 1986
3) Franklin S：Dissociation in auditory word comprehension ― evidence from nine aphasic patients. Aphasiology 3：189-207, 1989
4) 水田秀子：「音韻処理過程」再考．神経心理学 28：124-132, 2012
5) 田中春美, 松田実, 水田秀子：word-meaning deafness の 1 例．失語症研究 21：272-279, 2001
6) 倉知正佳：ウェルニッケ失語について．秋元波留夫, 大橋博司, 杉下守弘, 他（編）：神経心理学の源流．創造出版, 1982
7) 遠藤邦彦：感覚失語の言語訓練．失語症研究 16：238-245, 1996

4 伝導失語

1 基本概念・症状

Wernicke が感覚言語中枢から運動言語中枢への伝導路の切断によって生じると予言した失語型である．古典論では，この失語の特徴は，①錯語（**音韻性錯語**）が認められる流暢な発話，②良好な理解力，③不釣り合いに障害された復唱である．しかし現在は自発話，復唱，音読などの発話面全般にわたる音韻性錯語を主症状とする考えが主流[1]である．理解障害はあっても軽度である．

1）自発話

流暢で多様な統語構造をもつ文レベルの発話である．個々の音節の構音には異常がない．音韻の探索や音韻性錯語がみられるが，決してジャルゴンに崩れることはない．意味性錯語は少ない．

自己の誤りによく気付き，修正をくり返して目標語に接近していく行為（**接近行為**；conduite d'approche）が特徴的に認められるが，成功するとは限らない．発話意欲も保たれるが発話量としてはさまざまである．流暢性に分類されるが，喚語障害や自己修正のために，発話が途切れ途切れとなり，非流暢な印象を与えることもある．自発話は音韻性錯語が目立たず，復唱や呼称で気付かれる例もある．

2) 理解

聴理解は少なくとも日常会話レベルでは問題がない．文レベルの聴理解もよく保たれるのが基本だが，統語的に複雑な文では低下がみられることが多い．これが，**言語性短期記憶**[2]の障害によるものか文法障害によるものかは，症例によって異なる．縁上回と上側頭回とは隣接しており，このため右耳の語音聴取に若干低下をきたす場合がある．読解は良好である．

3) 呼称

音韻性錯語や接近行為が頻発し，しばしば呼称に失敗する．基本的には意味性錯語はみられない．復唱に比べて，顕著に音の誤りや自己修正が多く，また自己修正が失敗しがちであったり，修正しても目標語に近くない誤りが目立つ場合には，音形が明確には想起されていないと考えたほうがよい．語を構成する音節がより長い（**語長効果**）ほど，また音韻的により複雑なほど呼称は難しくなる傾向がある．また音の誤りは置換と転置がほとんどを占めるという報告[3]がある．

4) 復唱

理解面に比べ，きわだって強い復唱障害が印象的である．自己の誤りを修正しようと接近行為をくり返すが，必ずしも成功しない．復唱の成功は語の長さ（語長効果）や音韻的な複雑さに比例し，無意味音系列や抽象的な語では顕著に低下する．文などでは自己修正するうちに「（聞いたことが）消えてしまった」と途中で放棄してしまうことがある．また，文の復唱で，意味的に近い語に置き換わって復唱されることもある（→ Note 15）．

重症の場合，1音節でも誤ることがある．数唱が際立って低下する例もある．

復唱・呼称で共通する障害が認められるところから，**音声符号化**レベルに先立つ，音韻の賦活・選択・配列での障害を想定する意見が強い．

なお，**意図性と自動性の乖離**は失語に広く認められている[3]．

> **Note 15. 復唱型と再生産型**
>
> Warringtonら（1969）が伝導失語は（聴覚性）言語性短期記憶の障害によって生じると提唱したことが発端となって，大きな論議を巻き起こしたことがあった．彼女らの症例は数唱に低下が認められた（数唱の単位がSTMの指標である）．復唱障害は，語の系列において認められ，文の復唱でも文節の脱落や意味的な置き換えとなった（自験例：庭の隅に古い柿の木が1本あります → 庭の隅に柿の木が1本立ってます）．自発話には錯語がなかった．従来の伝導失語にみられるような，音韻性の誤りが多音節語で特に認められやすい（語長効果）という特徴もなかった．論争を経て，この型（STM症候群とも呼ぶ）の復唱障害はいわゆる伝導失語の復唱障害とは異なるものとして決着した．その後，従来からの伝導失語をこの型と区別して再生産型伝導失語 reproduction conduction aphasia と呼び，前者を復唱型 repetition type と呼ぶことが多くなってきている[3]．
>
> ■ **深層失語 deep dysphasia**
>
> 単語の復唱で，音韻性錯語や新造語以外の錯語がみられることはほとんどない．しかし，聴覚提示された語と異なる実在語（**意味性錯語**，**形式性錯語**）を復唱するまれなケース[4]がある．抽象語より具体語のほうが良好，機能語や無意味語（非語）が著しく不良，心像性ないし具象性効果がある，などのパターンは，深層失読（→ 130頁）で観察される音読の誤りとよく似ており，そのことから深層失語と呼ばれるようになった．この現象をSTMで説明する立場では，症状が軽快するとSTM症候群へと移行するとしているが，反論も多い．なお，「失語」とはいっても，この場合は復唱というモダリティのみの特徴を指し，ほかの言語症状は含めない．

られるが，伝導失語ではこれが最も強く認められるといわれる．自発話より復唱や呼称で障害が顕著となること，また意識すればするほど，目標語から遠ざかることもあることなどを指している．

　復唱例：ちから ➡ ちかー… ちかーる…
　　　ちかーい… ちー, か, ら
　　　ぬかにくぎ ➡ ぬかに, き… ぬ, ぬ, ぬ, ぬかに… き……
　　　靴をはく ➡ くつをひ, ひ, くつをした… くつをひる, あかんわあ

5）読み書き

漢字では呼称と同じく，音韻性の錯読を呈するが，仮名ではかなり容易で，漢字と仮名に乖離が認められる．

読解は良好で新聞なども読める場合が多い．ただし，病巣が後方へ進展すると読解にも障害が出ることがある．

書字は，文レベルが可能である．仮名文字では**音韻性錯書**を認めるが，これは発話と類似の機序によるものとされ，**語長効果**（文字数効果）もみられる．

2　病巣

左下頭頂葉から側頭葉にかけての病変が多く，ことに縁上回が重視されている．ウェルニッケ野とブローカ野をつなぐ弓状束が重視されていたが，こうした縁上回皮質下白質の領域が重要なのか，皮質が重要なのかは明らかになっていない．

3　随伴しやすい症状

神経学的にはほとんどで感覚障害を伴う．半盲や四分盲がみられることもある．口舌顔面失行を呈する場合が少なくなく，観念運動性失行も多い．その他，頭頂葉に関連する種々の症候を伴うことがある．

4　鑑別診断

伝導失語の診断で迷うのは，喚語障害の強い場合である．喚語障害や自己修正のために，自発話が流暢とはとてもいえないことがある．しかし，渋滞し途切れ途切れの発話のなかにも，容易にかつ正しくなめらかに，内容に変化のある句や文が表出されるときがある．

呼称と復唱に差が大きく，また目標語に近づかない場合や目標語と離れた音の表出が多い場合には喚語障害（音韻語形が想起できていない）がかなり強いと推定する．同一単語の復唱と呼称の比較は必須である．

聴理解の成績や語性錯語の有無により**ウェルニッケ失語**と鑑別する．ただし，**語聾**が伝導失語に合併するタイプでは，聴理解が低下する．

5　予後・回復

喚語レベルに障害が強くなければ，職場復帰が最も可能な失語型である．

6　事例：軽度伝導失語（図5-4）

図5-4にSLTAプロフィールを示す．男性．話しにくさ，右手の脱力を覚え，外来受診，脳梗塞と診断．意識清明，検査に協力的．流暢で構音の異常なし．日常会話レベルでは錯語はみられないが，少し込み入った話になると，音韻性錯語が認められる．呼称では低頻度語も可能であった．理解面はよく保たれている聴覚的理解では，単語レベルは良好であった．文では若干低下したが，トークンテストでも155/167であった．復唱では，単語レベルで時に音韻性錯語を出現し，修正する様子がみられた．**系列指示**は3個．読み書きは良好．仮名の無意味多音節列の処理で一部誤りがみられる程度である．その他，口舌顔面失行なし．構成障害，計算障害なし．

　復唱例：したきりすずめ ➡ したきりせ, す

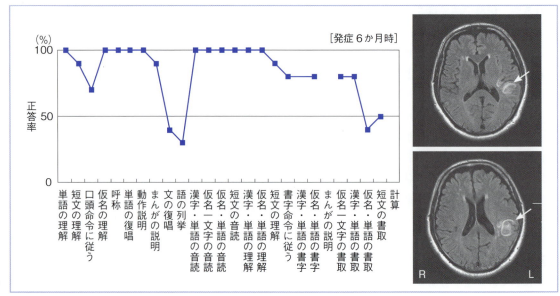

図 5-4 伝導失語（事例）の SLTA プロフィール，MRI 画像
画像は発症 10 日目の MRI．側頭頭頂葉・島に病巣を認める（矢印）．

ずめ
黄土色 ➡ おうどり，おうどいろ
雨が降り続いているので今日も散歩にいけません ➡ 雨がふじ，降り続いているので，今日もさんぽ，散歩にいけ，いけません．

引用文献

1) 山鳥重：伝導失語の諸問題．脳神経 31：891-897, 1979
2) 水田秀子：言語性短期記憶障害の一例．失語症研究 19：146-153, 1999
3) 物井寿子, 福迫陽子, 笹沼澄子：伝導失語とブローカ失語における音の誤りについて．音声言語医学 20：299-312, 1979
4) 水田秀子, 日本高次脳機能障害学会教育研修委員会（編）：音韻性錯語／形式性錯語．新興医学出版社, p94-96, 2018

5 健忘失語（失名辞失語）

1 基本概念・症状

健忘失語（失名辞失語，失名詞失語）とは，喚語困難・呼称障害を主症状とし，ほかの失語症状をほとんど伴わない失語症をいう．発話は構音とプロソディの障害はなく流暢，文の形態も整っている．想起困難による空隙 anomic gap を代名詞で置き換えたり，「〜するものなんだけど」など用途や形状等の言い回しを用いたり（迂回操作・**迂言**），「〜じゃなくて」と錯語を否定しながら当該語に近づこうとするなど，回りくどい発話となる．少数ながら認められるのは語性（意味性）錯語で，音韻性の誤りは基本的にはない．障害が重く，言い換えというストラテジーで補えない例では，発話が著しく渋滞する．**語頭音キュー**が有効でないことも多い．呼称も同様である．

「～のことですね」と示せば，「そう！ ～です」と直ちに肯定するが，障害が重い場合には再認できないこともある（➡ Note 16）．

文字言語に関しては，呼称の性質を反映した誤りを漢字音読や漢字仮名の書称に認める．

2 病巣

喚語の障害と関連する領域は広範である．ただし健忘失語としては，左側の中・下前頭回後部，角回，側頭-頭頂領域，側頭葉の後部を重視する意見が多い．

3 随伴しやすい症状

喚語の障害をきたす病巣は，シルヴィウス裂周囲のいわゆる言語領域を取り囲む形にあり，純粋失書などの**失語性でない読み書きの障害**の領域と隣接することから，これら読み書き障害を伴いがちである．また後方領域で，視野障害，観念運動失行などを伴うことがある．

4 鑑別診断

注意したいのは，呼称・喚語の障害は失語症ではほぼ例外なく認められ，また意識障害や精神症状などによっても生じうることである．失語類型としての健忘失語とは，前項1で述べた失語を指す．さまざまな失語症の軽快後にも，喚語障害は最後まで残りうるが，これらは**残遺失語**などとして，本来の健忘失語と区別したほうがよい．また，健忘失語の喚語障害では，視覚・聴覚等のすべての感覚様式からの喚語で認められる（➡ Note 17～19）．ときに喚語障害がカテゴリーによって差がみられる場合がある．

頻度効果（高頻度より低頻度の語が喚語されにくい）や**親密度効果**（なじみの深い語が喚語されやすい）が認められる．

5 予後・回復

予後は比較的良好で，年単位で回復を得る例も多い．しかし，コミュニケーションが実用的になっても，発話への不安感は強く残るようである．

6 事例：健忘失語

右利き男性．脳梗塞を発症．失語症を認めた．運動麻痺・感覚障害は認めなかった．

初診（発症1か月）時のSLTAでは，呼称15/20，意味性錯語を認めたが，音韻性の誤りはなかった．語列挙0，復唱は6文節まで可能．聴理解は仮名一文字で低下していたが，単語・短文はおお

Note 16. 二方向性の失名辞

Gainottiら[1]は，失名辞（失語）を理解障害のないものと伴うものとに分けた．二方向性の障害，すなわち呼称のみならず指示にも障害を有する，語に選択的な双方向性の障害例が，ヘルペス脳炎例[2]などで報告されている．障害される語に明らかな浮動性があるのが特徴的で，語頭音効果および補完現象もみられたとされ，障害される語に一貫性がみられる語義失語とは障害機序が異なることが示唆される

Note 17. 様式特異性失名辞

ある特定の感覚様式を介して提示された対象に限定された呼称障害をいう．例えば，視覚経由の刺激（対面呼称）では呼称できない．身振りなどでそれが何かはわかっており（すなわち視覚性失認ではない），言語性定義からや触覚経由の刺激などでは喚語可能である（この場合は視覚性失語）．

Note 18. カテゴリー（範疇）特異性失名辞

ある特定のカテゴリーに属する対象についての呼称が顕著に障害される．屋内部位・身体部位・野菜・道具などの例が報告されている．

Note 19. 範疇的態度の障害

Goldstein[4]は健忘失語を「範疇的（抽象的）態度の喪失」によると考えた．範疇的態度とは，われわれの周りに存在する個々の具体的な対象から，共通の属性を取り出す働きをいう．眼前の対象に対して，その抽象的な属性を取り出しうることで，命名しうるとの指摘である．

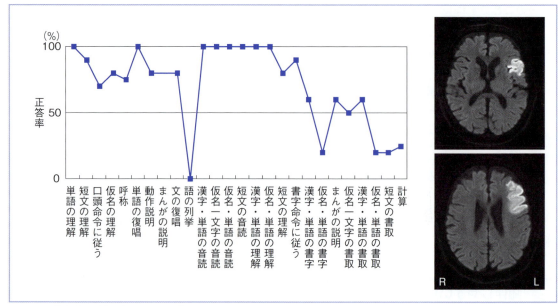

図 5-5　健忘失語（事例）の SLTA プロフィール，MRI 画像
画像は発症当日の MRI．左下前頭回から中前頭回の皮質および皮質下に梗塞巣を認める．

むね良好であった．書字では想起困難と仮名の錯書を認めた（図 5-5）．

　掘り下げ検査：SLTA 下位検査呼称で，48/80（高頻度 39/55，低頻度 9/25）と頻度効果を認めた．誤答 32 のうち 11 語は**語頭音キュー**で正答が引き出せなかった．非語の復唱は 3 モーラを全問即時正答した．漢字単語音読（SALA 漢字一貫性）は 52/60，意味性錯読を認めた（近道→みじかい，軍備→ぐんしゅく）．この例では仮名の失読を伴った．TLPA 意味カテゴリー別名詞検査聴理解で 183/200，カテゴリー差はなかった．

まんがの説明：（略）風で・・・この，あれが飛んだ，風で・・・バットが飛んだ，帽子が飛んだ，だな．（略）ドブにはまりこんだのを，これ，これなんや？これであれを取った（略）
呼称例：寿司　➡　"おかし，いやいやちがう，・・・[ヒント"す"]すし
　　　　椅子　➡　"これは脚立，あのー・・脚立やないわ・・[ヒント"い"]い・・い"

7　音韻性失名詞[5)]

　喚語の過程は，語彙の回収とその音韻的表象（語形・音韻形式）の回収の 2 段階に別れるとされる[6)]．健忘失語の基本症状は，適切な語彙の選択ができないことである．よって語性（意味性）錯語は認められうるが，音韻性の錯語はない．一方，後者の障害では，語の音韻表象が十分に得られずに難渋する．語彙自体は選択できていることが，tip of the tongue 現象に類似する（➡ Note 20）．「ここまで出てるのに」との訴えや，当該語の音形の断片が認められることで確認できる．これを音韻性失名詞と言い，基本的には音断片・音韻性錯

> **Note 20.** tip of the tongue 現象
> 　言いたいことが「喉まで出かかっているのに言えない」という，われわれも日常的に経験する現象．自分がその語がわかっているという自覚があり，舌端現象などともいう．Goodglass ら[3)]は，出なかった語の音韻情報（最初の音，シラブル数，ストレスの位置など）をしばしば正答する失語症者がいることを実験的に示した．

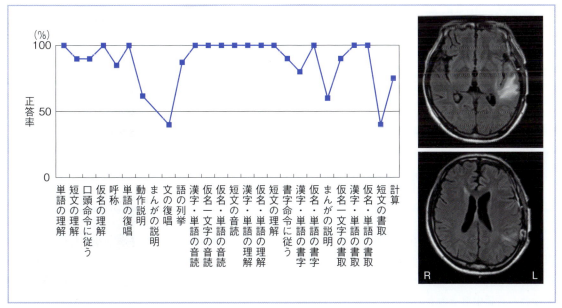

図 5-6　音韻性失名詞（事例）の SLTA プロフィール，MRI 画像
画像は発症 1 か月時の MRI FLAIR 画像．左上側頭回を中心に，一部頭頂葉下部に及ぶ皮質下出血を認める．

語を認めるが，語性錯語は認めない．ピッチアクセントの異常を伴うこともある．左上側頭回および側頭回から頭頂葉への皮質下の報告が多い．

病巣が近いこともあり，伝導失語に伴って生じることも多い．同一語で復唱と呼称を比較すると，音韻性失名詞では，呼称に比し，復唱がはるかに良好である．

8　事例：音韻性失名詞

右利き女性．くも膜下出血で発症．失語以外に，神経学的神経心理学的所見を認めず．

初診（発症 1 か月）時，自発話は文レベル，構音障害なく流暢．喚語に窮し発話はしばしば中断したが，意味性錯語はまれで，かつ即座に否定した．音断片・音韻性錯語が多かった．呼称できない語も正答を示すと難なくくり返した．

SLTA では，呼称は 17/20（段階 6 が 10），音の誤りを修正しつつ正答に至った．単語復唱は良好，漢字かなの音読では，一部音の誤りを認めたが修正可能（新聞→しんぶつ，しんぶん）．理解は聴理解・読解とも文レベルが可能．系列指示は 3 単位で 1/3 とやや低下．音韻抽出検査（「か」がどこにありますか検査）は 24/24 と良好であった（図 5-6）．

発症 2 か月時の掘り下げ検査：呼称（SALA 親密度別）では，67/96（高 42 低 25）と親密度効果あり．手袋，綱渡りなどを即正答する一方で，2 モーラ語でも誤りがみられた（船→ふめ，ふね．かば→ば，かば）．

まんがの説明：（略）・・・・おーしが，ぼうしが，ぼうしが・・・風でどっかへいって・・・あそこ，海のとこにおこす，海におこす？違う（略）

呼称例：机 ➡ つけ，つくけ・・・デスクやけど・・・つくえ！
　　　　ふすま ➡ す・・・・えーと・・（ヒントふ）ふすま

引用文献

1) Gainotti G, Silveri MC, et al：Anomia with and without lexical comprehension disorders. Brain & Lang 29：18-33, 1986

2） 山田典史, 田辺敬貴, 数井裕光, 他：二方向性健忘失語と語義失語の比較検討. 脳と神経 47：1059-1067, 1995
3） Goodglass H, Kaplan E, Weintraub S, et al：The "tip of the tongue" phenomenon in aphasia. Cortex 12：145-153, 1976
4） Goldstein K. 志田堅四郎（訳）. 秋本波留夫, 他（編）：健忘失語論について―その歴史的考察. 神経心理学の源流 失語編. pp139-165, 創造出版, 1984
5） 水田秀子, 藤本康裕, 松田実：音韻性失名詞の4例. 神経心理学 21：207-214, 2005
6） Levelt, WJM：Accessing words in speech production; stages, processes and representations. Cognition 42：1-22, 1992

超皮質性失語

超皮質性失語 transcortical aphasia の概念は Wernicke の仮説に基づき Lichtheim によって確立された名称である〔図5-1[1]（➡ 74頁）を参照〕. すなわち言語中枢そのものの損傷によるというよりは, 主要な言語中枢間の連合線維の離断により, 音韻的側面の保存と語彙・意味的側面の**障害**を呈し, 表現形として**言語の復唱能力が相対的に保存された失語症候群**に対して付与された用語である. つまり概念中枢（図5-1のB）と運動表象の中枢（図5-1のM）との離断で**超皮質性運動失語**を生じ, 概念中枢と音響心像の中枢（図5-1のA）との離断で**超皮質性感覚失語**を生じる. すなわち左半球シルヴィウス裂周辺の言語領域（傍シルヴィウス裂言語領域）はある程度保存されつつも, その外側の言語関連領域（外シルヴィウス裂言語領域）が障害されると超皮質性失語を呈する. 前方病変では超皮質性運動失語を, 後方病変では超皮質性感覚失語を呈すると考えられてきたが, 近年前方病変でも超皮質性感覚失語を生じることが報告され, おおむねコンセンサスが得られている（図5-7）[2]．

混合型超皮質性失語は Goldstein により「**言語野の孤立**」と命名され[3], Geschwind が反響言語（エコラリア）を呈した一酸化炭素中毒による剖検例でその存在を裏づけした[4]. すなわち言語の要素的な表出と受容を媒介する左半球の言語野が, 脳のほかの領域から切り離されることで解剖学的に孤立し, 理解や発話衝動が障害され, 復唱や反響言語のみが保存された状態と考えられている.

超皮質性運動失語

1 基本概念・症状

聴覚的理解および復唱は比較的保存されているが, 相対的に呼称や語列挙および自発話の減少など意図的発話の障害や発話衝動の低下を特徴とする.

超皮質性運動失語 transcortical motor aphasia（TCMA）では, 発症初期において完全な無言症 mutism, もしくは著しい発話の低下を示す. 無言症は一過性だが, その後発話開始困難や保続などを認め, 発語失行（失構音）はみられず音韻性錯語も目立たないが, 全般に発話量の少ない非流暢性の発話を呈する.

2 病巣（図5-7）

TCMA を引き起こす神経学的基盤は, 左前頭葉背外側（中前頭回）皮質-皮質下および左前頭葉内側面（補足運動野, 前部帯状回）である. 左前頭葉背外側病変と左前頭葉内側面病変との言語症状の相違は, 物品や線画の呼称 confrontation naming と語列挙を比較すると明らかで, 前者は呼称

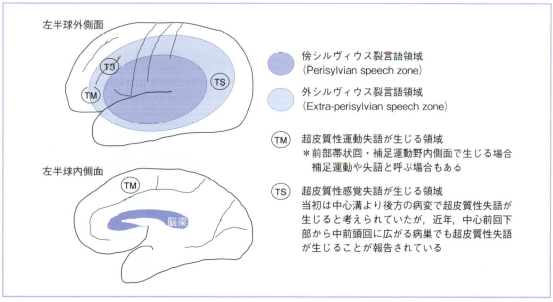

図 5-7　超皮質性失語の責任病巣
傍シルヴィウス裂言語領域，いわゆる音韻処理領域が保存され，外シルヴィウス裂言語領域といわれる意味処理領域の損傷で超皮質性失語を生じる．〔山鳥重：言語生成の大脳機構．音声言語医学 37：262-266，1996．大槻美佳：大脳機能の局在地図．高次脳機能研究 27：231-243，2007．Benson DF：Aphasia, Alexia, and Agraphia. Churchill Livingstone, New York, 1979 を参考に加筆修正〕

と語列挙の成績に明らかな違いはないが，後者は，呼称は比較的良好なのに対し，語列挙の成績が著しく低下する[8]．

3　随伴しやすい症状

前頭葉に病巣を有することから，以下のような前頭葉症状が観察される．前頭葉背外側面の損傷では，**ワーキングメモリ**の障害に基づき遂行機能障害に加え，転換障害，保続が生じ，前頭葉眼窩面の損傷では脱抑制，帯状回前部の損傷では発動性や意欲低下が引き起こされる[9]．

4　鑑別診断

前頭葉，内側面の両側損傷で生じる**無動無言症** akinetic mutism は症状が持続するので，TCMA とは異なる．

また，うつ病など心因性でも発話衝動が減り，無言状態になるが，この場合，神経学的所見はみられない．

5　予後・回復

TCMA の予後はおおむね良好である．しかし，左前頭葉の損傷により語の流暢性のまれにその回復過程で**外国人様アクセント症候群** foreign accent syndrome を呈する場合もあるが，一時的なものである[1]．また語列挙能力の障害は残存しやすい[1]．

6　事例：超皮質性運動失語（TCMA）

57歳，女性，右利き．教育歴9年．失語と意識レベルの低下（JCS 300）を生じ，近医に搬送され，CT により脳出血と診断された．その後保存的に治療を受け，発症より約1か月後失語症の言語聴覚療法を目的にリハビリテーション科へ入院となった．

入院時は軽度の右不全片麻痺を認めた．感覚障

害はなく，腱反射は正常であった．病的反射，病的把握現象は認めなかった．

頭部 MRI T1 強調画像で左の前頭葉弁蓋部皮質皮質下，右の頭頂葉皮質下に高信号域を認めた（図 5-8）．SPECT でも同部位に集積低下を認めた．

発話は流暢で構音障害やプロソディの障害はなかったが，小声で喚語困難を認め自発話は著しく減少していた．SLTA の呼称 17/20 であったが，動物の語列挙は 6 語 / 分と低下していた．一方単語の復唱 10/10，文の復唱 4/5 で俳句程度の復唱は可能であった．聴覚的理解や読解は単語レベルでは正常だが，文レベルでは軽度障害を認めた．書字は漢字の想起困難を認め，仮名では拗・長音の誤りを認めた（図 5-9）．

カテゴリーおよび語頭音からの語列挙の低下，Trail Making Test での反応時間の遅延と誤り数の増加，Stroop Test の成績低下などの前頭葉症状を認めた．

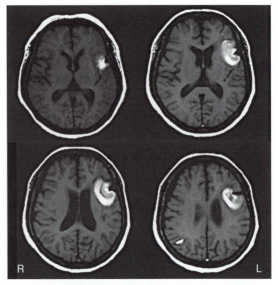

図 5-8 超皮質性運動失語（TCMA）（事例）の頭部 MRI T1 強調画像
左の頭部弁蓋部皮質質下に高信号を認めた．

B 超皮質性感覚失語

1 基本概念・症状

超皮質性感覚失語 transcortical sensory aphasia（TCSA）は，単語の**聴覚的理解障害（語義理解障害）**を中核症状とする．文レベルの復唱が良好で，ときに相手の問いかけをそのままくり返す**反響言語（エコラリア）**を伴うこともある．発語は流暢であるが発話量の増加は認めず，喚語困難を認め，呼称の際には語性錯語や音韻性錯語が生じる．単語の呼称能力については乖離を示す場合があり，呼称が保存されている TCSA は，**傍シルヴィウス裂言語領域**の損傷を免れており，一方，呼称障害を呈している TCSA では，傍シルヴィウス裂言語領域に病変があることが指摘されている[1]．

2 病巣（図 5-10）

左下前頭回（ブローカ野）から左中前頭回に進展した損傷による前方病巣もしくはウェルニッケ野を含まない左側頭葉後下部を中心とした後方病巣で生じる[10-15]．

3 随伴しやすい症状

超皮質性感覚失語では聴覚的理解障害に比して復唱が良好なように，読解においても意味理解に比して音読が良好な場合もある．仮名に比して漢字の失読失書を呈する場合もある[16]．**言語性短期記憶障害**を呈し，複数の単語を復唱できても，意味へのアクセスが障害されることにより理解障害を呈する場合がある[17]．

また，アルツハイマー病で見られる失語は TCSA の特徴を示すことが知られている[18]．

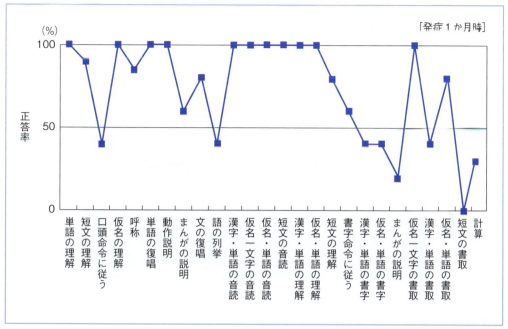

図5-9 超皮質性運動失語（TCMA）（事例）のSLTAプロフィール
単語，短文の理解および呼称成績は良好で，短文の復唱も4/5正答．しかし動物の語列挙は6語/分と低下していた．

4 予後・回復

語義の理解障害を伴っている点でTCMAほど回復は顕著ではないが，変性疾患によるものでない限り経過とともに症状は軽減していく場合が多い．しかしながら語義理解障害については語音認知の後の，**語の音韻形式** auditory word form から語の意味へのアクセスが困難な群は改善しやすく，語の音韻形式に対する既知感が失われている場合には語義理解障害は持続しやすいと考えられる[16]．

5 鑑別診断

語音認知と意味理解障害を呈すれば，ウェルニッケ失語となり，復唱は困難となる．軽度の場合，認知症と間違われることもある．

6 事例：超皮質性感覚失語（TCSA）

71歳，女性，右利き．教育歴6年．本人宅を訪れた長男夫婦が，本人の発話量が減り，亡くなった実母が生きているかのように話すなど，つじつまの合わない話をしていることに気付いた．近医を受診し，脳梗塞の診断にて即日入院し保存的治療を受けた．発症より約1か月後失語症の言語聴覚療法を目的にリハビリテーション科へ入院した．

両上肢の企図振戦を認めたが，麻痺はなかった．感覚障害はなく，腱反射も正常であった．病的反射は認めなかった．

頭部MRI T2強調画像で左前頭葉弁蓋部，三角部およびその上方の皮質皮質下に高信号域を認めた．両側基底核および側脳室体部周囲にラクナ梗塞を認めた（図5-10）．SPECTでは左前頭葉外側部と左頭頂部に集積低下を認めた．

発話量は少なく喚語困難を認めたが，構音やプ

第5章 失語症候群

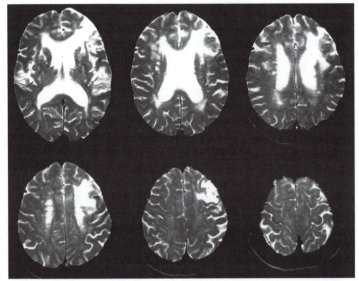

図 5-10　超皮質性感覚失語（TCSA）（事例）の頭部 MRI T2 強調画像
左の前頭弁蓋部，三角部およびその上方の皮質皮質下に高信号を認めた（両側基底核および側脳室周囲にラクナ梗塞を認めた）．
〔目黒祐子，藤井俊勝，月浦崇，他：失語症患者の言語性短期記憶—2症例における音韻情報と意味情報の短期保持について．失語症研究 20：251-259, 2000 より〕

ロソディは正常であった．SLTA の呼称は 13/20，動物の語列挙は 4 語 / 分であった．一方，単語の復唱は 10/10，文の復唱 4/5 で 20 音節程度の文の復唱は可能であった．単語や日常会話の理解は良好であったが，文レベルの理解は障害されており，ときに「○○って何？」という語義失語（→Note 21）でみられるような反応（反問性反響語）を認め，課題自体の理解が不良な場合もあった．自発書字は名前と住所のみ可能で，漢字，仮名ともに困難であった（図 5-11）．

C 混合型超皮質性失語（言語野孤立症候群）

1 基本概念・症状

混合型超皮質性失語 mixed trans-cortical aphasia（MTCA）では自発語が障害され，理解も強く障害される．文字言語の理解も書字も困難とな

Note 21.　語義失語

井村[20]によって記載された超皮質性感覚失語（TCSA）に属する失語症で，日本語に特有な症状を呈する．語義失語の特徴は，自発話は流暢で，構音は正常だが，強い喚語困難を認め，指示代名詞を多用し，空疎な内容の発話を特徴とする．生年月日や主治医名を尋ねると「生年月日って何ですか」，「主治医って何ですか」と語義の理解障害を示す．「果物」を「かぶつ」，「土産」を「どさん」などと読み誤る類音的錯読や，「えんぴつ」を「円筆」，「けいと」を「系糸」のように同音を当てはめる類音的錯書がみられる．ほとんどのカテゴリー*で二方向性の呼称障害を呈するのに対して，短文の復唱は比較的良好である．

語義失語を呈する代表的な疾患は，前頭側頭葉変性症（FTLD）により原発性進行性失語の病像を呈する意味性認知症（SD）である．

超皮質性感覚失語との鑑別は，単語やことわざ，慣用句の補完ができないことである．語の音韻形式の障害により，検者が「鉛筆」の呼称で語頭音ヒント「え」「えん」「えんぴ」とヒントを漸増して与えても患者は「えんぴ，ですか」と答えたりする．一方で，計算能力は保たれており，数字パズルを解くのに半ば固執しているケースや，一人で電車を乗り継ぎ，故郷の同窓会に参加していたケースもある．

*語義失語では色や身体部位カテゴリーの理解，時に呼称も比較的保存されやすい[21]．

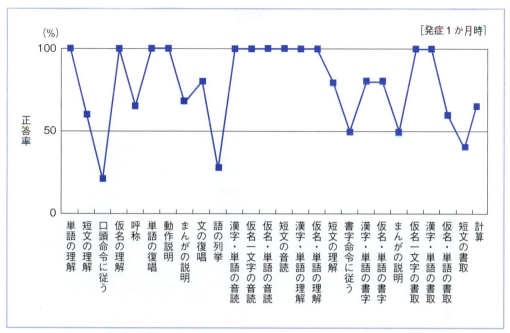

図 5-11　超皮質性感覚失語（TCSA）（事例）の SLTA プロフィール
単語の理解，漢字単語・仮名単語の読解は保たれていたが，短文の理解・口頭命令に従う・短文の読解・書字命令に従うは成績低下を認めた．一方，単語の復唱・動作説明は良好で短文の復唱も 4/5 正答した．

り，そもそも検査の実施が困難となる．一方，理解を伴わない意図的な復唱とは異なる反響言語や語の補完能力のみが保存される．

2 病巣

Geschwind ら[4]の一酸化炭素中毒による広範な脳損傷例や左内頸動脈閉塞により後-上前頭葉領域と中-後大脳動脈分水嶺領域（後部頭頂-後頭葉領域）が同時に損傷され，シルヴィウス裂周辺の言語領域が保存された場合に，Goldstein[3] の「**言語野の孤立** 'isolation' of speech area」をきたし，MTCAを呈すると考えられている．

3 鑑別診断

言語機能の重篤な障害という点では全失語と同じだが，全失語と異なる反響言語や補完現象が認められる点である．

4 予後・回復

分水嶺領域の脳梗塞で MTCA を呈した症例は急速に改善し，TCMA や TCSA に移行したという報告もある[15]．しかしながら，そもそも広範な病巣で，心原性の脳血管疾患や一酸化炭素中毒など病因も異なることから一概に予後良好とは言い切れないが，若年であれば特に長期のリハビリテーションにより言語的および非言語的機能が改善する可能性が考えられる．

5 事例：混合型超皮質性失語（MTCA）

24 歳，男性，右手利き，高等学校卒．発熱と嘔吐，下痢の感冒様症状が出現し，自宅で様子を見ていたが，症状は改善せず頭痛も出現したため近医入院．入院 3 日目に意識消失発作が出現し，転院．入院から 5 日目に，意識障害は改善したが，右上下肢麻痺および無言状態となった．感冒様症状出現から約 40 日目，感染性心内膜炎の加

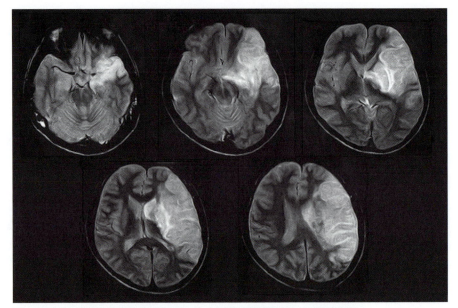

図 5-12　混合型超皮質性失語（MTCA）（事例）の頭部 MRI T2 強調画像
左前頭弁蓋部，三角部，島，被殻，放線冠，角回を含む広範な領域の高信号を認めた．中心前回皮質皮質下の病変により発語失行（失構音）を呈した．

療（僧帽弁置換術）およびリハビリテーションを目的に当院に転院となった．

　MRI T2 強調画像（図 5-12）では，左側中下前頭回，島，被殻上，中側頭回，下頭頂小葉を含む広範な高信号を認め，SPECT でも病巣に一致した領域の灌流低下を認めた．

　本例の聴理解は単語レベルでも障害されていた．発話は努力性で音の歪みや言い淀みを認め重度の発語失行（失構音）を呈した．しかし，構音の歪みを伴っていたものの復唱は5～7モーラ程度の2語文が可能であった．また，動作の説明や短文課題では，主部や目的語などの文脈ヒントを与えると，（子どもが水を）「飲む」，（テレビを）「消す」，などのパターン化した動詞の補完や，（犬も歩けば）「棒に当たる」（ちりも積もれば）「[nanatonaru]山となる」のようにことわざの補完が可能であった．

　入院時は SLTA などの定型的な検査は施行できなかったが，2か月後の SLTA では単語の読解から改善の兆しを認め，全失語の様相を呈し，以後重度ブローカ失語に移行している（図 5-13）．

引用文献

1) Berthier ML：Transcortical aphasias. Psychology Press, 1999〔波多野和夫（監訳）：超皮質性失語．新興医学出版社，2002〕
2) 松田実：超皮質性失語の病態機序や神経基盤をめぐって．pp219-252，日本高次脳機能障害学会教育研修委員会（編）．超皮質性失語．新興医学出版，2016
3) Goldstein K：Language and language disturbances；aphasics symptom complexes and their significance for medicine and theory of language. pp292-309, Grune & Stratton, 1948
4) Geschwind N, Quadfasel FA, Segarra JM：Isolation of the speech area. Neuropsychologia 6：327-340, 1968
5) 山鳥重：言語生成の大脳機構．音声言語医学 37：262-266，1996
6) 大槻美佳：大脳機能の局在地図．高次脳機能研究 27：231-243，2007
7) Benson DF：Aphasia, Alexia, and Agraphia. Churchill Livingstone, New York, 1979〔笹沼澄子，伊藤元信，福沢一吉，他訳：失語・失読・失書．共同医書出版社，東京，1983〕
8) 大槻美佳，相馬芳明，青木賢樹，他：補足運動野と運動前野の喚語機能の比較―超皮質性運動失語患者の語列挙と視覚性呼称の検討．脳神経 50：243-248，1998
9) Tekin S, Cummings JL：Frontal-subcortical neuronal circuits and clinical neuropsychiatry；an update. J Psychosom Res 53：647-654, 2002
10) Hamanaka T, Takizawa T, Asano K, et al：Transcortical sensory aphasia in the presence of frontal com-

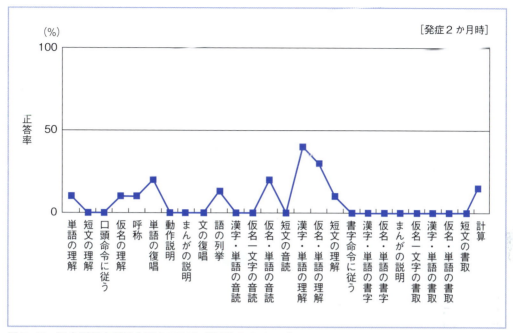

図 5-13　混合型超皮質性失語（MTCA）（事例）の SLTA プロフィール
発症 2 か月時，漢字単語の読解・単語の復唱などが徐々に可能となった．

　　bined with temporal lobe damage：a case report. Nagoya Medical J 33：35-46, 1988
11) 佐藤睦子，後藤恒夫，渡辺一夫：左前頭葉病変により超皮質性感覚失語と同語反復症を呈した 1 例．神経心理学 7：202-208，1991
12) Otsuki M, Soma Y, Koyama A, et al：Transcortical sensory aphasia following left frontal infarction. J Neurol 245：69-76, 1995
13) 石黒聖子，川上治，橋爪真言，他：Broca 領域を中心とする病変による超皮質性感覚失語の 1 例．失語症研究 16：322-330，1996
14) Kertesz A, Sheppard A, MacKenzie R：Localization in Transcortical sensory aphasia. Arch Neurol 39：475-478, 1982
15) 大槻美佳，相馬芳明，青木賢樹，他：単語指示課題における前頭葉損傷と後方領域損傷の相違—超皮質性感覚失語の検討．脳神経 50：995-1002，1998
16) 松田実，水田秀子，原健二，他：語義理解障害を中核症状とする超皮質性感覚失語の 3 例．失語症研究 13：279-287，1993
17) 目黒祐子，藤井俊勝，月浦崇，他：失語症患者の言語性短期記憶—2 症例における音韻情報と意味情報の短期保持について．失語症研究 20：251-259，2000
18) Cummings JL, Benson DF, Hill MA, et al：Aphasia in dementia of the Alzheimer type. Neurology 35：394-397
19) Flamand-Roze C, Cauquil-Michon C, Roze E, et al：Aphasia in border-zone infarcts has a specific initial pattern and good long-term prognosis. European Journal of Neurology 18：1397-1401, 2011
20) 井村恒郎：失語—日本語における特性．精神神経誌 47：96-218，1943
21) 伊藤皇一，中川賀嗣，池田学，他：語義失語における語の意味カテゴリー特異性障害．失語症研究 14：221-229，1994

7 全失語

1 基本概念・症状

「聴く」「読む」「話す」「書く」といったすべての言語様式に著しい障害を認める．ときに単純な動作命令「目を閉じなさい」などに反応できる場合もあるが，一貫して正しく反応できるわけでもない．

左中心前回を含む広範な病巣では重度の発語失行（失構音）を呈する場合もある．発語失行（失構音）がない場合でも発話は無意味な，あるいは音韻自体も不明瞭な音の羅列で，時に日本語の語彙として存在しない新造語がみられる．また情動的に発せられる明瞭な単語の表出が聞かれることもあるが，再現性は乏しい．復唱も，呼称も困難である．一方，同じ音や語が常同的にくり返し表出される再帰性発話 recurring utterances がみられることもある．常同言語や残語ともいわれる．

書字も障害されるが，指示が入れば模写が可能なこともある．

経過とともに単語レベルの理解が若干改善し，重度ブローカ失語の特徴を示してくる症例もいるが，音声言語および文字言語ともにコミュニケーションの手段となりにくい状態は持続するため，聞き手が文脈から患者の意図を推測する必要があり，なんらかの代替コミュニケーション手段を要する．

2 病巣

全失語ではブローカ野とウェルニッケ野を含む中大脳動脈領域の広範な病巣により，通常重症の右片麻痺と感覚障害を伴うことが多いが，なお麻痺を伴わない全失語の報告もある[1,2]．皮質下病巣が側脳室壁に及ぶか否か，さらには中心溝の周辺皮質の組織が保たれていることが麻痺を伴わない全失語の存在を示唆している[3]．

3 鑑別診断

自発的に，または相手の問いかけに対して，なんらかの反応を示そうとする点で，発話発動性の欠如（または著しい低下）である無言症 mutism と鑑別される[4]．

4 随伴しやすい症状

全失語ではそもそも病変部位が広範で，左半球の視放線を包含する病変では右同名性半盲を呈し，また右半側空間無視により半盲の代償が利きにくい場合もある．また左半球もしくは左右両半球の上頭頂小葉（縁上回）を含む病巣では道具の使用が困難な観念性失行，より広範な頭頂葉病変部位で，「おいでおいで」「バイバイ」，道具を使用しないパントマイムなどが困難な観念運動性失行，縁上回前下部から左中心後回後下部に至る領域では咳や舌打ちなどが意図的にできなくなる口舌顔面失行を呈する[5]．

5 予後・回復

全失語症例はコミュニケーションの困難さにより社会参加の機会が激減しやすく，また病前の人間関係を保てないことが多い．一方で，失語症は重度で SLTA や WAB 失語症検査などの失語症検査の成績は改善を示さないが，日常会話レベルの理解が改善し，社会適応が良好となる症例も少なからず存在する．日常会話は相手の表情や身ぶりといった非言語的な手がかりが多く，慣れ親しんだ相手との会話は文脈や話題が推測しやすくなるためかもしれない．文脈状況の推測には非言語的な認知能力が関与していると考えられ，右半球の機能の関与も無視できない[6]．また，脳機能イ

メージングでは失語症者でも左半球の賦活 activation が認められ，このことは病巣の周辺領域の神経組織の再構築化が失語症の回復に大きな役割を担っていることを表している[7]．

立石(1997)は社会適応良好な失語症例を特徴づける要因として，障害に対する本人の理解，病前の性格，脳損傷による器質的人格変化の有無，家族の理解をあげている[8]．全失語のような重度失語症者においては特に家族を始めとする周囲の人的環境が大きな役割を果たすことも無視できない．失語症者を取り巻く周囲の人々の理解向上が重要であると考えられる[9]．

6 事例：全失語

71歳，女性，主婦，書道家．短期大学卒．意識障害，右半身脱力にて発症．急性期治療ののち発症第57病日にリハビリテーション目的に転院となった．神経学的には右同名性半盲，および感覚障害軽度の右不全片麻痺を認めた．頭部CTでは左下前頭回から上中下側頭回および左角回，縁上回にかけて広範な低吸収域を認めた(図5-14)．

入院時(発症2か月時)，入院3か月時(発症5か月時)に言語検査を行った(図5-15)．WAB失語症検査の「yes-noで答える問題」では入院時18/60と，氏名や住所などきわめて身近な話題に限った理解のみ可能であったが，退院時は39/60と7割程度反応できるようになり，身近で簡単な話題であればある程度理解でき，適切な応答も可能となった．しかし，言語そのものの理解はきわめて不良で，簡単な口頭命令は「目を閉じなさい」のみにとどまり，使用法のジェスチャーや形態模写などを音声言語に伴って提示すると，ようやく理解できることが多かった．読解については経過とともに漢字と仮名の理解の乖離が顕著となり，漢字単語が聴理解の不足を補う場合もあった．表出面では重度の口舌顔面失行と発語失行(失構音)を呈し，当初は母音の模倣すら困難であった．

退院時は母音の口形もしくは音声模倣が可能になりつつあったが，音や単語の復唱は困難で，刺激とまったく異なる音の表出とその保続がほとんどであった．しかし，自然な状況下では「これですか？」，「大丈夫です」など滑らかな歪みのない文レベルの表出がみられ，意図性と自動性の解離が顕著であった．

引用文献

1) Van Horn G, Hawes A : Global aphasia without hemiparesis : A sign of embolic encephalopathy. Neurology 32 : 404-406, 1982
2) Hanlon RE, Lux WE, Dromerick AW : Global aphasia without hemiparesis : Language profiled and lesion distribution. J Neurol Neurosurg Psychiatry 66 : 365-369, 1999
3) Keyserlingk AG, Naujokat C, Niemann K, et al : Global aphasia-with and without hemiparesis : a linguistic and CT scan study. Eur Neurol 38 : 259-267, 1997
4) 田中春美, 三宅裕子, 波多野和夫：全失語から Wernicke 失語へ移行した4例. 神経心理学 5 : 124-133, 1989
5) 遠藤邦彦：口・顔面失行(BFA)の症状と責任病巣：行動理論から見た失行症の責任病巣. 失語症研究 14 : 1-14, 1994
6) Brian TG, Kertesz A : Preserved Visual lexicosemantics in global aphasia : a right-hemisphere contribution ?. Brain Lang 75 : 359-375, 2000
7) Samson Y, Belin P, Zilbovicius M : Mechanisms of aphasia recovery and brain imaging. Rev Neurol (Paris) 155 : 725-730, 1999
8) 立石雅子：社会適応に影響を及ぼす要因の検討. 失語症研究 17 : 213-217, 1997
9) 綿森淑子, 竹内愛子, 福迫陽子, 他：実用コミュニケーション能力検査― CADL検査. 医歯薬出版, 1990

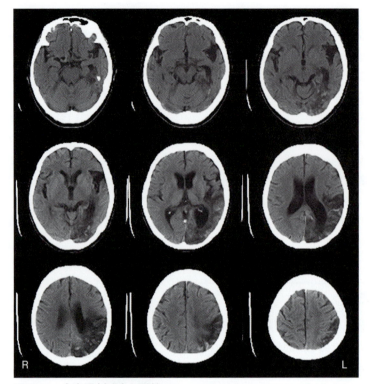

図 5-14　全失語（事例）の頭部 CT
左下前頭回から上中下側頭回および角回，縁上回にかけての広範な低吸収域を認めた．

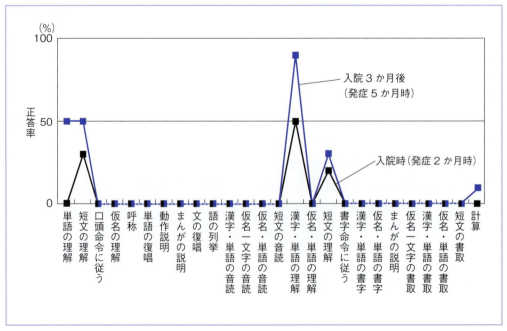

図 5-15　全失語（事例）の SLTA プロフィール

8 交叉性失語

1 基本概念

1865年Brocaによって失語症が右利き左半球損傷に起因する説が確立された．一方，1899年Bramwellは，左利き左半球損傷による失語症者を報告し，**交叉性失語** crossed aphasia と命名した．しかしその後，左利きにおいてもその多くは言語機能が左半球優位であることが明らかにされ，左利き左半球損傷による失語症は特異的障害とはみなされなくなり，交叉性失語は，**右利き右半球損傷**による失語症に限定されるようになった[1]．交叉性失語の出現頻度は，右半球損傷者の3％未満[2]ときわめて低い(➡ Note 22)．

交叉性失語の診断基準としては，①右半球病変，②失語症が認められている，③右利き，の3要素を満たすことが交叉性失語を示唆し，さらに④脳損傷の既往歴がない，⑤左利きの家族歴がないという要素が加わることによってさらに確実性が高い交叉性失語と診断される．教育歴(識字)，バイリンガル，表意文字や音調言語使用者は，交叉性失語の診断から除外されていないが，左利きから右利きへの矯正は，除外されている[2,3]．

2 症状・発症メカニズム

交叉性失語多数例の検討により，発症年齢，男女比は右利き左半球損傷による失語症と差がみられていない[2]．交叉性失語の特徴として，失語型はブローカ失語が多い，失語症が比較的軽度，失文法やジャルゴン失書が少なからずみられる，口頭言語に比較して文字言語障害がより重度などがあげられていた[4]．しかし，Mariënら(2004)は，報告された交叉性失語症例のうち，厳密な診断基準に合致する49例における非流暢の割合は約50％と報告し，失語タイプは，ブローカ失語約30％，ウェルニッケ失語約25％，伝導失語・全失語・超皮質性失語がほぼ同数で約10～15％，健忘失語(失名辞失語)が約6％と報告している[3]．交叉性失語の失語タイプの内訳は，右利き左半球損傷による失語タイプの割合とほぼ同等であり[2]，交叉性失語において，ブローカ失語の出現頻度が特に高いとはいえない．

失語症の重症度は，中度が50％，重度が40％，軽度10％と重症度が比較的軽度という説に反する結果が報告されている[3]．失文法に関しては，助詞の省略や誤用，動詞などの省略や活用の制限によって特徴づけられる日本語使用者における失文法の出現率が，欧米に比較して高率であると報告されており[5]，日本語使用者交叉性失語における文法機能の側性化は，検討すべき課題である．また交叉性失語におけるジャルゴン失書は，欧米および日本において少数ながら報告されている[3]．ジャルゴン失書の発現メカニズムとして，通常の右利き左半球損傷では，書字は左半球にある言語中枢の統制を受けるため，書字と発話障害に乖離が生じないが，交叉性失語では，左半球に

Note 22. 非右利き(左利き，両手利き)の失語症

非右利き左および右半球損傷による失語症例群は，右利き左半球損傷による失語症例群と比較して，①重度失語の出現率が低い，②全失語やウェルニッケ失語の出現率が低く，健忘失語が多い，③非右利き失語は発話能力が高い，の3点が特徴としてあげられている[5]．また，非右利き失語症者の予後が良い傾向が指摘されているが，Bassoら(1990)は，年齢，病巣，教育歴，原因疾患，発症後経過期間を統制した非右利き失語症例群と右利き左半球損傷による失語症例群にリハビリテーションを行い，5か月後に再評価した結果，両群間の改善に有意差がなかったことから，非右利き失語症者の予後が良好であることが過大評価されていると示唆している[9]．

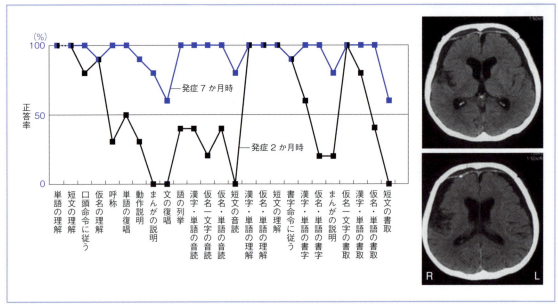

図 5-16　交叉性失語（事例）の SLTA プロフィール，頭部 CT 画像
画像の CT 所見では，右下前頭回部から中心前回下部に病巣が認められる．

ある書字記憶心像が，反対側（右半球）の言語中枢から統制されずに自走する結果，ジャルゴン失書が出現するという free running 説[6]が支持されている．ジャルゴン失書は，側性化に異常のある交叉性失語の特徴的症状と考えられる．さらに非流暢な交叉性失語において反響言語を呈する症例が報告されており，右半球損傷による抑制障害が推測されている[8]．文字言語障害がより重度といわれていた文字言語と口頭言語障害に関しては，多数例の検討では両者の障害の程度は，ほぼ同等である[2,3]．

交叉性失語は，**鏡像型**（病巣や言語症状が右利き左半球損傷による失語症タイプと類似）と**変則型**に分類されている[7]．両者の出現頻度に関しては，鏡像型が多いが有意差は，認められていない[2,3,7]．

交叉性失語における非言語性の高次脳機能障害に関して，優位（左）半球損傷で生じる観念運動性失行，観念失行，口腔顔面失行がみられており[2]，「言語」と同様に「行為」機能の右半球への転移が想定できる．一方，左半側空間無視が 40〜60％程度にみられる[2,3,7]ことから，劣位（右）半球機能の残存が考えられる．以上，交叉性失語においては，高次脳機能の側性化が症例によって多様に変化していると考えられることから，その病態の把握には包括的評価が必要である．

3　事例：交叉性失語

40 歳代後半，男性，右利き（エジンバラ利き手テスト 100 点），教育年数 12 年．職業：公務員．医学的診断名：くも膜下出血，画像所見（CT）：右下前頭回後方から中心前回下部に病巣が認められた（図 5-16）．
【神経学的所見】左片麻痺（軽度）（＋）．
【神経心理学的所見】失語症（＋），発語失行（＋），半側空間無視（－），口腔顔面失行（－），レーヴン色彩マトリックス検査（RCPM）34/36，ウエクスラー成人知能検査改訂版（WAIS-R），動作性知能（IQ）＝ 111，コース立方体組み合わせ検査 IQ ＝ 111．
【言語所見】発症 2 か月時の SLTA プロフィール

を図5-16に示す．聴理解は，簡単な日常会話レベルは良好であった．発話は，発症直後は，重度の発語失行により有意味語の表出が見られなかったが，2か月後2～3語文レベルの非流暢性発話がみられた．音韻性錯語が多発したが，徐々に自己修正により正答に到達するようになった．文レベルの発話では，失文法症状が明らかであった．読解は，短文レベルまで可能であった．書字は，単語レベルでは，漢字に比較して仮名の障害が重度であり，音韻性錯書が頻出した．書称に比較して書き取りが良好であった．文レベルの書字は困難であり，ジャルゴン失書は認められなかった．タイプおよび重症度は，右利き左半球損傷によるブローカ失語に類似した症状がみられたことから，鏡像型交叉性ブローカ失語，重症度は中等度と考えられた．

【言語所見】発症7か月時のSLTAプロフィールを図5-16に示す．発症時に重度の障害がみられた自発話，呼称，復唱および書称，書き取りなどの言語表出面の改善が認められたが，発語失行は残存し，文レベルの発話において障害が認められた．

謝辞：症例をご提供いただいた札幌西円山病院に深謝申し上げます．

引用文献

1) 毛束真知子：交叉性失語と左利きの失語．Clinical Neuroscience 24：772-773, 2006
2) Coppens P, Hungerford S, Yamaguchi S, et al：Crossed aphasia：an analysis of the symptoms, their frequency, and a comparison with left-hemisphere aphasia symptomatology. Brain Lang 83：425-463, 2002
3) Mariën P, Paghera B, De Deyn PP, et al：Adult crossed aphasia in dextrals revisited. Cortex 40：41-74, 2004
4) Joanette Y：Aphasia in left-hander and crossed aphasia. In Boller F, Grafman J (ed)：Handbook of Neuropsychology, pp173-183, Elsevier, Amsterdam, 1989
5) 竹内愛子，河内十郎：ラテラリティーが得意な失語症者の特徴と予後　非右利きの失語および右利き交叉性失語の場合．失語症研究 7：116-127, 1987
6) 横山和正，大窪むつみ，道関京子，他：ジャーゴン失書を呈したBroca型交叉性失語の2症例．臨床神経学 21：961-967, 1981
7) Alexander MP, Fischette MR, Fischer RS：Crossed aphasias can be mirror image or anomalous. Case reports, review and hypothesis. Brain 112：953-973, 1989
8) 遠藤佳子，鈴木匡子，山鳥重，他：右前頭葉内側面病巣により反響言語を特徴とする交叉性失語症を呈した1例．脳神経 53：287-282, 2001
9) Basso A, Farabola M, Grassi PM, et al：Aphasia in left-handers. Brain Lang 38：233-252, 1990

9 皮質下性失語

1 基本概念

皮質下性失語 subcortical aphasia は，大脳皮質の言語野を含まず，左大脳基底核（被殻，尾状核，淡蒼球，前障）や左視床など皮質下に限局した病変によって生じる失語症である．古典的分類が失語症の臨床症状により分類されるのに対し，皮質下性失語は病変部位によって分類される．この名称に用いる「皮質下」とは，皮質より下の神経細胞のある部分（図5-17）を指し，一般に使用される皮質の下の白質とは異なることに注意を要する．皮質下性失語は，左被殻を中心とする病変で生じる**線条体失語**と，左視床を中心とする病変で生じる**視床性失語**の2つに大別される．

2 線条体失語

a 症状

線条体失語は，被殻を中心とする病変で生じる失語症であり，「基底核失語」「被殻・内包失語」「非定型失語」とも呼ばれる．

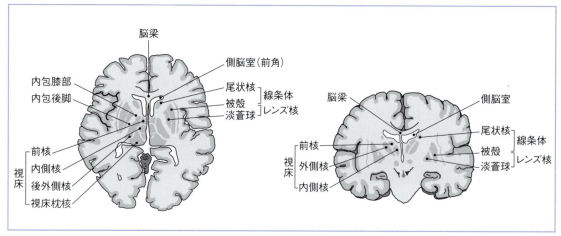

図5-17　大脳の水平断と冠状断

病変が前方に伸展する例ではブローカ失語に類似する非流暢型の失語症状を示し，病変が後方に伸展して側頭峡に及ぶ例では錯語，新造語，聴覚的理解障害が著明となり，ウェルニッケ失語に類似する流暢型失語症状を示す．病変が前方にも後方にも伸展する例では全失語に類似する臨床像となる．また，病変が前障や外包にかかると，音韻性錯語を主徴とする伝導失語の症状を示すこともある．

自発話は声量が低く不明瞭であるが，復唱では構音の明瞭度は高くなる傾向がある．このような線条体失語にみられる自発話と復唱の乖離は，超皮質性失語の乖離とは異なる性質のものである．また，左被殻出血後にしばしば認められる特異な症状に**意味性保続**[1]や**記号素性錯語**[2]があり，これらが線条体失語の言語症状として出現することがある．

b 病変部位・発症メカニズム

線条体失語の病変部位は，左側の被殻を中心とする大脳基底核の領域で，主に左中大脳動脈から分岐する**穿通枝動脈**（レンズ核線条体動脈）の出血や梗塞などが原因疾患となる．被殻や尾状核に限局する病変では，失語症状を呈さない例もあるが，周囲の神経線維を含む病変では，失語症状が継続する傾向がある．

線条体失語の発症メカニズムについては，基底核や神経線維などの皮質下構造自体を重視する見解もあるが，血腫による周囲への圧迫や皮質下線維の損傷が原因で大脳皮質との間に**機能離断**が生じ，その結果，失語症が発現するという見方が重視されている．線条体病変の失語症者ではSPECTで皮質血流量の減少が認められ[3]，線条体失語の発現に，大脳皮質との機能離断の関与が示唆される．しかし一方で，線条体失語には皮質性失語にない特徴的な言語症状があり，個々の発現メカニズムを大脳皮質との関連だけで解明できるのかは，今後，検討すべき課題である．

c 予後

線条体失語の予後は病変の大きさと部位によって異なり，早期に軽快する例から重篤な症状が継続する例もある．被殻出血では，血腫量が20 mL程度では失語症はみられないが，30 mL以上では残存することが多い[4]．病変部位としては，血腫が島の関連領域あるいは傍脳室白質領域に進展した場合には，血腫量が小さくても失語症が残存するという報告がある[5]．

3 視床性失語

a 症状

　視床性失語 thalamic aphasia は，左視床を病変とし，喚語困難，声量低下，復唱良好に加え，注意障害による二次的な保続などの症状を示す．自発話は減少し，一過性の構音障害がみられることもあるが，発語失行はない．喚語困難のほか，錯語，新造語，ジャルゴンが出現することもある．文法的な誤りは比較的少ない．聴覚的理解は，重度から障害のない例までさまざまである．書字障害は高頻度にみられる．出現する失語症状は，超皮質性感覚失語，超皮質性運動失語に類似する例が多い．

b 病変部位・発症メカニズム

　視床性失語の病変部位は視床を中心とする領域であり，**後交通動脈**と**後大脳動脈**から分岐する**穿通枝動脈**の出血や梗塞などが原因疾患となって発現する．視床を灌流する穿通枝動脈には，後交通動脈より分岐する視床灰白隆起動脈，後大脳動脈から分岐する視床傍正中動脈，視床膝状体動脈，後脈絡叢動脈がある．

　視床は，脳幹網様体賦活系の中継核で，注意のネットワークや記憶回路にかかわり，大脳皮質への感覚情報を中継する役割や，運動系の発現や調節に必要な情報を大脳皮質へ伝達する役割を担う重要な領域である．視床病変では，失語以外に，注意障害，記憶障害(視床前核，視床背側核に関与した場合に発現するが，一側性であれば早期に軽快する場合が多い)，表在感覚・深部感覚の障害を伴うことがある．

　左視床出血による急性期の失語の出現は約8割との報告[6]もあり出現頻度は高い．視床出血による失語症は，視床膝状体動脈，後脈絡叢動脈などの出血によって発現することが指摘されているが[7]，傍正中視床動脈による出血も多い．梗塞に限れば，極動脈の灌流する前方病変で出現しやすいとの報告もある[8]．

　視床性失語の発現に関わる領域として，内側核群，腹側核群，外側核群があげられる．視床自体に言語機能が存在するのか結論は出ていないが，発現機序については，視床と大脳皮質の神経ネットワークが重視されている[9]．例えば，内側核群は扁桃体からの線維を受け，前頭前野や前頭眼窩と連絡する．腹側核群の前方は，前頭葉の運動野・前運動野・補足運動野に投射し，運動ループを構成して運動の制御に関与する．外側核群の後外側核と視床枕は側頭葉・頭頂葉・後頭葉の感覚連合野に投射し，後方の大脳皮質と連絡している．これらの視床と大脳皮質との線維連絡の障害，あるいはダイアスキシス(→ Note 23)の関与によって視床性失語は発現するとの見方が支持されている．

c 予後

　視床性失語の予後としては，脳室穿破がみられず，視床内に病変が限局する場合，経過は比較的良好で，軽快することが多い．

4 鑑別診断

　皮質下性失語は，病変部位に基づいて分類される失語症であるので，診断は，失語症の出現と，脳の画像で左大脳基底核や左視床など皮質下に病変を認めることで確定する．脳出血であれば，急性期からCT画像で病変を描出することができる．

> **Note 23. ダイアスキシス diaschisis**[10]
> 　ダイアスキシスとは，脳の主病変から離れた部位において，脳循環代謝量が有意に低下する現象をいう．大脳皮質病変により，対側の大脳皮質，同側の大脳皮質，対側の小脳半球，対側脊髄に機能低下が生じ，視床病変では，同側大脳皮質の機能障害が生じるとされる．連絡線維の障害に基づく遠隔部位の神経細胞への興奮性のインパルスの減少が主な機序と考えられている．遠隔機能障害，機能的抑制，遠隔効果とも呼ばれる．

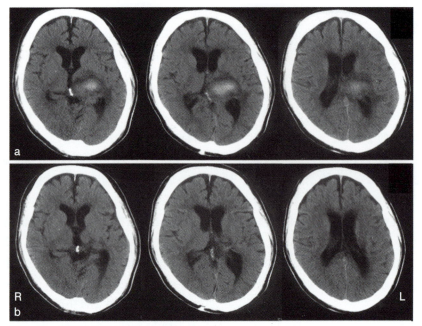

図 5-18　視床性失語（事例）の頭部 CT 画像
a：発症 1 か月時：視床を中心に血腫を認める．側脳室への穿破は認めない．周囲より血腫の吸収が始まっている．
b：発症 3 か月時：視床後部に低吸収域が認められる．

梗塞では，急性期なら**拡散強調画像**（DWI），あるいは MRI の T2 強調画像を用い，MRA で血管撮影を併用すれば閉塞した血管を確認することができる．読影では，病変の部位と大きさ，陳旧性病変の有無を確認する．血腫や浮腫の圧迫による周囲組織への影響や血腫の吸収過程を捉え，臨床症状と対応させることで，ほかの失語症との鑑別が正確となる．また，SPECT で局所血流量の所見を得ることができれば，障害メカニズムに基づいた鑑別診断が可能となる．

5　事例：視床性失語

50 歳代，男性，右利き，大学卒
発話困難，右上下肢麻痺にて発症し，某病院にて，CT スキャンにより左視床出血と診断された．その後，保存的治療を受け，発症 1 か月時にリハビリテーションを目的に，リハビリテーション病院の回復期病棟に入院となった．

発症 1 か月時（図 5-18a，5-19）：入院時，注意機能低下，発動性低下がみられた．自発話はきわめて少なく，声量は低下し，保続もみられた．言語理解も不良であった．

発症 3 か月時（図 5-18b）：注意障害は軽快し，自発性が高まった．自発話は，声量，話量とも標準域となり，プロソディや構音に問題はなかった．文レベルの表出では，喚語困難，錯語・保続が頻出するが，文法的誤りは見られなかった．復唱は 4 文節文が可能となった．聴覚的理解は，単語レベルでは可能だが，3〜4 語文では聞き返しがみられた．書字は，仮名・漢字ともに，単語レベルから困難であった．

発症 6 か月時（図 5-19）：自発話は，錯語や保続は軽減したが，喚語困難は残存した．SLTA の口頭表出では，「呼称」「まんがの説明」「語の列挙」の項目で低下がみられた．言語理解は改善し，日常生活上の言語理解は良好となり聞き返しはほとんどみられなくなったが，SLTA の「口頭命令

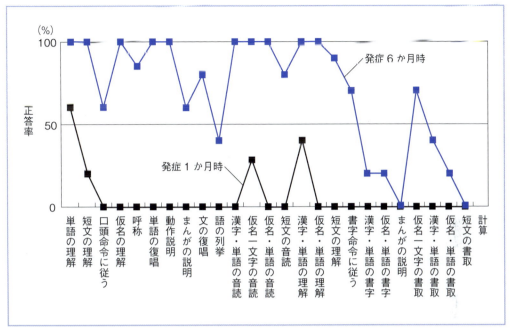

図5-19 視床性失語（事例）のSLTAプロフィール（発症1か月時・6か月時）

に従う」，「書字命令に従う」などの複雑な文の理解は困難であった．書字では，漢字は高頻度の1文字単語が書けるようになり，仮名は1文字書取から改善しつつある．発症6か月時に，自宅退院となった．

引用文献

1) 三宅裕子：発話の脳内機構―錯語と保続．神経心理学 19：15-21，2003
2) 水田秀子，田中春美，松田実，他：記号素性錯語を呈した被殻出血後の失語症の3例．失語症研究 14：204-212，1994
3) Weiller C, Ringelstein EB, Reiche W, et al：The large striatocapsular infarct. Arch Neurology 47：1085-1091, 1990
4) 前島伸一郎，椿原彰夫：原因疾患別の障害のメカニズムとそのリハビリテーション．鹿島晴雄，他（編）：よくわかる失語症セラピーと認知リハビリテーション．pp48-49，永井書店，2018
5) 西山義久，小宮桂司，堀越徹，他：左被殻出血と失語症．血腫の進展方向と言語機能障害の予後について．山梨医科学誌 27：145-151，2013
6) Osawa A, Maeshima S, Yamane F：Aphasia and unilateral spatial neglect due to acute thalamic hemorrhage：clinical correlations and outcomes Neurol Sci 37：565-572, 2016
7) Chung CS, Caplan LR, Han W, et al：Thalamic hemorrhage. Brain 119：1873-1886, 1996
8) 田伏英晶，吉田伸一，鈴木美代子，他：左前部視床梗塞による視床失語の1例．神経心理学 15：35-44，1999
9) Crosson B：Thalamic mechanisms in language：A reconsideration based on recent findings and concepts. Brain Lang 126：73-88, 2013
10) 長田乾：種村純，他（編）：やさしい高次脳機能障害用語事典，p395，ぱーそん書房，2018

純粋型

A 純粋語聾

1 基本概念・症状

純粋語聾 pure word deafness とは脳損傷後に出現する病態で，音は聞こえるが言語音の聞き取りが困難になるまれな障害である．検査上でみられる症状として，音は聞こえるので，純音聴力検査上では正常範囲ないしは軽度の閾値上昇程度であるが，ことばの聴覚理解が困難になる．一方，鳥の声や救急車の音（環境音や社会音）の認知（理解）は良好である．

通常は1音のレベルから障害が出現する．純粋例では内言語が保たれるので，自発語，呼称，音読，読字理解，自発書字が保たれる．しかし，聴覚経由の課題である復唱，音声言語理解課題，書き取りでは困難を示す．したがって，SLTA などの言語検査を施行する際には注意が必要である．簡単な単語レベルでは読話（検査者の口元をみる）を通して理解していることがあるので注意する．臨床例では軽度の失語を合併している例や初期に感覚失語を呈し，失語の消失とともに語聾症状が前面に出てくる例などが報告されている．最近では進行性失語に純粋語聾が生じた例も報告されるようになっている．いずれにしても患者は末梢性の難聴者のように，しばしば「えっ？」と聞き返す．成人の例では，ゆっくり話してもらうとわかりやすいという例もある．

小児例では**ランドウ・クレフナー** Landau-Kleffner **症候群**による聴覚性失認や純粋語聾が知られている[1-3]．これは小児のてんかん発作に伴う聴覚言語障害といわれる病態で，指定難病（155）にも指定されている．**広義の聴覚性失認を**呈する場合と純粋語聾を呈する症例が報告されている．

以下，わが国で報告されている成人の純粋語聾例で，比較的詳細な記載がされている6例を中心に発症原因，症状，諸検査結果，臨床経過を述べる（表5-1）．

主訴はほとんどの例で，「言葉がわからない」，「耳が聞こえない」と患者は訴える．

初診当初から口元を見て理解しようとする患者は少なく，口元を見るよう（読話）に促すと，理解が促進されることがある．

2 病変部位・発症メカニズム

発症原因の多くは，脳梗塞や脳出血などの脳血管障害であるが，脳腫瘍やてんかん発作で生じた例も報告されている．また，脳の損傷側は左の一側損傷例と，両側損傷例が指摘されている．

音は外耳，中耳，内耳の聴神経へと伝わった後，脳幹の聴覚伝導路を経て内側膝状体位に達する．その後聴放線となり，上側頭回にある**ヘシュル回（第一次聴覚野）**に伝達される．純粋語聾は①左側頭葉皮質下病変によってヘシュル回からウェルニッケ領域への入力遮断，②両側損傷による両側第一次聴覚野からウエルニッケ領域への入力が遮断，③両側の聴放線の障害などによって生じるとされている．したがって，純粋語聾は一側損傷でも両側損傷でも生じる．

純粋語聾の病態解析について神経生理学的検索も進められてきており，Tanaka ら[4]，苅部らによる聴性脳幹反応検査（ABR），中間反応（MLR）などを用いた検索結果報告もある．

表5-1 純粋語聾の成人報告例

報告者	Tanaka ら[4] (1987)	Takahashi ら[5] (1992)	大仲ら[6] (1995)	苅部ら[7] (2000)	佐々木ら[8] (2001)	小山ら[9] (2007)
症例	26歳, 女性, 右利き	55歳, 男性, 右利き	67歳, 男性, 右利き	73歳, 女性, 右利き	34歳, 男性, 右利き	82歳, 女性, 右利き
原因疾患	初回左側頭頭頂葉に脳梗塞, 2回目右側頭頭頂葉に脳梗塞	左視床出血	左側頭葉皮質下出血	テント髄膜腫	左被殻出血	左視床外側出血
神経学的所見	右上下肢不全麻痺	右麻痺	軽度右片麻痺, 軽度右半身感覚低下	左半身軽度表在感覚低下	右片麻痺, 右上肢表在感覚低下, 右下肢深部感覚脱失	右下肢軽度筋力低下, 右口唇, 右上腕のしびれ
画像所見	左上側頭回, 頭頂葉, 右は広範囲に側頭頭頂葉に病変	左視床と内包後脚から左側頭葉・頭頂葉白質	左側頭回皮質下白質損傷	両側内側膝状体の圧迫, 聴放線, 側頭葉皮質に異常なし	左被殻外側から後方にかけての損傷	左視床から左上側頭回の皮質下に血腫
主訴	耳が聞こえない	声は聞こえるが, 言葉の意味がわからない	言語障害, 右下肢のしびれ	両側聴力低下	人の言葉が違うように聞こえる	記載なし
純音聴力検査	左耳8dB 右耳15dB	会話音域で2kHzわずかに上昇	左耳18dB 右耳14dB	左耳55B 右耳34dB	左耳11dB 右耳6dB	両側46dB
ABR	左右とも正常	正常	左右とも正常	左右とも正常	左右とも正常	左右とも異常なし
語音の聞き取り	0%	左耳2% 右耳2%	左耳55% 右耳15%	左耳0% 右耳20%	左耳60% 右耳40%	左右とも不良
環境音認知	19/25 正答	口答21/24 選択24/24	口答22/24 メロディ不良	22/24	正常	口答で良好, 楽器音弁別可
知能検査	WAIS-R, VIQ 84, PIQ 91	WAIS-R, VIQ 89, PIQ 90	WAIS-R, VIQ 115, PIQ 88	WAIS-R, VIQ 79, PIQ 69	コース立方体検査 IQ124, RCPM 35/36	HDS-R 聴覚のみ0点, 文字で26点
言語検査	音韻性錯語が少し, 自発語やや大きい	自発語, 読字, 書字良好	初期に錯語出現, 自発語, 読字, 書字良好	自発語, 自書字良好	自発語, 読字, 書字良好	自発語, 筆談可能, 聴覚理解, 復唱など不良
経過	聴覚理解は改善なし	聴覚理解障害持続	5か月で日常会話理解改善	腫瘍摘出後聴覚理解, 復唱改善	6か月後の語音聴力は左右とも80%	7週目で左耳の語音聴力改善傾向

3 評価・鑑別診断

a 標準純音聴力検査

末梢性の聴力障害によるものではないことを証明するために, 耳鼻咽喉科で鼓膜などの所見や標準純音聴力検査を実施する. これまでの報告例をみると, 純音聴力検査上では, 6例中4例が正常範囲にあり, 苅部ら, 小山らの例は軽度閾値上昇がみられている. 多くの例では平均聴力レベルが

表 5-2 純粋語聾の鑑別に必要な諸検査

	成人例	小児例
聴力の判定[自覚的]	純音聴力検査	純音聴力検査,遊戯聴力検査など
他覚的聴力検査	ABR や ASSR	ABR や ASSR
語音認知検査	語音聴力検査	1音,単語などの復唱検査,音の弁別検査
環境音・社会音認知検査	回答は口頭でもよい	絵カードなどの指さし
言語機能検査	SLTA,WAB など	言語発達検査,読書力検査
知能検査	WAIS-Ⅳ,RCPM,コース立方体検査など	WPPSI,WISC-Ⅳ など

ほとんど問題ない程度であるのに,難聴者のように,「えっ?」と聞き返すことが本疾患の特徴である.患者自身が高齢者の場合には高音域の閾値がしばしば上昇しているので注意が必要であるが,少なくとも500,1,000,2,000 Hz の会話音域のレベルが軽度であるのに,語音の聞き取りが不良であった時には中枢性の聴覚障害を疑ってよい.また,確定診断のためには,聴覚伝導路の脳幹レベルにも問題ないことを明らかにできる ABR が有効である.表 5-1 に示す6例で ABR の記載あるものは左右耳ともに正常範囲にある.

b 語音認知検査

純粋語聾を特徴づけるのは,言葉の聞き取り障害である.臨床場面では1音節の聞き取り,単語や文の聞き取りがよく用いられる.語音の聞き取りの判定には日本聴覚医学会で作成された語音聴力検査法が利用できる.Takahashi ら[5],大仲ら[6],苅部ら[7]の例はこの方法によって施行されている.Takahashi [5]らの例は左右耳ともに最高明瞭度は2%,大仲ら[6]の例では右耳15%,左耳55%,小山ら[9]の例は初期には左右耳とも不良であった.いずれの報告例でも純音聴力検査閾値に比し,語音聴取能が不良であることが特徴である.

小児の純粋語聾例では,患者が検査に十分耐えられないこともある.その場合には,外来で施行できる簡便な方法としては,口元を隠して肉声(被検者の純音聴力検査で得られた閾値上の音圧で)で検査者が単音節を発話して,復唱や文字の指差しで行ってもよい.その際には,5母音や子音(有声子音,無声子音,破裂音,摩擦音,破擦音,通鼻音など)の組み合わせで行うとよい.ランドウ・クレフナー症候群で純粋語聾を呈した自検例[2]では,検査が可能になった5歳代では母音の復唱は良好で,聞き取り障害は子音に限定され,1音節の復唱の際にも後続の母音の誤りはなかった(例[ka]を[ta]と誤ることはあっても[te]と誤ることはない).特に,有声子音間(例[b]-[d]-[g]),無声子音間([p]-[t]-[k])での弁別は困難でチャンスレベルであった.一方で,例えば[ba]-[ke]-[mo]など後続の母音も異なり,子音間も弁別素性が遠いもの同士の弁別課題では誤りは出現しなかった.したがって,検査音として提示する音の種類に注意を払う必要がある.成人例では単語,短文は SLTA の復唱課題を利用するのもよい.また,日本聴覚医学会の語音聴力検査法のなかにある単語や文の了解度検査を利用する方法もある.その際に,聴覚のみの提示と,聴覚に**読話**を併用した場合,読話のみとの差をみることが大切である.表 5-2 に成人と小児例での検査項目をまとめた.

c 環境音認知検査

ことば以外の**環境音(社会音)**とは,救急車のサイレン,赤ちゃんの泣き声,犬や猫の鳴き声などであるが,これらの音については,何の音かがわかる.失語がない例では録音された音を再生して

聞かせたあとに，何の音であったか口答で述べてもらうのもよいが，音源の絵を含む何枚かの絵から選択する方法でもよい．環境音の認知検査結果は，表 5-1 の 6 例とも軽度障害かまたは問題ないレベルである．いずれにしても環境音の認知とことばの聞き取りの差が著しいことが特徴である．

d 言語機能検査

純粋例では内言語はほぼ保たれるので，SLTA や WAB などの失語症検査課題の項目のうち，呼称，音読，読字理解，自発書字は良好である．一方，聴覚経由の音声言語理解や復唱，書き取り項目は得点が低くなる．表 5-1 の 6 例についても多少の成績差はあるものの，視覚系言語課題（音読，読字理解，自発書字など）に比し，聴覚系言語課題（音声言語理解，復唱，書き取りなど）の低下は共通して認める．

e 知能検査

純粋語聾でみられる聴覚言語理解の障害が，いわゆる知的障害由来ではないことを確認するためには，レーヴン色彩マトリックス（RCPM）や，コース立方体検査などの非言語性知能検査を用いるとよい．表 5-1 の報告でも WAIS-Ⅳや RCPM，コース立方体検査で知能を確認しており，動作性知能（PIQ）が保たれている例が多い．小山ら[9]の例は 80 歳代の女性である．認知機能評価でよく用いられる HDS-R を用いて，口頭のみ（口元をみせずに質問する）では 0 点であったが，文字呈示では良好であったとしており，筆談によって言語性課題を行うとよい．

4 訓練・指導・支援

成人例の純粋語聾の報告のうち，脳腫瘍例では腫瘍摘出後や，てんかん発作例では抗けいれん薬投与後に言葉の聞き取りが改善したと報告されているものもある．しかし，脳出血や脳梗塞で純粋語聾を呈した Tanaka ら[4]や Takahashi[5]らの例など聴覚理解が改善しない例もある．数か月で簡単な日常会話の理解が改善したと報告している例でも，複雑な文の理解まで改善しないことを報告しているものもある．

言語習得後の純粋語聾例の訓練・指導は，聴覚理解については日常会話程度であれば，口元を見せながらゆっくりと発話してあげることで内容の理解が促進される場合もある．複雑な内容を伝える際には，筆談が有効である．

臨床場面での純粋語聾例の訓練としては，最初に読話を併用して行い，次いで読話なしでの聞き取り訓練を施行していくことがよくみられる．発症から 6 か月後に職場復帰を果たしたが，職務内容に変更の必要があったと報告されているものもあり，聴覚理解の改善があっても発症前のレベルにまで改善することは少ないようである．

小児のランドウ・クレフナー症候群で生じた純粋語聾例の訓練・指導について，以下自検例[2]で簡単に述べる．聴覚検査の結果は先述の成人例と同様であるが，小児で言語習得途上で発症したためか，当科初診の 4 歳 8 か月から約 6 か月あまりで自発語の明瞭度が低下した．4 歳 8 か月以降学齢期まで外来で言語聴覚訓練を行った．その際筆者らが先天性聴覚障害児に行っている「金沢方式」という単語レベルから文字言語や手話を導入する言語訓練を行い，コミュニケーション手段の確保を図った．その後，同症例は聾学校へ進み，現在の主なコミュニケーション手段は手話となっている．発症から 25 年以上経過時に聴力検査と語音の聴取の評価をする機会を得たが，語音の聞き取りはわずかに改善傾向を認めただけで，語聾自体は著変なかった．

純粋語聾例の場合には身体障害者福祉法で対応するとすれば，語音聴力検査の語音明瞭度（語音弁別能）が両耳による普通話声で 50％以下のときに 4 級の認定となる．**身体障害者障害程度等級**は平均純音聴力レベルで判定されることが多いので，純粋語聾例のように，純音聴力レベルが軽

度・中度程度にしか閾値上昇しない場合には等級値と実際上のコミュニケーション障害との差は明らかである．

5 事例：純粋語聾（小山ら[9]より改変）

80歳代，女性，右利き．ある日突然ふらつき感が出て，同時に話しにくさを感じ，近医脳神経外科を受診．脳出血と診断され，緊急入院．保存的加療となった．
神経学的所見：右片麻痺が出現したが，その後右片麻痺は軽度まで改善した．

■ 病変部位

MRIで左視床から左上側頭回の皮質下に血腫を認めた（図5-20）．

■ 症状

患者の主訴は特になかったが，口頭での言葉の理解が著しく不良であった．一方で自発語は多弁で文レベルでほぼ問題なかった．問診の際のやり取りは筆談可能であった．

【耳鼻咽喉科的一般検査】鼓膜所見に異常なく，標準純音聴力検査では平均聴力レベルは左右ともに46 dBで中度の感音難聴を呈していた．しかし，聴性脳幹反応検査（ABR）では左右とも正常範囲にあった．語音聴力検査は復唱法で行ったが，語音聴取閾値を十分に超えても語音弁別能は両耳とも不良であった．

【言語検査】自発語は流暢でプロソディの問題はなく，喚語困難などはみられなかった．SLTAで失語の有無を確認した．呼称は錯語も出現せず全問正答した．自発書字も文レベルまで可能であった．一方，聴覚言語理解や復唱，書き取り項目では聞き返しが多く，成績が著しく低かった．単語の理解1/10（口形を見せながら行うと2/10正答）正答，短文の理解0/10（口形を見せると8/10）となり，読話を併用することで言葉の理解が改善した．言語音だけでの聴覚理解が低かったので，非言語音の聞き取りについても評価した．鳥のさえずりやの波の音を聞かせ，口頭で答えてもらった

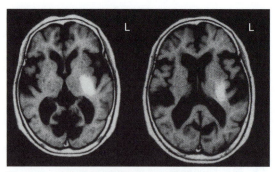

図5-20 純粋語聾（事例）のMRI所見
左視床から上側頭回皮質下に血腫を認める．
〔小山聡，他：左視床外側出血により純粋語聾を呈した1例．北海道医誌 82：213-216，2007 より〕

が全問正答した．楽器音の弁別や音楽のメロディの弁別についても問題なかった．

【知的機能検査】聴覚理解が悪いので，長谷川式簡易知能評価スケール（HDS-R）を聴覚のみと聴覚に口元をみせて行うのと，文字呈示の3つの方法で行った．その結果，聴覚のみでは0点，口元をみせながら問題を提示すると17点，文字呈示で行うと26点であった．

■ タイプ・診断の要点

本例は左視床出血後に著しい聴覚理解障害を呈していたが，自発語や自発書字で問題がないことから，失語症とは異なる病態と考えた．耳鼻咽喉科的検査を進めた結果，聴力レベルは中度閾値上昇していたが，ABRの結果は正常であったことから，脳幹までの聴覚伝導路にも問題がないと言えるので，なんらかの中枢性聴覚障害を呈していると推測された．中枢性聴覚障害としては，皮質聾，広義の聴覚失認（言語音も非言語音も障害された状態），純粋語聾（言語音のみ障害された状態），失音楽が知られている．本例は，言語音の聞き取りが著しく悪いが，HDS-Rの結果が良好であることから，全般的な認知機能低下によるものではないといえる．一方，動物の鳴き声などの非言語音の聞き取りには問題ないことから，純粋語聾であると考えた．

本例で純粋語聾を呈した理由としては，左視床

出血により両側ヘシュル回からウェルニッケ領域へ言語情報が伝達される経路が遮断されたからと考えた．

■ 訓練・予後

読話を併用して音節，単語レベル（数字や日常高頻度語）の訓練を行い，少しずつ読話を減らして聴覚のみでの聞き取り訓練を行った．簡単な日常会話程度までは聴覚のみで理解できるようになった．

引用文献

1) Landau WL, Kleffner FR：Syndrome of acquired aphasia with convulsive disorder in children. Neurology 7：523-530, 1957
2) 能登谷晶子，鈴木重忠，古川俶，他：Landau-Kleffner症候群の2例．失語症研究 9：1-8，1989
3) 加我牧子：ランドー・クレフナー症候群（Landau-Kleffner syndrome；LKS）の特徴と診療の実際．新薬と臨牀 J New Rem & Clin 66：80-84, 2017
4) Tanaka Y, Yamadori A, Mori E：Pure word deafness following bilateral lesions—A psycho-physical analysis. Brain 110：381-403, 1987
5) Takahashi N, Kawamura M, Shinotou H, et al：Pure word deafness due to left hemisphere damage. Cortex 28：295-303, 1992
6) 大仲功一，櫻井靖久，布施滋，他：左側頭葉の脳出血により発現した純粋語聾の1例．臨床神経 35：290-295, 1995
7) 苅部博，米盛輝武，松野太，他：純粋語聾を呈したテント髄膜腫の1例．脳神経 52：997-1001, 2000
8) 佐々木信幸，杉本淳，相馬有里，他：純粋語聾の1症例．臨床リハ 10：1025-1029, 2001
9) 小山聡，進藤順哉，丸山純一：左視床外側出血により純粋語聾を呈した1例．北海道医誌 82：213-216, 2007

B 純粋型の発語失行（失構音）

1 基本概念

純粋語唖 pure word dumbness は，聴理解障害，書字障害，読解障害を伴わず，話すことだけの障害で，麻痺性構音障害などでは説明できない発話障害をいう．症状としては，①限られた音や語しか発音できないタイプと，②一貫性に乏しい音の誤りが頻発するタイプがある[1]．後者は「**発語失行** apraxia of speech」として言語聴覚士を中心に広く知られている．このほかに，状態を表した「構音不能 aphémie, aphemia；アフェミア，アフェミー」，内言語障害の1つと解釈する「純粋運動失語 pure motor aphasia」，構音障害の1つとする「失構音 anarthrie；アナルトリー，アナースリー」など，さまざまに呼ばれている．発症率は 0.6[2]～12％[3] と幅があり，前者は発症当初から純粋型である頻度を，また後者は失語症から回復して発語失行が主症状となる頻度を反映していると考えられる．これらを平均すると4％程度[4]になるという．ここでは純粋型の発語失行（失構音）について述べる．

2 症状

発症当初はまったく発話がみられないこともある．その後，多くは速やかに改善し，文レベルで発話することが多い．初期は音の歪み，置換，付加，省略などが頻発し，明瞭度は低い．発話開始の遅れや構音の探索行動がみられることもある．母音の引き延ばしや音節ごとに区切って発話する「**音節化構音**」がみられ，そのため遅い発話速度，単調な発話となる．改善してもプロソディ障害と音の歪みは残ることが多く，軽度の右中枢性顔面麻痺，口舌顔面失行，右上肢麻痺を伴うことが多い．また，実際には発症初期に軽度の喚語困難，軽度の書字障害を呈する事例は多いが発話できないことを文で書けるようであれば，純粋発語失行と考えてよい．

原発性進行性失語症で初期に発語失行を主症状とする事例が10％前後でみられ[5]**原発性進行性発語失行** primary progressive apraxia of speech（PPAOS）と呼ばれる．PPAOSの発語失行症状は，脳血管性障害による発語失行とほぼ一致するが，PPAOSの場合は一息で発話する語が減少する点が異なるとの報告がある[6]．

3 病変部位

左中心前回中下部の皮質, 皮質下が最も有力である. ほかに島, ブローカ野なども重要とする説もある[7]. これらは主に脳血管障害による知見であるが, 原発性進行性発語失行で, 報告されている病巣は, 右半球や小脳までなど広範囲に及ぶことが多い. 共通する部位としては, 左運動前野と補足運動野が有力である[5]. さらに Utianski ら[8]は, 純粋発語失行に2つのタイプ, すなわち歪みを伴う音の置換が主症状である構音タイプと, 遅い音節化構音を特徴とするプロソディタイプに分けており, 前者の病巣は両側補足運動野, 両側中心前回, 小脳脚前方, 後者は両側補足運動野, 右上小脳脚としている.

4 発症メカニズム

Darley[9]は発語失行を「大脳の損傷により, 音韻の意図的実現における発声発語器官の位置や筋運動の順序のプログラム障害で生ずる構音の障害」で,「これを補おうとするため二次的にプロソディ障害が伴う」ものであるが, これらは「自動的発話では見られない」としている. すなわち「意図的実現」つまり随意的発話と自動的発話に乖離がみられることが失行(観念運動失行)の概念に類似することから, 発語失行と呼んだのである. しかし実は Darley が診た症例は純粋例ではなく, ブローカ失語が中心であった. 純粋な発語失行の場合は意図性と自動性の乖離がみられないことも多い. しかし, 発語失行を「**構音運動のプログラミングの障害**」と位置付けたことの功績は大きく, 訓練法がどうあるべきかの大きな指針となっている.

5 鑑別診断

失語症で障害される内言語と, 運動障害性構音障害で損なわれる運動実行機能の間には,「想起された語の構音情報を運動情報に変換するプログラミング機能」があると想定される. したがって, 純粋発語失行の鑑別は失語でないこと, また, 麻痺性構音障害でないことを確認する. 鑑別は以下のとおりである. ①病巣は, 失語症と発語失行では優位半球一側, 大脳半球損傷で起こる痙性構音障害(偽性球麻痺)では両側である. ②発声発語器官の機能は, 失語症と発語失行では, 構音に影響を与えるほど低下しない. ③失語症検査では, 失語症のみが話す以外の聞く, 書く, 読むも障害される. ④発話症状では, 失語症の音の誤りである音韻性錯語には歪みがないが, 痙性構音障害には音の誤りに一貫性がある. また一貫性のない音の誤り方とは, ①正確に発音したり誤ったりすることと, ②同じ音をさまざまな音に間違えることの両方を意味する(表 5-3).

一側性上位ニューロン障害性構音障害 unilateral upper motor neuron dysarthria(UUMN)との鑑別は, 病変では難しい. また純粋発語失行でも軽度の右中枢性顔面麻痺が伴うこともある. しかし, UUMN は「声がかすれ」や「声量の低下」などの声の症状など筋力の低下を示す症状があること, また, 舌音を口唇音に間違えるなどの音の置換が認められないことなどの発話症状で鑑別する.

「咳払い」や「頬を膨らます」など構音以外の発声・発語器官の運動を日常生活ではできているのに, やるように指示されるとうまくできない症状は, 口舌顔面失行として知られている. 発語失行(失構音)とともにみられることが多く, これを発語失行(失構音)の原因とする考えもある. しかし, 発語失行があるのに口舌顔面失行がない, あるいは口舌顔面失行があるのに発語失行がない事例があるので, 現時点ではそれぞれ独立とする説が優勢である.

6 事例:純粋型の発語失行(失構音)

58歳, 右利き, 男性. 20年前より高血圧. 右

表5-3 発語失行の鑑別診断

	失語症（流暢型）	発語失行（純粋型）	痙性構音障害	UUMN
病巣	左一側病変	左一側病変（限局）	両側病変	左右の一側病変
発声発語器官	構音に影響を与える麻痺なし	構音に影響を与えるほどの麻痺なし	構音に影響を与える麻痺あり	構音に影響を与える麻痺あり
失語症検査	話す聴く読む書くすべてに障害	話すのみで障害	話すのみで障害	話すのみで障害
発話の特徴	喚語困難 語性錯語 音韻性錯語	一貫性がない音の誤り，プロソディ障害	一貫性のある音の誤り（歪み中心），声の障害，開鼻声，プロソディ障害	出たり出なかったりする歪み中心の音の誤り，声の障害，プロソディ障害

UUMN：一側性上位ニューロン障害性構音障害

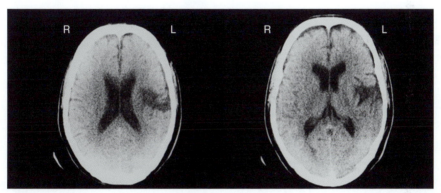

図5-21 事例のCT画像（発症1か月時）
左中心前回下部，左中心後回下部とその深部皮質下を主病巣とし，一部左島と弓状束にも及ぶ．

半身の麻痺としびれ感，発話障害で発症．発症1か月の神経学的検査では軽度の中枢性顔面麻痺，挺舌時の右側への偏位，右上肢に強い右片麻痺，右半身知覚鈍麻を認めた．発症6か月の検査では感覚障害，舌の偏位は認められなかった．純音張力，語音聴力は正常範囲であった．
【神経放射線学的所見】左中心前回および中心後回皮質から放線冠や弓状束などの深部白質に及ぶ梗塞巣を認めた（図5-21）．
【神経心理学的所見】発症5週時のWAISでは言語性IQ81，動作性IQ105，発症5か月時は言語性IQ96，動作性IQ104といずれも正常範囲．発症2か月時の構音器官検査では「咳をする」と「舌打ちをする」が困難で軽度の口腔顔面失行が疑われた．この症状は発症6か月時には改善した．
【言語所見】発症5週時のWAB失語症検査では良好な聴覚理解，書字と読解に軽度の障害，重篤な自発話および復唱障害がみられた（図5-22）．最も複雑な聴覚理解課題である「継時的命令」はすべて正答したが，「はい，いいえで答える問題」で1問誤った．読解は文章課題で2問誤ったのみであった．書字は絵の叙述は9つの名詞にとどまり，仮名は単語レベルでも錯書が見られた．自発話は /N：/ など無意味な短い音節，呼称ではボールに対し /boi/，ナイフに対し /naio/ など音節数，母音は目標音に近いことが多かった．復唱や音読も短いものであればバナナに対し /ahaha/ など同様の傾向がみられたが，句や文など長くなると音節数，母音の一致度は著しく低下した．

発症10か月時のWAB失語症検査では聴覚理解，読解はすべて正答であった．書字は絵の叙述で助詞表記の誤り（わ／は）はみられたもの6語以

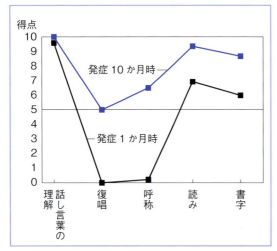

図5-22 純粋型の発語失行（失構音）（事例）WAB失語症検査プロフィール

上からなる文2つを書くことができた．他方，発話は文レベルで話すものの，音節の引き延ばしのため発話速度が著しく遅く，また，音の誤りが頻発して明らかな障害を示した．発症初期は音の省略と置換が同じ程度であったが，3か月後は省略が減り置換が優勢となった．10か月時点では歪みが最も多くなり，明瞭度が上がった（図5-22）．

引用文献

1) Sugishita M, Konno K, Kabe S, et al：Electropalatographic Analysis of Apraxia of Speech in a Left Hander and in a Right Hander. Brain 110：1393-1417, 1987
2) Basso A, Taborelli A, Vignolo LA：Dissociated Disorders of Speaking and Writing in Aphasia. J Neurol Neurosurg Psych 41：556-563, 1978
3) Rosenbek JC：Treating Apraxia of Speech. In：Johns F, ed：Clinical Management of Neurogenic Communication Disorders：191-241, Little Brown, Boston, 1978
4) Moser D, Basilakos A, Fillmore P, et al：Brain Damage Associated with Apraxia of Speech：evidence from case studies. Neurocase 22(4)：346-356, 2016
5) Duffy JR, Josephs KA：The Diagnosis and Understanding of Apraxia of Speech：why including neurodegenerative etiologies may be important. J Speech Lang Hear Res 55(5)：1518-1522, 2012
6) Joseph Duffy：Apraxia of speech in degenerative neurologic disease. Aphasiology 20(6)：511-527, 2006
7) Basilakos A：Contemporary Approaches to the Management of Post-stroke Apraxia of Speech. Semin Speech Lang 39(1)：25-36, 2018
8) Utianski RL, Duffy JR, Clark HM, et al：Prosodic and Phonetic Subtypes of Primary Progressive Apraxia of Speech. Brain Lang 184：54-65, 2018
9) Darley FL, Aronson AE, Brown JR, et al：Motor Speech Disorders. WB Saunders, Philadelphia, 1975
10) 紺野加奈江：純粋語唖．岸本英爾，他（編）：神経心理学と画像診断：pp108-115，朝倉書店，1988

C 純粋失読

1 基本概念

純粋失読 pure alexia は，視覚障害，視覚性失認，注意障害，失語などによらない読みに特異的な障害である．19世紀末 Dejerine[1] によって最初の症例が報告された．音読と読解ともに障害されるが書字は比較的良好で，自分で書いた字でもしばらくすると読めないといったことが起こる．漢字の想起困難を伴うことがある．写字に若干の乱れを伴うことが多い．純粋失読は**古典型**と**非古典型**に分類され，さらに後者は角回近傍の病変によるものと，後頭葉下面の紡錘状回から舌状回の損傷によって起こるものに分けられる．古典型では右同名半盲，色名呼称や色彩選択の障害を随伴することが多い．

2 原因と発生メカニズム

神経心理学的には，後頭葉（視覚系）と角回（文字言語中枢，あるいは異種感覚の連合を営む領域）の**離断**で説明されることが多い[1,2]．古典型純粋失読では，左後頭葉内側面と脳梁膨大部に病巣があり（図5-23），右視野からの視覚情報は左後頭葉内側部の損傷によって，また左視野の視覚情報は脳梁膨大部の損傷により，いずれの視野からの情報も左角回に伝わらないことが要因と考えられている．一方，左角回直下の白質病変や左側脳室後角の下外側病変[3]による非古典型純粋失読も，左右の視野からの情報が左角回に正常に届か

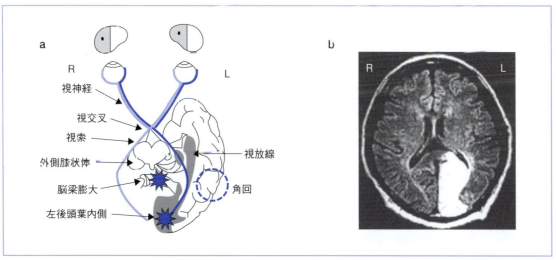

図 5-23　文字処理経路(a)と古典型純粋失読例(b)の MRI 画像
a：右視野からの視覚情報(濃い紫色)は左後頭葉内側部の損傷により，左視野の視覚情報(うすい紫色)は脳梁膨大の損傷により角回に伝わらない．
b：左後頭葉内側部から脳梁膨大に広がる梗塞巣が認められる．
〔今村恵津子：純粋失読例への視覚系全般を対象とした基礎訓練．竹内愛子(編)：失語症臨床ガイド．pp244-247，協同医書出版社，2003より〕

ないために生じると考えられる．

　古典型・非古典型純粋失読とも，左角回とその前隣にある運動覚中枢の左縁上回は保たれるため，文字をなぞったときの運動覚が左縁上回から角回に伝わり，なぞり読みが可能になるとされる．なぞり読みは仮名である程度可能であっても漢字では困難なことが多いが，これは漢字は画数が多いためとされる．一方，後頭葉下面の損傷による純粋失読は離断ではなく，損傷部位に伴う単語の視覚形態認知の困難が要因として想定されている．

　認知神経心理学では心的機能を情報処理過程として分析する．情報処理過程は，いくつかの独立した下位機能(モジュール)とそれらを結ぶ経路からなる認知モデルで表現される．認知神経心理学的による純粋失読の研究[4]では，文字の音韻化過程に，①個々の文字の視覚的分析システム visual analysis，②分析された文字列をひとまとりの単語として捉える視覚的単語形態システム visual word form，③単語の視覚形態をもとにその音韻情報を活性化する音韻システム phonological system[5]，の少なくとも3つのシステムが想定されている．純粋失読の原因には①の損傷を想定する**視覚障害説**[6]，①と②の離断によるとする**視覚文字離断説**[7]，②の損傷を想定する**視覚的単語形態システム障害説**[8]，②と③の離断による**視覚音韻離断説**[9]などが提唱されている．さらに，視覚障害説は，文字に限定されない視覚処理の全般的な低下を想定する立場[5]と，文字に特異的な障害と考える立場[6]に分かれる．

3　症状

　純粋失読は，重症度によって目立つ症状が異なる．重度例では1文字も読めないことがある．文字を指でなぞるなど運動感覚を介した「**なぞり読み**」(Schreibendes Lesen シュライベンデス・レーゼン)が可能なことがある．これを**運動覚促通** kinesthetic facilitation ともいう．中等度の例では，1文字の音読は可能だが音読潜時が長くなる．文字列の音読が困難で，語末に近づくにしたがって音読正答率が低下する．軽度例では文字列

の音読も可能だが，MAKE を /em, ei, kei, i,…meik/，青春を /ao, haru, …, seisyuN/，ひまわり→ /hi, ma, wa, ri/ といったような逐字読みが出現する．文字数の多い語ほど音読潜時や音読時間が長くなる，いわゆる**語長効果**が顕著である．英語話者では，1文字増加するごとの音読潜時の遷延時間は，健常成人が 10〜30 ms，半盲のみを伴う症例が 200 ms であるのに対して，純粋失読例では 200 ms〜数 sec という報告がある．日本語の場合，仮名文字列では健常成人が 10〜70 ms，視野障害例が 200 ms 程度，純粋失読例では 500 ms〜数 sec という報告がある（図 5-24）．

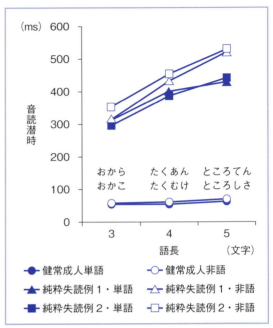

図 5-24　健常成人および純粋失読例の音読潜時における語長効果

〔伏見貴夫，呉田陽一，伊集院睦雄，他：「仮名は 1 文字ずつ読む」のか？．第 6 回認知神経心理学研究会，2003；金子真人，伏見貴夫，宇野彰，他：軽度失読症例の仮名文字列音読における語長効果．第 8 回認知神経心理学研究会，2005 より作成〕

4　評価・診断

重〜中等度の純粋失読例では，総合的失語症検査において，音読や読解だけが障害された特徴的なプロフィールがみられることがある．呼称障害を伴うような場合は，重症度が等しい失語例の平均的なプロフィールなどと比較するとよい（図

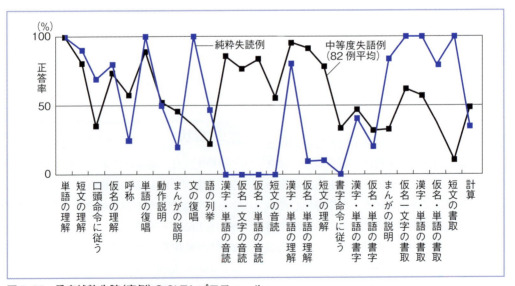

図 5-25　重度純粋失読（事例）の SLTA プロフィール

〔Kashiwagi T, Kashiwagi A：Recovery process of a Japanese alexic without agraphia. Aphasiology 3：75-91, 1989；日本高次脳機能障害学会 Brain Function Test 委員会：標準失語症検査マニュアル 改訂第 2 版．新興医学出版社，2006 より作成〕

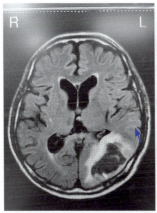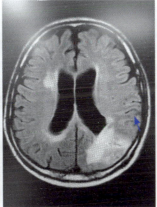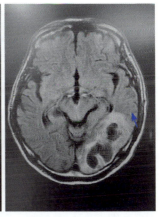

図 5-26　重度純粋失読(事例)の頭部 CT 画像
左紡錘状回と舌状回の一部を含む後頭葉から,中・下側頭回,頭頂葉にかけて出血巣を認める.

5-25).図の例では読解と音読に加えて,呼称・まんがの説明・漢字単語の書字・仮名単語の書字が失語例に比べて低い.このような例では,物品を提示して視覚呼称と触覚呼称の成績差をみるとよい.また,標準高次視知覚検査は,視覚性失認や視覚失語など,純粋失読に隣接する症状との鑑別に有用である.

軽度例では,標準失語症検査や標準高次視知覚検査では検出できないくらいの読みの遅さが中心症状となる.文字数を操作した課題で語長効果を検討する必要がある.語長効果が 1 文字あたりの音読潜時が数 sec 程度である比較的重度の症例の場合はストップウォッチでも速度を測定できるが,数 100 ms 程度のきわめて軽度の例ではコンピューターによる測定が望ましい.

5 訓練・指導・支援

重～中等度例の訓練としては,なぞり読みや空書,写字による,仮名,漢字の音読の改善が報告がされている.改善の機序としては,ほかの動きを行わせて指の動きを阻害すると効果が減少することから,訓練によって運動心像を介したバイパス経路が活用されるようになったためとする説[10]や,訓練後に 200 ms の提示における 1 文字の音読に改善がみられたことを根拠に,視覚心像を介する経路そのものが改善されたとする説[11]がある.比較的軽度の症例に対しては,仮名単語をカードに書いて提示し,できるだけ早く読むように求めるフラッシュカード方式での訓練と,MOR (Multiple Oral Reading) 法,すなわち時間を計測しながら文章を反復して音読する方法を用いた訓練が試みられている[12].

6 事例:重度純粋失読

54歳,男性,右利き,大学卒,公務員.意識レベルの低下があり,救急搬送され,頭部 CT にて脳出血と診断された(図 5-26).過去に 2 回脳出血を発症したが,後遺症はなく復職していた.今回の病巣は左紡錘状回と舌状回の一部を含む左後頭葉から中・下側頭回,頭頂葉で,右視床に微細な陳旧性血腫の吸収巣がみられた.仕事で文字言語を日常的に多用していたが,発症後,漢字も仮名も読めなくなった.また,漢字の想起困難を認めた.自分で書いた文字でも少し時間がたつと音読できないという典型的な症状がみられた.ひらがな,カタカナはある程度なぞり読みが可能であった.SLTA の呼称は 18/20 正答で,ごく軽度の呼称障害を認めた.色名呼称にも困難がみら

れた．右同名半盲を基盤とした右不注意所見がみられたが改善し，発症1か月後に自宅退院した．訓練は仮名のなぞり読みから開始し，約2か月間，音読を中心とした言語聴覚療法を実施，病前に比べて時間はかかるが，3～4文節文程度の音読が可能となった．周囲の理解も得て，復職を果たした．

引用文献

1) J. デジェリーヌ（著），鳥居方策（訳）：異なる2種類の語盲に関する解剖病理学的ならびに臨床的研究への寄与．〔秋元波留夫，大橋博司，杉下守弘，他（編）：神経心理学の源流 失語編 上．pp331-354，創造出版，1982〕
2) Geschwind N：Disconnection syndromes in animals and man. Brain 88：237-294, 585-644, 1965
3) 河村満：非古典型純粋失読．失語症研究 8：185-193, 1988
4) Behrmann M, Plaut DC, Nelson J：A literature review and new data supporting an interactive account of letter-by-letter reading. Cogn Neuropsychol 15：7-51, 1998
5) Farah MJ, Wallace M：Pure alexia as a visual impairment：A reconsideration. Cogn Neuropsychol 8：313-334, 1991
6) Miozzo M, Caramazza A：Varieties of pure alexia：The case of failure to access graphemic representations. Cogn Neuropsychol 15：203-238, 1998
7) Patterson KE, Kay J：Letter-by-letter reading：Psychological descriptions of a neurological syndrome. Q J Exp Psychol 34A：411-441, 1982
8) Warrington EK, Shallice T：Word form dyslexia. Brain 103：99-112, 1980
9) Bowers JS, Bub DN, Arguin M：A characterization of the word superiority effect in a case of letter-by-letter surface alexia. Cogn Neuropsychol 13：415-441, 1996
10) Kashiwagi T, Kashiwagi A：Recovery process of a Japanese alexic without agraphia. Aphasiology 3：75-91, 1989
11) Seki K, Yajima M, Sugishita M：The efficacy of kinesthetic reading treatment for pure alexia. Neuropsychologia 33：595-609, 1995
12) 吉野眞理子，山鳥重，高間徹：純粋失読のリハビリテーション：単語全体読み促進を目指したフラッシュカード訓練とMOR法による検討．失語症研究 19：136-145, 1999

D 純粋失書

1 基本概念・症状

　純粋失書は，失行，失認，失語などの神経心理症状を欠き，ただ書字障害のみが孤立してみられる病態を指す[1]．

　書字は言語機能のなかで最後に獲得する能力であり，習得には教育と意図的な努力を必要とする．文字の習得には教育環境が重要であることは，世界には現在でも識字率が90％にも満たない国があることからも理解できる．そして習得した文字を書き続け習熟する必要がある．また，書字習慣も人によってさまざまである．実務で書字を頻繁に行う人，趣味で書道や俳句を行っている人，日常生活のなかでは字を書くことはほとんどない人など，病前に書字にどの程度精通していたかは個々人によってさまざまである．

　書字には多くの能力を必要とする．言語的能力はもちろんのこと，運動，感覚，視空間認知などさまざまな能力を総動員する最も難易度の高い言語作業であると言える．

　このように，書字は難度の高い複雑な能力であることから，知的能力や注意機能の低下が書字の誤りとして出現することが多い．Chedruら[2]は純粋失書の多くは急性錯乱状態のために出現しているとも述べたほどである．現在では，純粋失書は大脳の局所損傷によって生じる巣症状であることが知られているが，臨床場面では，巣症状であることのみならず知能，注意，意識，などのわずかな低下が書字に影響を与えうると理解していなければならない．

　書字障害には，純粋失書のほか，各種の神経心理症状に合併して見られるものもある．これらは，特徴的な書字の誤りが目立つものの，発現機序はあくまでその書字障害を引き起こしている神経心理症状であることに留意しなければならな

い．失書の種類について表 5-4 に示す．

山鳥は，書字障害を ①文字想起・文字選択の水準，②文字実現の水準，③文字選択，文字群配列の水準，に分類している．大槻は，この水準をもとにして，書字障害の特徴と責任病巣について考察している[3,4]．

2 病変部位・発症メカニズム

大槻[3,4]による純粋失書の責任病巣と書字障害の特徴は以下のとおりである．

1）左中前頭回後部

この領域は従来 Exner の書字中枢と呼ばれてきた場所で，わが国では仮名の錯書がその特徴とされている[5]．大槻[4]はさらに，この領域の損傷による仮名の誤りは，1 文字 1 文字を分離して書くと正しく書けるが，単語など複数の文字を書くときに生じる順序置換であることを指摘した．これは，複数文字のなかでの文字の配列の水準の障害にあたる．

2）左上頭頂小葉

この領域の損傷でみられる書字障害の特徴は筆順異常，文字形態の崩れで，これは漢字，仮名の双方にみられる．大槻[4]はこの書字障害を失行性失書 apraxic agraphia と呼び，表 5-4 に示した失行ゆえに生じる失書のような，広義の「失行性失書」とは異なるとしている．本来の失行は伴わず，また文字の形態や筆順は正しく口述できるのに正しい筆順でかけないとし，文字形態や筆順の「知識」の障害ではなく，書字運動の遂行に関する障害であるとしている．

3）左角回〜側頭葉

この領域の損傷による書字障害はいわゆる頭頂葉性の失書で，報告例は仮名優位の障害のものが多いが，漢字の障害も認められることが多い．誤り特徴としては文字想起困難を呈する場合が多

表 5-4 失書の種類

失語性失書	失語症に伴って生じる．失語症の特徴を書字にも出現する．認知神経心理学的には，表層失書，音韻失書，深層失書があげられる
失行性失書	失行のため文字形態の実現が障害される
構成失書	文字を構成する線分を文字に統合できない
空間性失書	右半球損傷による半側空間無視や構成障害に伴って生じる
離断性失書	脳梁離断により生じる左手の一側性の失書

い．しかし，文字形態を詳細には想起できなくとも，大まかなイメージを口述する場合も少なくない．大槻[4]は，独自に行った操作課題（頭の中に幾何学的な形態を想起し，それを操作・把持して文字情報として照合する課題．例：「縦に三本の線」→川）の成績が，この領域の損傷による純粋失書例はほかの領域の損傷群に比して優位に低下していることを示し，この領域は想起した文字形態の操作や，書字運動につなげるまでの把持に関与していると述べている．

4）左側頭葉後下部

この領域の損傷で生じる書字障害は，漢字が仮名より成績不良である．漢字の誤りは無反応が多い．ブロードマンの 37 野に相当する紡錘状回・下側頭回は，単語の形態イメージが蓄えられていると考えられる．視覚性単語形態領野 visual word form area に相当する領域とも考えられる[6]．この領域が損傷されると，仮名よりもより形態が複雑な漢字にその障害が顕著に出現すると考えられる．

5）左前頭葉内側面

この領域の損傷で失語を伴わない純粋失書の報告例はまれながらあるものの，特徴や発現機序は明らかではない．

6）視床

視床損傷による失書では，その障害は漢字，仮名の双方にみられ，誤反応は無反応，置換，省略，形態性錯書などさまざまである．失書を引き起こした視床核として報告されている背内側核（DM核）は前頭前野と，後外側腹側核（VPL核）は体性感覚野と，外側腹側核（VL核）は運動関連領域と，それぞれ連絡を有している．これらの視床核の損傷により，投射先の大脳皮質機能が二次的に低下した可能性が考えられる[7]．

以上を踏まえ，大槻[3,4]は書字の神経機構を図5-27のようにまとめている．これによると，文字形態は左側頭葉後下部近傍で想起され，その情報は角回や頭頂葉で顕在化する形態情報として把持され，書字運動へと変換され，上頭頂小葉で書字運動プログラムが発動される．左中前頭回後部は，複数文字の選択，配列，および効率のよい書字遂行のための後方領域へのアクセスの指南などを行っているとされる．一文字水準の過程に関与する後方領域と，複数文字の水準に関与する前頭葉が相互にかかわり書字が遂行されると考えられる．

近年では，失語，失行，失書などを伴わずキーボード打ち（タイピング）にのみ障害を呈する失タイプ[8]が報告されている．報告例の多くは左前頭葉，特に中前頭回が病巣に含まれるものが多い．機能画像研究においても，この領域がタイピングに関与していることが示唆されている[5]．文字を選択，配列し「文字を表出する」という機能は，書字においてもタイピングにおいても共通すると考えられる．

3 評価・診断

書字は，前述のとおり，複雑で高度な認知過程であり，教育歴や病前の環境，書字習慣，また発症後の意識・注意レベル，運動・感覚機能，視空

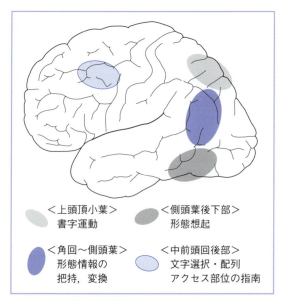

図5-27 書字の神経機構
〔大槻美佳：書字の神経機構．臨床神経学 46：919-923, 2006／大槻美佳：書字の神経機構．岩田誠，河村満（編）：神経文字学, pp179-200, 医学書院, 2007を改変〕

〈上頭頂小葉〉書字運動
〈側頭葉後下部〉形態想起
〈角回〜側頭葉〉形態情報の把持，変換
〈中前頭回後部〉文字選択・配列アクセス部位の指南

間・構成などその他の認知機能の状態に大きく左右される．症例の書字の誤りがこれらの要因によるものではないかを丁寧に検討する必要がある．

書字能力の評価は，①漢字と仮名，②自発書字と書き取り，③一文字，単語，文レベル，の側面から検討する必要がある．①における漢字の評価は，小学校1〜6年生までの教育漢字を用いる場合が多い．仮名については，③の書字単位についての検討を忘れてはならない．また拗音，長音，発音などの特殊表記についても検討する必要がある．実際に，仮名の特殊表記にのみ障害を呈する症例も存在する[1]．

書字の誤りを，長谷川[9]は，「無反応」「部分反応」「存在字近似反応」「置換」「新作文字」「保続」に分類した．無反応は想起困難を，部分反応や存在字近似反応は不十分な文字形態の想起を，置換は文字選択の誤りを反映していると考えられ，このような分析は障害の発現機序の理解や訓練手技の選択に有用である．

成人の脳損傷後に用いる書字検査として標準化

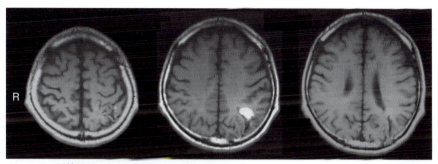
図 5-28　純粋失書(事例)の MRI T1 強調画像

された検査はない．SLTA や WAB 失語症検査，SALA 失語症検査に用いられている検査語にて評価するほか，症例が病前書いたものなどを参考に，症例にとって書字可能であった文字，再獲得しなくてはならない文字を検討する必要がある．

4　訓練・指導・支援

訓練手技は，症例の誤りの発現機序を踏まえたうえで実施することが望ましい．毛束[10]は，文字形態の実現の段階に障害のある失行性失書例に対し，類似した書字運動から目標文字を導く方法を用いて訓練効果を認めた．小嶋[11]は，仮名に優位な書字障害を呈した症例に対し，キーワード訓練法を用いて音韻―文字連合を強化し，訓練効果を得た．

最近では，携帯電話やタブレットなどタッチパネルを搭載した IT 機器で書字練習を行うことも少なくない．アプリケーションを起動すると，画面に文字が映し出され，症例はそれを直接なぞることで書字運動パターンを学習することができる．また，文字形態の想起困難が強く，多くの文字が書けない場合でも，IT 機器の音声認識装置を用いて文字想起を補助することが可能な場合も多い．

5　事例：純粋失書

60 歳代，男性，右利き，大卒，元事務職．駐車場で車の右側をぶつけた．近医を受診し，脳出血の診断で保存的治療がなされた．約 2 か月後に当院に入院した．入院時は軽度喚語困難，失書，失算，構成障害，視覚性運動失調，軽度の右半側空間無視を認めた．発症 5 か月の MRI T1 強調画像を図 5-28 に示す．左角回皮質下から頭頂間溝にかけての領域に出血痕を認める．発症当初は左頭頂葉皮質下のさらに広い領域に出血を認めた．

発症 2 か月の SLTA プロフィールを図 5-29 に示す．語列挙と書字項目で得点低下がみられた．書字障害について，漢字，仮名の双方に障害を認めたが，特に漢字で顕著だった．字形は病前と変化はないとのことで，写字は良好だった．図 5-30 に症例の書字を提示する．漢字，仮名ともに，似た形態のものを書いては修正する様子が顕著で，文字形態が十分に想起できない様子がうかがえた．

仮名一文字の書き取りは 50/68 正答で，誤りは形態の似たほかの仮名への置換が多かった．また，「『きゅ』は『き』に『ゅ』と書くけど，『き』も『ゅ』も書けない」と口述するなど，書き出せない文字でもその知識は保存されていると思われた．

漢字の書き取りは，各学年の教育漢字で，1 年生 5/10，2 年生 2/10，3 年生 4/10，4 年生 0/10，5 年生 2/10，6 年生 1/10 正答と，低学年の教育漢字も書けないことが多かった．漢字も仮名と同じように，似た形態を書いては修正することが多かった．まったく書き出せない文字でもほかの読み方を答える（「希望のボウはのぞむ」），また「へん」と

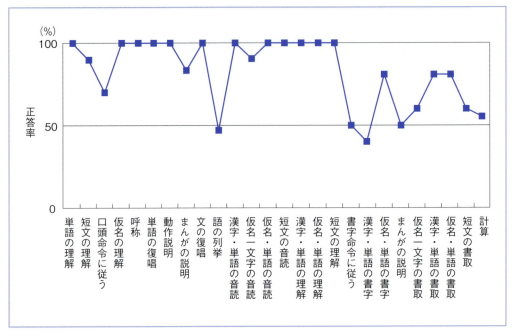

図 5-29　純粋失書（事例）の SLTA プロフィール（発症 2 か月時）

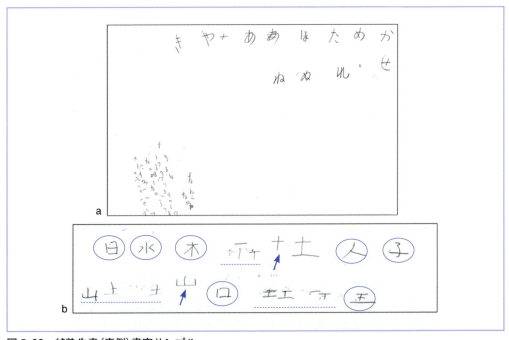

図 5-30　純粋失書（事例）書字サンプル
a：仮名一文字の書き取り．紙面の左下は症例が文字を想起しようと試行錯誤しながら書いたもの．
b：漢字の書き取り．○で囲んだ漢字は正答したもの．矢印は ST によるヒント．破線は患者が文字を想起しようと試行錯誤しながら書いたもの．

「つくり」を提示すると正しく組み合わせることができる，など，文字に関する知識は保存されていると思われた．

以上から，本症例の失書は，文字の知識は保たれ，想起もできているが，その文字を書字運動につなげるまでの操作・把持になんらかの障害があると思われ，頭頂葉性の失書と考えて矛盾はないと思われた．

退院後は辞書で漢字を調べながら日記を書く，などの練習を継続した．退院時には小学1,2年生漢字単語の書き取りは8/20正答だったが，2か月後（発症半年）には17/20正答まで改善した．

引用文献

1) 山鳥重：神経心理学入門．pp210-216．医学書院，1985
2) Chedru F：Writing disturbance in acute confusional states. Neuropsychologia 10：343-353, 1972
3) 大槻美佳：書字の神経機構．臨床神経学 46：919-923, 2006
4) 大槻美佳：書字の神経機構．岩田誠，河村満（編）：神経文字学，pp179-200，医学書院，2007．
5) 東山雄一：前頭葉病変による読み書き障害．神経心理学 32：278-289, 2016
6) 櫻井靖久：読み書き障害の基礎と臨床．高次脳機能研究 31：25-32, 2010
7) 前島伸一郎：視床病変による読み書き障害．神経心理学 32：322-332, 2016
8) Otsuki M：Dystypia：Isolated typing impairment without aphasia, apraxia or visuospatial impairment. Eur Neurol 47：136-140, 2002
9) 長谷川啓子：頭頂葉性純粋失書の書字障害の分析—2例での検討．聴能言語学研究 6：28-34, 1989
10) 毛束真知子：音声言語の障害を伴わない書字障害：書字の運動的側面の障害—失行性失書・運動感覚の障害による書字障害．竹内愛子（編）：シリーズ言語臨床事例集 第2巻 失語症周辺領域のコミュニケーション障害，pp110-142, 学苑社，2002
11) 小嶋知幸：順位失書例における仮名書字訓練—シングルケース・スタディによる訓練法の比較—．失語症研究 11：172-179, 1991

E 失読失書

1 基本概念

失読失書には「失語を伴わない失読失書」と「失語を伴う（失語性の）失読失書」があるが，ここでは前者のものを扱う．ただし，臨床的には失語症状をまったく認めないというより，失語症の程度に比して読み書きの障害がはるかに大きく，読み書きの障害を失語症では説明できないと考えられるものである．このような失読失書には**角回型**と**側頭葉後下部型**の2種類があると考えられている．

2 原因と発生メカニズム

左角回が話し言葉の機能とは独立した読み書きの中枢であるとしたDejerine[1,2]の説を受け，Geschwind[3]は角回を視覚，聴覚，体性感覚の連合野をさらに統合する「連合野の連合野」であると位置づけた．角回が視覚的処理を要する文字形態情報と聴覚的処理である音韻情報を統合させる機能をもち，この部位の障害によって失読および失書症状が生じると考えた．

一方で，わが国では角回病変による失読失書の報告が少なく，角回では漢字の障害が軽いとの議論もある[4,5]なかで，漢字に選択的な失読失書が左側頭葉後下部の損傷で生じるとの報告がある[6,7]．その後の症例の蓄積とPETを用いた賦活研究[8,9]で，漢字の読み書きに左下側頭回，紡錘状回の側頭後頭移行部の皮質および白質が重要であることが指摘された．視覚的形態的処理あるいは意味処理をより必要とする漢字語の処理に，この領域がかかわっていると考えられる[10]．

3 症状

角回型は，漢字，仮名ともに障害されるが，読みについては仮名に障害が強い場合が多い．単語に比べ1文字の読みが悪い傾向がある．軽度の場合は文レベルで障害が目立つ．純粋失読と異なりなぞり読みの効果はない．書字については漢字の障害が強いとされ，錯書や文字想起困難による誤りが多い．写字は良好である．失読より失書のほうが強く，失書のほうが残存しやすい．呼称障害

や軽度聴覚的理解障害を伴うことがある．病巣が角回より前方に伸びると口頭言語の障害を合併し，より失語症状が強くなる傾向にある．

側頭葉後下部型は，急性期には仮名も障害されることが多いが，漢字の読み書き障害がより顕著である．読みに関して，仮名は**逐字読み**の傾向があり[11]，まとまりとしての単語形態を捉えにくい．漢字でも，日本→「上はヒ，下はホン，合わせるとわからない」のように熟語を構成する各1文字が読めても熟語は読めず，読解も困難である[12]ことがある．なぞり読みの効果はない．漢字では心像性や親密度の高い語，あるいは画数が少なく視覚的複雑性の低い語が音読されやすい傾向にある．錯読は，**視覚性錯読**(毛→手)[13]，**意味性錯読**(象→イノシシ)[7]，**視覚性意味性錯読**(石油→軽油)，**部分読み**(道楽→ミチ…，森→木[7]，鉢→金に本[13])などがみられ，具象語では意味性錯読，より抽象的な語では部分読みや無反応が増加する．書字についてはおおむね読みに対応するが，特に漢字書字は障害が残りやすい．漢字では文字想起困難が著明である．写字はおおむね可能であるが，複雑な文字では拙劣さや筆順の誤りがみられることがある．呼称障害を伴うことが多い．

4 評価・診断

事前に学歴や読字・書字習慣の有無および視力や視野障害，意識障害，注意障害，半側空間無視，構成障害の有無について確認する．まずは総合的失語症検査を行い，聴く，話す，読む，書くの4モダリティの成績のバランスをみる．音声言語と並行した失読・失書症状がみられるのであれば失語性の失読失書と考えられるが，音声言語面は比較的保たれているが失読と失書の症状がほぼ同程度に不良であれば失読失書が疑われる．失読症状に比し書字能力が保たれているのであれば純粋失読，書字能力のみ低下しているのであれば純粋失書が疑われる．失読失書では音読できれば読解でき，音読と読解が並行することが多い．

さらに，読み，書きについて1文字，単語，短文，文章のレベルで精査する．1文字と単語，単語と短文〜文章，漢字と仮名，単語と非語などを比較する．単語の音読ではその属性に留意する．馴染みの深い語か否か(親密度)，心的イメージが浮かびやすい語かどうか(心像性)，単語か非語か(語彙性)，単語の長さが短いか長いか(語長)，画数が少ないか多いかなどによって読みの成績が異なることが多い．漢字と仮名の違いはこのような属性を考慮したうえで障害の程度を比較する必要がある．錯読や錯書の種類(意味性/視覚・形態性/音韻性)や読み方の方略(逐字読み，なぞり読み)に対する観察も診断に役立つ．

5 訓練・指導・支援

失読失書では，失語性のものと違って基本的に音声言語の障害は少なく，意味システムが良好であるので，良好な意味・音韻系を使って文字面にアプローチをする．読みのほうが書字よりも先に改善しやすいのでまず音読・読解の改善をはかる．角回性では特に仮名1文字の障害が強い場合があるので，仮名訓練(キーワード学習法)が用いられることが多い．特に呼称障害が少ない場合，キーワードの想起が容易であるので有効である．側頭葉後下部型では，仮名の障害は比較的早期に改善することが多いため，漢字の訓練が中心になる．絵を用いた読解課題，読解や音読がされやすいレベルの心像性や親密度の語を選択する，仮名音読経由で漢字読解を促進するなどの訓練が有効である．

6 事例：側頭葉後下部型失読失書

60歳代，男性，右利き，脳挫傷．視野障害，麻痺，記憶面の問題なし．失読失書と軽度の健忘失語が認められた．

【病変部位】発症2か月時のMRI画像では，病巣

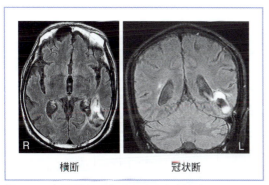

図 5-31　側頭葉後下部型失読失書(事例)の MRI 画像

は中〜下側頭回の皮質下，および下側頭回の皮質・皮質下であり，紡錘状回への進展はみられなかった(図 5-31)．

【症状】発症 2 か月時 SLTA では，呼称と漢字単語の音読・書字・書取における低下が目立った．非言語性課題ではレーヴン色彩マトリックス検査 26/36，コース立方体組み合わせテスト IQ 81，レイ複雑図形検査 模写 33/36，即時再生 14/36，遅延再生 14.5/36 と視覚性の検査で低下する傾向がみられた．抽象語理解力検査は聴理解 78% > 読解 44% であった．漢字 1 文字の実在字と非実在字の区別は可能だったが，漢字 2 文字単語と非語との語彙判断では低下がみられた．単語音読は，高親密高心像語ではひらがな語，カタカナ語はほぼ 100% 可能であったのに比べ，漢字語は 75% と低下していた．なぞり読みは有効ではなかった．漢字語では音読成績に親密度効果(高親密度語 71% > 低親密度語 29%)や心像性効果(高心像語 63% > 低心像語 38%)がみられ，一方，一貫性効果はみられなかった(一貫語 50%，典型語 26%，非典型語 68%)．漢字非語の正答率は 35% であった．漢字語の錯読反応は低親密低心像語に多く，無反応(秀才→ワカラナイ)や部分読み(皮肉→ナニニク？トリニク？)であった．高心像語では少数だが意味性錯読(石油→ガソリン？)がみられた．書字でも読みと並行した症状がみられたが，書字で画数が多い漢字で筆順を誤り図形的に写すなど写字レベルで低下がみられた．

【タイプ診断の要点】側頭葉後下部型失読失書の主症状は漢字の障害が強いとされるが，仮名の音読・書字も正常とはいえず，本症例でも 1 文字ずつ読んでいく逐字読みの方略が観察された．漢字語でも仮名語でも，高親密度語，高心像語であれば単語としての視覚処理やそれに続く意味処理が可能だが，そうでなければ単語全体をひとまとまりに捉えることに失敗し，1 文字ずつの処理となった．呼称や文レベルの聴覚的理解力の低下など軽度の失語症状も伴っていたが，それに比して失読失書が明らかに重篤であり，失読失書症例と考えられた．

【予後】本症例では，仮名については，1 文字の処理能力が上がることで音読や書取の成績は改善したが，単語をひとまとまりにして処理する能力の弱さは残り，逐字読みの方略はその後もみられた．視覚形態的に複雑である漢字の障害は重く，低親密度語や低心像語の読みや書字障害も強く残存した．

引用文献

1) Dejerine J：Sur un cas de cécité verbale avec agraphie, suivie d'autopsie. Compt Rend Séances Mém Soc Biol 3：197-201, 1891
2) Dejerine J：Contribution á l'étude anatomopathologique et clinique des différentes variétés de cécité verbale. Compt Rend Séances Mém Soc Biol 4：61-90, 1892
3) Geschwind N：Disconnexion syndromes in animals and man. Brain 88：237-294，585-644, 1965
4) Yamadori A：Ideogram reading in alexia. Brain 98：231-238, 1975
5) 山鳥重：失読失書と角回病変．失語症研究 2：236-242, 1982
6) Iwata M, Toyokura Y：Neural mechanism of alexia due to left cerebral hemispheric lesion. (abstr) Jpn J Med 21：308, 1982
7) 岩田誠：左側頭葉後下部と漢字の読み書き．失語症研究 8：146-152, 1988
8) 櫻井靖久：読字の脳内メカニズム．神経進歩 47：745-753, 2003
9) 櫻井靖久：健常成人における漢字単語・仮名単語の処理．笹沼澄子，辰巳格(編)：言語コミュニケーション障害の新しい視点と介入理論．pp305-319, 医学書院, 2005
10) 大槻美佳：書字の神経機構．岩田誠，河村満(編)：神

経文字学．pp179-200，医学書院，2007
11) 松田実：読字の障害 失読症．鹿島晴雄，種村純（編）：よくわかる失語症と高次脳機能障害．pp121-131，永井書店，2003
12) 松田実，生天目英比古，中村和雄，他：「手」と「紙」は読めても「手紙」は読めない―左側頭葉障害による漢字の失読失書の1例―．神経心理学 13：250-259，1997
13) 能登谷晶子，鈴木重忠，倉知正佳，他：左側頭葉後下部損傷による失読・失書の1例．神経心理学 3：244-250，1987

F 失読および失書への認知神経心理学的アプローチ

失語を伴う失読・失書について認知神経心理学では，表層失読・音韻失読・深層失読といった失読の症状と，表層失書・音韻失書・深層失書といった失書の症状が研究されてきた．ただし，失語を伴う失読と失書のすべてがこの3つのタイプに分類されるわけではないことには留意が必要である．

ここでは，読みに関する代表的なモデルである**二重経路モデル**（図5-32）について説明する．このモデルでは，音読に3つの経路を想定する．①**意味的語彙経路**は視覚特徴ユニット→文字ユニット→文字入力辞書→意味システム→音韻出力辞書→音素出力システム，②**非意味的語彙経路**は視覚特徴ユニット→文字ユニット→文字入力辞書→音韻出力辞書→音素出力システム，③**非語彙経路**は視覚特徴ユニット→文字ユニット→書記素-音素規則システム→音素出力システムである．①と②を合わせて**語彙経路**と呼ぶ．**規則語**は語彙経路，非語彙経路のいずれでも正しく読める．**例外語**は語彙経路では正しく読めるが，非語彙経路で処理されるとSWEAT→/swit/のように規則読みが誤って適用され**規則化錯読**となる．非語は非語彙経路で処理されれば規則的な読みが出力されるが，語彙経路で処理されると綴りが類似する単語に誤る**語彙化錯読**となる．健常成人では規則語・例外語・非語とも①〜③の3つの経路で並行して処理されるが，単語の出力は語彙経路が，非語の

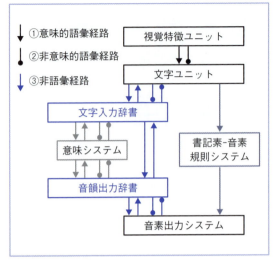

図5-32 二重経路モデル
〔伏見貴夫：シミュレーションモデルによるアプローチ．認知神経科学 8(1)：5，2006 より改変〕

出力は非語彙経路が強いため錯読が生じない．

書き取りにも3つの経路が存在し，①**意味的語彙経路**は聴覚的分析→聴覚入力辞書→認知システム→文字出力辞書→書記素力バッファー，②**非意味的語彙経路**は聴覚的分析→聴覚入力辞書→音韻出力辞書→文字出力辞書→書記出力バッファー，③**非語彙経路**は聴覚的分析→音素出力バッファー→書記出力バッファーである．音読と同様，規則語・例外語・非語とも3つの経路で並行して処理され，例外語では非語彙経路で**規則化錯書**が，非語では語彙経路で**語彙化錯書**が生じてしまうが，健常成人では最終的に正しい綴りが出力される．

1 表層失読と表層失書

a 基本概念

表層失読 surface alexia では規則語や非語の音読は保たれるが例外語が障害され，規則化錯読が頻発する．例外語の錯読は低頻度語で顕著で，高頻度の例外語の音読は比較的保たれる（図5-33）．書取も規則語や非語は良好だが，低頻度の例外語

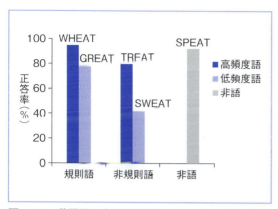

図5-33 英語圏の表層失読例における音読正答率
〔Warrington EK：The selective impairment of semantic memory. QJ Exp Psychol 27：635-657, 1975 より作成〕

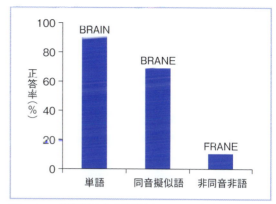

図5-34 英語圏の音韻失読例における音読正答率
〔Patterson K, Marcel A：Phonological ALEXIA or PHONO-LOGICAL alexia?. *In* Alegria J, Holender D, de Morais JJ, et al（eds）：Analytic approaches to human cognition. pp259-274, Elsevier Science Publisher, Amsterdam, 1992 より作成〕

で規則化錯書を示し，**表層失書** surface agraphia となる．障害は音読より書取が重度である．表層失読および表層失書は意味性認知症で多く観察されるほか，ヘルペス単純脳炎，頭部外傷など側頭葉損傷例に認められる．意味性認知症例は，読解・聴理解・呼称など語義が関与する課題だけでなく，線画連合 Pyramid and Palm Tree test（PPT，ヤシの木と松の木からピラミッドに関連の深い絵を選ぶ）などの意味記憶検査に障害を示す．

b 原因と発生メカニズム

ロゴジェン・モデルによる解釈では，非語彙経路が保たれたまま語彙経路が不完全に損傷されると，低頻度の例外語に規則化錯読が現れ表層失読が発現する．語彙経路の損傷にはいくつかのパターンがあるが，文字入力辞書の損傷を想定することが多い．しかし近年，意味性認知症例で表層失書が頻繁に観察されることから，意味記憶を担う認知システムそのものの損傷も重要視されている．

2 音韻失読と音韻失書

a 基本概念

音韻失読 phonological alexia では単語の音読は保たれるが，非語の音読が障害され，**語彙化錯読**が頻発する．非語のなかでも，文字の形態は非語だが音読すると単語となる同音擬似語（例：BRANE は BRAIN の同音擬似語）の音読は，音読しても非語となる非同音非語（FRANE）より良好な**同音擬似語効果**が観察される（図5-34）．復唱は良好なことが多いが，**音素削除**（/gip/ を聞いて /ip/ と言う）や，**音素結合**（/g/ と /ip/ を聞いて /gip/ と言う）など，文字を用いない音韻課題でも単語に比べ非語に強い障害が現れる．書き取りでも非語に顕著な障害を示し，**音韻失書** phonological agraphia となる．概して失書は失読より重度である．読解・呼称・数唱なども障害される．

b 原因と発生メカニズム

ロゴジェン・モデルによる解釈では，語彙経路が保たれたまま非語彙経路が損傷されると音韻失読が出現する．同音擬似語では非語彙経路による

音素出力バッファーの不完全な活性が，音韻出力辞書との相互作用により補強されるため，非同音非語に比べ保たれる．従来は非語彙経路における書記素音素変換規則が損傷されると考えられていたが，近年，音韻失読例の多くで文字を用いない音韻課題での障害が報告され，音韻失読の背景に全般的な音韻障害も想定されるようになってきた．ロゴジェン・モデルでは，音素出力バッファーや音韻出力辞書が音韻機能を担うモジュールである．

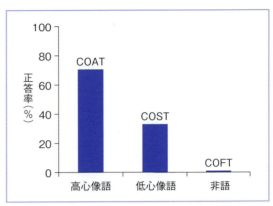

図 5-35　英語圏の深層失読例における音読正答率
〔Caramazza A：Where do semantic errors come from?. Cortex 26：95-122, 1990 より作成〕

3　深層失読と深層失書

a　基本概念

　深層失読 deep alexia では音韻失読と同様に非語の音読が障害されるが，単語の音読も障害され，意味性錯読や視覚性錯読などが頻発する．また，成績が高心像語＞低心像語となる**心像性効果**（図 5-35）や，具象名詞＞抽象名詞＞形容詞＞動詞＞機能語＞非語となる**品詞効果**が現れる．意味が想起されにくい文字列ほど音読しにくいともいわれる．読解・呼称・数唱なども障害される．音韻失読の音読でも心像性効果が若干現れることがあり，意味性錯読の有無が深層失読と音韻失読の鑑別規準とされる．しかし，両者を音韻障害の重症度が異なる同一の症候群とする考えもあり，深層失読が軽減し音韻失読に移行する症例も報告されている．書取でも単語，非語ともに障害が現れ，音読と同様に具象性効果，品詞効果，語彙性効果がみられる．また，意味性錯書がみられ**深層失書** deep agraphia となる．通常，失書は失読より重度である．

b　原因と発生メカニズム

　二重経路モデルやロゴジェン・モデルによれば，深層失読例は，非語彙経路はほぼ完全に障害されているため非語音読ができない．また，非意味的語彙経路も強く損傷されており，単語の音読成績も低下する．さらに，意味的語彙経路の機能も不完全で，意味性錯読や心像性効果が現れる．視覚性錯読は意味的語彙経路において，文字入力辞書から意味にアクセスする際に生じ，低心像語で生じやすい．意味性錯読は中程度の心像性をもつ語で頻繁に出現し，意味システムから音韻出力辞書へのアクセス過程で生じる．

4　日本語話者の場合

　かつては英語の規則語には日本語の仮名語が，英語の例外語には漢字語，非語には仮名非語（例：はさり）が該当するとされたが，近年では漢字・仮名という表記の次元と，規則語・例外語・非語といった語属性の次元を独立に考える説が主流である[1]．漢字の一貫性が英語の規則性に相当し，**一貫語**（「銀貨」のように読みが１つしかない漢字で構成される）や**典型語**（「経由」のように個々の文字には複数の読みがあるが典型読みが正答となる）は英語の規則語に，**非典型語**（「寿命」のように典型読み以外の読みが正答となる）は例外語にそれぞれ相当する．また，漢字は実存しない組み合わせを作ることにより，非語や同音擬似語を作成できる．仮名については，通常仮名で書かれる仮名語，「おうえん，オウエン，おウえん」のよう

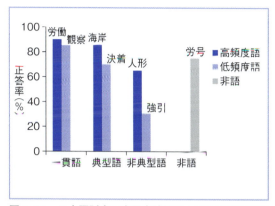

図 5-36 日本語話者の表層失読例における音読正答率
〔Fushimi T, Komori K, Ikeda M, et al : Surface dyslexia in a Japanese patient with semantic dementia : Evidence for similarity-based orthography-to-phonology translation. Neuropsychologia 41 : 1644-1658, 2003 より作成〕

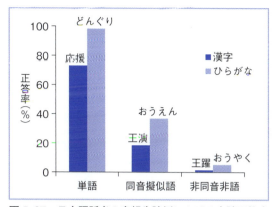

図 5-37 日本語話者の音韻失読例における音読正答率
〔伏見貴夫, 伊集院睦雄, 辰巳格：漢字・仮名で書かれた単語・非語の音読に関するトライアングル・モデル(1). 失語症研究 20：115-126, 2000 より作成〕

に通常とは異なる表記で書かれた同音擬似語(ただし,「おうえん」や「オウエン」を同音擬似語とすることには異論もある),「おうやく, オウヤク, オウヤク」など文字形態も音韻形態も非語となる非同音非語がある. 一方, 心像性や語彙性は表記にかかわらない変数で, 高心像語・低心像語・非語の組み合わせは漢字でも仮名でもありうる. 以上の仮説に基づいてさまざまな検査が作成され, 失読症状の詳細が報告されている.

a 基本概念

表層失読では, 漢字について**一貫性**(一貫語, 典型語, 非典型語)と**頻度**(高頻度語, 低頻度語)を操作した課題を実施すると, 一貫語＞典型語＞非典型語の順で成績が低下し, その傾向は低頻度語でより顕著となる(図 5-36). 非典型語では「場合→じょうごう, 強引→きょうびき」のような読み誤りが頻発する. 低頻度非典型語に比べると非語音読の成績は良好である. 読解だけでなく, 聴覚的理解, 喚語, 非言語的意味課題の成績低下を伴うことが多く, 意味そのものの障害が疑われる.

音韻失読では, 仮名だけでなく漢字の文字列でも音読成績が単語＞同音擬似語＞非同音非語となることが報告されている(図 5-37). 非同音非語

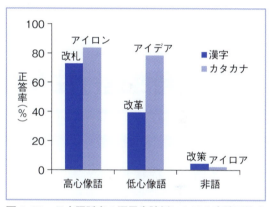

図 5-38 日本語話者の深層失読例における音読正答率
〔Sato H, Patterson K, Fushimi T, et al : Deep dyslexia for kanji and phonological dyslexia for kana : Different manifestations from a common source. Neurocase 14：508-524, 2008 より作成〕

では語彙化錯読が認められる. また, **モーラ抽出検査, 拍結合課題, 拍削除課題**などの文字を用いない**音韻課題**の成績も低下する. 音韻も単語に比べ非語が不良で, 語彙性効果が認められる.

深層失読では仮名, 漢字ともに非語の音読が強く障害される. 単語では**意味性錯読**と**視覚性錯読**が現れる. 仮名, 漢字の双方に心像性効果, 語彙性効果が現れる(図 5-38). 音韻失読例同様, 文字を用いない音韻課題に障害を示す.

b 原因と発生メカニズム

二重経路モデルでは，非語彙経路からは仮名の読みと漢字の典型読みが出力され，語彙経路では表記にかかわらず単語の読みが出力されると考えられる．語彙経路において，非意味的語彙経路の処理効率は頻度や親密度に影響され，意味的語彙経路の処理効率は心像性の影響を受けると想定される．

このようなモデルを想定した場合，例えば文字入力辞書の損傷などによって語彙経路が損傷されると，非語彙経路が処理できる仮名の単語や非語，漢字の一貫語や典型語，漢字非語は良好な一方で，漢字の非典型語が低下する表層失読が現れる．一方，非語彙経路が損傷されると，残存する語彙経路によって，仮名も漢字も単語の音読は可能だが，非語の音読ができない音韻失読が現れる．深層失読は，非語彙経路の損傷に加え，非意味的語彙経路も大きく損傷され，残存する意味的語彙経路による音読が顕在したものと考えられる．一般的には，意味的語彙経路も若干損傷されていると想定されるため，心像性効果や意味性錯読が出現すると考えられる．

引用文献

1) 伏見貴夫，伊集院睦雄，辰巳格：漢字・仮名で書かれた単語・非語の音読に関するトライアングル・モデル(1)．失語症研究 20：115-126, 2000

11 原発性進行性失語（進行性失語）

A 基本概念・症状

原発性進行性失語 primary progressive aphasia（PPA）とは，脳の器質的変性を原因とし，失語症が潜行性に発症して緩徐に進行する臨床症候群である．発症時および病初期は失語症のみが目立ち，全般的な認知機能低下はない，あるいは軽度の低下があってもそれでは説明できないような，言語に特化した障害が前景に立つ．しかし，のちに言語以外の認知機能も低下をきたしてくる．疾患の進行に伴い，最終的には全般的な認知症に進展する．

脳変性疾患によって失語症を呈した症例は，古くから報告されてきた．しかし，PPA が注目される契機となったのは，1982 年の Mesulam らの症例報告である[1]．この論文において，左シルヴィウス裂周囲の限局的神経変性によって，全般的な認知機能低下は伴わずに，失語症のみが緩徐進行性に進行した複数の症例が報告され，緩徐進行性失語 slowly progressive aphasia（SPA）と名付けられた．なお，緩徐進行性失語という呼び名はその後，原発性進行性失語（PPA）に変更された．

Mesulam らは PPA を変性性失語症と捉えたが，これとは別に，PPA を前頭葉および側頭葉前方に萎縮を示す認知症の枠組みで捉える流れが存在した．代表的なマンチェスター大学のグループは，前頭・側頭葉に萎縮をきたす認知症をアルツハイマー病と区別して**前頭側頭葉変性症** frontotemporal lobar degeneration：FTLD）とよび，そのなかに PPA を位置付けている．この立場では，FTLD は前頭側頭型認知症，**進行性非流暢性失語** progressive nonfluent aphasia（PNFA），**意味性認知症** semantic dementia（SD）に分類され，進行性非流暢性失語と意味性認知症が PPA に該当する．その後，2011 年に Gorno-Tempini

らによってPPAの国際臨床診断基準が発表され，国際的に広く受け入れられてきている[2]．

2011年の国際臨床診断基準（表5-5, 6）では，2段階に分けて診断を行うこととされた．

この基準においては次の点に注意を払う必要がある．まず，病初期において，失語が「最も顕著な」障害であるということは，逆にいえば，最も顕著でなければ失語以外のほかの症状が出現していてもよいということである．一方，除外基準にあるように，初期におけるエピソード記憶や視覚性記憶障害，視知覚障害，明らかな行動異常が出現していてはいけないということになる．さらに，Gorno-Tempini[2]より，明らかなパーキンソン症状がある場合，痙攣性発声障害やパリラリア（同語反復）が認められた場合にも，PPAからは除外される．しかし，軽度の四肢の失行，指の巧緻運動障害といった拙劣症や肢節運動失行とされる症候は容認され，これらの症状を伴っていてもPPAから除外する必要はない．

次に，この診断基準と分類法で提起されているPPAの3型とその症状について概説する．

1 非流暢/失文法型原発性進行性失語

非流暢/失文法型原発性進行性失語（非流暢/失文法型PPA）nonfluent/agrammatic variant PPA（nfvPPA/naPPA）は，マンチェスター・グループにおける進行性非流暢性失語に相当する．診断基準における中核症状として，①言語産生における失文法，あるいは②発語失行のどちらかがあるこ

表5-5 原発性進行性失語（PPA）の診断基準

包含基準：1〜3の基準を満たさなければならない
1. 最も顕著な臨床症状は言語の困難さである
2. 言語の障害が日常生活における障害の主たる原因である
3. 発症時および病初期において失語が最も顕著な障害である

除外基準：PPAの診断のためには1〜4の基準が否定されなければならない
1. ほかの非変性性神経系障害または医学的疾患により障害パターンがよりよく説明される
2. 精神科的診断により認知障害がよりよく説明される
3. 初期に明らかな異常がみられるエピソード記憶障害，視覚性記憶障害，視知覚障害がみられる
4. 初期から明らかな行動異常がみられる

〔Gorno-Tempini ML, et al：Classification of primary progressive aphasia and its variants. Neurology 76：1006-1014, 2011 より改変〕

表5-6 PPA各タイプの臨床診断基準

	non-fluent/agrammatic variant PPA （非流暢/失文法型）	semantic variant PPA （意味型）	logopenic variant PPA （ロゴペニック型）
必須条件	次の中核症状の1個以上を呈している 1. 言語産生における失文法 2. 一貫しない語音の誤りと歪みを伴う努力性で停滞する発話（発語失行）	次の中核症状の両方を呈している 1. 呼称の障害 2. 単語の理解障害	次の中核症状の両方を呈している 1. 自発話および呼称における単語回収障害 2. 文・句の復唱障害
必須条件に加えての条件	以下の症状のうち2個以上を呈している 1. 複雑な文の統語理解障害 2. 単語の理解は保たれている 3. 事物（object）の知識は保たれている	以下の症状のうち3個以上を呈している 1. 事物の知識，特に低頻度または低親密度のものの知識の障害 2. 表層失読または表層失書 3. 復唱は保たれている 4. 発話産生（失文法と発語運動）保たれている	以下の症状のうち3個以上を呈している 1. 自発話と呼称における音韻性の誤り 2. 単語の理解と物の知識は保たれている 3. 発語運動は保たれている 4. 明らかな失文法は呈さない

〔Gorno-Tempini ML, et al：Classification of primary progressive aphasia and its variants. Neurology 76：1006-1014, 2011 より改変〕

とが必須である．具体的には，文構造が単純となり，文法形態素が脱落・誤用するといった失文法症状を呈する（例：「川，落ちた．帽子の・・・」）．また，発語失行を呈し，発話速度の低下や抑揚の平坦化，構音動作の探索や構音の浮動的な置換を呈する（例：aːʌuːi ʌeˑˑbaːsu）．それに加えて，①統語理解障害，②単語理解の保持，③事物に関する知識の保持の3症状のうち，2症状が必要とされる．具体的には，統語理解障害においては，関係節文（例「お母さんが【お父さんに荷物を渡している】女の子を呼んでいる」）などの複雑な統語構造の文や転換語順の可逆文（例「お父さんを男の子が追いかける」）といった格助詞の解読を要する文の理解が困難となる．しかし，単語の理解や事物の意味概念については疾患が進行しても保持されている．

近年の報告では，非流暢／失文法型PPAを，「発語失行型」と「失文法型（失文法のみを呈する場合と失文法と発語失行を併存する場合を含む）」に分けることが提案されている[3]．これは，両型が病理学的に異なり，別の疾患単位である可能性があるためである（➡ Note 24）．「発語失行のみを呈する群」は**原発性進行性発語失行** primary progressive apraxia of speech（PPAOS）と個別に命名されており，左中心前回に限局した脳萎縮や脳血流SPECTにおける血流低下を認める．一方，左中下前頭回後部に脳萎縮や血流低下がある場合には，失文法型の臨床症候を呈する．病期が進むと，病巣が前方に進行していき，前頭前野の機能低下により行動障害を呈する場合がある．

病理学的背景としては，「発語失行型」である原発性進行性発語失行では，タウオパチーが多い．一方，「失文法型」の病理学的背景はTDPプロテイノパチーが多いが，発語失行型よりも対応は確立していない（➡ Note 25）．

2　意味型原発性進行性失語

意味型原発性進行性失語（**意味型 PPA**）semantic variant PPA（svPPA）は，マンチェスター・グループの意味性認知症にあたる．意味記憶障害が根底にあることが特徴であり，そのため，診断基準の中核症状にあるように，語の呼称も意味理解もともに障害されることになる．意味記憶とは，特定の時間や場所に関係しない，さまざまな知識の記憶である．意味記憶のなかでも言語の側面が障害されると，「語の意味」（語義）が消失したような症状を呈する．例えば，「お名前を教えてく

Note 24. 非流暢／失文法型PPAの多様な病型

非流暢／失文法型PPAのなかには，進行性に偽性球麻痺を示し，発語障害とともに嚥下障害を呈する一群がある．これは，進行性前部弁蓋部症候群，Foix-Chavany-Marie症候群，あるいは進行性偽性球麻痺ともいわれる．この一群は嚥下障害の進行も早く，経過中に筋萎縮性側索硬化症の症候を呈する場合もあり，注意を要する．

- -

Note 25. PPAの病理学的背景

PPAは臨床症候群であり，背景疾患は十分に明らかではない．近年の蛋白化学の進歩によって，脳内の封入体に蓄積している異常タンパクの種類によって病型を分類する試みがなされている．異常タンパクの種類としては，例えば，タウ蛋白tau proteinはPPAと関連が深いとされる進行性核上性麻痺 progressive supranuclear palsy（PSP）や大脳皮質基底核変性症 cortico-basal degeneration（CBD）などにみられる．また，αシヌクレインはパーキンソン病や多系統萎縮症にみられ，ハンチントン病などのポリグルタミン病ではポリグルタミンが異常蛋白である．アミロイドβ，TAR DNA-binding protein43（TDP43），fused in sarcoma（FUS）も異常蛋白として同定されている．

次に病変部位から見ると，非流暢性／失文法型，意味障害型はいずれも前頭側頭葉変性症 fronto-temporal lobar degeneration（FTLD）に含まれる．これに病理学的分類を重ねて，FTLDのなかでタウ蛋白の蓄積があるものをFTLD-Tau，FTLD-TDPとよんでいる．"ロゴペニック型"ではアルツハイマー病が比較的多いといわれるが，アルツハイマー病においては，アミロイドβとタウ蛋白の蓄積があることがわかっている．

ださい」という問いに「お名前ってなんですか？」と返答することがある．意味型PPAの症状は，本邦においては語義失語に相当する．

　診断基準では，中核症状に加えて表5-6に示した4項目のうち3項目以上の症状が出現することが要件である．それぞれの項目を具体的に見ていく．低頻度または低親密度の事物に関する知識の障害について，「事物に関する知識」とは，意味記憶のなかでも，名前以外の用途や視覚的特徴，触感，匂いといった非言語的な意味を指す．例えば，聴診器をみたら，医師が診察に使う器具であることがわかる，という知識のことである．意味型PPAでは，低頻度または低親密度の事物について，この知識が障害されるため，例えば，聴診器を見て「聴診器」と呼称できるかどうかは問わず，そもそもその物体が何なのか，何に用いるものなのかわからなくなる．意味記憶の障害があるかどうかを確かめる方法の1つは，言語以外の視覚，触覚，嗅覚，味覚を提示してもその物がわからないかどうかをみることである．これは，仮に言語以外の感覚入力によって意味が理解できるのであれば，「事物に関する知識」自体の障害とは言えないからである．

　次に，表層性失読または表層性失書についてみると，日本語では漢字が仮名文字よりも困難となり，類音的錯読や類音的錯書を呈する．これは，文字と音の対応規則を用いる機能が保持されている一方で，意味理解が障害されているためである．具体的には，仮名文字の音読や書取は可能であるが，漢字では，例えば"土産"をいう漢字熟語を見て「どさん」と読む，"みやげ"と書いてくださいと頼むと，「味矢毛」と書く，といった症状が現れる．これは，音としては対応しているが，意味を理解せずに音読したり，書いたりしているためである．

　さらに，意味型PPAでは復唱は保持されており，文法的な文の産生や発語運動も保持されている．これによって，それぞれロゴペニック型PPAと非流暢/失文法型PPAではない，という

ことができる．

　意味型PPAにおいては，左側頭葉前方部に有意な萎縮がある，または同部位における低灌流や低代謝がある．病理学的背景を見ると，FTLD-TDPが多い．

3　ロゴペニック型原発性進行性失語

　ロゴペニック型原発性進行性失語（ロゴペニック型PPA）logopenic variant PPA（lvPPA）はGorno-Tempiniらによって報告された最も新しいタイプのPPAである．"ロゴペニック"とは，「言葉に乏しい」（logo：言葉，penic：乏しい）という意味である．言語症状において前景に立つのは喚語障害であり，診断基準の中核症状において「自発話および呼称における単語回収障害」に該当する．しかし，喚語障害はロゴペニック型PPAのみに生じる症状ではない．ロゴペニック型PPAにおいては，喚語障害に加えて，文や短い句が復唱できないという復唱障害を呈することが必須の中核症状である．

　診断基準では，単語回収（換語）障害と文・句の復唱障害に加えて，表5-6（➡133頁）に示した4項目のうち3項目以上の症状が該当することが要件である．具体的には，自発話と呼称における音韻論的誤りについては，音韻の誤りが前景に立つ場合がある．音韻の誤りは必発ではないが，音韻の誤りが出現したならば，ロゴペニック型PPAである可能性が高くなる．会話においては，ポーズ（間）が頻繁に入り，会話中の語想起困難が見られる．太陽の絵を見て「かいよう」と呼称するような音韻性錯語や，くつしたを「くつ，くち」というように音の断片が表出されることがある．

　単語の理解や事物の知識が保持されているという点から，意味型PPAではないということができる．また発話運動面も保持され明らかな失文法はない，という点から，非流暢/失文法型PPAではないということができる．発語失行を呈さない一方で，音韻性錯語は生じる点が，タイプを鑑

別するうえでは重要である．

ロゴペニック型 PPA では，左シルヴィウス裂後方領域または頭頂葉に有意な脳の萎縮，または低灌流や低代謝があることが診断基準となる．ロゴペニック型 PPA の背景病理はアルツハイマー病が多いとされ，その他の病理として FTLD-Tau や FTLD-TDP の報告もある．

評価・診断

Gorno-Tempini らの PPA 臨床診断基準においては，2段階の診断手続きを踏み，最初に PPA かどうかを診断し，次に PPA のサブタイプを診断する（表 5-5, 6）．

また，上記の診断基準と同時に，PPA の症状を評価する際に使用する課題が提示されている．自発話の分析から統語と構音（発語失行の有無）を調べ，呼称，復唱，文の理解，単語の理解，事物／人物の理解，読み書きの各機能について，それぞれの課題と測定・評価事項があげられており，障害の有無や反応特性から想定される PPA のタイプも記載されている（表 5-7）．

言語聴覚療法における PPA の評価では，主訴，病歴，言語症状と認知症状，心理・生活活動への影響を調べ，障害の全体像とその変化を把握する．PPA と区別するべき疾患・障害としては，認知症，軽度認知障害，うつ病，進行性運動性構音障害などがある．これらを除外するために，知的機能，エピソード記憶機能，行動障害，遂行機能，視空間障害，幻視，パーキンソニズム，発声発語器官運動機能などについて調べる[4]．

次に，PPA のサブタイプ診断は，一般臨床においては臨床症状と脳画像に基づいて行われる．言語面では，発話機能として文法機能や発語運動機能，音の誤りや喚語のポーズについて調べる．ほかの言語機能として，復唱，単語理解，統語理解，呼称，意味知識，読み書きについて調べる．

また，PPA では比較的早期から軽度の言語以外の認知症状や行動障害，心理面でのうつ症状や精神症状として不安障害やアパシーを伴う例もあるため，精査を要する．非流暢／失文法型 PPA では発動性低下，脱抑制，常同行動，意味型 PPA では，思考の柔軟性障害と常同行動，ロゴペニック型 PPA ではエピソード記憶障害と視空間障害などである．

PPA に特化し，かつタイプ分類が可能な標準化された総合的検査は現時点では存在しない．評価法の選択においては，病態が重度化しても実施可能な観察法や検査を組み合わせて用いることが重要である．

言語機能検査として，標準化された失語症鑑別診断検査（標準失語症検査 SLTA など），新版失語症構文検査（STA），失語症語彙検査（TLPA）などを実施する．PPA においては，文字機能がタイプ分類や長期経過における残存機能として有用なため，読み書きについて継続的に評価することが勧められる．コミュニケーション能力や日常会話能力を調べるには，FIM（Functional Independence Measure）や CADL 家族質問紙などを用いるとよい．

認知機能については，言語が介在しない検査を選択する必要がある．MMSE や長谷川式簡易知能評価スケールを選択することは不適切である．PPA の全般的知的機能検査としては日本版レーヴン色彩マトリックス検査などの非言語的検査を用いる．エピソード記憶については，ウェクスラー記憶機能検査（WMS-R）の視覚性記憶やレイの複雑図形検査，視空間機能には時計描画テストなどを用いる．失行，失認の有無についても調べておく．

うつ症状については，SDS うつ性自己評価尺度（Self-rate Depression Scale），高齢者うつ尺度（Geriatric Depression Scale；GDS），日常生活活動については，FIM による自立度評価のほか，Lawton の IADL 評価尺度や老研式活動能力指標などで調べ，家族から日常生活でみられる問題に

表5-7 PPA評価のための発話および言語機能の課題

発話／言語機能		課題	測定・評価事項	特定される下位分類
発話特徴	統語	情景画の叙述，絵を利用した物語の再生，文の産生	文法の誤り：構造・長さ・文法的形態，平均発話長，発話速度，内容の正確さ，メロディ，プロソディ，語選択時の特定の誤り，構音	非流暢／失文法型
	発話運動	運動性発話の評価 多音節語の複数回の復唱を含む，ディアドコキネシス，自発話	努力性，ためらい，発話失行，dysarthriaの存在，音節数による構音への影響などをみる	非流暢／失文法型
呼称		刺激（絵，音声，食品，匂い）に対する単語回収（呼称）	誤り頻度，反応遅延，語の属性（親密度，品詞，意味カテゴリー）の影響，意味的誤りや音韻的誤りをみる	意味障害型（重度）：意味的誤り "ロゴペニック"型（中等度）：音韻的誤り
復唱		単語・非単語，句，文の復唱	復唱の正確さに影響を与える因子としての句の予測可能性，文の長さ，文法的複雑さ，誤り方をみる	"ロゴペニック型"
文の理解		文と絵のマッチング，yes-no質問への応答，指示に従う	文法的複雑さ，文の可逆性の影響をみる	非流暢／失文法型：文法的複雑さの効果あり "ロゴペニック"型：語長，頻度の効果あり
単語の理解		単語と絵，単語と定義，類義語のマッチング	親密度，使用頻度，品詞の効果をみる	意味障害型
事物／人物の理解		絵と絵，ジェスチャーと物品，音と絵のマッチング，仲間外れ探し	親密度，意味カテゴリーによる違いをみる	意味障害型
読み書き		規則語・不規則語を含む語（複数の品詞，他因子は統制），非語（実在語と語長を合わせたもの）の読み書き	読み書きの正確さに関係する因子（規則性，使用頻度，品詞），誤り方，規則化，音韻的誤り，構音の歪みをみる	意味障害型：規則化の誤り "ロゴペニック"型：音韻的誤り

〔Gorno-Tempini ML, et al：Classification of primary progressive aphasia and its variants. Neurology 76：1006-1014, 2011 より改変〕

ついて聴取することも重要である．

　言語聴覚療法におけるPPAの評価の視点と評価法の例を表5-8に示した．

訓練・指導・支援

　PPAへの訓練・指導・支援については，進行性疾患であることを踏まえながら，QOLの維持をめざしたコミュニケーションおよび生活活動への指導と支援，介護者への支援，心理的支援を行う．

　PPAは，一般の認知症と異なり，コミュニケーションの指導および支援が，初期から長期にわたって一貫して必要となる．進行する症状に対応したコミュニケーションスキルを維持し，生活における有効な伝達手段の選択，コミュニケーション手段の獲得，言語機能の維持訓練，安心して安定した会話環境の確保などを行う．どのような訓練・指導・支援のプログラムを立てるかは，病態や病期によって異なるが，症状や経過の個人

表 5-8 言語聴覚療法における PPA の評価項目

評価項目	評価の内容	評価方法の例
医学的情報	主訴 病歴：現病歴・既往歴 脳画像情報 神経学的症状：パーキンソニズム，眼球運動障害，幻視など	カルテおよび関連専門職種からの情報収集 問診
言語症状	発話(統語・発話運動) 呼称，復唱 単語理解，統語理解 事物の理解 読み書き	談話評価(会話，状況絵の説明，物語の説明など) 失語症鑑別診断検査：SLTA，WAB など 新版失語症構文検査(STA) 失語症語彙検査(TLPA) ・意味カテゴリー別名詞呼称 / 理解検査 ・類義語判断検査など
言語以外の運動・認知症状	知的機能 エピソード記憶機能 行動障害，遂行機能 視空間障害 発声発語器官の運動機能，嚥下機能	日本語版 RCPM WMS-R 視覚性記憶 レイの複雑図形検査 時計描画検査 構音検査，嚥下機能検査
心理・生活活動面	日常生活活動の自立度 コミュニケーション活動 行動異常 うつ傾向	Lawton の IADL 評価表，老研式活動指標，FIM CADL 家族質問紙 家族面談による情報聴取 SDS，GDS

差が大きく，個別のプログラム立案が必要である．また，進行に応じて対応を工夫していくことが重要である．

近年では，PPA への介入研究が盛んに行われており，病初期の言語維持訓練が一定の効果を示す場合も報告されている．Henry ら[5]は，非流暢 / 失文法型 PPA10 例に対して言語聴覚士との訓練および家庭での課題を組み合わせた言語聴覚療法を実施し，訓練後 1 年以上も発話課題成績が維持されたことを報告している．重度になると，本人の意思を示すわずかなサイン(伝達手段)を読み取り，介護者や関連職種に共有することは言語聴覚士の役割である．病像の進行に伴い，各期の評価に応じて言語維持訓練，コミュニケーション指導，会話環境の確保，環境調整といった各プログラムの比率は変化していくが，コミュニケーション環境の確保と維持については，可能な限り言語聴覚士が配慮すべきである．

1 言語維持訓練

呼称障害に関する研究には，意味型 PPA を対象としたものが多い．Snowden ら[6]は訓練語の呼称が 8 か月後でも維持された症例を報告している．Jokel ら[7]は PPA の呼称訓練に関する論文を調べ，すべての論文で訓練直後の呼称成績が改善したことを報告している．また，非流暢 / 失文法型 PPA やロゴペニック型 PPA に対する呼称訓練も試みられている．意味型では，非訓練語への般化はほぼみられないが，ロゴペニック型では般化が見られたとの報告もあるが，PPA のサブタイプによる般化のパターンは今後の検討を要する[8]．

PPA に対する呼称訓練については，言語機能そのものの改善や再獲得を目的とするよりも，患者の生活にとって必要な重要な語に標的を絞り，維持をはかることが有用である．一方，限られた量と期間であっても，訓練語の呼称が改善するこ

とによってコミュニケーション意欲が高まり，QOLの維持に有用な症例も存在する．

会話訓練は，目的によって実施方法が異なる．会話訓練の目的はいくつかあるが，第一は音声言語に限定せず，実用的なコミュニケーション手段を利用してコミュニケーション能力を維持することである．第二に，言語障害について理解してくれる他者との安心したコミュニケーション環境を維持することである．いずれの場合においても，本人にとって重要度の高い語や意味内容，話題を用いるようにする．PPAのグループ訓練については，言語維持訓練の選択肢の1つとして考慮する[9]．ただし，癌やALSなどのほかの進行性疾患と同様に，参加者の心理面に細やかに配慮する必要がある．

2 コミュニケーション手段の指導

初期段階から，コミュニケーション手段として有用な書字やメールを日常的に使用することを勧める．言葉で勧めるだけではなく，言語聴覚士が実際に一緒に用いてみるといった利用するきっかけを導入することが重要である．

書字については，コミュニケーション・ノートを作成し，日記，新聞記事の切り抜き，俳句といった自然な形で書字する習慣を身に着けてもらう．メールでは，言葉の一部を打ち込めば，単語や句が選択肢として提示される予測変換機能を用いることで，頻回に用いる表現を選択できるようにしておくと便利である．

会話訓練においては，初期から，描画やジェスチャー，カレンダーや地図資料などの実物を活用して情報のやり取りを行う．言語聴覚士が率先して用いて本人とやり取りを重ねて習慣にしておくことが重要である．会話における習慣にしておくと，病状が進行した際に補助的な伝達手段として活用できる．

前述のコミュニケーション・ノートのほかに，本人の身近な事物や人の写真を集めてコミュニケーションデータファイルを作成しておくとよい．本人が利用可能であれば，タブレット型PCに写真や身近な事物を取り込んで持ち歩くことで，コミュニケーションをとる際の豊富な手がかりが得られる．

3 家族・介護者への指導

家族などの介護者に対しては，初期から介入する．言語評価の結果を伝達するにとどまらず，具体的なコミュニケーションと生活活動の支援，心理的支援を行うことが重要である．始めに，進行性疾患一般にいえることであるが，医師からのインフォームド・コンセントを確認し，介護者がどのような説明を受けているかを把握しておく．これは医師と連携を取り，介護者と情報を共有することにより，定期的に把握しておく必要がある．介護者に対しては，変化していく症状に対応していけるよう，こまめに情報を共有し，日常生活で困っていることを聞き出し，解決する方法について話し合い，支援を行う．介護者は認知機能障害や行動障害が出てくると，その改善をめざそうとすることがあるが，改善をめざすよりも，その現状を受け入れ，順応した生活ができるような対応方法を具体的に指導する．このとき，本人と介護者の心情に配慮しながら指導することが重要である．例えば，あるPPA患者の場合には，時刻表的行動として毎日時間どおりに散歩に行くが，同じ道順の散歩と同じ公園で同じ手順の体操を行うことを日課にすることによって規則正しい生活を維持することができた．

介護者においては，頭でわかっていてもどうしても叱責してしまう，といった訴えがあることもある．そのような場合でも，忍耐強く，介護者の心情に配慮しながら，説明や支援を具体的に行うことが，本人のケア環境を整えることにつながる．

医療福祉サービスの情報を初期から提供することも重要である．病状が進行した際に，どこに相

談できるかを知っておくことで，早めに，長期にわたる継続したケアを受けることが可能である．

D 社会参加

PPA患者は，発症初期は通常の社会生活を営むことができる．疾患の経過として，言語症状だけが数年にわたって前景に立つが，ADLや知的機能，記憶機能は言語機能に比して保持される．そのため，日常生活は自立しているものの，コミュニケーション障害のために社会的に孤立してしまう．さらに，診断に至るまでに時間を要し，症状の悪化の原因がわからない不安な状態で生活している場合も多い．また，PPA患者は，初期から抑うつなどの心理的症状を呈する場合がある．PPAに対しては，予後を見据えた支援や環境調整を行い，社会参加が維持できるように働きかけることが重要である．

PPAの言語聴覚療法における支援の一例としては，初期段階から言語機能が低下しても行える活動を勧め，活動のきっかけを作る働きかけをする．例えば，書道やスケッチ，囲碁や散歩，園芸などである．健常者の集まりでは，うまく意思疎通が取れずに言語活動全般のペースが合わないことがある．一方，一般の認知症者の集まりでは，本人が違和感をもち，続かないことがある．失語症友の会への参加も一案であり，役割を見つけて定期的な参加が可能な方も存在する．しかし，会へ参加する場合には，関係者にコミュニケーションの取り方を十分に説明しておくことが重要である．また，疾患の進行に伴い，病変が前頭葉に及ぶと，性格変化や行動異常などの症状が生じる場合がある．事故やトラブルの原因とならないよう，周囲の理解を得ることと安全面への配慮が必要である．

PPAは，最終的に認知症となることから，言語のみならず，障害の全体像を理解し，進行段階に応じた介入を行うことが必要である．これには，医療福祉専門職チームの連携が不可欠である．しかし，コミュニケーション障害が前面に立つPPAへの介入において，コミュニケーション専門職としての言語聴覚士の役割は大きい．入院，外来，通所サービス，訪問，終末期といった幅広い場面において言語聴覚療法からの情報提供や支援は重要である．

E 事例：非流暢/失文法型PPA

70歳，女性，教育歴12年，元会社員，単身生活．

【現病歴】X年X月，口腔内の違和感があり，歯科受診．精神科を含む複数の病院を回り，X+3年後に進行性疾患を疑われて総合病院神経内科を受診．

【主訴】だんだん話しづらくなってきた．

■ 初診時の臨床症状

【生活行動面】単身生活であり，家事や買い物などのADLは自立していた．また近在の義姉と定期的な交流があった．活動的な性格であり，スポーツジムや歌のサークルへの参加を続けており，会話以外での日常生活上の困難を認めなかった（老研式活動能力指標8/13）

【神経画像所見】頭部MRIにて左中心前回，下前頭回に軽微な萎縮あり．3D stereotactic surface projections（3D-SSP）解析にて，同部位に血流低下を認めた．

【神経学的所見】意識清明．見当識は正常で礼節は保たれていた．脳神経，眼球運動，運動機能に異常所見はなく，発声発語器官の運動機能にも異常を認めなかった．

【神経心理学的所見】非流暢/失文法型PPA，発語失行（失構音）を認めた．失認，視空間障害，口舌顔面失行，観念運動失行を認めなかった．知的機能は保持されていた（WAIS-Ⅲ：PIQ113）．記

表 5-9 非流暢／失文法型 PPA（事例）の検査成績の経過

	初診時	初診後 1 年 6 か月	初診後 2 年
標準失語症検査（SLTA）			
呼称	18/20	17/20	0/20
まんが説明	6/6 段階	4/6 段階	1/6 段階
単語の聴覚的理解	10/10	10/10	10/10
口頭命令に従う	10/10	8/10	4/10
文の復唱	3/5	1/5	0/5
漢字の読解	10/10	10/10	9/10
仮名の読解	10/10	10/10	10/10
書字命令に従う	9/10	7/10	4/10
漢字書字	5/5	4/5	4/5
仮名書字	5/5	3/5	4/5
まんが書字	4/6 段階	3/6 段階	1/6 段階
新版失語症構文検査（R-STA）			
発話	10/15		0/15
聴覚的理解	レベルIV （助詞ストラテジー）		レベルII （語順ストラテジー）
読解	レベルIV （助詞ストラテジー）		レベルII （語順ストラテジー）
WAIS-III　PIQ	113	107	−
RCPM	35/36	33/36	27/36

憶機能も顕著な低下を認めなかった（WMS-R：視覚性 103）．

■ 言語症状

SLTA，R STA を実施した．表 5-9 に検査成績の推移を示した．

発話面では，軽度の発語失行を認め，会話で音節の途切れ，子音および母音の歪みがあった．プロソディは平坦化しており，音読速度は 1.9 モーラ／秒と低下していた．喚語困難は軽度であった（SLTA 呼称：18/20，意味カテゴリー別名詞呼称検査：186/200）．文は単純で短く，失文法を呈し，格助詞の脱落を認めた（ステッキ，帽子，飛ばさる）．日常会話において，文の発話は短いながらも，なんとか可能であった．

復唱では，発語失行（失構音）による音の誤りを認め，4 文節以上の文の復唱は困難であった．

聴覚的理解については，単語は良好であった．統語理解障害は顕著ではなく，格助詞を手掛かりとした文の理解が可能であった（助詞ストラテジー）．

文字の読み書きは，漢字，仮名ともに良好であったが，読解においては聴覚的理解と同程度に保持されていた．書字においては，失文法を認めた．

■ 経過

初診直後に検査入院を 10 日間程度実施し，退院後週 1 回の外来による個別言語聴覚療法を約 2 年間実施した．訓練内容は，コミュニケーションスキルの維持と会話環境の整備を目的とした会話訓練，構音および発声機能維持を目的とした構音訓練，発声訓練，書字や描画の代替利用を維持するコミュニケーション・ノート利用訓練であった．文の書字訓練を短期間継続したが，顕著な効果がなく，早期に言語維持訓練に切り替えた．2 月に 1 回程度，PPA3 例によるグループ訓練を 10 回程度実施することができ，積極的に参加していた．

キーパーソンである義姉に対する家族指導，環

境調整を実施した．コミュニケーションの取り方の工夫について初期から説明を行った．言語聴覚士が定期的に義姉に対してコミュニケーションの様子や練習方法などを記した手紙を記載し，本人から義姉に渡してもらった．時折，言語聴覚療法場面に参加してもらい，練習の様子やコミュニケーション方法について情報を提供することで義姉の不安感も和らいでいた．

　本人は，単身生活を続け，週1回義姉が様子を見ていたが，ADLは自立しており，買い物や趣味活動を含めて自立した生活を送っていた．義姉と二人で1週間程度の旅行に行くことができ，自らアルバムを作成していた．

　初診から1年6か月経過ごろより，書字における仮名文字の誤りが増加し，構音の歪みおよび嗄声が顕著となってきた．同時に失文法が増悪し，発話は断片発話が増加した．統語的理解は初診時とほぼ同程度に保持されていた．行動面においては，日課が比較的決まっており，ステレオタイプの時刻表的行動の傾向がみられたが，極端ではなく，この時点では本例にとって規則正しい生活ペースを保持する点で役に立っていた．単身生活を続けており，義姉が週1～2回程度様子を見に行くものの，ADLは自立していた．義姉への情報提供と支援を継続し，医師・作業療法士・理学療法士と連携して，歩行を維持するための運動訓練，問題行動への対処方法に関するアドバイス，コミュニケーションの取り方，医療福祉サービスへの紹介を行った．

　初診から2年経過したころから，転倒のエピソードが出現した．義姉への支援の頻度を増やし，来院は義姉に付き添ってもらうこととした．医療福祉サービスへの紹介を行ったが，本人と義姉の希望にて，宅食サービスの利用などにとどまっていた．このころから義姉とも相談の上，調理はしないようにした．会話においては，簡単な文の理解は良好であり，やり取りはできるが，構音の歪みと粗糙性嗄声が顕著となり，母音の弁別も難しくなった．書字では漢字熟語を利用し，「転倒」「駄目」「神社」などの書字が可能であったが，仮名は誤りが増加し，名詞に付属する接頭辞や格助詞は誤用あるいは脱落していた．統語的理解は語の意味を手掛かりとした文の理解が低下した．嚥下障害はこの時点においても出現しなかった．転倒による骨折を契機に近医入院となり，義姉への経過の報告や情報の共有，および先方病院の言語聴覚士への情報提供を行い，当院での言語聴覚療法は終了となった．

引用文献

1) Mesulam MM：Slowly progressive aphasia without generalized dementia. Ann Neuro 11：592-598, 1982
2) Gorno-Tempini ML, Hillis AE, Weintraub S, et al：Classification of primary progressive aphasia and its variants. Neurology 76：1006-1014, 2011
3) Josephs KA, Duffy JR, Strand EA, et al：Characterizing a neurodegenerative syndrome：primary progressive apraxia of speech. Brain 135：1522-1536, 2012
4) 藤田郁代：原発性進行性失語の評価と介入．音声言語医学 57：372-381, 2016
5) Henry ML, Hubbard HI, Grasso SM, et al：Retraining speech production and fluency in non-fluent/agrammatic primary progressive aphasia. Brain 141：1799-1814. 2018
6) Snowden JS, & Neary D：Relearning of verbal labels in semantic dementia. Neuropsychologia 40：1715-1728, 2002
7) Jokel R, Graham NL, Rochon E, et al：Word retrieval therapies in primary progressive aphasia. Aphasiology 28：1038-1068, 2014
8) Cadório I, Lousada M, et al：Generalization and maintenance of treatment gains in primary progressive aphasia (PPA)：a systematic review. Int J Lang Commun Disord 52：543-560, 2017
9) Jokel R, Meltzer J：Group intervention for individuals with primary progressive aphasia and their spouses：Who comes first？. J Commun Disord 66：51-64, 2017

第 6 章

失語症の言語聴覚療法の全体像

学修の到達目標

- 失語症の言語聴覚療法の基本概念（包括的介入，クライエント中心，EBP，チーム・アプローチ）を説明できる．
- 失語症の言語聴覚療法の側面を ICF の概念的枠組みに基づいて整理できる．
- 失語症の言語聴覚療法のプロセスを説明できる．
- 言語治療のアウトカム評価の原則と方法を説明できる．
- 失語症の言語聴覚療法の提供体制の概要を説明できる．
- 失語症者と適切にコミュニケーションをとる方法を説明し模擬的に実施できる．

A 基本的概念

　失語症の言語治療では，失語症者が直面する問題(障害)に言語・コミュニケーションの視点からアプローチし，自分らしい最善の生活が再構築できるよう介入する．その基本的概念は，生きること全体を視野に入れた包括的介入，クライエント中心の臨床，エビデンスに基づく言語治療，チーム・アプローチである．次にこれらの概念について説明する．

1 生きること全体を視野に入れた包括的介入：ICFと失語症の言語治療

　失語症が発症すると，本人は語を想起できない，文字が書けない，文が理解できないといった問題に加えて，家族と会話ができない，職業に復帰できない，障害を心理的に受容することができないなど，さまざまな問題に直面する．言語治療ではこのような問題に対し言語機能の最大限の回復をめざすと同時に，障害があっても保有している能力で効率的にコミュニケーションをとり，自分らしい生活を再構築できるよう介入する．このように言語治療では**生きること全体**を視野に入れ，本人が直面する問題に包括的に介入する．

　失語症者が直面する問題を整理し，包括的に介入する方法を考えるうえでは**ICF**(International Classification of Functioning, Disability and Health　国際生活機能分類)の概念的枠組みが役立つ(図6-1)．ICFは人間の生活機能と障害を分類したものであり，2001年にWHO(世界保健機関)から発表された．ICFは医学モデルと社会モデル(➡Note 26)を統合し，生活機能と障害を人間が生きること全体のなかに位置づけている．

　ICFは，人間の生活機能(functioning)を**心身機能・身体構造，活動，参加**の3次元で捉え，各次元は相互に影響しあうとしている．また生活機能

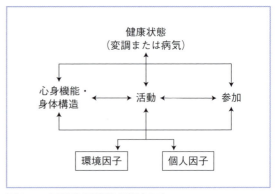

図6-1　国際生活機能分類(ICF)

に影響するものとして，**健康状態と背景因子**(環境因子と個人因子)をあげている．障害は生活機能が低下した状態であり，機能障害(構造障害を含む)，活動制限，参加制約の次元で捉えられる．各次元の障害は互いに影響しあうとともに，健康状態と背景因子とも相互作用する．このように各次元の障害，健康状態，背景因子は相互作用することから，1つの要素に介入するとその他の要素も変化する可能性がある．

　失語症をICFの構成要素から見ると，下記のように説明できる(表6-1)．

- **機能障害(構造障害も含む)　impairments**

　心身機能・身体構造に問題が生じた状態である．失語症では，言語機能が障害された状態であり，語が喚起できない，文を組み立てることができない，文字が書けないなどの症状を指す．構造障害は脳血管疾患などによって脳が損傷された状態をいう．

- **活動制限　activity limitations**

　日常生活の活動に問題が生じた状態である．失語症では会話ができない，メールでやり取りがで

> **Note 26.　医学モデルと社会モデル**
> 　医学モデルは，障害を個人の問題として捉え，病気や外傷などから直接的に生じるものとみなす．障害に対しては治療，適応や行動変容を目標として対処する．社会モデルは，障害を主として社会によって作られた問題とみなし，社会への完全参加には環境や制度の変更が必要であると考える．

表6-1 ICFの構成要素と失語症

構成要素	内容
機能障害（構造障害も含む） impairments	心身機能・身体構造に問題が生じた状態．言語症状や脳損傷部位など
活動制限 activity limitations	日常生活の活動に問題が生じた状態．会話ができない，買い物が困難，緊急時に言語で助けを求めることができないなど
参加制約 participation restrictions	生活・人生場面への参加に問題が生じた状態．家庭や職業への復帰困難，人生の選択の幅が狭まる，人間関係が変化する，地域の役割が果たせないなど
環境因子 environmental factors	その人が生活をし，人生を送っている物的な環境（建物や交通機関の設計，製品や用具など），社会的環境（支援，サービス，制度，政策など），人々の社会的態度など
個人因子 personal factors	個人の生活・人生の背景であり，性別，年齢，人生体験（生活歴），職業歴，ライフスタイル，性格など

きない，緊急時に言語で助けを求めることができないといった問題が生じる．

- **参加制約　participation restrictions**

生活・人生場面への参加に問題が生じた状態である．失語症では，職業に復帰できない，人生の選択の幅が狭まる，人間関係が変化するなどの問題が生じる．参加制約は環境因子の影響を大きく受ける．

- **背景因子**

個人の人生と生活にかかわる背景全体であり，環境因子と個人因子からなる．

環境因子 environmental factors：その人が生活し人生を送っている物的な環境（建物や交通機関の設計，製品や用具など），社会的環境（支援，サービス，制度，政策など）や人々の社会的態度などを指す．

個人因子 personal factors：個人の生活や人生の背景であり，性別，年齢，人生体験（生活歴），職業歴，ライフスタイル，性格などを指す．

ICFにおける障害の捉え方には，次の特徴がある．第1点は，環境因子を導入し，それが生活機能や障害に影響を及ぼすとした点である．臨床では機能障害が同程度であっても，患者を取り巻く環境によって活動や参加に差があることをよく経験する．第2点は，プラス面としての生活機能を前提とし，そこに問題が生じた状態（マイナス面）を障害とみなすことである．この点において，マイナス面にのみ注目したICIDHと異なる．第3点は，活動と参加に**能力（できる活動）と実行状況（している活動）**（→Note 27）の2側面を設けていることである．「できる活動」は評価や訓練の場面で実際に発揮されるものであり，「している活動」はその人が生活のなかで実行している活動を指す．「できる活動」と「している活動」は必ずしも一致せず，能力があっても実行できていないことがある．

失語症の言語治療では，生きること全体を視野に入れ，各次元の障害および環境因子に包括的に介入する．

2　クライエント中心の言語聴覚療法

言語治療ではクライエントと家族の立場に立ってその人が直面している問題を理解し，共感性を

> **Note 27.「できる活動」と「している活動」**
> 「できる活動」は，検査や訓練のように統制された場面で発揮できる活動であり，環境の影響をあまり受けない．一方，「している活動」は，毎日の生活のなかで実際に行っている活動であり，環境の影響を受けやすい．

もって訓練・指導・支援を行う．言語治療の対象は**本人と家族**である．家族も対象となるのは，本人が障害を克服し自分らしい生活を構築するには家族の協力が不可欠だからである．また本人のみならず家族も失語症の影響を生活面や心理面に受けており，その支援も言語治療の重要な側面となる．

クライエント中心の言語聴覚療法では，本人・家族の意向，価値観，個人的背景を尊重し，言語治療の目標と方法を決定する．具体的には言語治療計画の立案に本人・家族にも参加してもらい，計画について説明し同意を得たうえで（インフォームド・コンセント），言語治療を開始する．このように当事者の自己決定を尊重することは，二次的障害を予防し，障害が残っても自分らしい生活を営めるようになることにつながる．

上記のほか，クライエント中心の言語聴覚療法において重要なこととして，**守秘義務**があげられる．言語聴覚士は，正当な理由なく，業務で知りえた人の秘密を漏らすことはあってはならない．これは言語聴覚士を辞めた後も同様に適用される義務である（言語聴覚士法第44条）．

3 エビデンスに基づく言語聴覚療法

失語症の病態や個人的背景はクライエントごとに異なるため，言語聴覚療法では個別に訓練・支援プログラムを立案し実施する．訓練・支援の方法を決定するには，なぜその方法が適切であるか，すなわちその訓練・支援法を選択したエビデンス（科学的根拠）を明らかにする必要がある．ASHA（米国言語聴覚協会）は**エビデンス（科学的論拠）に基づく言語聴覚療法**（EBP：Evidence-based Practice）を「入手可能な最良の科学的根拠（エビデンス）を把握し，それと患者・家族の意向，病態，言語聴覚士としての経験や臨床環境を統合して最善の言語聴覚療法を行うこと」[1]と定義している（➡ Note 28）．

現状では，失語症の言語聴覚療法のエビデンスはまだ十分に集積されているとはいえないが，臨床では常に最新の研究情報を入手し，EBPを実践するよう努める．

4 チーム・アプローチ

生きること全体を視野に入れて失語症者を支援するには，他職種との連携が不可欠である．言語聴覚士が連携する職種は医師，看護師，リハビリテーション専門職（理学療法士，作業療法士など），介護・福祉職（介護支援専門員，介護福祉士，ホーム・ヘルパーなど），地域社会の行政職などである．

言語聴覚士はこれらの職種と医療チーム，介護チーム，福祉チームを構成し，患者・家族が直面している問題の軽減や解決にあたる．チームは目標を共有し，緊密に情報交換をしながら各専門的立場から患者・家族を支援する．例えば，医師はチームをマネジメントし，医学的治療や医学的管理などを行う．看護師は身体状態の管理やリハビリテーション看護などを担う．理学療法士・作業療法士は運動機能，動作能力や社会的適応にアプローチする．また介護・福祉職はケアや福祉サービスの相談に応じる．このほかボランティアなどと連携し，地域における自立生活を支援することもある．

チーム・アプローチは，失語症者に全人的に対

Note 28.　科学的根拠に基づく言語聴覚療法（EBP）

EBPは，個人の憶測や経験に頼る臨床ではなく，科学的根拠（エビデンス）に基づく臨床をいう．失語症の言語治療のエビデンスはまだ集積途上にあり，ASHAはコミュニケーション障害のEBPに対処する専門部門（N-CEP）を立ち上げている．ASHAのホームページには，N-CEPの活動によるエビデンス・マップが公開されている（Evidence Maps：https://www2.asha.org/evidence-maps/）．このエビデンス・マップの特徴は，外部機関の科学的検証を受けている，臨床専門技術に関するものである，クライアントの視点に立っている，という点にある．

応し，効率的にリハビリテーションを提供するうえで必須の要素である．

B 失語症の言語治療のプロセス

脳血管疾患などを発病した者はまず医療施設を訪れ，医師の診断と治療を受ける．失語症を認める場合，通常，医師は言語聴覚士に言語聴覚療法を依頼する．

失語症の言語治療は，評価・診断，目標・方針の決定，訓練・支援プログラムの立案，訓練・支援の実施，アウトカム評価といった段階を踏む（図6-2）．

1 評価・診断

評価・診断では，本人と家族から主訴と今後の希望を聴取し，言語機能，認知機能，コミュニケーションの活動と参加にどのような問題が生じているかを理解する．これらに関する情報は面接，検査，観察などで収集する．また病歴や医学的処置，生活動作・運動障害などに関する情報を医師，看護師，理学療法士や作業療法士などから入手する．

収集した情報は分析して統合し，障害の全体像（障害構造）を理解する．全体像は機能，活動，参加，環境因子，個人因子ごとにマイナス面とプラス面について整理すると理解しやすい．各次元の問題については，障害の性質と程度，その発生メカニズムと関連要因を臨床推論する．その結果は訓練・支援法の選択にいかされる．言語治療において，適切な言語治療を提供するために行う臨床推論の過程は言語病理学的診断と呼ばれる．

次に，評価結果をもとに言語治療の**目標と方針**を決定する．目標には，長期目標と短期目標がある．長期目標は最終的に達成する活動・参加の状態であり（家事を分担し地域活動に参加するな

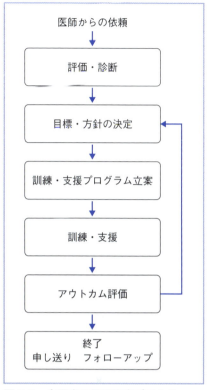

図6-2 失語症の言語治療プロセス

ど），短期目標は長期目標を達成するためのステップである（文が発話できるなど）．

2 訓練・支援

言語聴覚療法の目標・方針に従って**訓練・支援プログラム**を立案し，訓練・支援を実施する．訓練・支援プログラムの立案においては，障害の発生メカニズムや関連要因を推論して**治療仮説**を設定し，訓練・支援の方法を決定する．

訓練・支援では，言語・コミュニケーションの機能，活動，参加，心理的問題，環境面の問題に包括的にアプローチする．言語治療において優先的に対処すべき問題は急性期，回復期，維持期によって異なるので，病期別ごとにどのような訓練・支援を優先するかを考えることになる．

訓練・支援においては，本人の生活にとって意

味があるものを取り上げ，実生活に**般化**すること
をめざす．また当人の心身状態や禁忌事項に注意
し，許容できる負荷の範囲を考慮して臨床を進め
る．

3 アウトカムの評価

　一定期間，訓練・支援を実施すると再評価し，
機能，活動，参加，環境にどのような改善が認め
られるか，すなわち言語治療の**アウトカム**を評価
する．アウトカムとは，成果，結果，帰結などを
意味し，言語治療ではその成果や効果を調べる．

　アウトカムには検査成績のように量的指標で示
せるものと，コミュニケーション意欲のように量
では示しにくい質的指標が存在する．アウトカム
の評価ではこの両者について変化を調べる．また
機能や活動の変化については検査得点（できる活
動）だけでなく，実際の生活場面における実行状況
（している活動），すなわち般化についても調べる．

　アウトカムの評価は，最初に設定した訓練・支
援方針や治療仮説が適切であったかを検証するこ
とでもある．期待した結果が得られなかったとき
は，その原因を探り，方針や治療仮説を修正する
ことになる．

4 訓練・支援の終了

　言語治療は，本人と家族が望んだアウトカムが
得られたとき，ほかの施設へ転院してのリハビリ
テーションが適切と判断されたときなどに**終了**と
なる．終了時には，言語聴覚療法のサマリ（総括）
を作成し，リハビリテーション・チームで共有す
ると同時に，本人と家族にも説明し，今後の生活
について助言する．

　リハビリテーションは単一の施設で終了するこ
ともあるが，多くの場合，急性期病院から回復期
リハビリテーション病院へ，回復期リハビリテー
ション病院から介護保険施設へと複数の施設をつ
ないで提供される．ほかの施設に転移する場合

は，一貫した言語治療が受けられるよう，言語治
療の目標や経過について先方に文書で**申し送り**を
する．

　失語症者が自宅復帰や職業復帰をした場合は，
復帰の状態について**フォローアップ**をすることが
重要である．ここでは訓練・指導によって獲得し
た機能や能力が実生活で活用できているか，問題
は生じていないかを確認し，家庭・社会生活に適
応できるよう助言する．このようなフォローアッ
プは言語聴覚士自身が実施した訓練・支援の真の
効果を知る機会ともなる．

C 言語聴覚療法の提供体制

　失語症の言語聴覚療法は，発症からの時期に
よって急性期，回復期，生活期（維持期）に分けて
提供される．このような区分で実施されるリハビ
リテーションを**病期別リハビリテーション**と呼
ぶ．この区分は典型的な回復過程をたどる患者を
想定して設定されており，一人ひとりの失語症者
の回復経過はこの区分と一致しないことがある．

　ここでは，脳血管障害などによって急性発症し
た失語症者の典型的な経過を想定して，各期の言
語聴覚療法を提供する体制について説明する（図
6-3）．

1 急性期

　急性期の言語聴覚療法は，**救急医療**を行う病院
で発症直後から提供される．急性期の言語聴覚療
法に適用される保険制度は**医療保険**であり，現行
で対応する診療報酬は脳血管疾患等リハビリテー
ション料，集団コミュニケーション療法料，摂食
機能療法，廃用症候群リハビリテーション料であ
る．

　急性期は全身状態がまだ不安定であり，リスク
管理に留意して言語聴覚療法を提供する．急性期

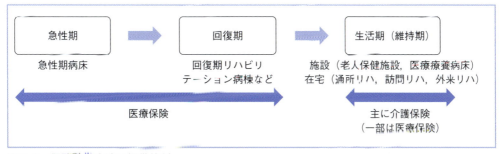

図 6-3 言語聴覚療法の提供体制

の言語聴覚療法を受けた後も障害が残っている場合，回復期リハビリテーションに移行する．急性期病院から直接的に家庭復帰をし，さらなる言語聴覚療法を必要とする者に対しては，介護保険サービスや通院(外来)リハビリテーションの利用を勧める．

2 回復期

回復期の言語聴覚療法は，主として**回復期リハビリテーション病棟**で提供される．適用される保険制度は医療保険であり，急性期で述べた診療報酬が対応する．

回復期リハビリテーション病棟は，脳血管疾患，頭部外傷，脳腫瘍や脳炎などの発症後の状態にある患者に対して，寝たきり防止と家庭復帰を目的としたリハビリテーションを集中的に行うための施設である．現行では，脳血管疾患の場合，回復期リハビリテーション病棟への入院は疾患の発症から2か月以内，入院期間は最長150日(高次脳機能障害を伴う重症脳血管障害は最長180日)となっている．

回復期は言語機能の回復や活動・参加の改善が期待できる時期であり，集中的な言語聴覚療法を提供する．その主目標は家庭復帰であり，入院時から家庭・社会における活動や参加を想定して訓練・支援を行う．

失語症は，発症後6か月を超えて長期的に回復することが多い．また回復した機能を維持し，自立した生活を行うには，さらなる言語聴覚療法を必要とする場合がある．このような場合，生活期(維持期)のリハビリテーションに移行する．回復期から生活期のリハビリテーションへと円滑に移行するには入院時から介護・福祉職と連携して要介護認定などの準備を進めておくことが重要である．

3 生活期(維持期)

生活期(維持期)のリハビリテーションでは，回復期のリハビリテーションで獲得された言語・コミュニケーション能力を維持し，家庭や社会に適応して生活するのを支援する．よって生活期(維持期)の言語聴覚療法では日常生活における活動・参加の促進，生活環境の整備，介護負担の軽減に力点が置かれる．

生活期(維持期)の言語聴覚療法は医療施設を退院後，在宅や施設で提供される．適用される保険制度は主として**介護保険**である．介護保険では介護老人保健施設，訪問リハビリテーションや通所リハビリテーションなどで言語聴覚療法が提供される．また医療保険も外来リハビリテーションや医療療養病床などにおける言語聴覚療法に対応している．

介護保険のリハビリテーションは，施設サービスと在宅サービスに分けられる．施設サービスの言語聴覚療法は，介護老人保健施設，介護療養型医療施設，介護医療院で提供される．在宅サービ

スの言語聴覚療法は，通所リハビリテーション，訪問リハビリテーション，介護予防事業で提供される．

このほか，高齢者が要支援・要介護状態になることを予防し，可能な限り自立した生活を営むことを支援するものとして，**介護予防・日常生活支援総合事業**が存在する．この事業は市町村が地域支援事業として実施するもので，言語聴覚士は通所や訪問等で専門的サービスを提供する．

失語症者が各期の言語聴覚療法を必要とする場合，医療保険と介護保険のサービスを円滑につないでいくことが重要である．

現在，2025年を目途に**地域包括ケアシステム**の構築が進められている．このシステムは，高齢者が可能な限り住み慣れた地域で自分の能力に応じ自立した生活を営むことができるよう，医療，介護，介護予防，住まいおよび自立した日常生活の支援を包括的に提供するものである．この新しいシステムのなかで言語聴覚士は入院（入所）・外来・通所・訪問による言語聴覚療法，介護予防や地域ケア会議への参加などさまざまな場面で活躍することになる．

D　失語症者とのコミュニケーションのとり方

コミュニケーションは話し手と聞き手の共同作業であり，一方に言語障害がある場合，相手の役割はより大きくなる．よって言語聴覚士は失語症者と**効率的にコミュニケーションをとる方法**に習熟しておくことが必要である．言語聴覚士が失語症者とコミュニケーションをとる場面は検査や訓練が多いが，ここでは一般的会話場面におけるコミュニケーションの取り方について説明する（表6-2）．

表6-2　失語患者とのコミュニケーションの取り方

1. **基本的態度**
   - 言語聴覚士がよい聞き手・話し手になる
   - 本人を尊重し信頼関係を保つ
   - 障害の特徴と個人的背景について理解しておく
   - 言語聴覚士もうまく伝えられない，理解できない場合があることを自覚し説明しておく

2. **話しかけ方（理解）**
   - 注意を引きつけて表情を見ながら話す
   - 話し手と聞き手の役割交代を適切に行う
   - 一方的に話しかけて質問攻めにしない
   - 文脈や場面を利用して話しかける（話題に関連した写真やキーワード等を示してから話す）
   - わかりやすい語や単純で短い文で話しかけ，言語処理に負荷をかけない
   - 文節や文の間にポーズ（間）を置いてゆっくりと話す．音節間にポーズを置かない．
   - スピーチ，文字，絵，身振り等を併用し，トータル・コミュニケーションを心がける
   - 本人が内容を理解しているかどうかを確認しながら話す
   - 話題を変更するときは，あらかじめそれを伝えてから変える
   - 話題を次々と変えるより，ひとつの話題に集中する

3. **ことばの引き出し方（表出）**
   - 言語の形式面に注目せず，心情や意思が伝わることを重視する
   - 誤りはその都度訂正せず，内容を推測する
   - 文脈や場面を利用して言葉を引き出す
   - 活用できる伝達手段はすべて利用する
   - 失語症者が使用する伝達手段を相手も使用する
   - 応答しやすい質問をする（yes-no 質問　→　選言質問　→　wh 質問）
   - 焦らせないで，ゆっくりとことばを引き出す
   - 無理にことばを引き出そうとしない
   - ことばが出ないときは待つ，どうしても出ないときは次の機会に譲る
   - 伝達できたときは，共感をフィードバックする

1　基本的態度

言語聴覚士がよい話し手または聞き手になる基本は，相手（失語症者）を尊重し信頼関係を保つことである．また障害の特徴と個人的背景（病前の話し方の特徴，生活経験や性格など）を把握しておくことも重要である．なかでも残存機能と障害された機能，利用できる伝達手段（文字，絵，身振りなど）を理解しておくことは，コミュニケー

ションを効率的にとるための必須条件である．

コミュニケーションを円滑に行うことは健常者にとっても難しい行為である．したがって言語聴覚士も自分がうまく表現できない，理解できない場合があることを認識し，それを相手(失語症者)に伝えておくことが重要である．また意思疎通するための最大の努力をすることも伝えておくようにする．

2　話しかけ方(理解)

注意を引き付けて表情を見ながら話すことは，言語で表現できない心情や意思を理解するのに役立つ．また話し手が一方的に話しかけ，質問攻めにすることはよくない．このような話しかけは失語症者の理解をより困難にしてしまう．障害が重度であっても，話し手と聞き手の役割交代を適切に行うようにする．失語症者の理解を促進するには，場面や文脈を利用することが有効である．例えば話題に関連した写真やキーワードを文字で示しながら会話を進めると理解されやすい．

失語症者に話しかける際は，わかりやすい単語や短い文を使用し，言語処理に負荷をかけないようにする．スピーチは，文節や文の間にポーズ(間)を置いて話すようにする．ただし音節間にポーズを置いて音節ごとに区切って話すとかえってわかりにくくなるので注意を要する．伝達手段はスピーチ，文字，絵，ジャスチャー，身振りなどを総合的に使用し，トータル・コミュニケーションを心がける．文字は漢字とふりがなの併用がよい．

失語症者が話の内容を理解できているかどうかを確認しながら話を進めることは，メッセージの伝達において非常に重要である．また話題を変更するときは，それをあらかじめ伝えてから変えるようにすると理解されやすい．一般に失語症者との会話では話題を次々に変えるより，ひとつの話題を深めるほうが理解されやすい．

3　ことばの引き出し方(表出)

失語症者との会話では言語の形式面に注目しないで，心情や意思が伝わることを重視する．これには語が出てこない，言い誤る，発音が不明瞭といった現象にとらわれず，相手が伝えたいことを聞き手が推測することが重要である．言い誤りをその都度訂正することは会話の流れを止め，発話意欲を低下させるので避ける．

理解と同様に，表出においても文脈や場面を利用することは効果的である．例えば，話しのテーマを文字で示しておく，失語症者が表出したことばを文字や絵で示す，話題に関連した写真や絵を提示する，場面を設定するといったことは，ことばを引き出すのに有効である．

表出においても，利用できる伝達手段はすべて使用し，特定の伝達手段にこだわらないようにする．伝達手段にはスピーチのほかに書字，描画，ジェスチャー，身振り，指差しなど多彩なものがあるので，残存機能を考慮して使用を勧める．コミュニケーションでは，話し手と聞き手が同じ手段を使用することが重要である．したがって会話場面では失語症者が使用しているコミュニケーション手段を相手も使用する．

ことばが出てこないときは，応答しやすい質問形式を使用する．最も応答しやすいのはyes-no質問「食事をする？」であり，次の段階は選言質問である．選言質問は選択肢となる語を与えてどれか1つを選んでもらう質問形式であり(風呂それとも食事？)，確実な情報を引き出すのに有効である．wh質問「何をする？」は最も難易度の高い質問形式であり，重度の失語症者からことばを引き出すのには適していない．

失語症者は緊張して焦ってしまうとことばが出なくなるので，焦らせないでゆっくりことばを引き出すようにする．出そうにないことばを無理に引き出そうとしないことも重要である．いくつかの音が出ており，そのことばが出そうなときは待つが，どうしても出ないときは次の機会に譲る

(「次の機会に教えてください」).失語症者との意思疎通はその時勝負ではなく,長いスパンで行うようにする.失語症者がことばを表出できなかった責任の半分は言語聴覚士にあり,次回に再チャレンジすることを伝える.またどのような方法でも伝えたいことを表現できたときは共感をフィードバックすることもコミュニケーションの重要な要素である.

引用文献

1) American Speech-Language-Hearing Association：Evidence-Based Practice(EBP),https://www.asha.org/research/ebp/(2020年12月閲覧)

第 7 章

失語症の評価・診断

学修の到達目標

- 失語症の評価・診断の原則，目的，対象，プロセス，方法を説明できる．
- 急性期・回復期・生活期の評価の特徴を説明できる．
- 言語・コミュニケーション面，認知面，医学面，関連行動面，心理・社会面の情報を理解し，収集できる．
- 収集した情報を統合し，失語タイプと重症度，予後，言語治療の適応を判断できる．
- 問題点を機能，活動，参加，背景要因から整理し，障害の全体像を把握できる．
- 評価・診断結果をもとに言語治療方針を決定できる．
- 評価サマリの形式と内容を理解し，作成することができる．
- 近縁の言語・コミュニケーション障害と失語症を鑑別できる．
- 評価結果をケースカンファレンス等で報告する内容と方法を理解し，報告できる．

1 失語症の評価・診断

A 評価・診断の原則

　失語症の言語治療は評価・診断から始まる．**評価**は，検査，面接，観察などの手技を用いて特定の対象を測定または記述し，その意味づけを行うことである．例えば失語症検査を実施して反応を得点化し重症度を評定する，会話を記述しその特徴と問題点を明らかにするなどである．

　言語聴覚士が行う診断は**言語病理学診断**であり，医学診断とは異なる．疾病や障害を診断するような医学診断を言語聴覚士が行うことはできない．言語病理学診断は最善の言語聴覚療法を提供するため，評価の結果を分析・総合し，機能・活動・参加における問題およびその発生メカニズムと関連要因を推論して理解することである．このような過程は言語病理学的診断と呼ばれる．

　失語症者からみると，面接や検査は効果的な訓練・支援を受けるためのステップである．本人にとって意味のある評価・診断を行うには，下記の点に留意する．

①検査や面接を実施する前に，その目的を説明し本人・家族の同意を得る（インフォームド・コンセント）
②失語症タイプや症状の把握に留まらず，関連要因や発生メカニズムについて考える．ブローカ失語や喚語困難といった障害にラベルを貼ることは評価・診断の必要条件であるが，十分条件ではない．
③機能，活動，参加，環境因子について総合的に調べ，それらの相互作用について理解する．
④言語・コミュニケーション障害の程度を理解するには，同年齢の健常者との比較が必要であるが，高齢者は個人差が大きい点に注意する．

表 7-1　失語症の評価・診断の目的

以下の項目を明らかにする．
1. 失語症のタイプ，症状，重症度，予後
2. コミュニケーションにかかわる活動，参加，環境の問題
3. 合併する関連障害
4. 社会・心理的問題
5. 言語治療の方針と治療仮説
6. 言語治療のアウトカム

⑤評価・診断の結果はリハビリテーション・チームで共有し，本人と家族に説明する．

B 評価・診断の目的

　失語症の評価・診断では，失語症およびそれに付随して生じた問題について下記の点を明らかにする（表 7-1）．

①**失語症のタイプ，症状，重症度，予後**

　失語症のタイプ，症状，重症度を明らかにする．また失語症の予後についても予測する．

　また脳病変によって生じる後天的な言語・コミュニケーション障害には失語症のほかに，右大脳半球病変・脳外傷・認知症のコミュニケーション障害や運動障害性構音障害などがあるので，このような障害と鑑別する．

②**コミュニケーションにかかわる活動，参加，環境の問題**

　現在の能力で使用できるコミュニケーション手段，会話の能力レベルと実行状況，コミュニケーション環境の問題点について理解する．

③**合併する関連障害**

　高次脳機能障害（失行，失認，注意障害など）や摂食嚥下障害の有無について調べ，合併して

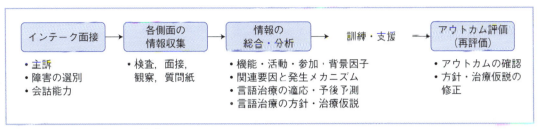

図7-1 失語症の評価・診断プロセス

いる場合は障害の種類，重症度，症状について理解する．また高齢者は老人性難聴を呈していることが多いので，聴力の状態も把握する．

④社会・心理的問題

実現可能な家庭復帰や職業復帰の形態および解決すべき問題点を明らかにする．また本人と家族が直面している精神的・心理的問題について理解する．

⑤言語治療の方針と治療仮説

①〜④の結果をもとに機能，活動，参加の問題について発生メカニズムと関連要因を検討し，言語治療の方針と問題を軽減または解決する治療仮説を設定する．

⑥言語治療のアウトカム

一定期間，訓練・支援を実施したあとに再評価を実施し，言語治療のアウトカムを明らかにする．

各側面の情報は検査，面接，観察，質問紙などによって収集する．検査の実施は総合的検査から特定検査・探査検査へと進む．

収集した**情報は総合して分析**し，障害の全体像を把握する．具体的には，機能，活動，参加，背景因子について障害や問題の性質と程度を明らかにし，これらに関連する要因と発生メカニズムについて検討する．この結果をもとに言語治療の適応について判断し，予後を予測し，言語治療の方針と治療仮説を設定する．

設定した方針と治療仮説に従って一定期間，訓練・支援を実施した後に，言語治療のアウトカムを確認するため，**再評価**を実施する．これは方針や治療仮説が適切であったかを確認することでもある．期待したアウトカムが得られなかったときは必要に応じて方針や治療仮説を修正する．

C 評価・診断のプロセス

図7-1に評価・診断のプロセスを示す．診療録や資料から原因疾患，病歴，脳画像，禁忌事項，生活面の基本情報（年齢・性別・職業，家族構成など）を確認した後，**インテーク面接**（導入面接）を開始する．面接では本人・家族の主訴を聴取し，会話と簡単なスクリーニング検査を実施する．これを通して障害を選別し，会話能力を調べる．インテーク面接で失語症を認めるまたは疑われる場合は，**各側面の情報収集**に進む．

D 評価の対象

失語症の言語治療では，言語機能を最大限に回復することと同時に，ある程度障害が残っても効率的にコミュニケーションをとり，日常生活における活動と参加を最善の状態にもっていくことをめざす．このような言語治療を提供するには，「生きること全体」を視野に入れた評価・診断が必要である．**ICF**はこのような観点から失語症の評価・診断を実施するうえで有用な枠組を提供している．

ICFを失語症の評価・診断に活用するメリット

は以下の点にある．
①機能障害に偏らず，生活機能全体(その人の生活全体)を捉えることができる．
②機能障害，活動制限，参加制約の相互作用および健康状態・環境因子の影響について把握することができる．
③生活機能をプラス面とマイナス面からみることができる．
④医療・介護分野の共通言語として広く使用されている．

1 評価の領域

失語症に関連する評価領域をICFの構成要素によって整理すると，下記のとおりとなる．各領域について，**プラス面**と**マイナス面**の両方を評価する．

健康状態：失語症の原因となった疾患や外傷，合併症，医学的予後など．

心身機能・身体構造：心身機能は言語機能(表出・理解)，全般性精神機能，認知機能，発声発話機能，運動機能，感覚機能など．身体構造は脳の病変部位や神経ネットワークの損傷の状態．

活動：実用的コミュニケーションや生活活動の状態．能力(できる活動)と実行状況(している活動)の両方を評価する．

参加：家庭や社会への参加の状態．能力(できる活動)と実行状況(している活動)の両方を評価する．

環境因子：物的な環境(建物や交通機関の設計，用具等)，社会的環境(制度・サービス，支援，障害に対する理解)など．

個人因子：その人の生活や人生の背景であり，性別，年齢，生活歴，職業歴，ライフスタイル，習慣，性格など．

ICFには心理領域が存在しないが，**心理領域**も評価の対象とする．

2 収集する情報

上述の領域の評価においては，まず医学面，言語・コミュニケーション面，認知機能面，関連行動面，社会・心理面の情報を収集する．

医学面の情報：医師や診療録から医学診断，病歴，医学検査所見，医療的措置，禁忌事項等に関する情報を入手する．医学面の情報はICFの健康状態および心身機能・身体構造に対応する．

言語・コミュニケーション面の情報：言語・コミュニケーションの機能，活動，参加について検査，面接，観察によって情報を得る．また病前の言語習慣やコミュニケーション環境のような背景因子についても本人・家族から情報を入手する．

認知機能面の情報：注意，記憶，実行機能，認知や行為のような機能について，検査，面接，観察を通して機能，活動，参加レベルの情報を得る．

関連行動面の情報：看護師，理学療法士，作業療法士などから運動麻痺，感覚障害，ADL，IADL，病棟における生活状態などについて情報を得る．

社会・心理面の情報：本人・家族への面接や質問紙などによって，主訴，生活歴，職業歴，社会復帰と言語聴覚療法への希望，今後の生活設計，本人・家族の心理面の問題などについて情報を得る．

E 評価の方法

失語症の評価では，検査，面接，観察，質問紙，診療録などによって情報を収集する．言語・コミュニケーションや認知機能については，標準化されたフォーマルな検査を使用することが多い．しかし，このような検査では把握しきれない情報が存在する．例えばどのような前刺激を与えると喚語が促進されるかといった情報は，評価者が対象者の症状を考慮して独自に課題を作成し，実施することによって入手することができる．また会話能力の質的特徴はフォーマルな検査では把

握しきれない．このように評価には，**フォーマルな方法**によるものと**インフォーマルな方法**によるものが存在する．一般に，フォーマルな方法は，その評価法の妥当性と信頼性が検証され，得点の標準化などがなされている．一方，インフォーマルな方法は，評価者が対象者の状態に応じて考案するため，これらの手続きを経ていない．評価ではフォーマルな評価とインフォーマルな評価の両方を目的に応じて使用する．

1 フォーマルな評価

　フォーマルな評価の代表は，標準化された検査を実施することである．標準失語症検査（SLTA），ウェクスラー標準知能検査第4版（WAIS-Ⅳ），標準高次動作性検査（SPTA）などの使用がこれにあたる．フォーマルな検査にはこのような総合的検査のほかに，スクリーニング検査，特定検査等が存在する．

スクリーニング検査：失語症の有無をふるい分ける検査であり，選別検査とも呼ばれる．失語症を選別する標準化された検査は少なく，臨床ではインテーク面接や独自に作成したスクリーニング検査を利用することが多い．

総合検査（包括的検査）：ターゲットの機能や能力を多角的，総合的に調べる検査である．失語症については失語症鑑別診断検査，SLTA，WAB失語症検査日本語版などが存在する．

特定検査：掘り下げ検査とも呼ばれる．特定の機能や能力を掘り下げて調べる検査であり，障害の特性を詳細に把握し，訓練・支援の手がかりを得るために使用されることが多い．失語症については，SALA失語症検査，新版・失語症構文検査（R-STA），失語症語彙検査（TLPA），認知機能についてはレーヴン色彩マトリックス検査（RCPM）などが存在する．

　フォーマルな検査によって障害の全体像を理解する際には，総合検査と特定検査を組み合わせて使用する．このように複数の検査を組み合わせたものは**テスト・バッテリー**と呼ばれる．

　検査の実施は対象者に身体的，心理的，経済的な負担を与える．したがって検査はなぜそれを実施する必要があるか，その検査からどのような情報を入手できるか，その情報は評価・診断または訓練・支援法の選択にどのようにいかされるかをよく考えたうえで実施する．

　フォーマルな検査を実施するときの基本原則は下記のとおりである．

　①評価の目的を明確にし，適切な検査を選択する．
　②必要最小限の検査を実施し，最大限の情報を得る．
　③複数の検査を実施する場合は，関連性を考えて実施順序を決める．
　④検査を実施する前に，実施法や採点法に習熟しておく．
　⑤得点化にとどまらず，それが意味するものを解釈する．

2 インフォーマルな評価

　インフォーマルな評価は，面接，観察，探査検査 probe test などによって行う．このうち，探査検査は特定の問題の障害レベル，関連要因，訓練の手掛かりなどを得るため，評価者が仮説を設定して独自に考案する小さな検査である．この検査は障害レベル，関連要因，促進刺激などについて仮説を設け，それを検証する形で作成する．例えば「この喚語困難は言語処理過程のどのレベルで生じ，どのような要因が関与しているか，またどのような前刺激が喚語を促進するか」について仮説を考え，検査を作成する．このような評価の方法は，**仮説検証的アプローチ** hypothesis-testing approach と呼ばれる．

　このような小さなテストや試みを通して，障害の本質や適切な訓練法に接近することができる．臨床場面は小さなテストや試みをくり返し，問題の所在とその解決法を探索する場とみなすことが

できる．このように考えると，探査検査は初回評価時のみに行うものではなく，言語訓練過程全体を通して実施するものであることがわかる．

F 急性期，回復期，生活期における評価の特徴

失語症の言語治療の目標と内容は回復の経過に伴い変化し，各期の評価において重視する点も異なる．ここでは各期の評価の特徴について説明する．

1 急性期

発症直後はまだ全身状態が不安定で疲労しやすいため，評価はベッドサイドで開始することがある．検査室に来室できるようになっても，耐久性を考慮して短時間のうちに要領よく実施することが重要である．したがって当初は面接時の会話やスクリーニング検査を実施し，ある程度，耐久性が出てきてから総合的検査を使用することが多い．

この時期に失語症のタイプ・重症度を正確に把握することは容易ではない．しかし，急性期はリハビリテーションの出発点なので，各次元の障害特徴を理解し，言語治療の適応を判断し，予後を予測することが求められる．また急性期は失語症の急速な回復がみられるので，言語機能の変化を追跡することになる．

初回評価で重要なことは，現在のコミュニケーション能力と使用できるコミュニケーション方法を理解し，現時点における意思伝達の方法を確立する手がかりを得ることである．この情報を家族やスタッフで共有することにより，患者と効率的にコミュニケーションをとることができるようになる．

2 回復期

回復期は，全身状態が安定し耐久性も上がり，機能，活動，参加，環境因子のすべてに集中的にアプローチできる時期である．ただし回復期リハビリテーション病棟に入院した当初は意識障害があり，耐久性も低い患者が存在する．その場合は患者の状態に応じて評価方法を変えることになるが，一般には通常の検査，面接，観察を実施する．そして機能，活動，参加，環境因子について調べ，障害の全体像を理解し，言語治療の方針と治療仮説を設定する．

3 生活期（維持期）

生活期は，機能や能力を維持し，自分に適した生活を地域社会で再構築する時期である．したがって評価では実用コミュニケーション，コミュニケーション環境，参加の状態に力点を置く．

2 情報収集

A 言語・コミュニケーション面の情報

言語・コミュニケーション面の情報は，インテーク面接，検査，行動観察によって収集するほか，カルテや他専門職から得る．その流れを7-2に示す．

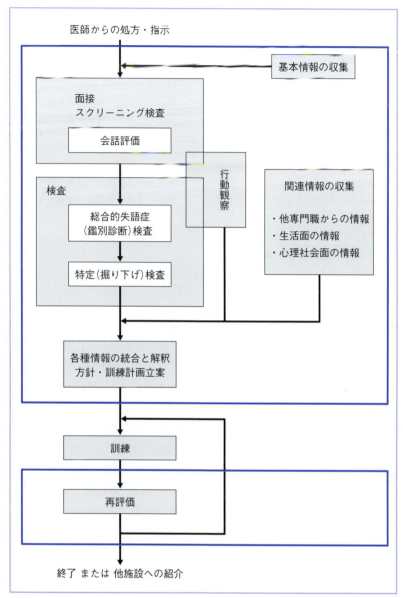

図 7-2 情報収集の流れ
本項では，☐の枠内を解説する．
〔阿部晶子，小森規代：各領域の評価・診断の実際．深浦順一，植田恵(編)：言語聴覚療法 評価・診断学．p97，医学書院，2020 より改変して転載〕

1 インテーク面接(初回面接)

a 目的

インテーク面接の目的は，①主訴や現病歴の概略を把握すること，②言語・コミュニケーション障害，言語以外の高次脳機能障害の有無と種類をおおまかに把握すること，③会話能力を評価すること，④ラポールを形成することである．

表7-2 会話能力の評価：情報伝達度

理解	発話
1　実用的理解はない	1　実用的発話はない
2　文脈を手がかりとして大まかな話題がなんとか理解できる	2　いくつかの慣用語句が話せる（挨拶，はい・いいえなど）
3　文脈を手がかりとして簡単な日常会話が部分的に理解できる	3　聞き手の誘導，推測があれば，いくつかの実質語で情報の一部を伝達できる
4　文脈を手がかりとして日常会話がなんとか理解できる	4　聞き手の誘導，推測によって単純な情報をなんとか伝達できる
5　文脈を手がかりとしないで，簡単な日常会話がほぼ理解できる	5　聞き手の誘導，推測が少しあれば，単純な情報をなんとか伝達できる
6　複雑な会話の細部が理解できず，聞き返しや聞き誤りがある	6　情報を伝達できるが，要点が不明確で回りくどい
7　完全に理解できる	7　完全に伝達できる

〔国際医療福祉大学 保健医療学部 言語聴覚学科〕

b 方法

1）面接

会話形式で，氏名，住所，年齢（生年月日），職業・仕事の内容，家族構成などの基本的事項や主訴を質問し，それに対して答えてもらう．

2）スクリーニングテスト

①発声発語器官の形態・機能，②聴覚・視覚，③摂食嚥下機能，③言語機能，④言語以外の高次脳機能に関するスクリーニングテストを行う．

c まとめ

面接とスクリーニングテストの結果から，言語障害および高次脳機能障害の有無と種類を暫定的に判断する．そして，診断を確定し，タイプや重症度を明らかにするために，次に必要な検査を考える．

インテーク面接を通じて，礼節，表情，状況理解，課題への取り組み態度などに問題がないかの行動観察を行う．

面接では，**会話能力**の評価も行う．会話能力の評価を行う際に重要な視点は，①情報の**伝達度**，②**伝達手段**，③表出・理解できる**言語形式**，④言語以外の障害が会話に及ぼす影響である．情報の伝達度には，理解（伝達された情報をどれだけ理解できるか）と発話（情報をどれだけ伝達できるか）の両面がある．**表7-2**は，情報の伝達度の評価尺度の例である．伝達手段に関しては，どの手段（発話，書字，ジェスチャー，描画，表情など）が理解でき，伝達可能であるかをみる．言語形式については，常套句，単語，文，談話のどのレベルまで理解，表出可能であるかを評価する．また，表出可能な言語形式については，会話相手の質問形式が，yes-no形式，選言形式（A or B 形式），wh形式のどのレベルであれば応答可能かを調べる．

2　スクリーニング検査（鑑別検査）

a 目的

言語・コミュニケーション障害が疑われる患者に対して，大まかに障害の有無と種類を把握し，鑑別診断過程に進むにあたって必要な検査を選択する．

b 方法

スクリーニング検査は，発症からの経過が短い，全身状態が不安定な時期に行うことが多い．そのため，短時間（座位可能なら30分以内，ベッドサイドでは15分以内）で行える必要がある．施設の状況に合ったものが用いられるが，①発声発語器官の形態・機能，②聴覚・視覚，③言語機能，④言語以外の高次脳機能，⑤摂食嚥下機能に関する項目を含めるとよい．図7-3にスクリーニング検査の例[2]を示した．

3 総合的失語症検査

総合的失語症検査は，①失語症と類似障害を鑑別し，失語症の有無を判断すること，②失語症のタイプと重症度を明らかにすること，③症状の特徴を把握すること，④予後を予測し，訓練の適応について判断すること，⑤訓練方針を設定することを目的に行う．わが国における標準化された総合的失語症検査には，①失語症鑑別診断検査（D.D.2000），②標準失語症検査 Standard Language Test of Aphasia（SLTA），③WAB失語症検査（日本語版）The Western Aphasia Battery（WAB）がある．これらは検査手順と採点法が規定されており，妥当性と信頼性を併せもつ．また，「聞く」「話す」「読む」「書く」のすべての言語様式を，単語および文のレベルで評価できる（表7-3）．

a 失語症鑑別診断検査（D.D.2000）[3]

ミネソタ失語症鑑別診断検査 Minnesota Test for Differential Diagnosis of Aphasia，日本語版の Schuell-笹沼失語症鑑別診断検査をもとに作成された．1978年に失語症鑑別診断検査として出版され，2000年に改訂が行われている．聞く過程，読む過程，話す過程，書く過程，数と計算の5部門，42項目の下位検査および3個の参考課題からなる．言語性聴覚的把持と談話の理解に関する下位検査を含む．重症度尺度，モダリティ別プロフィール，z得点プロフィールを算出することができ，重症度尺度では重症度判定が可能である．

b 標準失語症検査 Standard Language Test of Aphasia（SLTA）[1]

日本失語症学会（現日本高次脳機能障害学会）によって作成された検査である．1975年に出版された．「聴く」「話す」「読む」「書く」「計算」の側面を26個の下位検査によって評価する．SLTAの大きな特徴は採点方法にあり，6段階評価を行うことである．6段階評価を用いることで，ヒントの有効性など訓練に役立つ情報を得ることができる．検査結果は得点プロフィールで示され，非失語症者群，重症度別（重度，中等度，軽度）の失語症者群のそれと比較することで，失語症の有無や重症度を知ることができる．

c WAB失語症検査（The Western Aphasia Battery）日本語版[5]

英語圏で広く使用されているWABの日本語版として，1986年に標準化され出版された．下位検査は，①自発話，②話し言葉の理解，③復唱，④呼称，⑤読み，⑥書字，⑦行為，⑧構成・視空間行為・計算の8つで，言語性検査以外に，非言語性検査も含んでいる（失行，半側空間無視，非言語性知能）．WABは，下位検査の得点をもとに，失語症のタイプ分類（古典分類）を行うことができる．検査結果は，下位検査の得点とともに，失語指数 Aphasia Quotient（AQ）で示され，失語症の有無および重症度の判断に用いることができる．また，言語性および非言語性検査の結果から，大脳皮質指数 Cortical Quotient（CQ）を求めることができ，非言語的な認知機能を含めた全認知機能を評価することもできる．

氏名　　　殿（　歳 男・女）	検査者
利き手 L・R（使用手 L・R）	検査年月日　　年　　月　　日
	検査場所

項目		反応	
自発話	お名前は何ですか		
	ご気分はいかがですか		
聴覚的理解	手を挙げて下さい		
	肩を2回たたいて下さい		
	床を指さしてから天井を指さして下さい		
物品呼称	鍵		
	時計		
	鉛筆 あとで聞きますので，名前を覚えておいて下さい		
復唱	雨		
	雪だるま		
	電話が鳴っています		
系列語	1から20まで数えて下さい		
音読	時計・とけい	漢字	仮名
	鉛筆・えんぴつ	漢字	仮名
読解	手を挙げて下さい		
	床を指さしてから，天井を指さして下さい		
書字	お名前を書いて下さい		
見当識	今日は，何年の何月何日ですか		
	ここは，どこですか		
記憶	先程名前を言って頂いた品物は何でしたか		
	ここに入院したのはいつですか		

聴覚	耳が聞こえにくいことがありますか	
視覚	目が見えにくいことがありますか	
	物が見えにくい位置や場所がありますか	R(上・下) L(上・下)

発声発語器官	口唇	安静時	− ± ＋	(R L) 偏位 非対称 不随意運動 流涎
		閉鎖	− ± ＋	
		突出	− ± ＋	
		引く	− ± ＋	
	舌	安静時	− ± ＋	(R L) 偏位 非対称 萎縮 線維束性攣縮 振戦
		突出	− ± ＋	
		前舌挙上	− ± ＋	
		左右	− ± ＋	
	下顎	安静時	− ± ＋	
		挙上	− ± ＋	
		下制	− ± ＋	
	軟口蓋	/a/	− ± ＋	鼻息鏡(鼻漏出　　)
	diadochokinesis			/pa/(　回/5秒) /ta/(　回/5秒) /ka/(　回/5秒) /pataka/(　回/5秒)

声	大きく息を吸ってからできるだけ長く「アー」と言ってください		MPT　　秒 声質　G(0・1・2・3) R　B　A　S 0：問題なし
摂食・嚥下	摂食嚥下の問題	− ± ＋	
	食事の形態	胃ろう・経管・ペースト・刻み・普通(　　)	
	食事の方法	全介助・部分介助・要監視・自力摂取(　　)	

−：良好，±やや不良，＋：不良

まとめ

意識・注意	JCS(　　)	
	(　)ひとつのものに注意を集中することができない (　)複数のものに注意を分割することができない (　)適切に注意を移すことができない (　)注意を持続することができない	
失見当識	あり・なし・判定不可	
記憶障害	あり・なし・判定不可	
失語症	あり・なし・判定不可	
他の高次脳機能障害	あり・なし・判定不可	(障害名　　)
dysarthria	あり・なし・判定不可	
摂食・嚥下障害	あり・なし・判定不可	
運動障害	右片麻痺・左片麻痺(　　)	
感覚障害	視覚(　　)聴覚(　　)	
その他		
まとめ・方針		

図7-3　コミュニケーションスクリーニング検査

〔藤田郁代，菅野倫子：高次脳機能の評価．pp1-2，国際医療福祉大学 保健医療学部 言語聴覚学科，2011より〕

4　特定検査(掘り下げ検査)

診断の精度を高め，訓練に必要な詳細な情報を得るため，特定の側面の機能や能力について掘り下げて評価する検査である(表7-3)．

表7-3 言語・コミュニケーション面の評価に用いる代表的な検査

用途／目的	検査名
総合的失語症検査	・失語症鑑別診断検査(D.D.2000) ・標準失語症検査(SLTA) ・WAB失語症検査日本語版
特定検査	・実用コミュニケーション能力検査日本語版(CADL) ・SALA失語症検査 ・重度失語症検査 ・新版失語症構文検査(STA) ・失語症語彙検査(TLPA) ・標準抽象語理解力検査 ・標準失語症検査補助テスト(SLTA-ST) ・語音弁別検査 ・モーラ分解・抽出検査 ・トークンテスト ・物品と動作の呼称検査

a 実用コミュニケーション能力検査 日本語版 Communicative Abilities in Daily Living (CADL)[6]

言語・コミュニケーションの運用面について、情報を得るための標準化された検査である。非言語的な側面も含んだ、日常生活におけるコミュニケーション能力を評価することが目的である。米国のHollandによるCADLをもとに、日本で独自に作成された。日常のコミュニケーション活動を、実物を用いて模擬的に行うことを求める。身振りや、描画など非言語的な反応についても、実用性が認められる場合には得点が与えられる。総得点に基づいて、コミュニケーションレベルを5段階で評価する(1:全面援助〜5:自立)。加えて、コミュニケーションストラテジーについての情報も得ることができる。

b SALA失語症検査 Sophia Analysis of Language in Aphasia (SALA)[7]

認知神経心理学的理論を背景とする失語症検査である。聴覚的理解、視覚的理解、産生、復唱、音読、書取の側面について評価を行うことができる。合計40の下位検査で構成され、親密度や心像性など語彙の統制が行われている。下位検査は、文の理解・産生に関するものも含んでいる。

c 重度失語症検査[8]

重度失語症患者のコミュニケーションに関する残存能力を言語および非言語領域にわたって調べることを目的とする。対象は、総合的失語症検査では床効果のために症状把握が困難な重度例である。重度失語症検査の構成は、以下のとおりである。

- 導入部(挨拶や基本的な個人情報の口頭または代償手段による表出)
- PartⅠ・非言語基礎課題(やりとり、指さし、マッチング、身体動作)
- PartⅡ・非言語記号課題(物品使用、記号の理解、ジェスチャー表出、描画、意味関連の理解)
- PartⅢ・言語課題(聴覚的理解、読みの理解、系列語・母音、音読、発話、復唱、書字、時計の理解)

これらは、必要な部分だけ選んで行うこともできる。PartⅢの言語課題は、総合的失語症検査よりもやさしいレベルである。重度例の残存能力を詳細に調べることで、訓練の手がかりを得ることができる。

d 新版失語症構文検査 Syntactic Processing Test of Aphasia-Revised (R-STA)[9]

失語症患者の統語機能を精査し、診断と治療プログラムに役立てることを目的として標準化された検査である。1983年に失語症構文検査(試案ⅡA)として発表され、2016年に新版失語症構文検査として出版された。失語症構文検査は、失語症患者の構文の理解および産生障害には階層性があるという知見に基づいて作成されている。検査は、理解(聴覚的理解、読解)、産生の両面を評価

する課題を含んでいる．理解面の評価では，理解のレベルを以下の4段階で評価する．
- レベル1：語の意味ストラテジー
- レベル2：語順ストラテジー
- レベル3：助詞ストラテジー（補文なし）
- レベル4：助詞ストラテジー（補文あり）

産生面の評価は，産生のレベルを意味役割の種類と数，補文の有無により5段階で評価する．

e 失語症語彙検査 Test of Lexical Processing in Aphasia（TLPA）[10]

認知神経心理学の理論に基づく，標準化された検査である．語彙能力を総合的に精査することができる．診断と訓練の手がかりを得ることを目的に開発された．複数の検査からなる検査バッテリーであり，語彙判断検査，名詞・動詞検査，類義語判断検査，意味カテゴリー別名詞検査から構成される．下位検査で用いる語の心像性，使用頻度，親密度，品詞，意味カテゴリーなどの特性について統制がなされており，語彙の理解，産生障害の特性を詳細に分析することができる．

f 標準抽象語理解力検査[11]

性質や概念などを表す抽象語の理解力をみることができる標準化された検査である．聴覚的理解検査と視覚的理解検査からなる．目標語に対する誤反応を，音的関連性と意味的関連性の有無から分析できるようになっている．

g 標準失語症検査補助テスト（SLTA-ST）[12]

標準失語症検査（SLTA）ではカバーできない症状の把握を目的とした検査である．「発声発語器官および構音の検査」「yes-no応答」「金額および時間の計算」「まんがの説明」「長文の理解」「呼称」が含まれる．「まんがの説明」「呼称」は，SLTAの掘り下げ検査として位置づけられる．「長文の理解」は軽度例の聴覚的理解力をみるのに適している．

h 語音弁別検査

語音認知の問題を詳細に調べることを目的とした検査である．聴覚的理解障害のなかでも，特に語音認知の問題が疑われる患者が対象となる．検査では，2つの刺激音を対にして提示し，同じか異なるかの判断を求める．綿森[13]による語音異同弁別検査，SALA失語症検査[7]の聴覚的異同弁別検査・2モーラ語，2モーラ無意味語がある．

i モーラ分解・抽出検査[14]

音韻操作能力の評価を目的とし，仮名文字訓練のための掘り下げ検査として知られている．

モーラ分解検査では，単語を聴覚的に呈示し，何モーラからなるかを答えてもらう．

モーラ抽出検査は，/ka/がありますか検査と，/ka/がどこにありますか検査として知られている．/ka/がありますか検査は，3モーラ語を聴覚的に呈示し，/ka/があるかどうかを尋ねる．

/ka/がどこにありますか検査は，3モーラの何番目に/ka/があるかを尋ねる．患者がどの程度正しく答えられるかによって障害の有無を評価する．

j トークンテスト（Token Test）（日本語版）[15]

失語症患者の聴覚的理解力を調べることを目的とした検査である．特に，軽度の聴覚的理解障害を検出するのに適した検査である．2種類の形（円，正方形），2種類の大きさ（大，小），5種類の色（赤，青，黄，白，黒）の組み合わせからなる20枚のトークンを用いる．検査はAからFの6つのパートに分かれ，検者の口頭指示に従って，トークンを操作する．パートAからEは，動詞と目的語からなる構文で，AからEになるにしたがって刺激の長さが増す．パートFは，複雑な文の理解を調べることができる．

k 物品と動作の呼称検査(An Object & Action Naming Test)[16]

物品と動作の呼称を的確に評価するための検査である．名詞と動詞の親密度と頻度について統制がなされており，健常者100人の結果を参照して反応の成否が的確に判断することができる．「物品と動作の呼称検査」(物品呼称，動作呼称)，「キューによる評価」(物品呼称，動作呼称)，「付録」(動作呼称)からなる．「キューによる評価」の結果は，呼称訓練を行う際の有用な手がかりとなる．

5 活動・参加の評価

家庭生活や社会生活におけるコミュニケーションの状況について情報を収集する．

a コミュニケーション活動

失語症者を対象とした日常コミュニケーション能力を評価する検査としてはCADL[6]がよく用いられる．その他，家族の視点から失語症者のコミュニケーション能力を評価する尺度として，CETI(The Communicative Effectiveness Index)[17]も用いられる．CETIは家族らが日常コミュニケーションに関する16項目を評価する．

b 参加

参加を評価する尺度としては，CIQ(Community Integration Questionnaire)日本語版[18]がある．CIQは，参加の状況を，家事，買い物，日常の用事，レジャー活動，友人や親戚の訪問，社会活動・生産活動の15項目で評価する．

c 環境因子

失語症者の環境因子を評価する尺度としては，CHIEF(Craig Hospital Inventory of Environmental Factors)日本語版[19]がある．CHIEFは，政策・方針，物理・建造物，仕事・学校，態度・支援，サービス・支援に関する阻害要因を25評価で評価する．

d QOL

患者を全人的に理解し，よい生活を送ることができるように働きかけるためにQOL(Quality of Life)の評価を行う．健康関連QOL(Health-related Quality of Life；HRQOL)の尺度として，以下に述べるEuroQol[20,21]，SAQOL-39(Stroke and Aphasia Quality of Life Scale-39)[22-24]がよく知られている．

1) EuroQol[20,21]

EuroQolは，健康関連QOL(HRQOL)の尺度として幅広く用いられている調査票である．1990年に欧州で作成され，日本語を含む多くの言語に翻訳され国際的に利用されている．

日本語版EuroQolの調査票は，5項目法(5 Dimension；5D)と視覚評価法(Visual Analogue Scale；VAS)から構成される．5項目法では，①移動の程度(歩き回れるかどうか)，②身の回りの管理(洗濯や着替え)，③ふだんの活動(仕事，勉強，家事，余暇など)，④痛み・不快感，⑤不安・ふさぎ込みの設問について，3段階(問題はない，いくらか問題がある，問題がある)のうち最もよく当てはまるものを回答する．5項目法のそれぞれの回答の組み合わせから，QOLスコア(効用値)を算出する(表7-4)．

視覚評価法による評価では，患者の自身の健康状態について，100(想像できる最もよい健康状態)から0(想像できる最も悪い健康状態)を両端とする目盛を提示し，どの位置かを示すことで自己評価を求める．

2) SAQOL-39(Stroke and Aphasia Quality of Life Scale-39)[22-24]

SAQOL-39は，失語症者の健康関連QOLの評価尺度である．2003年にHirakiらによって作成され[22,23]，2005年にKamiyaら[24]によって日本

表 7-4 日本語版 EuroQol の 5 項目法における評価項目（15 項目）[20, 21]

```
移動の程度
  私は歩き回るのに問題はない
  私は歩き回るのにいくらか問題がある
  私はベッド（床）に寝たきりである
身の回りの管理
  私は身の回りの管理に問題はない
  私は洗面や着替えを自分でするのにいくらか問題がある
  私は洗面や着替えを自分でできない
ふだんの活動（例：仕事，勉強，家事，家族・余暇活動）
  私はふだんの活動を行うのに問題はない
  私はふだんの活動を行うのにいくらか問題がある
  私はふだんの活動を行うことができない
痛み／不快感
  私は痛みや不快感はない
  私は中程度の痛みや不快感がある
  私はひどい痛みや不快感がある
不安／ふさぎ込み
  私は不安でもふさぎ込んでもいない
  私は中程度に不安あるいはふさぎ込んでいる
  私はひどく不安あるいはふさぎ込んでいる
```

〔池田俊也，他（編）：臨床のためのQOLハンドブック．p46, 医学書院，2001 より〕

語版が発表された．日本語版 SAQOL-39 は，図版を用いながら質問し，5 段階の自己評価を求める．質問では，「身辺動作」「動作」「仕事」「上肢機能」「言語」がどのぐらい困難であったか，「思考」「性格」「気分」「活力」「家庭内役割」「社会的役割」がどのようであったかを問う．

3）その他

失語症者が生活の質をどのように捉えているのかを把握するスケールとして ALA（Assessment for Living with Aphasia）があり，2014 年に鈴木ら[25]が日本語を発表した．質問項目は，失語症領域，参加領域，環境領域，個人領域と壁に関する質問（失語症のある生活をどう感じるか）からなる．ALA の実施に際しては，非言語的手段を用いて失語症者の理解や表出を支援し，失語症者自身から回答を得る．

引用文献

1) 阿部晶子・小森規代：各領域の評価・診断の実際．深浦順一・植田恵（編）：言語聴覚療法 評価・診断学．医学書院，2020
2) 藤田郁代，菅野倫子：高次脳機能の評価．pp1-2, 国際医療福祉大学 保健医療学部 言語聴覚学科，2011
3) 笹沼澄子，伊藤元信，綿森淑子，他：老研版 失語症鑑別診断検査（D.D.2000）．千葉テストセンター，2000
4) 日本高次脳機能障害学会 Brain Function Test 委員会：標準失語症検査マニュアル改訂第 2 版．新興医学出版社，2003
5) WAB 失語症検査（日本語版）作成委員会：WAB 失語症検査日本語版．医学書院，1986
6) 綿森淑子，竹内愛子，福迫陽子，他：実用コミュニケーション能力検査：CADL 検査．医歯薬出版，1990
7) 藤林眞理子，長塚紀子，吉田敬，他：SALA 失語症検査—Sophia Analysis of Language in Aphasia—．エスコアール，2004
8) 竹内愛子，中西之信，中村京子，他：重度失語症検査—重度失語症者へのアプローチの手がかり．協同医書出版社，1997
9) 藤田郁代，三宅孝子：新版失語症構文検査．千葉テストセンター，2016
10) 藤田郁代，物井寿子，奥平奈保子，他：失語症語彙検査—単語の情報処理の評価—．エスコアール，2000
11) 宇野彰，春原則子，金子真人：標準抽象語理解力検査．インテルナ出版，2002
12) 日本高次脳機能障害学会 Brain Function Test 委員会：標準失語症検査 補助テスト（SLTA-ST）．新興医学出版社，1999
13) 綿森淑子：失語症．笹沼澄子，伊藤元信，福迫陽子（編）：言語治療マニュアル．医歯薬出版，1984
14) 福迫陽子，伊藤元信，笹沼澄子：単語のモーラ分解・抽出能力検査．笹沼澄子，伊藤元信，福迫陽子（編）：言語治療マニュアル．pp55-57, 医歯薬出版，1984
15) 笹沼澄子：Token Test の手引き：言語障害．pp129-134, 医歯薬出版，1975
16) 佐藤ひとみ：物品と動作の呼称検査．エスコアール，医歯薬出版，2018
17) Lomas J, Pickard L, Bester S, et al：The Communicative Effectiveness index: development and psychometric evaluation of a functional communication measure for adult aphasia. J Speech Hear Disord 54：113-124, 1989
18) 増田公香，多々良紀夫：CIQ 日本語版ガイドブック．KM 研究所，2006
19) 大畑秀央，吉野眞理子：環境因子についての質問紙 CHIEF 日本語版の作成およびその受容性・信頼性・妥当性の検討：失語のある人を対象として．リハビリテーション連携科学 13：105-114, 2012
20) 日本語版 EuroQol 開発委員会：日本語版 EuroQol の開発．医療と社会 8：109-123, 1998
21) 池田俊也，池上直己：選択にもとづく尺度 EQ-5D を中心に．池上直己，福原俊一，下妻晃二郎，他（編）臨床のためのQOLハンドブック．pp14-18, 医学書院，2001

22) Hilari K, Byng S：Measuring quality of life in people with aphasia：The Stroke Specific Quality of Life Scale. Int J Lang Commun Disord 36：86-91, 2001
23) Hilari K, Byng S, Lamping, DL, et al：Stroke and Aphasia Quality of Life Scale-39（SAQOL 39）． Evaluation of Acceptability, Reliability, and Validity. Stroke 34：1944-1950, 2003
24) Kamiya A, Kamiya K, Tatsumi H, et al：Japanese adaptation of the stroke and aphasia quality of life scale-39（SAQOL-39）：Comparative study among different type of aphasia. J Stroke Cerebrovasc Dis 24：2561-2564, 2015
25) 鈴木明子：失語症者の生活評価尺度開発のために―ALA（Assessment for Living with Aphasia）使用の試み―. 健康医療科学研究 4：59-71, 2014

B 認知機能の情報

表 7-5 認知機能の評価に用いる代表的な検査

用途/目的	検査名
知的機能	日本版レーヴン色彩マトリックス検査（RCPM）
行為	標準高次動作性検査（SPTA） WAB 失語症検査日本語版の下位検査「行為」
視覚認知	標準高次視知覚検査（VPTA） バーミンガム物体認知バッテリー（BORB）
視空間認知	BIT 行動性無視検査日本版（BIT）
構成	図形の模写，積木構成
注意	面接や検査時の行動観察，図形や記号の抹消課題
視覚性記憶	ベントン視覚記銘検査 レイの複雑図形検査

　左半球の損傷による失語症は，その他の高次脳機能障害を合併する可能性がある．合併する高次脳機能障害は，失語症の予後，訓練の進め方に影響を及ぼすため，失語症以外の障害の有無と重症度についても情報収集を行うことが必要である．

　失語症患者の高次脳機能評価を行う際には，言語による反応や複雑な教示の理解が必要ない検査を用いる必要がある．主要な検査を表 7-5 に示した．

1 知的機能

　失語症の訓練を進めるうえで知的機能に関する定量的な情報を得ておくことが重要である．日本版レーヴン色彩マトリックス検査 Raven's Colored Progressive Matrices（RCPM）[1]は，視覚を介した非言語的手続きにより知的機能（推論能力）を測定する検査である．言語的指示が最小限に抑えられていることが特徴で，重度の失語症患者にも実施が可能である．

2 行為

　失語症に合併しやすい高次脳機能障害は失行である．失行は検査場面と日常生活場面では現れ方が異なる．例えば，検査場面において，物品使用の身振りが困難であっても，実物の使用が可能であれば，日常生活場面においてはあまり問題とならない．失行の評価は，検査と日常の両場面から行う必要がある．

　標準高次動作性検査 Standard Performance Test for Apraxia（SPTA）[2]は，高次動作性障害（失行）の総合的検査である．検査は，①顔面動作，②物品を使う顔面動作，③上肢（片手）慣習的動作，④上肢（片手）手指構成模倣，⑤上肢（両手）客体のない動作，⑥上肢（片手）連続的動作，⑦上肢・着衣動作，⑧上肢・物品を使う動作（物品あり・なし），⑨上肢・系列的動作，⑩下肢・物品を使う動作，⑪上肢・描画（自発），⑫上肢・描画（模倣），⑬積み木テストからなる．検査結果をもとに，口舌顔面失行，観念運動性失行，観念性失行，指節運動失行，着衣失行，構成失行を判定することができる．

3 視覚認知

　患者が物品や検査図番など視覚刺激を用いた課題に困難を示す場合には，視覚性失認に関する評

価を行う必要がある．

標準高次視知覚検査Visual Perception Test for Agnosia（VPTA）[3]は，視知覚認知障害の総合的検査である．検査は，①視知覚の基本機能，②物体・画像認知，③相貌認知，④色彩認知，⑤シンボル認知，⑥視空間の認知と操作，⑦地誌的見当識に関する項目からなる．種々の視知覚認知障害を検討するための検査である．項目ごとに，呼称，異同弁別，マッチング，描画などの方法を用いて評価を行う．

より詳細な評価が必要な場合には，バーミンガム物体認知バッテリーBirmingham Object Recognition Battery（BORB）[4]が有用である．BORBは，英国で作成された視覚性失認（視覚性物体失認）の包括的検査である．検査は，14の下位検査項目からなり，視覚性失認のタイプ分類を行うことができる．項目ごとに，呼称，異同弁別，マッチング，描画などの方法を用いて評価を行う．

4　視空間認知

左半球の損傷による失語症では半側空間無視が持続することは少ないとされるが，発症初期には病巣と反対側（右側）に注意が向きにくい様子が観察されることが少なくない．行動観察とともに，スクリーニング検査として，線分抹消試験，線分二等分試験などを行うとよい．より詳細な評価が必要な場合には，BIT行動性無視検査日本版（BIT）[5]を実施する．

5　構成

構成障害は，知的機能の低下の影響を受けやすい．図形の模写，積木構成などを用いて評価を行う．

6　注意

失語症患者は，発症初期には全般性注意障害を示すことが少なくない．注意の強度（覚度・持続性注意）については，面接や検査時の行動をよく観察する．選択性注意については，図形や記号の抹消課題を用いて評価する．その他，注意を適切に切り替えることができるか（転換性注意），2つ以上のことに注意を分配することができるか（分配性注意）についても観察を行う．

7　記憶

まず，見当識が保たれているか，担当のセラピストや検査の実施を記憶できているかなどを会話や行動観察から評価する．より詳細な評価が必要な場合には，言語による反応を必要としないベントン視覚記銘検査[6]，レイの複雑図形検査[7]を実施する．

引用文献

1) 杉下守弘，山崎久美子：日本版レーヴン色彩マトリックス検査手引き．日本文化科学社，1993
2) 日本高次脳機能障害学会 Brain Function Test 委員会：標準高次動作性検査，改訂第2版．新興医学出版社，2003
3) 日本高次脳機能障害学会 Brain Function Test 委員会：標準高次視知覚検査マニュアル．新興医学出版社，2003
4) Riddoch MJ, Humphreys GW：Birmingham Object Recognition Battery. Lawrence Erlbaum Associates, 1993
5) 石合純夫（BIT日本語版作成委員会代表）：BIT行動性無視検査 日本語版．新興医学出版社，1999
6) Benton A（著），高橋剛夫（訳）：新訂版視覚記銘検査日本語版使用手引き．三京房，2010
7) Lezak MD, Howieson DB, Loring D：Neuropsychological Assessment, 4th ed. Oxford University Press, 2004

C　医学面の情報

医学面の情報は主に医師が収集し，診療録に記載する．言語聴覚士は以下に述べるような基本的な知識を理解したうえで，治療にかかわるチームとして，診療録の医学的情報を共有することが重

表 7-6 発症形式と経過

発症形式			代表的な疾患
超急性	時/分	脳血管障害	心原性脳塞栓 脳出血
		頭部外傷	脳挫傷・外傷性脳出血
急性	時間～日	脳血管障害	アテローム血栓性脳梗塞 ラクナ梗塞
亜急性	数日～数週	脳炎	ヘルペス脳炎 自己免疫性脳炎 クロイツフェルト・ヤコブ病
慢性	数か月～年	神経変性疾患	アルツハイマー型認知症 レビー小体型認知症 前頭側頭型認知症 大脳皮質基底核変性症など
		良性脳腫瘍	

要である．そのうえで，言語にかかわる所見に関しては，自分でもある程度確認できるようになることが望ましい．

1 病歴のとり方

言語聴覚療法にまわってくる段階では，診断は確定し，すでに医学的な病歴はとられていることが多い．しかし，どのような経緯で現在の状態に至ったのかを理解し，病前の機能状態を詳細に知ることは必要である．

a 現病歴

1) 発症形式と経過 (表 7-6)

発症形式と経過は原因疾患によって異なる．現病歴は，いつから，どのような症状が出現し，どう変化してきたかを具体的に聞いていく．また，現病歴を誰から聴取するかも重要である．失語が軽度であれば本人から聞き取れるが，多くの場合は家族などから聞くことになる．本人と同居し，発症の様子を知っているほうが望ましいが，そうでない場合はどの程度患者さんと接していたかを確認する必要がある．同居していなくても，頻繁に電話をしている親戚や友人は言語の変化に気付くことがある．

発症時期は，急性発症の場合は目撃者がいれば明らかだが，慢性的に進行する場合は本人や介護者の記憶があいまいなことがある．その場合には，昨年の正月にはいつものように年賀状を書いたか，お盆に集まったときは皆と話をしていたかなど，時期を特定して変化の有無を具体的に聴くようにする．

発症は時間的に急性，亜急性，慢性に分けられる（表 7-6）．急性発症の代表は**脳血管障害**，頭部外傷である．脳血管障害は**脳出血**と**脳梗塞**があり，脳出血は脳内出血やくも膜下出血に，脳梗塞はラクナ梗塞，アテローム血栓性脳梗塞，心原性脳塞栓に分けられる．何月何日の何時何分ごろと発症の時刻を特定できるほど急性の発症は，心原性脳塞栓と脳出血に多い．心原性脳塞栓は心房細動や心臓弁膜症などによってできた心内血栓が脳動脈に詰まることによって生じる．突然脳血流が途絶するため，症状は急激に出現し，出血性梗塞になると一段と増悪する．脳出血は高血圧や血管の異常により脳血管が破れることにより起こる．

何月何日の朝に起床したらとか，何月何日の午後にというようにやや急性の発症は，ラクナ梗塞やアテローム血栓性脳梗塞が多く，症状は徐々に進行していく．数日から週の単位で徐々に症状が出現し，進行する亜急性の発症の代表的疾患は各種の脳炎である．発症時期が曖昧で，年の単位で失語症が徐々に進行してくる慢性の経過をとる場合は，神経変性疾患，良性脳腫瘍などの可能性がある．

2) 言語症状と随伴症状

急性発症の場合は，発症時の意識レベル，発声や発話の有無を確認する．聴覚性理解については，口頭命令に従えたか，「はい，いいえ」で意思表示できたかも確かめる．随伴症状としては，嚥下障害の有無，麻痺の有無が大切である．亜急

表 7-7　問診で聞いておくべきポイント

既往歴	血管障害の危険因子	高血圧，糖尿病，脂質異常症，心疾患，高尿酸血症など 喫煙，飲酒，肥満
	神経疾患	脳血管障害，一過性脳虚血発作，てんかん，頭部外傷など
	視覚	白内障，緑内障，網膜疾患 眼鏡，コンタクトレンズ使用の有無
	聴覚	難聴の原因となる疾患 補聴器使用の有無
生活歴	利き手	矯正歴の有無
	病前の言語能力	教育歴，職業歴，読み書き・計算などの習慣の有無
家族歴	類症	患者と同じような疾患の有無
	血縁者の利き手	

性，慢性発症の場合は，言語症状がほかの症状に先行して出現したのか，随伴症状がどのような順序で出現してきたかを聞き取っておく．

b 既往歴

脳血管障害の危険因子である高血圧，糖尿病，脂質異常症，心疾患，高尿酸血症，喫煙などの有無を確認する．一過性脳虚血発作，頭部外傷やけいれん発作の既往も確かめる．言語機能を検査するうえで必要な聴力・視力に障害をきたす疾患の既往や治療歴，補聴器・眼鏡使用の有無なども確認しておく（表 7-7）．

c 生活歴

利き手とその矯正歴を聞く．Edinburgh Handedness Inventory などの質問紙票を用いることもできる．病前の言語能力を推察するために，教育歴，職業歴，読み書きや計算の習慣などを確認しておく．

d 家族歴

血縁者に似たような疾患（**類症**）と診断されている人がいないか，左利きがいないかを聞く．本人が左利きで血縁者にも左利きが多い場合は，言語の側性化が通常と異なる場合が多い．

2　神経学的診察

言語について検査する前提として，全身的な神経学的所見を大まかに捉えておく．基本的な神経学的異常のために失語症検査での成績が低下することがあり，それを失語と混同しないように注意が必要である．失語症により理解が低下している場合には，以下の検討が難しいこともあるが，可能な範囲で基本的な神経機能の障害の有無を確認しておく．

a 意識レベル

言語が正しく機能するためには，意識清明である必要がある．軽度の意識障害でも，言語に種々の影響がある．非失語性の呼称障害，少し長い文の理解や復唱の障害，読み書きの障害は，軽い意識障害で比較的よくみられる．失語の場合は見当識に関する質問などは難しいため，十分に課題や刺激に注意が向いているかをまず観察する．また，空間性スパンや手指肢位の模倣など，非言語的な課題が十分に行えるかを確認する．

b 脳神経系

構音に関係する下位脳神経系に異常がないかを診察する．顔面・口唇の運動や感覚，舌の運動や萎縮の有無，軟口蓋・咽頭の動きを調べる．口輪筋反射，吸引反射，下顎反射，軟口蓋反射，咽頭反射も検査しておく．口輪筋反射は上口唇の正中部をハンマーでたたくと，口を尖らせるように収縮する反射である．吸引反射は，上口唇を外側から中心部に向かってこすると，口を尖らせる反射である．下顎反射は咀嚼筋の筋伸展反射で，口を少し開けさせ，下顎に検者の指を当ててその上をハンマーでたたく．軟口蓋反射は，綿棒や舌圧子などで軟口蓋を外側から正中に向けて軽くこす

表7-8 球麻痺と偽性球麻痺

	球麻痺	偽性球麻痺
病巣部位	延髄	前頭葉
障害レベル	下位運動 ニューロン	上位運動 ニューロン
口輪筋／下顎／咽頭反射	亢進なし	亢進
軟口蓋反射	亢進なし	低下～消失

る．軟口蓋の一側性麻痺があると，どちら側をこすっても，軟口蓋は健側に引っ張られる．咽頭反射は，綿棒などで片側の咽頭後壁をそっと触れることで，催吐反射を引き起こす．構音障害を呈する球麻痺と偽性球麻痺は表7-8のように区別できる．

聴力は，声掛けへの反応をみて異常の有無を推測する．簡単な聴力の診察として，左右の耳元で指をこすり合わせ，どちらから聞こえるか答えさせる．聴力低下が疑われる場合は，音叉を用いてウェーバー（Weber）試験，リンネ（Rinne）試験を行う．ウェーバー試験は，震わせた音叉を眉間中央に当て，音叉の振動音が正中部に聞こえるかどうかを尋ねる．左耳の感音性難聴では右側に偏って聞こえ，左耳の伝音性難聴では左側に偏って聞こえる．リンネ試験は，まず震わせた音叉の柄を乳様突起部に当てて骨導により振動音を聞かせ，これが聞こえなくなった時点で合図させる．すぐに音叉の振動している部分を外耳孔のそばに寄せ，気導により振動音を聞き取れるかどうかを確認する．正常な場合は気導のほうが骨導より閾値が低いため，骨導で聞こえなくなったあとでも気導では聞き取れる．伝音性難聴の場合，気導より骨導のほうが聞き取りやすくなるため，リンネ試験を行うと気導で聴取できなくなる．感音性難聴では，正常と同じパターンとなる．これらの検査で異常が認められた場合は，耳科的検査を行う．

読み書きに関して，視力，視野などの確認が必要である．机上の刺激をみる視力は，近見視力表で確認できる．失語でもある程度の理解が得られれば，ランドルト環の開いている方向を指で示させることで測定可能である．視野については，対座法で大まかな異常を知ることができる．

c 運動・感覚機能

麻痺，運動失調の有無，感覚障害の種類や程度について必要に応じて診察する．特に上肢の麻痺，運動失調は書字や道具使用に影響する．上肢全体の粗大な筋力だけでなく，手指の巧緻運動に関しても検討しておく．

手や手指の感覚障害のため，物品の扱いが拙劣になることがある．病巣部位から感覚障害が予想される場合には，皮質性感覚障害を含めて検討が必要である．要素的な感覚が障害されていない場合，必要に応じて2点識別覚，触点定位覚，皮膚書字覚などの皮質性感覚を検査する．ただし，失語のため理解が不十分な場合，詳細な感覚機能の検討は難しい．

d その他

腱反射，自律神経系など，言語聴覚士がすべてを診察することはなくても，診療録などで異常の有無を確認しておく．言語療法を行う患者の病態はさまざまであり，全身状態として，血圧などのバイタルサインにも注意しておく必要がある．

3 画像診断

a MRI・CT

病巣を知る画像診断としてMRIまたはCTが用いられる．詳細な神経放射線学的知識は必要ないが，病巣部位の同定はできたほうがよい．失語症の症状だけをみて評価や訓練を行うのではなく，常に病巣部位を確認し，失語症状と病巣の関連を意識することが大切である．

MRIでは病巣部位の確認だけでなく，太い血管を描出できるMRアンギオグラフィー（MRA），神経線維束の方向や連続性をみるトラクトグラ

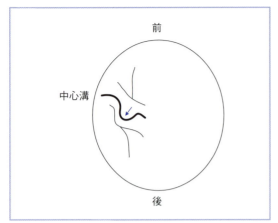

図7-4 中心溝の同定法
矢印がprecentral knob sign，または逆Ω（オメガ）サインで，中心前回の手指運動野に相当する．

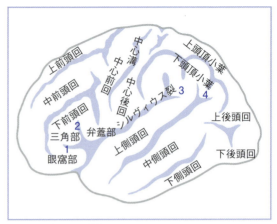

図7-5 主な脳溝と脳回
1. 前水平枝，2. 前上行枝，3. 縁上回，4. 角回．

フィーも用いられている．MRIの撮像法にはT1強調像，T2強調像，FLAIR(fluid-attenuated inversion recovery)，拡散強調像，SWI(susceptibility-weighted imaging)などがあり，病巣の質的差異を知ることができる．

1）中心溝の同定（図7-4）

前頭葉と頭頂葉を分ける大きな脳溝が中心溝である．一般的な水平断のMRI・CTで中心溝を決めるためにはいくつかポイントがある[1]．
①中心溝は独立していて，前後の脳溝と合流しない．
②高位穹窿部（側脳室より上のレベルで，頭頂部近く）の水平断で，中心前回の手指運動野は後ろに飛び出て凸状になっている．これをprecentral knob signまたは逆Ω（オメガ）サインなどと呼ぶ．このサインは両側典型的にみられないこともあるが，ほとんどの例で片側は同定可能なので，それをもとに対側も同定できる．
③中心溝の前が中心前回，後ろが中心後回であるが，中心前回のほうが中心後回より前後の幅が広い．

2）脳回の同定（図7-5）

中心溝が決まったら，それを基準に脳回を同定していく．MRIの矢状断像がわかりやすいが，水平断でも同定は可能である．失語に特にかかわり合いの深いのがシルヴィウス裂周囲の部位である．

シルヴィウス裂の前のほうに前水平枝と前上行枝がV字状に出ている．これにより下前頭回は3つの部分に分けられる．前方から眼窩部，三角部，弁蓋部である．このうち三角部と弁蓋部をあわせた部位が，古典的な**ブローカ野**となる．また，シルヴィウス裂後端を取り囲む部位が縁上回，上側頭溝後端を取り囲む部位が角回で，縁上回と角回を合わせて下頭頂小葉という．

b 脳血管撮影

脳動脈瘤や脳動静脈奇形など脳出血の原因検索や，血管の閉塞部位を検討するために施行される．また，言語優位半球を決定する方法として，脳血管撮影の際に一側の内頸動脈から麻酔薬を注入するWadaテストが行われることがある．

表7-9 失語症患者に関連する主な神経学的検査

神経放射線学的検査	解剖学的変化	脳 脳血管	CT, MRI MRA, 血管撮影
	機能的変化	脳血流 脳代謝	SPECT, PET PET
神経生理学的検査	機能的変化	神経活動(安静時) 誘発反応(刺激時)	安静時脳波/脳磁図 誘発脳波, 誘発磁界
神経眼科的検査	解剖学的変化	網膜・視神経	眼底検査
	機能的変化	動的視野 静的視野 眼球偏倚	Goldmann 視野計 Humphrey 視野計 Hess チャート
神経耳科的検査	機能的変化	聴力 他覚的聴力検査	純音聴力/語音聴力 インピーダンス検査 聴性脳幹反応

c SPECT (single photon emission computed tomography)

放射性同位元素を用いて，脳血流を定性的に測定する．動脈狭窄の場合に，薬剤を用いて脳循環予備能を評価する検査にも利用される．灌流低下部位の分布は変性性認知症の鑑別にも有用である．

d PET (positron emission tomography)

放射性同位元素を用いて脳血流，酸素消費量，ブドウ糖代謝量などを定量的に測定する．脳血管障害だけでなく，変性疾患でも特徴的なパターンが診断の助けになる．

4 その他の検査(表7-9)

血液，髄液検査など原因疾患の検索および治療のために必要な検査はここでは記載しない．以下に，言語聴覚士として訓練を進めていくうえで，参考になると思われる検査を概説する．

a 脳波・脳磁図

神経細胞の電気的活動を測定するのが脳波，それにより生じる磁場を測定するのが脳磁図である．脳波では，基礎波および局所的な波形の異常に注目する．基礎波が通常より遅い場合は全般性の機能低下が示唆される．また，てんかん波などの異常を検出するにも使われる．脳磁図は脳波に比べ空間分解能に優れている．

外界から刺激を加えたときの脳波・脳磁図の変化を捉えるのが誘発反応である．視覚/聴覚誘発反応は，外界の刺激が一次野へ到達しているかを知る客観的方法として用いられる．

b 神経眼科的・神経耳科的検査

表7-9 に示す検査は必要に応じて行われる．患者に反応を求める検査は失語症では困難なことが多いが，軽度であれば検査実施時に言語聴覚士が支援することで可能なことがある．

5 医学的治療と予後

失語症を引き起こしている原因疾患によって，生命的・機能的予後は異なる．したがって，各疾患の経過を知って，訓練計画を立てることは重要である．患者の全身状態や治療計画について，常に主治医と密接に連絡を取って言語療法を進める．また，各段階における言語療法の意義を患者や家族と共有したうえで，訓練を行うことも大切

である．

a 脳血管障害

　虚血性脳血管障害は発症後4.5時間以内であればt-PA静注による血栓溶解療法の適用となり，効果がなければ血栓回収療法が考慮される．その結果，脳梗塞に陥ることを避けられれば，速やかに症状は改善する．それ以外の脳血管障害は，ある程度以上病巣が大きい場合は周囲の浮腫などの影響で最初の1～2週間は増悪する可能性があり，部位によっては生命の危険がある．

　発症1～2週間を過ぎると，合併症や再発がない限りは徐々に症状が改善する．そのことをまず患者や家族に伝えて，訓練への意欲を引き出す．回復は，発症後数か月間は比較的速いが，その後は非常にゆっくりしたペースとなる．この経過も患者・家族に話して，長期的な回復がみられるように働きかける．

　もやもや病や脳動静脈奇形などの先天的な血管異常の場合は，原疾患の治療により症状が変化することがあるので，主治医と連絡を取りながら治療前後での評価・訓練を行う．

b 脳腫瘍

　脳腫瘍の治療法，予後は悪性度により異なる．良性のものは切除後に特にほかの治療を必要とせず，再発の可能性も低い．一方，悪性度の非常に高い神経膠芽腫は，術後に放射線化学療法を行っても再発率が高く，生命予後は不良である．放射線化学療法に伴って全身状態が悪化することも少なくない．

　言語評価は術前からかかわることが望ましい．言語症状は術後に悪化することがあるが，なるべく患者の不安を取り除けるように，言語訓練を進める．悪性度によって経過が異なるため，主治医と密に連絡を取り，その患者にとって言語療法がどのような位置づけになるかを考えながら訓練を進める．良性腫瘍であれば，社会復帰をめざし，長期的な訓練計画を立てられる．一方，悪性度が高ければ，短期的に家庭生活に適応できるように訓練を進める．

　脳腫瘍は年齢層が広く，発見までほとんど症状がない人が多い．したがって，精神的ショックは強く，家族や社会に対する影響も大きい．そのような状況を十分に理解し，支持的に訓練を進めることが重要である．

　また，言語優位半球のシルヴィウス裂周囲の神経膠腫では，術中に言語野を同定して温存するために，覚醒下手術が行われることがある．言語聴覚士がかかわることも増えてきている．詳細は，「覚醒下手術ガイドライン」を参照されたい[2]．

c 神経変性疾患

　変性性認知症のうち失語症が前景に立つものは**原発性進行性失語症**と呼ばれ，非流暢/失文法型，意味型，ロゴペニック型に分けられる〔原発性進行性失語（進行性失語）（➡ 132頁）を参照〕．それぞれ背景疾患が異なるため，経過や治療法は異なる．

　非流暢/失文法型は前頭側頭型認知症，進行性核上性麻痺，大脳皮質基底核変性症などが多い．経過中に前頭葉症状に加え，後二者では構音障害や運動障害などがみられるようになる．意味型はTDP43の蓄積する前頭側頭葉変性症（FTLD）が多く，進行すると意味記憶障害，前頭葉症状などがみられる．ロゴペニック型はアルツハイマー型認知症に多く，進行により健忘や視空間認知障害なども加わる．

　いずれの神経変性疾患も異常な蛋白が脳内に蓄積する神経変性疾患であり，病態の進行を止める薬剤はまだ開発されていない．症状の進行を遅らせる薬剤としては，**アルツハイマー型認知症**（AD）では抗コリンエステラーゼ阻害薬，NMDA受容体拮抗薬，レビー小体型認知症には抗コリンエステラーゼ阻害薬のドネペジルが使われる．

　原発性進行性失語症では失語が徐々に増悪するため，病識が保たれている間は患者の不安が強いことがある．患者の精神状態を注意深く観察し，

表7-10 ブルンストロームステージ分類[1]

stage Ⅰ	随意運動なし（弛緩）
stage Ⅱ	連合反応[*1]が出現する（痙性発現）
stage Ⅲ	共同運動[*2]またはその要素を随意的に起こしうる（痙性著明）
stage Ⅳ	基本的共同運動から逸脱した運動（痙性減弱）
stage Ⅴ	基本的共同運動から独立した運動（痙性減少）
stage Ⅵ	協調運動ほとんど正常（痙性消失）

*1 連合反応：ある部位の運動によってほかの部位の運動が起こること（非麻痺側の運動によって麻痺側の運動が起こること，麻痺側の下肢の運動によって上肢の運動が起こること）を指す．
*2 共同運動：ある部位の運動を独立して行えず，常にほかの部位と同時にしか行うことができない

支持的な対応を心がける．進行とともにほかの認知障害や情動障害が加わるので，背景疾患を考慮し，予測を立てながらかかわることも重要である．また，家族が患者の症状を理解し，うまくコミュニケーションが取れるように支援する．

原発性進行性失語症以外の変性性認知症でも，進行期になると言語症状が出現する．多くは喚語困難や書字障害から始まる．単語レベルの理解は進行期まで保たれるものの，全般性注意障害の影響でやや複雑な言語の理解は落ちてくる．

d 頭部外傷

交通外傷の場合は，軸索損傷の程度が必ずしもMRIなどの画像に反映されないため，画像所見と症状が乖離してみえることがある．また，言語障害以外の高次脳機能障害を合併することが多く，情動の不安定さや全般性注意障害などが言語療法に影響する．徐々に症状は改善してくることが多いので，高次脳機能障害の全体像を把握したうえで訓練を進める．

6 禁忌

失語症に対する言語療法について，医学的に絶対的禁忌はないが，意識レベル，全身状態，患者の精神状態を十分考慮して進める必要がある．

引用文献

1) 高橋昭喜（編著）：脳MRI 1 正常解剖 第2版, p31, 秀潤社, 2005
2) 日本Awake Surgery学会（編）：覚醒下手術ガイドライン. 医学書院, 2013

D 関連行動面の情報

1 理学療法士，作業療法士からの情報

a 身体機能に関する情報

1）運動機能

失語症患者は右片麻痺などの運動障害を合併することが多く，日常生活活動全体に影響を及ぼすため，理学療法士および作業療法士から情報を得る必要がある．運動機能の評価には，ブルンストロームステージ Brunnstrom stage[1]がよく用いられる（表7-10）．ブルンストロームステージは，上肢・下肢・手指について，片麻痺の回復過程をステージⅠ～Ⅵの6段階で表したものである．

2）感覚機能

表在感覚（温度覚，痛覚，触覚），深部感覚などの体性感覚の障害は，姿勢の保持，運動の調節や物品の把持や操作に影響を及ぼす．このため体性感覚の障害の有無と程度に関する情報（消失，鈍麻，正常，過敏）を得る．

b 活動に関する情報

1）ADL（Activities of Daily Livings；日常生活活動）

ADLは人が生活するために行う，身の回りの動作，移動，コミュニケーションなどの基本的な一連の活動である．ADLの評価は，バーセル・インデックス（Barthel Index；BI）（表7-11）[2]や機能

表7-11　バーセル・インデックス(BI)

	自立	部分介助	ほぼ全介助・ほぼ不可能	全介助・不可能
食事	10	5	—	0
移乗	15	10	5	0
整容	5	5	—	0
トイレ動作	10	5	—	0
入浴	5	0	—	0
歩行	15	10	5	0
階段昇降	10	5	—	0
更衣	10	5	—	0
排便コントロール	10	5	—	0
排尿コントロール	10	5	—	0

表中の10項目を点数化して評価する．すべて自立の場合に100点となる．
〔Mahoney FI, Barthel DW：Functional evaluation：The Barthel Index. Maryland State Med J 14：61-65, 1965 より〕

表7-12　FIM(機能的自立評価法)の評価項目(18項目)

運動項目	セルフケア	食事 整容 入浴 更衣(上半身) 更衣(下半身) トイレ動作
	排泄管理	排尿 排便
	移乗	ベッド・椅子・車椅子 トイレ 浴槽・シャワー
	移動	歩行・車椅子 階段
認知項目	コミュニケーション	理解 表出
	社会的認知	社会的交流 問題解決 記憶

運動項目13項目，認知項目5項目を7段階で点数化する〔7点：完全自立，6点：修正自立(補装具などを使用)，5点：監視，4点：最小介助(25%未満)，3点：中等度介助(25%以上50%未満)，2点：最大介助(50%以上75%未満)，1点：全介助(75%以上)〕
〔千野直一(監訳)：FIM：医学的リハビリテーションのための統一データセットの利用の手引き原著第3版．医学書センター，1993 より〕

表7-13　LawtonらのIADL尺度の評価項目(8項目)

	評価項目
A	電話を使用する能力
B	買い物
C	食事の支度
D	家事
E	洗濯
F	交通手段の利用
G	服薬管理
H	金銭管理

女性：A～Hの8項目について評価する(0～8点，8点満点)
男性：食事の支度，家事，洗濯を除外した5項目について評価する(0～5点，5点満点)
〔Lawton MP, Brody EM：Assessment of older people：Self-maintaining and instrumental activities of daily living. Gerontologist 9：179-186, 1969. 日本老年医学会(編)：高齢者診療に用いる資料とその活用．健康長寿診療ハンドブック―実地医家のための老年医学のエッセンス．p137, メジカルビュー社，2011 より〕

的自立度評価法(functional independent measure；FIM)(表7-12)[3]を用いて行われることが多い．
　歩行については，自立，監視，介助，不可のいずれであるかの情報も得る．自立歩行が可能である場合，耐久性や歩行速度の情報を収集する．装具や杖の使用についても把握する．

2) 手段的ADL(instrumental ADL；IADL)

　患者が家庭および社会生活を営むには，家事など応用的な活動や買い物など社会生活にかかわる活動も必要になる．これら手段的ADLの評価には，LawtonらのIADL尺度(表7-13)[4, 5]，やFrenchay Activities Index(FAI)自己評価表(表7-14)[6, 7]などが用いられる．

2　看護師からの情報

a　健康状態に関する情報

体温，血圧などの情報，食事，睡眠の状態に関

表7-14 Frenchay Activities Index(FAI)自己評価の評価項目（15項目）

	評価項目
1	食事の用意
2	食事の後片付け
3	洗濯
4	掃除や整頓
5	力仕事
6	買い物
7	外出
8	屋外歩行
9	趣味
10	交通手段の利用
11	旅行
12	庭仕事
13	家や車の手入れ
14	読書
15	仕事

各評価項目を4段階で評価する
〔Holbrook M, Skilbeck CE：An activities index for use with stroke patients. Age Aging 12：166-170, 1983. 蜂須賀研二, 千坂洋巳, 河津隆三, 他：応用的日常生活動作と無作為抽出法を用いて定めた在宅中高年齢者のFrenchay Activities Index 標準値. リハビリテーション医学 38：287-295, 2001 より〕

する情報を得る.

b 病棟におけるADL

病棟での観察によるADLの情報（BI, FIM）を収集する. 訓練室での「できるADL」と病棟での「しているADL」の間に差があるか否かは重要な情報である.

c 病棟におけるコミュニケーション

看護師とのコミュニケーションについて, 食事や排泄などのやりとりの際にどのような伝達手段を用いるか, ナースコールを押せるかなどの情報収集を得る. 患者と家族はどのような伝達手段を用いているか, 家族がどのようなかかわり方をしているかについても情報収集する. また, 同じ病棟のほかの患者との交流の有無などについても聴取する.

3 医療ソーシャルワーカーからの情報

a 患者の病前の生活状態に関する情報

家族歴, 生活歴, 職業歴などは, ソーシャルワーカーを通じて家族から聴取することが多い. 家族から得たい内容を伝え, 情報を聴取してもらう.

b 医療, 福祉サービスに関する情報

医療, 福祉サービスを利用するうえで必要となる情報を入手する. 具体的には, 本人が加入する保険の種類, 介護認定の有無, 経済状況, 住居地や住居地の近くの医療・福祉機関などの情報を収集する.

4 心理専門職（臨床心理士, 公認心理師）からの情報

患者の障害受容など心理的な問題に関する情報を得る. また, 心理専門職（臨床心理士, 公認心理師）が知能検査や記憶検査などを実施している場合には, その情報を得る.

E 社会・心理面の情報

患者の状態を正しく評価し, 治療方針・治療計画を立案するために, 家族面談を通して以下の情報を得る.

①生活状況：家族構成, 同居, 別居を聴取し, キーパーソンが誰かを確認する. 本人の退院後の生活を推測し, 日中の過ごし方などを提案していくために重要である.

②職業：勤務先, 職種, 休職期間, 復職の受け入

れに関する情報を得る．これらの情報は，職業復帰や社会参加をめざすうえで，きわめて重要である．

③教育歴：これまでに受けた教育に関する情報を得る．検査結果を解釈するうえで必要な情報である．

④病前の言語習慣：方言の有無，読み書きの習慣について情報を得る．病前よりなんらかの言語障害があった場合は，その状態について確認する．

⑤性格：患者に適した言語訓練を進めるために，性格についての情報を収集する．また，病気による性格変化の有無についても情報を得る．

⑥趣味：活動や参加を支援するために，趣味や興味のあることに関する情報を収集する．趣味などを把握することは，会話訓練において話題を選択する手がかりにもなる．

⑦ADL：ADLの評価には，患者の行動観察が非常に重要である．家族から，患者が「しているADL」の情報を得る．

⑧介護保険などのサービス：介護認定の有無，介護保険のサービス利用の有無を確認する．

⑨言語聴覚療法への希望：言語聴覚療法について，どのような希望をもっているかの情報を得る．

⑩今後の生活設計：今後の生活について，どのように考えているかの情報を得る．経済状況，復職への希望などを把握する．

家族は患者を支える存在であると同時に，家族自身も支援が必要な存在である．家族が障害を受容できずに心理的な問題を抱えることも少なくない．家族の心理面を評価する尺度として，コミュニケーション関連の介護負担感尺度Communication Burden Scale(COM-B)[8,9]，コミュニケーション自己効力感評価尺度Communication Self-Efficacy Scale(CSE)[10]が開発されている．

引用文献

1) Brunnstrom S：Movement therapy in hemiplegia：a neurophysiological approach. Harper & Row, New York, 1970
2) Mahoney FI, Barthel DW：Functional evaluation：The Barthel Index. Maryland State Med J 14：61-65, 1965
3) 千野直一(監訳)：FIM：医学的リハビリテーションのための統一データセットの利用の手引き 原著第3版．医学書センター，1993
4) Lawton MP, Brody EM：Assessment of older people：Self-maintaining and instrumental activities of daily living. Gerontologist 9：179-186, 1969
5) 日本老年医学会(編)：高齢者診療に用いる資料とその活用．健康長寿診療ハンドブック―実地医家のための老年医学のエッセンス．p137，メジカルビュー社，2011
6) Holbrook M, Skilbeck CE：An activities index for use with stroke patients. Age Aging 12：166-170, 1983
7) 蜂須賀研二，千坂洋巳，河津隆三，他：応用的日常生活動作と無作為抽出法を用いて定めた在宅中高年齢者のFrenchay Activities Index標準値．リハビリテーション医学 38：287-295，2001
8) 小林久子，綿森淑子，長田久雄：在宅失語症者の家族の介護負担感評価．言語聴覚研究 8：104-112，2011
9) 中村光，福永真哉，鈴木美代子，他：Communication Burden Scale(COM-B)の妥当性の検証―失語症に特異的な介護負担感．言語聴覚研究 8：113-119，2011
10) 辰巳寛，山本正彦，仲秋秀太郎，他：失語症者の家族介護者におけるコミュニケーション自己効力感評価尺度(Communication Self-Efficacy Scale：CSE)の開発．高次脳機能研究 32：514-524，2012

3 情報の統合と評価のまとめ

失語症の評価・診断において，情報を収集したあとに行うべきことは，それらを統合し，解釈することである．その際に，ICFの概念的枠組みは有用であり，言語・コミュニケーション機能，認知機能，活動と参加について生じている問題を理解し，全体像を把握する．同時に予後の予測，訓練適応の判断，方針・目標の決定，方法の検討を行い，評価サマリーを作成する．

A 失語症タイプと重症度の判定

　各種の情報をもとに，言語障害の種類を確認する．脳血管障害などの脳の病変では，失語症のほか運動障害性構音障害，知的機能や記憶障害に起因する言語・コミュニケーション障害などが生じるため，それらとの鑑別が必要である．失語症が認められた場合には，次に失語症のタイプと重症度の判定を行う．失語症のタイプ分類は，ボストン学派の古典分類を用いて行うのが一般的である．

B 問題点の抽出

　収集した情報を総合的に分析し，患者の全体像を理解する．具体的には，ICFの枠組みを用いて問題点を抽出する．

　機能障害については，言語面，認知面の評価におけるプラス面，マイナス面をあげる．活動制限については，日常生活におけるコミュニケーション活動におけるプラス面とマイナス面を列挙する．会話，新聞やテレビの利用，電話の使用，メールやパソコンの使用などについて考える．「できる活動」，「している活動」を整理する．

　参加制約については，社会参加におけるプラス面とマイナス面を記述する．職業復帰，趣味の会への参加，家族以外の人との交流などについて考える．また参加の形態も考慮する必要がある．

　環境因子については，住居などの物的環境，日常および社会生活における環境，コミュニケーション環境などの情報を整理する．個人因子に関しては，性別，職業，趣味や性格などの情報を整理する．

C 予後予測および言語治療の適応判断

　言語機能の予後を，障害脳病変の部位と大きさ，原因疾患，発症からの経過，失語症の重症度とタイプ，失語症以外の高次脳機能障害の有無，年齢，言語治療歴の有無などから予測する．同時に，インテーク面接における会話能力の評価，関連職種や家族面談から得た情報をもとに，実用的コミュニケーション活動の向上，コミュニケーション環境の改善の可能性を検討する．言語治療の適応は，機能障害の予後だけでなく，生活機能全体の改善が見込めるかで判断する．本人のみならず，家族や周囲の環境（人的環境，物理的環境）への働きかけを含めて総合的に判断する．

D 言語治療方針の決定

　失語症の言語聴覚療法の目標は，言語機能の回復，コミュニケーション能力の向上，日常および社会生活へのよりよい形での参加をめざすことである．さらに，心理面の安定も目標に含む．言語治療の方針は，患者本人のみでなく，家族（および身近な人）をも対象とし，生活全体がよりよい状態になるように考え，訓練の目標を設定する．

　長期目標は，どのような生活をめざすか（主目標：患者にかかわるすべての職種がめざすべき目標），言語機能の回復を，コミュニケーション能力の向上，日常および社会生活への参加についてどこまでめざすか（言語目標：言語聴覚療法において達成すべき目標）を決める．短期目標は，長期目標を段階的に達成するため，1～3か月間ごとに設定する目標である．訓練期間，頻度，訓練内容は，長期目標と短期目標に基づき具体的に記述する．

E 評価サマリーの作成

評価サマリーの記述すべき内容は以下のとおりである．図7-6に具体的な例を示した．

1 初期評価

a 基本情報

患者の基本情報：氏名，年齢，性別，利き手に関する情報を記述する．
主訴：本人および家族の主訴を記述する．

b 医学面

医学的診断名，神経学的症状，神経心理学的症状，現病歴，画像所見，既往歴，禁忌事項などを記述する．神経学的症状として記述すべき内容は，運動障害，感覚障害の有無である．運動障害がある場合には，ブルンストロームステージ（Brs）などで麻痺の程度を示す．視野障害がある場合には，右同名半盲，右上1/4盲のように，視野の状態を記述する．神経心理学的症状として記述すべき内容は，高次脳機能障害の種類である．障害を複数合併している場合には，主たる障害を最初に書く．

c 関連行動面・社会心理面

身体機能，ADL，職業・社会的活動，家族構成，教育歴，病前の言語習慣，性格，趣味，介護認定，今後の生活設計などの情報を記述する．ADLは，BIやFIMなどの点数を記述する．

d 言語・コミュニケーション面

複数の検査から得られた情報を統合し，言語・コミュニケーションの機能・活動・参加についてまとめる．

1）言語・コミュニケーション能力

インテーク面接などから得られた情報の伝達度について記述する．また有効な伝達手段（発話，書字，ジェスチャーなど），言語形式（常套句，単語，文，談話）を記述する．

2）聞く側面

聴力低下の有無について述べたうえで，語音認知，単語・文の理解の順に記述する．
①聴力：難聴の有無を記述する．純音聴力検査を実施している場合には，聴力レベルを記述する．
②語音認知：語音認知障害の有無を記述する．語音弁別検査を実施している場合には，結果を記述する．
③単語：単語の聴覚的理解力を記述する．総合的失語症検査における単語の聴覚的理解の結果を根拠として示す．失語症語彙検査などを実施している場合には，親密度，心像性，意味カテゴリー，品詞による差などの障害の特徴を記述する．
④文：短文，情報量の多い文，文法的に複雑な文の聴覚的理解力を記述する．総合的失語症検査における短文，口頭命令，新版失語症構文検査（R-STA）の構文の理解レベルを記述する．

3）話す側面

発声発語器官の形態と機能について述べたうえで，発話の流暢性，呼称，文の順に評価結果を記述する．
①発話の流暢性：会話評価における発話量，努力性，構音・プロソディの障害，句の長さなどを記述し，流暢性の評価の結果を記述する．発語失行（失構音）がみられる場合には，重症度や症状の特徴を記述する．
②呼称：喚語困難の有無と重症度を記述する．総合的失語症検査の呼称成績を根拠として示す．失語症語彙検査などを実施している場合には，

親密度，心像性，意味カテゴリー，品詞による差などの障害の特徴を記述する．また，呼称における誤反応(錯語，迂回反応，無反応)の例も記述する．語頭音ヒントの有効性についても記述する．

③文：文の発話の可否，発話可能な文の長さと構造(断片的，単純な文など)を，総合的失語症検査の結果などに基づいて記述する．失語症構文検査を実施している場合には，産生可能な文の種類を記述する．失文法，錯文法がみられる場合には，特徴とともに例を記述する．

4) 復唱の側面

復唱能力の評価結果を，単語，文の順に記述する．

①単語：単語の復唱能力を記述する．総合的失語症検査の結果に基づいて評価する．錯語がみられる場合には，その種類と割合を記述する．単語と非語で差がみられる場合には記述する．

②文の復唱：文の復唱能力を記述する．総合的失語症検査の結果に基づいて評価する．何文節まで可能であるかを記述する．

復唱に関連する，反響言語，補完現象などの症状がみられる場合には記述する．

5) 読む側面

視力・視野障害の有無を記述したうえで，読解と音読に分け，評価結果を記述する．

読解：単語，文の順に評価結果を記述する．聴覚的理解との差についても記述する．

①単語：単語の読解能力を記述する．漢字・仮名表記の差の有無についても明記する．総合的失語症検査の漢字単語，仮名単語の理解の結果を根拠として示す．

②文：短文，複雑な文の読解能力を記述する．総合的失語症検査の結果を根拠として示す．失語症構文検査を実施している場合には，理解可能な構文のレベルを記述する．

音読：仮名1文字，単語，文の順に評価結果を記述する．

①仮名1文字：仮名1文字の音読の結果を記述する．障害がみられる場合には，清音，濁音，拗音すべてについて詳細な検査を行い，その結果を記述する．

②単語：総合的失語症検査の漢字単語，仮名単語の音読の結果に基づいて評価する．漢字と仮名の差の有無についても評価結果を記述する．錯読がみられる場合には，その種類と割合を記述する．

③文：総合的失語症検査における短文音読の結果に基づく評価を記述する．

6) 書く側面

右手の麻痺の有無，書字に用いる手を記述したうえで，自発書字と書取に分け，評価結果を記述する．また，書字がきわめて困難な場合は，写字の可否に関する評価結果を記述する．

自発書字：自発書字は，氏名，住所などの書字の可否，単語，文の順に評価結果を記述する．

①単語：総合的失語症検査の漢字単語，仮名単語の書字の結果に基づいて評価する．漢字と仮名の差の有無についても評価結果を記述する．錯書がみられる場合には，その種類と割合を記述する．

②文：文の書字の可否および正確さを，総合的失語症検査の結果などに基づいて記述する．

書き取り：仮名1文字，漢字単語，仮名単語，文の順に記述する．

①仮名1文字：総合的失語症検査に基づいて評価する．障害がみられる場合には，清音，濁音，拗音すべてについて詳細な検査を行い，その結果を記述する．

②単語：総合的失語症検査の漢字単語，仮名単語の書取の結果に基づいて評価する．漢字と仮名の差の有無についても評価結果を記述する．錯書がみられる場合には，その種類と割合を記述する．

③文：文の書取の可否および正確さを総合的失語

評価報告書
作成日：2019 年 12 月 17 日，作成者：東京 文子

[基本情報]
氏名：那須 太郎 様(性別：男性)
生年月日：1950(昭和 25)年 2 月 8 日(70 歳)
利き手：右利き(矯正なし)
主訴：ことばがうまく話せない

[医学面]
医学的診断名：被殻出血(2019 年 11 月 12 日発症)
神経学的症状：右片麻痺
神経心理学的症状：失語症，口舌顔面失行
現病歴：2019 年 11 月 12 日，起床時に右半身の麻痺を認め，家族が救急要請，A 病院に入院となった．脳出血(左被殻)の診断で，定位血腫除去術を受ける．3 日後に意識状態は改善したが，右片麻痺と失語症が認められた．発症 5 日目より PT，OT，ST を開始した．12 月 3 日，さらなるリハビリテーションのため当院に転院となった．
画像所見：MRI T2 強調画像にて，左被殻に高信号を認める．
合併症：高血圧症(10 年前から服薬治療)
既往歴：特記事項なし
禁忌事項：血圧が基準値を超えた場合は訓練中止

[関連行動面]
運動機能：Brs　上肢Ⅲ，手指Ⅱ，下肢Ⅲ
病棟生活における ADL：BI は 80 点 /100 点(歩行，階段昇降以外は自立)．電話の操作は可能で，家族からかかってきたものにのみ出る．病棟の他患に対して，挨拶をする，体調を気遣うなどはあるが，自分から話しかけることはない．

[社会心理面]
職業：会社員(定年退職後，嘱託社員として勤務)
家族構成：妻(主婦)，長男(会社員)の 3 人暮らし．長女が県内在住．妻は健康であり，キーパーソン．妻，長男，長女とも協力的であり，訓練への同席を希望している．
住居：住居は持ち家，バリアフリー未改修
病前の言語習慣：仕事で文書を日常的に扱っていた．新聞は毎日読んでいた．
性格：社交的，穏やか，真面目
趣味：読書，市民農園での野菜作り
介護保険等のサービス：申請予定
今後の生活設計：定年退職後であり，経済的な心配はないので，穏やかに生活してほしい．定年後に市民農園での野菜作りを一緒にはじめたところだったので，楽しめるようになってほしい(妻)．
言語聴覚療法に望むこと：ことばが話せるようになりたい(本人)，少しでも言いたいことが伝えられるようになってほしい(妻)．

[言語・コミュニケーション面]
検査実施日：2019 年 12 月 5 日～12 日
実施検査：会話検査，スクリーニング検査，SLTA，失語症構文検査 STA

以下の(　)内の数値は SLTA の得点．
障害の種類：ブローカ失語(中等度)
コミュニケーション能力：日常生活上必要なやりとりが，会話相手の誘導や推測によってある程度成立する．理解は，日常の簡単な内容は可能であるが，やや複雑な内容になると難しい．表出は，句や語を用いて情報の一部を伝達できる．発話は喚語困難による言いよどみが目立つが，書字や身振りを併用して情報を伝達することができる．
聞く側面：難聴は疑われない．
　単語の理解は可能である(単語：10/10)．文の理解は，短文は良好であるが，情報量の多い文や文法的に複雑な文は誤る(短文 9/10　口頭命令 4/10，STA：語の意味ストラテジーのレベル)．
話す側面：発声発語器官の左側にごく軽度の麻痺が認められる．軽度の口舌顔面失行も認められる．
　発話は，非流暢で，発話量が少なく(43 語／分)，句の長さは短い(最長 2 文節)．発語失行を認め，構音の歪み，プロソディの平坦化がめだつ．呼称は，中等度の喚語困難のため，無反応となることが多い(呼称 10/20)．語頭音ヒントの有効性は中程度である．文でまとまった内容を説明することは困難である(まんがの説明 段階 2)．
復唱の側面：発語失行による音の誤り，プロソディの異常が認められる(単語 7/10，文 1/5)．
読む側面：読字に影響を及ぼす視力・視野の問題は疑われない．
　読解は，漢字単語，仮名単語ともに良好である(漢字単語 10/10　仮名単語 10/10)．文の読解は，聴覚的理解と同様，短文は良好であるが，情報量の多い文や文法的に複雑な文では誤りを認める(短文 10/10，書字命令 4/10，STA：語の意味ストラテジーのレベル)．
　音読は，発語失行による音の誤りを認め，漢字単語，仮名単語ともに不確実である(漢字単語 3/5，仮名単語 3/5)．
書く側面：右片麻痺のため，書字は左手で行う．非利

図 7-6　失語症の評価サマリーの例

き手による書字であることを考慮すると，字形の崩れはない．
　書字は，漢字は比較的良好であるが，仮名は不良である(漢字単語 4/5，仮名単語 2/5)．文の書字は困難である(まんが説明　段階 2)．
　書き取りは，仮名 1 文字から不確実である(仮名 1 文字 6/10)．漢字に比べ仮名が不良である(漢字単語 4/5，仮名単語 2/5)．文を書き取ることは困難である(短文 0/5)．
数的側面：加減算はおおむね可能であるが，乗除算は困難である(加減算 9/10，乗除算 2/10)．

[認知面]
検査実施日：2019 年 12 月 5 日〜12 日
実施検査：スクリーニング検査
精神機能：意識は清明で，礼節，見当識は保たれている．知的機能の低下は疑われない(RCPM32/36)．
注意：行動観察上，著明なアラートネスおよび持続性注意の障害は疑われない．
視覚および視空間認知：視覚性失認および右半側空間無視は疑われない．
行為：軽度の口舌顔面失行が認められる．観念運動性失行，観念性失行はみられない．
記憶：記憶障害は認められない．

[心理面]
　心理的な落ち込みがみられるが，訓練に対しては前向きである．

[まとめ]
　ブローカ失語(中等度)と口舌顔面失行(軽度)を認める．会話は聞き手の誘導や推測によって日常の簡単な内容が可能である．聴覚的理解は，単語，短文は比較的良好であるが，複雑な文の理解は困難である．発話は，発語失行を認め非流暢である．喚語困難は中等度である．
　病棟生活において，他患との交流は挨拶などに限られ，ためらいがある．電話は自らかけることはなく，家族からかかってきたもののみに出る．

[問題点]
機能　(−)中等度のブローカ失語，発語失行を認める
　　　(−)右片麻痺を認める
　　　(+)知的機能が保たれ，口舌顔面失行(軽度)以外の高次脳機能障害の合併がない
活動　(−)会話での意思疎通困難
　　　(+)簡単な日常会話がある程度成立する
　　　(+)誘導や推測があれば日常会話があればある程度成立する
参加　(−)家族以外との交流にためらいがある
　　　(+)趣味を通じて近隣の人との交流がある
環境因子　家族が協力的である
　　　　　住宅リバビリアリ　環境じない
　　　　　経済的な心配はない
個人因子　70 歳，男性
　　　　　定年退職後，嘱託社員として勤務
　　　　　読み書きの習慣あり(文書を扱う仕事)
　　　　　性格は，社交的，穏やか，真面目
　　　　　趣味がある(読書，市民農園での野菜作り)

[予後および治療の適応]
　年齢が 70 歳と高いが，発症からの経過が短く，失語症が中等度であること，知的機能が保たれていることから，訓練による一定の改善が期待できる．言語聴覚療法を行う．

[訓練方針・目標]
　言語機能の最大限の回復と実用的なコミュニケーション能力の向上をめざす．
長期目標：
(主目標)家庭で役割をもち，趣味を通じて近隣の人々や友人と交流し，自分らしく生活できるようになる．
(言語目標)家族以外と短い文を用いて意思疎通ができるようになる．
短期目標(2 か月)：
1. 高親密度語の喚語が可能になる．
2. 単語レベルの構音が誤りなく可能になる．
3. 構文の理解能力の改善．語順ストラテジーを用いた文の理解が可能になる．
4. 仮名書字能力の改善．仮名 1 文字の書取が 8 割程度可能になる．
5. 会話能力の向上．会話相手の誘導なしに日常的な内容の伝達が可能になる．
6. グループ訓練に参加し，ほかのメンバーと交流することができる．
7. 家族が障害を理解し，より効果的なコミュニケーションの取り方ができるようになる．

[訓練内容]
1. 呼称訓練(高親密度語)，2. 構音訓練(単語)，3. 構文理解訓練，4. 仮名書字訓練，5. 会話訓練，6. グループ訓練(実用コミュニケーション訓練)，7. 家族指導(障害の理解を促す，コミュニケーションの取り方を指導する)

症検査の結果などに基づいて記述する．

7）数的側面

計算能力は，総合的失語症検査の四則計算の結果に基づく評価を記述する．計算がきわめて困難な場合は，数の概念の保存の可否について記述する．

e 認知面

失語症以外の高次脳機能障害について記述する．精神機能面は，意識，礼節，見当識，知的機能などを記述する．知的機能の低下の有無は，日本版レーヴン色彩マトリックス検査（RCPM）の得点などに基づいて判断する．行為面は，口舌顔面失行，観念運動性失行，観念性失行の有無について，標準高次動作性検査（STA）などの結果に基づいて判断する．視覚および視空間認知面は，視覚性失認，半側空間無視の有無について記述する．記憶に関しては，言語性記憶については正確な評価が困難であるが，担当スタッフの顔を覚えているか，会話の内容に一貫性があるかなどから判断する．注意・遂行機能については，注意機能検査や行動観察に基づいて記述する．感情・情動の障害（抑うつ，情動失禁など）についても記述する．

f 心理面

面接を通して得た心理面についての情報（心理的な落ち込みの有無，リハビリテーションに対して前向きな状態であるかなど）を記述する．

g まとめ

言語機能について，失語症のタイプと重症度について判断し，その根拠を簡潔に説明する．合併する高次脳機能障害の種類と重症度も記述する．言語機能のみでなくコミュニケーション活動，社会参加の状況も説明する．また，心理的な落ち込みの有無についても記述する．

h 問題点

ICFの枠組みを用いて，機能障害，活動制限，参加制約，環境因子，個人因子について，情報を整理する．

i 予後予測および言語治療の適応

予後，訓練の適応について述べ，その根拠を簡潔に説明する．

j 訓練計画

言語治療の方針および長期目標，短期目標を示し，訓練目標を達成するための具体的な計画（訓練期間・頻度，訓練内容）を記述する．

2 再評価（アウトカムの評価）

一定期間，訓練・支援を実施した後に，機能，活動，参加，環境にどのような改善が認められたかを評価し，経過報告書を作成する．機能や活動の変化については，検査得点だけでなく，生活における実行状況についても記述する．また，コミュニケーション意欲など，検査得点に表れにくい質的な変化についても記述する．

F 評価結果の報告

1 ケースカンファレンスにおける報告

失語症をもつ人へのリハビリテーションは，医師，看護師，理学療法士，作業療法士，心理専門職（臨床心理士，公認心理師），医療ソーシャルワーカーなど多職種が連携してチームで行う．チームのメンバーは，ケースカンファレンスにおいて，情報を共有し，共通の目標を設定して訓練・支援を行う必要がある．

ケースカンファレンスにおいては，失語症のタ

イプ分類と重症度，合併する高次脳機能障害を報告し，どのような予後が推測されるかを述べる．また，それぞれの専門職が患者とかかわる際に，どのようにコミュニケーションを取ればよいかについての情報提供も行う．

療計画(方針，期間，頻度)を作成する．患者中心の医療のためには，平易な表現で，選択肢を用いるなどして，本人と家族の意向を確認することが必要である．

初回および再評価の結果の説明においては，検査の結果を示しながら，プラスの側面，改善がみられる側面を中心に，患者や家族に寄り添い肯定的に説明する．

2 本人・家族への説明

言語治療の開始にあたっては，そして，言語治

4 鑑別診断

A 鑑別診断の方法

医学診断における鑑別診断とは，「ある疾患の本態を類似したほかの疾患の症候と比較し識別することによって判断する方法」[1]であり，「最終的に確定診断を下す過程で，いくつか候補に挙がっていた疾患が，この患者に当てはまるかどうか種々の観点から検討し，除外していくこと」[2]である．言語聴覚士が行う言語病理学的診断においては，なんらかの言語・コミュニケーション障害が疑われる患者について，それがどのような機能障害によって生じているかを明らかにすることである．失語症と鑑別診断する場合には，その言語症状が運動障害性構音障害，頭部外傷や右半球損傷によるコミュニケーション障害，純粋発語失行のような単一モダリティの障害や難聴・視野障害によるものであることを否定しなければならない(除外診断)．正確な鑑別診断は，言語病理学的診断の根幹をなし個々の患者に即した言語治療計画を立案するために必須である．

実際の評価にあたっては，基本情報を確認してからインテーク面接を行う．インテーク面接では

会話とスクリーニング検査によって，患者の言語・コミュニケーション障害の有無と種類を選別する．失語症と鑑別すべき障害には，運動障害性構音障害，頭部外傷，右半球病変や認知症によるコミュニケーション障害，単一モダリティのみの障害(純粋型)，せん妄や軽度の意識障害などがある．会話を通してコミュニケーション全体を評価するマクロな視点とスクリーニング検査で要素的な機能を評価するミクロな視点の両者を用いて障害を選別する．インテーク面接で失語症の存在が認められた，もしくは疑われた場合には，会話能力の評価と言語に関する**総合検査**(包括的検査)を実施し，言語機能を多角的・総合的に調べる．わが国で標準化された失語症の総合検査には，**標準失語症検査(SLTA)**，**WAB失語症検査**，**失語症鑑別診断検査D.D.2001**がある〔「総合的失語症検査」(➡161頁)を参照〕．いずれかを選択して実施し，その結果は情報収集，インテーク面接の結果とともに総合的に分析して失語症の有無，タイプと重症度を明らかにする．

総合検査の結果を分析する際には，少なくとも3つの観点から比較，分析を行う[3]．1つ目は，得られたデータを健常者データと比較することであり，失語症の有無を判断する．ただし，言語習

慣(特に読み書きの習慣)、教育歴や生活環境には個人差があるため、病前の職業・生活スタイルや言語習慣を踏まえて判断する。2つ目に失語症に加えてなんらかの認知機能障害が併発している場合にはその評価結果を統合して分析し、患者の言語症状が失語症によるものかどうか、言語以外の高次脳機能障害がコミュニケーションにどのような影響を及ぼしているかを明らかにする(例:右側に描かれた刺激の喚語に時間がかる→右半側空間無視の影響が考えられる)。3つ目に、各モダリティ間の成績を比較することにより単一モダリティの障害(純粋語聾、純粋発語失行、純粋失書、純粋失読など)かどうかを評価する。検査結果の分析にあたっては、**数量的データ**(例:SLTA呼称 12/20)とともに、個別の反応の**質的評価**(例:喚語に時間がかかる、音韻性錯語を自己修正した)が重要である。なお、失語症が重度で前述の総合検査の適応がないと判断された場合には重度失語症検査から実施できそうなパートを抜粋して行うか、非言語的コミュニケーションを含めたコミュニケーション行動評価から失語症の重症度や保たれた能力を検索する。聴覚・視覚機能はすべての検査結果に影響を及ぼすため、必ず評価する。機能障害について鑑別診断し評価を進めると同時に、現在の活動・参加の状況と個人・環境に関する情報についてプラス面とマイナス面の両面から収集する。得られた情報はすべて統合し、障害構造を理解して訓練目標、言語治療計画を立案する。

B 関連障害との鑑別

失語症と鑑別すべき関連障害のうち、ここでは運動障害性構音障害 dysarthria、頭部外傷・右半球病変によるコミュニケーション障害、認知症と純粋型の発語失行(失構音)について説明する。実際には脳出血によってブローカ失語に加え運動障

表7-15 運動障害性構音障害のタイプ
- 痙性
- 上位一側性
- 弛緩性
- 失調性
- 運動過多性
- 運動低下性
- 混合性

害性構音障害がある場合や、多発性脳梗塞によって失語、運動障害性構音障害と認知症を呈する場合、運動障害性構音障害と認知症を呈するパーキンソン病患者など、いくつかの障害が重複し複雑な様相を呈することが多い。鑑別診断は、対象者の呈する言語・コミュニケーション障害を整理し、障害構造を明らかにして適切な訓練を立案するうえで重要である。

1 運動障害性構音障害との鑑別

運動障害性構音障害は、大脳から末梢の発声発語器官の筋に至る運動経路のいずれかが損傷されることによって生じる発話障害である。呼吸、発声、構音、共鳴、プロソディといった発話に必要な機能の一部またはすべての障害が含まれる。失語症による言語症状はこれら発声発語器官の運動機能障害によるものではなく、失語症のみを呈する症例ではこれらの機能は完全に保たれる。運動障害性構音障害患者の発話特徴は、原因疾患、障害される機能によってさまざまであり、7つのタイプに分類される(表7-15)。

いずれのタイプでも運動障害性構音障害では、意味、音韻、統語といった言語機能 language および発話のプログラミングは可能であり、これを実行するための運動経路が損傷することによって生じる(図7-7)。聴覚的理解、読み書きに問題は生じない。左大脳半球の一側性病変では、失語症とともに一側性上位ニューロン障害性構音障害〔5章「鑑別診断」(→114頁)を参照〕を呈する場合が多い。また、多発性脳梗塞などによる両側性病変

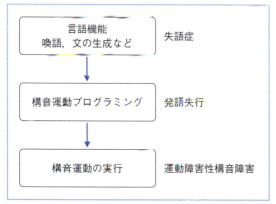

図7-7 発話過程と各障害の関係

では，失語症と痙性構音障害が併発したり，認知症を伴ったりしやすい．

2 頭部外傷・右半球病変によるコミュニケーション障害との鑑別

　頭部外傷・右半球病変患者が呈するコミュニケーション障害は，失語症で障害されるような言語の形式的側面の障害ではない．理解面では比喩的表現，皮肉・冗談，抽象的な内容や談話全体の要点を理解することが困難になる．表出面では一方的でまとまりがなく主題から逸脱した内容が多い，プロソディが平板化し感情的表現が乏しいといった点が特徴である．加えて，アイコンタクトの減少，話者交替の不適切さ，会話の開始の減少など語用論的障害を呈する．これらの症状はさまざまに組み合わさって出現するため個別性が高く，病態失認や注意障害などの高次脳機能障害を伴うことも多い．

3 認知症など神経変性疾患によるコミュニケーション障害との鑑別

　認知症 dementia は，記憶，実行機能，言語など複数の認知機能が障害され，日常生活に支障が生じるのに対し，失語症は言語以外の高次脳機能はおおむね保たれ，いったん理解できれば適切に記憶し判断することが可能である．DSM-5では認知症は**神経認知障害** Neurocognitive Disorders **(NCDs)** に含まれ，6つの主要な神経認知領域 neurocognitive domain（複雑性注意，実行機能，学習と記憶，言語，知覚-運動，社会認知）の障害の重症度と日常生活の自立度によって，さらに大認知神経障害と小認知神経障害に分類される．本邦における認知症はアルツハイマー型認知症が最も多く，次いで脳血管性認知症，レビー小体型認知症，前頭側頭型認知症が続く[4]．また，筋萎縮性側索硬化症，パーキンソン病や多系統萎縮症などの神経変性疾患患者の一部では，運動機能障害によらない言語・コミュニケーション障害が生じる．筋萎縮性側索硬化症では大脳病変の広がり方によって認知機能が完全に保たれる場合もあれば書字障害のみが生じる場合，前頭側頭型認知症を呈する場合もあり多様である．また，パーキンソン病患者に生じる非運動症状のひとつに認知機能障害があり，主に遂行機能障害，視覚認知障害，記憶障害と社会的認知障害が生じる[5〜8]．これらの疾患では運動機能障害が前景に立つため，言語・コミュニケーション障害や認知機能障害があってもわかりにくく，運動障害を考慮したより丁寧な評価が必要である．

a アルツハイマー型認知症

　アルツハイマー型認知症 alzheimer's disease (AD)の多くは，初期には「物忘れ」を主訴とし健忘，見当識障害や実行機能障害によって出来事や物の置き場所を忘れる，鍋を焦がすといった生活上の問題が生じる．失語症では，エピソードそのものの忘却はなく，見当識も保たれる．そのため，いったん理解することができれば時間や約束を守って行動することができ，生活の自己管理が可能である．アルツハイマー型認知症で障害される認知ドメインのひとつに言語があり，一部の患者では言語症状が前景に立つ．初期には健忘失語を呈することが多く，病期の進展とともに超皮質性感覚失語へと移行する．多くの場合，失語症と

ほかの認知機能障害が併発し日常生活上の困難が生じる．ただし，脳血管障害等がないにもかかわらず失語症状のみを呈する場合には原発性進行性失語 primary progressive aphasia（PPA）（⇒132頁）の可能性がある．ロゴペニック型PPAの約半数がアルツハイマー病理であるとされている．

b 脳血管性認知症

脳血管性認知症 vascular dementia（VaD）は損傷部位によって出現する症状はさまざまである．保存される認知機能と障害される認知機能が混在し，「まだら」に症状が出現する．損傷部位によっては失語とほかの認知機能障害が同時に生じる場合もある．VaDでは認知機能障害は段階的に悪化する．

c レビー小体型認知症

レビー小体型認知症 dementia with lewy bodies（DLB）は，進行性の認知機能障害を呈し，加えて認知機能の動揺，幻視，パーキンソニズムが生じうる．一般に言語機能そのものは障害されにくいとされる．コミュニケーションの問題は意識レベルの変動による注意機能障害や視覚認知障害によって生じる場合がある．脳血管疾患などによる失語症ではDLBにみられるような認知機能の動揺，幻視は生じない．

d 前頭側頭型認知症

前頭側頭型認知症 fronto-temporal dementia（FTD）は，前頭葉と側頭葉の限局性萎縮による神経変性疾患であり，人格変化と社会的行動の障害を呈する[9]．病識欠如，自発性低下，環境依存症候群，脱抑制，常同行動がみられる．失語症ではこれらの障害は生じない．

e 原発性進行性失語

原発性進行性失語 primary progressive aphasia（PPA）は発症初期から数年は失語症状のみを呈し，言語以外の高次脳機能障害は目立たない〔「原発性進行性失語（進行性失語）」（⇒132頁）を参照〕．脳血管疾患などがないにもかかわらず，失語や発語失行と思われる症状を呈する場合には，言語評価に加えてほかの認知機能の評価を実施し，言語以外の認知機能が保たれていると判断された場合には診断基準（Gorno-Tempiniら[10]）〔表5-6（⇒133頁）参照〕に照らし合わせて診断する．

PPAは初期には言語症状のみを呈するが，病期の進行とともに言語以外の認知ドメインにも機能低下が生じ認知症へと移行する．したがって病歴を詳細に聴取し経過を含めた評価が必要である．

4 純粋型の発語失行（失構音）との鑑別

発語失行 apraxia of speech（AOS）は発話の運動プログラミングの障害であり（図7-7），Darley[11]は発語失行を「脳損傷によって生ずる構音の障害であり，筋力低下，失調，不随意運動の障害がないにもかかわらず，音素を意図的に産生する際に発話筋を位置付け，語を発話する際に筋運動を系列化するプログラミングの障害である．」と定義した．発語失行では構音動作の探索，発話開始の困難，プロソディの異常，構音の異常（音の置換・歪み）が生じる[12]．発語失行は，ブローカ失語に伴って現れることが多いが，単独で生じる場合があり**純粋発語失行**（純粋語唖 aphemia/ 失構音 anathrie）と呼ばれる．純粋発語失行患者は発話面の障害のみを呈し，構音に影響を及ぼすほどの発声発語器官の麻痺がなく，聴く・読む・書くモダリティは保たれる．

引用文献

1) 後藤稠：最新医学大辞典 第2版．医歯薬出版，2000
2) 渡辺決，勝貝泰和，山村義治：チーム医療従事者のための臨床医学全科．金芳堂，2006
3) Robert H. Brookshire：Introduction to Neurogenic communication disorders, 8th ed. St. Louis，2015
4) 朝田隆：都市部における認知症有病率と認知症の生活機能障害への対応．厚生労働科学技術研究費補助金認知症対策総合研究事業，2013
5) Gratwicke J, Jahanshahi M, Foltynie T：Parkinson's disease dementia：a neural networks perspective.

Brain 138：1454-1476, 2015
6) Richard M, Cote LJ, Stren Y：Executive function in Parkinson's disease：set shifting or set-maintenance?. J Clin and Exp Neuropsychol 15：266-279, 1993
7) Monste A, Pere V, Carme J, et al：Visuospatial deficits in Parkinson's Disease assessed by judgement of the line orientation test：Error analysis and practice effects. J Clin Exp Neuropsychol 23：592-598, 2001
8) Sagar HJ, Sullivan EV, Gabrieli DE, et al：Temporal ordering and short-term memory deficits in Parkinson's disease. Brain 111：525-539, 1988
9) Neary D, Snowden JS, Gustafson L, et al：Frontotemporal lobar degeneration- A consensus on clinical diagnostic criteria. Neurology：1546-1554, 1998
10) Gorno-Tempini ML, Hillis AE, Weintaub S, et al：Classification of primary progressive aphasia and its variants. Neurology 76：1006-1014, 2011
11) Darley FL, Aronson AE, Brown JR：Motor speech disorders. Saunders, Philadelphia, 1975
12) Pascal VL, Ben M, Hayo T：Speech motor control in normal and disordered speech：Future developments in theory and methodology, Kansas, 2016

第 8 章

失語症の回復過程

学修の到達目標

- 失語症の機能回復の神経学的機序の基本概念を説明できる.
- 機能回復の神経学的基盤に関する研究動向を説明できる.
- 失語症の言語・コミュニケーションの回復プロセスの概要を説明できる.
- 神経学的可塑性と言語治療ストラテジーの関連性を説明できる.
- 失語症の予後に関連する要因を説明できる.

失語症の神経学的回復メカニズム

 失語症の神経学的回復機序の基本概念

　脳損傷で失語症を発症すると，社会生活に大きな影響を与える．日常生活での家族内のコミュニケーション，金銭管理，社会参加，就労などありとあらゆる場面で不都合が生じる．当然のことながら対人交流の人数や初対面の人数も大きく低下する．いわば，社会への扉が大きく閉ざされてしまうことになる．

　しかし，失語症の回復は運動麻痺や感覚障害とは異なり，より長期にわたり回復することが知られている．以前から失語症にかかわる臨床現場ではあたりまえの事実ではあったが，近年になってようやく実際のデータが蓄積されつつある[1, 2]．Hollandらの2017年のデータ[1]は，脳卒中による失語症発症5.5年後に初回の言語機能を測定し，その3.6年後に再評価をしたものである．すなわち，失語症発症後10年弱にわたる長期観察の知見である．これによると26例全体の失語症の程度はWAB失語症検査の失語指数（0：最重度，100：最良）が，平均で68.6から74.4と，5.8点上昇していた．彼らは3点以上変化した場合を"変化あり"と定義しているが，この定義によると，発症後約9年後には26名中16名で改善を示し（61.5％），7名が変化なし（26.9％），悪化例は3例（11.5％）のみであった．改善例16例に限ると失語指数は10.5点上昇していた．年齢分布は特徴的であり，改善例は初回評価時が58.9歳，変化なし群が58.0歳と比較的若年発症であったが，一方で悪化例は74.3歳と高齢であった．症例数が少ないことや症例の選択バイアスの影響は否定できないが，この報告からは，比較的若年発症の失語症者であれば発症から5年以上経過した後でも，ある程度の改善が見込めることが示されている．

　言語機能には，運動機能よりもはるかに大きな可塑性がわれわれの脳内に秘められている．では，失語の回復に関する脳内機序はどのようになっているのであろうか．

　脳損傷後慢性期の失語症に対する**解剖学的な回復機序**には，3つの仮説，すなわち，病巣周囲の皮質に新たな言語の基盤が構築されるとする病巣周囲仮説，対側半球の言語野相当部位にて言語の基盤が形成されるとする対側半球への移動仮説，さらにその両者が回復に寄与するという混合仮説が古くからあげられてきた．機能的MRIを用いた研究にてSaurら[3]は，時間的な経過の観点から，聴覚的理解課題を用いた際に急性期には対側の右半球のブローカ野の活性が高まり，慢性期には活性が病巣側の左半球に再びシフトすることを明らかにしている．

　最近は主に**病巣周囲仮説**，すなわち，損傷された言語野の周辺領域が回復にかかわるという説が最も有力になってきている．一方で**対側半球への移動**が行われる場合は，言語野の損傷が重度であるために周辺部位で言語機能を代償しきれなくなった場合であると考えられている[4]．対側半球への移動は個人差があるものの，基本的には病巣が大きければ大きいほど，あるいは，弓状束の損傷の程度が大きければ大きいほど出現するといわれている．すなわち，失語症の回復は基本的には左半球の残存部位に回復の基盤があり，それが困難である場合には右半球の対側が言語機能を担うようになるという見解が，現在は主流である（表8-1）．

　また情報処理を行うしくみから考える**神経計算論的理論**は，上記の解剖学的な理論とは異なる視点で失語症の回復を説明している[5]．この理論の

表 8-1　失語症の回復の仮説

解剖学的理論	基本的には病巣側の病巣周囲の皮質に新しい言語の基盤が構築される．病巣の大きさや弓状束の損傷の程度によっては，対側半球の言語野相当部位に言語機能の基盤が構築される．
神経計算論的理論	損傷された言語機能を代償する代替ルートや予備の脳部位が，神経ネットワークに存在するという理論である．通常は言語の異なる機能に使用されていた脳の部位が損傷された特定の言語機能を担うようになったり，普段は言語機能には使われていなかった予備の部位が，損傷後に言語機能を担うようになったりする．

1つに，病前には言語の異なる機能にかかわっていた脳部位が，損傷後には損傷された特定の言語機能を担うことができるようになり，損傷された機能を代償できるようになるという見解がある（表8-1）．われわれが日常用いている道が通行止めになっている場合に，同じ目的地に到着するために代替ルートを通るようなものである．彼らは，このたとえを左半球の縁上回の損傷によって出現した伝導失語に当てはめている．伝導失語では，音韻機能の障害により復唱の成績が低下するが，程度の差はあれ徐々に改善していく．Stefaniakらによると，縁上回を含む言語の背側経路（上側頭回から縁上回を経て，中心前回やブローカ野後方へ至る経路）が損傷されても，代替ルートとなる言語の腹側経路（上側頭回から側頭葉前方を経て，ブローカ野前方へ至る経路）によって機能が代償され，復唱の成績がある程度回復するという．さらに彼らの理論の背景には脳には損傷されても機能をある程度回復させる十分な予備能力をもつという考え方がある．例えば，パーキンソン病は，運動症状が出現するには黒質の50％のドパミン神経が失われなければ出現しないことが知られている．すなわち，通常ではエネルギー効率のために言語機能には使われていない部位であっても，損傷されると初めて言語機能のために活動しだすである．

上記の解剖学的理論と神経計算論的理論は，今後の脳画像研究の発展から神経ネットワークに関する斬新な知見が集まる過程で，1つの理論にまとめられるかもしれない．

B 長期予後予測研究からみる失語症の回復に影響する神経基盤

上記の理論の背景となる知見のうちのひとつは，失語症の長期回復に影響する神経基盤を見出すことである．以前から研究されている失語症の予後予測研究からは，年齢，初期の失語症の重症度，失語タイプ，病巣の位置，病巣の大きさ，脳卒中の重症度，音韻機能，非言語機能などが予後に影響することが知られていた．

1 言語訓練を行った例の予後予測研究から

筆者らは，左半球の脳血管障害による失語症に対して，少なくとも2年間の言語訓練を継続した121例に対する失語症の予後予測研究を報告した[6]．この研究では，今までに報告されている失語症の予後に影響する可能性のある説明因子の多くを用いて行った．すなわち，説明変数には，年齢，性別，教育歴，初期の失語症重症度，音韻機能，意味理解機能などとともに病巣部位と病変の大きさを含めて，言語訓練を継続した失語症者の発症2年後の失語症の重症度を予測した．病巣の部位については，左半球のブローカ野および周辺領域（下前頭回の弁蓋部と三角部および中心前回），縁上回および中心後回，角回，上側頭回，中側頭回，島，基底核の7部位とした．皮質下病変は対応する皮質の病変に組み入れた．

結果は，失語の長期予後に与える要因として，発症年齢（若いと予後は良好），発症初期の言語症状（失語全体の重症度，意味理解機能，音韻機能，いずれも軽度であると予後は良好），病巣として

は左上側頭回の5要素が抽出された．病巣の観点からは，左上側頭回およびその皮質下である弓状束を含んだ病巣を伴う場合は，失語症の予後が悪いという結果であった．すなわち，失語症の回復の阻害因子として，左上側頭回やその皮質下である弓状束の病巣があげられた．

2 言語訓練を行った例の長期観察研究から

予後予測研究ではないが，中川による失語症回復の観察研究[2]においても上記の結果に関連した知見が得られている．この研究は，発症平均年齢が53.3歳，平均訓練期間52.1か月にもおよぶ258例の長期言語訓練を受けていた失語症者における病巣別の回復経過のデータである．病巣を以下の5つ，ブローカ領域を中心とする前方限局病巣例，上側頭回や縁上回を中心とする後方限局病巣例，その両者を含む左中大脳動脈領域のほぼ全領域にわたる広範病巣例，左被殻出血を代表とする基底核限局損傷例，脳出血の範囲が基底核から上下左右方向に進展した基底核進展損傷例に分類している．評価には，SLTAの総合評価法（0：最重度，10：最高点）の最高到達点を用いている．回復の程度は当然ながら広範病巣例が4.7と最も低かったが，注目すべきは前方限局病巣例が9.1と高い一方で，後方限局病巣例が7.8と低かったことである．さらに，基底核損傷例に関しては限局損傷例の場合は8.6と高いものの進展損傷例は7.0と低くなっている．これらの結果は，上側頭回や縁上回の損傷が失語症の回復の阻害因子であることを示唆する．また，基底核進展損傷においても上方や後方に進展した場合は弓状束に損傷部位が至ることが多いため，弓状束の損傷が失語症の回復の阻害因子になる可能性も示唆する．

これらの失語症の長期予後研究にはいくつかの問題点がある．まず，言語訓練を受けていなかった対照群を含んでいないことである．また，評価はあくまでもSLTAを用いているため，日常生活における言語機能全体を考慮していない可能性もある．これらの問題はあるものの長期予後研究からは，上側頭回や弓状束が失語症の回復には大きく関わることが明らかになっている．多くの他の失語症の予後研究においても，病巣の大きさが影響するという見解も散見されるが，むしろ上側頭回や弓状束の損傷が言語機能の回復に関係するという知見のほうが多い[6]．

ただ，実際の臨床現場では，個々の失語症患者によって解剖学的あるいは環境的な個人差が深く関係するといわれている．例えば，病前の言語機能の解剖学的な側性化（左半球にどれだけ強いかどうか）の程度，性別，教育歴，非言語機能，リハビリテーションの方法や強度など，説明因子として組み入れることができなかった要因や，統計学的には必ずしも有意ではなかった要因が影響することも少なくない．

C 症例研究：左半球言語野の損傷で失語症を呈し，回復していたものの右半球への2度目の損傷で回復した言語機能が消失した症例

左半球の言語野の損傷にて失語症が出現し，徐々に言語機能は回復していたものの，対側の右半球の言語野相当部位に新たな損傷が出現して失語症が悪化した報告は，筆者が知る限り11症例報告されている[7]．多くの症例で初回の損傷での失語症は重度であり，半分以上の例では失語の回復も不十分であり，ある程度の失語症状を残していた状態で2回目の損傷が出現した．ほとんどの症例において，回復した言語機能が2回目の損傷で消失し，初期の失語症の重症度に逆戻りしている．すなわち，これらの症例の経過からは，右半球の言語野相当部位が回復した分の言語機能を担っていたことが示される．さらに特徴的なのは，多くの症例で初回の失語症が重度であったことである．これは，左半球の言語野の損傷が重度

であるために周辺部位で言語機能を代償しきれなくなった場合に，言語機能の神経基盤が右半球へ移動するという主張⁴⁾を補強するものといえる．

しかしこの種の症例報告で注意しなくてはならないことは，症例報告が行われるバイアスである．陰性例の報告，すなわち，左半球損傷にて失語症が生じ，右半球に新たな病変が起こっても失語症の変化がなかったという報告は一般的になされない．さらに左半球の言語野の損傷にて失語症が残存した症例に，新たな左半球の損傷が起こって失語症が悪化したという症例も報告されていない．一方で，右半球に出現した新たな損傷によってもともと存在していた左半球損傷による失語症が回復したという報告がみられないことは特記すべきことである．このような特殊例は，存在すれば報告されることが普通である．現在まで報告されていないということは，臨床上は存在しないか，あるいはきわめてまれであると考えられる．この点は，次項で述べる経頭蓋磁気刺激治療（rTMS）を用いた失語症の治療における一部の知見と矛盾する結果である．

D 研究手法

1 MRI 拡散強調画像や機能画像

最近の研究では，**MRI 拡散テンソル画像**と失語症の重症度を調べる手法が注目を集めている．左半球の白質の断片化の程度が脳血管障害後の慢性期の失語症の重症度と関係するという見解⁸⁾がある．

機能的 MRI の研究からは，失語症が改善した例では左半球に言語理解課題への正常な活性化パターンが認められるが，改善していない例では活性化部位が右半球へ移動しているという⁹⁾．機能的 MRI を用いた課題下の連結性を調べる研究¹⁰⁾からは，健常者の意味理解課題下の連結性は左半球に側性化しているが，失語症者では左半球の側性化している場合と両半球に連結性が存在する場合があるという．

表8-2 失語症の神経学的回復機序への示唆

失語症長期予後研究	左上側頭回や弓状束の損傷が，失語症回復の阻害要因である可能性を示唆する．
対側半球の再損傷	重度失語症では右半球が失語症の回復の役割を担っていた可能性を示唆する．
MRI 拡散テンソル画像	左半球の白質の断片化の程度が，失語症の程度と関係する可能性を示唆する．
経頭蓋磁気刺激治療（rTMS）	左右半球の相同領域には脳梁を介した投射線維による相互の機能抑制があることを仮定している．rTMS 治療のエビデンスは今のところ不十分．

2 失語症の神経学的回復機序への示唆

表 8-2 に本項で説明した研究手法による失語症の神経学的回復機序への示唆する点をまとめた．脳の可塑性という点からも，言語機能の回復の神経基盤を明らかにすることは，脳科学における重要なテーマの1つである．脳イメージング手法の発展に伴って神経連絡や機能の連結性が明らかになることが期待されるが，同様に長期にリハビリテーションを続けた症例による予後の知見も重要である．両者による知見が相補的となり，言語機能の回復の神経基盤がより明らかになっていくと思われる．

引用文献

1) Holland A, Fromm D, Forbes M, et al：Long-term recovery in stroke accompanied by aphasia；a reconsideration. Aphasiology 31：152-165, 2017
2) 中川良尚：失語症の長期経過—外来訓練の意義—．言語聴覚研究 17：19-28, 2020
3) Saur D, Lange R, Baumgaertne A, et al：Dynamics of language reorganization after stroke. Brain 129：

1371-1384, 2006
4) Schlaug G : Even when right is all that's left : there are still more options for recovery from aphasia. Annals of Neurology 83 : 661-663, 2018
5) Stefaniak JD, Halai AD, Lambon Ralph MA, et al : The neural and neurocomputational bases of recovery from post-stroke aphasia. Nature Reviews Neurology 16 : 43-55, 2020
6) Nakagawa Y, Sano Y, Funayama M, et al : Prognostic Factors for long-term improvement from stroke-related aphasia with adequate linguistic rehabilitation. Neurological Sciences 40 : 2141-2146, 2019
7) 船山道隆, 小嶋知幸, 名生優子, 他 : 新たな右半球損傷により失語症が増悪した1例. 高次脳機能研究 27 : 184-195, 2007
8) Marebwa BK, Fridriksson J, Yourganov G, et al : Chronic post-stroke aphasia severity is determined by fragmentation of residual white matter networks. Scientific reports 7 : 8188, 2017
9) Szaflarski, JP : Recovered vs. not-recovered from post-stroke aphasia : The contributions from the dominant and non-dominant hemispheres. Restor Neurol Neurosci 31 : 347-360, 2013
10) Meier, EL : A lesion and connectivity-based hierarchical model of chronic aphasia recovery dissociates patients and healthy controls. Neuroimage Clinical 23 : 101919, 2019

2 失語症の言語・コミュニケーションの回復

大部分の失語症者の言語・コミュニケーションはなんらかの回復経過を示す．回復の程度は個人差が大きく，また発症からの時間経過によっても異なる．このような回復を支える神経学的基盤としては，機能的修復 restoration，機能的再編成 reorganization や機能的代償 substitution が考えられている．

失語症の回復は脳の神経機構の変化と言語・コミュニケーションの変化の両側面からみることができる．前項（➡ 192頁）では神経学的側面から失語症の回復メカニズムについて説明したが，本項では言語・コミュニケーションの側面から失語症の回復過程を見ていくことにする．

A 言語・コミュニケーションの回復過程

失語症の回復過程において脳の神経機能の変化と言語・コミュニケーションの変化は相互作用する．つまり神経学的変化は言語・コミュニケーションに変化をもたらし，言語・コミュニケーションの変化は神経学的変化に反映される．このように脳の神経学的可塑性と言語の回復との間に は一定の関係が存在するので，言語治療を実施する際には，この点を踏まえておくことが重要である．

一般に，失語症の言語・コミュニケーションの回復は発症初期が大きく，慢性期になると小さくなる．図 8-1 は，脳損傷後の失語症の典型的な回復過程を示している．このように発症後の時間経過によって言語・コミュニケーションの回復パターンが異なることは，回復の神経学的メカニズムも発症からの時間経過によって変化することを示唆する．実際にこのような神経学的変化を捉えた研究は少なくない．以下に，脳血管疾患によって発症した典型的な失語症者の言語・コミュニケーションの回復経過について，初期の回復と慢性期の回復に分けて説明する．

1 初期の回復

脳血管疾患で発症した典型的な失語症者では，発症後，数時間から数日以内（**急性期**）に言語機能の急速な回復がみられる．その後，数週間（**亜急性期**）にわたり言語機能は安定して回復する．このような発症初期の回復には脳浮腫の消退，再灌流，ダイアスキシスの解消などが関与する（➡

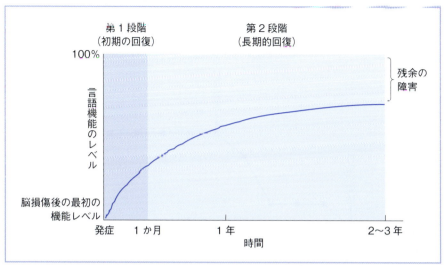

図 8-1　失語症の典型的な回復過程
〔Benson DF, Ardila A：Aphasia- a clinical perspective. p334, Oxford University Press, 1966 より〕

Note 29）．また失語症の回復過程における脳賦活の変化を機能的 MRI で追跡した Saur らの研究[1]は，発症後 12.1 日目に両大脳半球，特に右大脳半球の賦活が増大することを認めている．このような神経学的回復に伴い失語症は発症初期にある程度，**自然回復**する．自然回復を認める期間についてはいくつかの考えがあるが，多くの研究者は発症から数週間，1 か月または 2～3 か月以内と考えている[2,3]．

一般に，失語症の言語治療はできるだけ早期に，特に自然回復を認める期間に開始することが望ましい．この時期に言語治療を実施すると，自然回復を超えて言語機能が回復すると報告されている[4-6]．ただし集中度（訓練頻度・時間）の高い訓練については，発症後 14 日以内に開始しても効果を認めない研究[7]が存在するので，患者の全身状態，耐久性や心理状態を考慮して訓練を始めることが重要である．

2　慢性期における回復

失語症の自然回復は発症後 2～3 か月までが大きく，その後小さくなる．しかし言語治療の効果は発症後 6 か月[8,9]あるいは 1 年以上経過した**慢性期**の失語症者にも認められ[10,11]，回復が数年にわたって続く者が存在する[12,13]．

ここで，長期にわたり言語治療を実施した失語症例の言語機能の回復経過を示す．この事例（発症時 55 歳，男性，高卒，元会社員）は左被殻出血でブローカ失語を発症し，発症後 1 か月の時点から 84 か月間（7 年）の個別的言語治療を他院で受けた．失語症は重度で，発症 13 か月からは外来で伝統的訓練を週 2 回実施した．図 8-2 は 7 年間の SLTA 総合評価尺度得点の推移を示している．図が示すように発症後 6 か月までの回復が比較的大きく，42 か月までは良好な回復を示している．その後も緩やかに回復し，言語機能は維持されている．慢性期になると自然回復はほとんど認められなくなるので，この回復は言語治療によると考

> **Note 29.　ダイアスキシス（遠隔機能障害）**
> Monakow によって提唱された概念であり，損傷された脳部位と線維連絡をしている部位にも血流低下を認め，その部位の機能が低下することを指す．

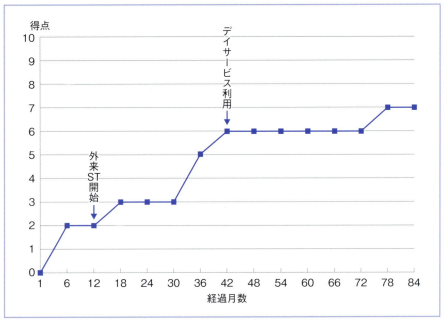

図 8-2　ブローカ失語（重度）例の SLTA 総合評価尺度得点の推移

えられる．
　Saur ら[1]は，慢性期（発症後 321 日）になると脳賦活の中心が左大脳半球の言語関連領域にシフトすると述べている．この時期の回復に関連する神経学的メカニズムとしては機能的再編成や機能的代償が考えられる．

B 言語・コミュニケーション行動の回復メカニズム

1 言語治療のストラテジー

　言語・コミュニケーションの回復を**行動学的レベル**からみると，言語治療は以下の**回復メカニズム**を利用すると考えることができる[14]．
機能の回復：障害された言語機能を刺激し，その賦活をめざす．
機能の再編成：新しい回路を形成するなど機能システム内の再編成をめざす．例えば呼称における自己キュー方略の使用などがこれにあたる．
再学習：失われた語や規則を再学習する．
促通：特定の言語情報へのアクセスを促通する．例えば語の意味表象から音韻表象へのアクセスを強化する．
機能的代償：残存機能によって障害された機能を補う．例えば発話が困難な場合，書字やジェスチャーをコミュニケーション手段として利用する．
　上記のうち，どのメカニズムを利用するかは，障害特徴や発症後の時間経過などによって異なる．一般に，発症初期は機能の回復や機能的代償を優先し，その後，機能の再編成，再学習や促通を利用する．

2 神経学的可塑性と言語治療の関連性

　近年，神経科学の基礎研究の成果が脳損傷のリハビリテーションに適応されるようになってきた．その 1 つは，動物モデルをリハビリテーションに適用した Kleim, Heim の研究[15]であり，この理論は失語症の言語治療にも応用されている[16, 17]．Kleim, Jones[15]は「**経験に依存した神経**

表 8-3 経験に依存した神経学的可塑性の原則

1.	使用しないと喪失する	脳機能は使用しないと，機能的退化を招く
2.	使用すると回復する	脳機能の訓練はその機能の強化をもたらす
3.	特異性	訓練の性質が可塑性の性質を規定する
4.	くり返し	十分なくり返しが可塑性を起こす
5.	集中性	訓練の十分な集中性が可塑性を起こす
6.	時間	訓練時期によって可塑性の形態が異なる
7.	サリエンス（顕著性）	可塑性を起こすには訓練経験が十分にサリエントでなくてはならない
8.	年齢	訓練による可塑性は若年者の脳でより容易に生じる
9.	転移	訓練経験による可塑性は類似した行動の獲得を強化する
10.	干渉	経験による可塑性は，他の行動の獲得に干渉することがある

〔Kleim JA, Jones TA : Principles of experience-dependent neural plasticity : implications for rehabilitation after brain damage. J Speech Lang Her Res 51 : 225-239, 2008〕

学的可塑性の原則」として，表 8-3 の 10 個の原則をあげている．

原則の第 1 と第 2 は，神経システムは使用しないと退化し始めるが（use it or lose it），訓練を介して機能的再編成が促進される（use it and improve it）というものである．言語治療によって脳に神経学的変化が生じることは脳賦活研究[18-20]でも確認されており，廃用性症状をきたさないためにも言語治療等で言語使用を促すことが重要である．

原則の第 3 は，学習による神経学的変化は領域特異性を示し，経験や訓練の種類に依存することを指摘している．言語治療ではターゲットを特定して訓練を実施することが求められる．例えば，言語処理過程のどのレベルを，どのようなストラテジーで回復させるかといったことを明確にして実施する．

原則の第 4 と第 5 は，神経学的可塑性を引き起こすには，刺激や行動の十分なくり返しと集中性（intensity：試行数，時間など）が必要であるとしている．

原則の第 6 は，脳損傷後の時間的要因が神経学的変化に作用するとしている．言語治療の効果は慢性期より急性期に大きい．これは時間的要因が神経学的変化に作用することを示すものといえる．

原則の第 7 は，経験のサリエンス（顕著性）が神経学的変化に影響することを指摘している．言語治療では，患者にとって意味のある刺激や適切な文脈を使用し，訓練への動機づけや注意を高めることが重要である．

原則の第 8 は，年齢が経験や訓練に依存した神経学的変化に影響し，神経学的可塑性は高齢者より若年者において容易に生じるとしている．

原則の第 9 では，経験や訓練を介した神経学的変化は関連機能に転移することを述べている．第 10 では，逆にこのような神経学的変化が他の機能学習に干渉する可能性があることを指摘している．

以上の原則は，動物モデルに基づくものであるが，失語症の言語治療において実際に使用されているものが多い．これらの原則は，失語症の言語治療においても有用である．

C 失語症の予後に関連する要因

失語症の回復には個人差があり，これにはいくつかの要因が関係する．失語症の予後（今後，どのような経過をたどるか）に関連する要因は，神経学的要因（脳病変の範囲，失語症の重症度など），個人的要因（年齢，性別など），言語治療に関する要因（実施の有無，集中度など）に分けることができる（表 8-4）．

現在では，失語症の予後は**神経学的要因**の影響

表8-4 失語症の予後に影響する要因の研究

研究間の結果の一致	要因
一致した結果が得られている	・神経学的要因の影響が大きく，個人的要因の影響は小さい ・失語症の最初の重症度，全失語は予後が良くない ・脳病変の範囲 ・言語治療の有無 ・言語治療の集中度（intensity）
一致した結果は得られていない	・脳病変部位 ・失語症タイプ ・原因疾患 ・年齢 ・利き手 ・性別

が大きく，個人的要因の役割は小さいと考えられている．また**失語症の最初の重症度**が予後に最も関係することが示されている[21, 22]．失語症の重症度は**脳病変の範囲**と関連し，広範囲の病変は予後が良くないとされる[23]．また同様の関連性から，全失語の予後は不良である．言語治療については，**実施の有無**と**訓練の集中度** intensity が失語症の回復に影響し，言語治療を実施した群は実施しない群より，高集中の訓練は低集中の訓練より回復が良好とされる[24]．言語治療の方法と予後との関連性については，まだ十分明らかになっていない．

　失語症の予後に関連する要因については，上記のほかにいくつかの要因がこれまで検討されてきた．しかしこれらの要因は相互依存し完全には独立していないため，その影響は十分明らかになっていない．ここでは研究間で結果の一致がまだ得られていないが，予後に関連する可能性がある要因として検討されてきたものをあげておく．

　脳病変の部位と予後の関連性については，特定の症状の回復と脳病変部位の関連性，例えば聴覚的理解障害の回復と左側頭葉病変との関連性[25]，失名辞の回復と左中側頭回・側頭葉―後頭葉接合領域病変の関連性を示す研究[26]が存在するが，ま

だ十分明らかになっていない．原因疾患については，脳出血が脳梗塞より予後がよいとする研究[27]が存在する．失語症タイプについては，前述したように全失語の予後が不良であることは研究結果が一致しているが，そのほかのタイプについてはさまざまな意見が存在する．

　個人的要因については，高齢者より若年者の回復がよいとする研究[28]があるが，個人差が大きく，年齢は予後に関係しないとする研究[22]も存在する．このほか性別（女性は男性より良好），利き手（左手利きは右手利きより良好），教育歴，知能については研究結果が一致していない．

　失語症の予後に関与する要因はまだ十分解明されていないが，予後予測においては上記の要因を念頭におくことが必要である．

引用文献

1) Saur D, Lange R, Baumgaertne A, et al：Dynamics of language reorganization after stroke. Brain 129：1371-1384, 2006
2) Robertson IH, Fitzpatrick SM：The future of cognitive neurorehabilitation. In Stuss DT, Winocur G, Robertson IH (eds)：Cognitive neurorehabilitation. pp565-574, Cambridge University Press, 2008
3) Benson DF, Ardila A：Aphasia：a clinical perspective. p345, Oxford University Press, 1996
4) Robey RR：A meta-analysis of clinical outcomes in the treatment of aphasia. J Speech Lang Hear Res 41：172-187, 1998
5) Godecke E, Hird K, Lalor EE, et al：Very early poststroke aphasia therapy：a pilot randomized controlled efficacy trial. Int J Stroke 7：635-644, 2012
6) Ciccone N, West D, Cream A, et al：Constraint-induced aphasia therapy (CIAT)：a randomized controlled trial in very early stroke rehabilitation. Aphasiology 30：566-584, 2016
7) Nouwens F, Lau LM, Visch-Brink EG, et al：Efficacy early cognitive-linguistic treatment for aphasia due to stroke：a randomized controlled trial (Rotterdam aphasia therapy study-3). Eur Stroke J 2：126-136, 2017
8) Breitenstein C, Martus P, Williams K, et al：Intensive speech and language therapy in patients with chronic aphasia after stroke：a randomized, open-label, blinded-endpoint, controlled trial in a health-care setting. Lancet 389：1528-1538, 2017
9) Allen L, Mehta S, Mcclure JA, et al：Therapeutic intervention for aphasia initiated more than six months post stroke：a review of the evidence. Top

Stroke Rehabil 19：523-535, 2012
10) Stahl B, Mohr B, Buscher V, et al：Efficacy of intensive aphasia therapy in patients with chronic stroke：a randomized controlled trial. J Neurol Neurosurg Psychiatry 89：586-592, 2018
11) Szaflarski JP, Ball AL, Lindsell CJ：Constraint induced aphasia therapy for treatment of chronic post-stroke aphasia：a randomized, blinded, controlled pilot trial：Med Sci Monit 21：2861-2869, 2015
12) 藤田郁代：失語症言語治療の新しい潮流―理論と戦略. 言語聴覚研究 16：61-73, 2019
13) Pulvermüller F, Neininger B, Elbert T, et al：Constraint-induced therapy of chronic aphasia after stroke. Stroke 32：1621-1626, 2001
14) Papathanasiou I：Plasticity and recovery of aphasia. Papathanasiou I, Coppens P：Aphasia and related neurogenic communication disorders. pp69-71, Jones & Bartlett Learning, 2017
15) Kleim JA, Jones TA：Principles of experience-dependent neural plasticity：implications for rehabilitation after brain damage. J Speech Lang Her Res 51：225-239, 2008
16) Kiran S, Thompson CK：Neuroplasticity of Language Networks in Aphasia：Advances, Updates, and Future Challenges. Front Neurol 10：1-15, 2019
17) Raymer AM, Beeson PM, Holland A, et al：Translational research in aphasia：from neuroscience to neurorehabilitation. J Speech Lang Her Res 51：259-275, 2008
18) Meinzer M, Flaisch T, Breitenstein C, et al：Functional re-recruitment of dysfunctional brain areas predicts language recovery in chronic aphasia. Neuroimage 39：2038-2046, 2008
19) Fridriksson J, Moser D, Bonilha L, et al：Neural correlates of phonological and semantic-based anomia treatment in aphasia. Neuropsychologia 48：1812-1822, 2007
20) Hees S, MCmahon K, Angwin A, et al：Neural activity associated with semantic versus phonological anomia treatments in aphasia. Brain Lang 57：47-57, 2014
21) Basso A：Prognostic factors in aphasia. Aphasiology 68：337-348, 1992
22) Plowman E, Hentz B, Ellls C：Post-stroke aphasia prognosis：a review of patient-related and stroke-related factors. J of Evaluation in Clinical Practice 18：689-694, 2012
23) Nicholas M, Helm-Estabrooks N, Ward Lonergan J, et al：Evolution of severe aphasia in the First two years post onset. Arch Phys Med Rehabil 74：830-836, 1993
24) Brady MC, Kelly H, Godwin J：Speech and language therapy for aphasia following stroke. Cochrane Database Syst Rev 5：CD000425, 2012
25) Naeser MA, Helm-Estabrooks N, Haas N, et al：Relationship between lesion extent in Wernicke's area' on computed tomography scan and predicting recovery of comprehension in Wernicke's aphasia. Arch Neurol 44：73-82, 1987
26) Fridriksson J, Bonilha L, Baker JM, et al：Activity in preserved left hemisphere regions predicts anomia severity in aphasia. Cereb Cortex 20：1013-1019, 2010
27) 種村純, 他：失語症言語治療に関する後方視的研究―標準失語症検査得点の改善とその要因. 高次脳機能研究 32：497-513, 2012
28) 福迫陽子, 物井寿子：失語症患者の言語訓練成績―老年群と壮年群の比較. 音声言語医学 26：145-158, 1985

第 9 章

失語症の言語治療の理論と技法

学修の到達目標

- 言語治療の目標と介入の側面を説明できる.
- 言語治療効果の測定方法を説明できる.
- 包括的介入,クライエント中心,EBP,チーム・アプローチの実践方法を説明できる.
- 急性期,回復期,生活期の言語治療の特徴を説明できる.
- 言語治療計画の立案方法を説明し,立案できる.
- 失語症臨床における職種間連携を説明し,実践できる.
- 失語症の言語治療における安全管理の方法を説明し,実践できる.

言語治療の基本原則

失語症の言語治療では，失語症がある人（失語症者）が自分らしい最善の生活を構築できるよう，言語・コミュニケーションの側面から介入する．6章「失語症の言語聴覚療法の全体像」（➡ 143頁）では，このような言語聴覚療法の基本的概念として**包括的介入，クライエント中心の臨床，EBP，チームアプローチ**を取り上げた．これらは言語治療（訓練，指導，支援）過程においても基本原則として適用される．

このほか，言語治療において重視すべき基本原則が複数存在する．そのひとつは，**言語治療の目標を日常生活の活動と参加の充実におくこと**である．また言語治療の**アウトカムの評価**は，言語治療が患者の生活や人生にどのような変化をもたらしたかという点から実施する．さらに，言語治療は，失語症者が必要とする**人生の全ステージ**で提供することが必要である．

本章ではこのような基本原則を言語治療（訓練，指導，支援）にどのように適用するかについて説明する．なおチームアプローチについては「D リハビリテーションにおける連携」で取り上げる．

A 言語治療の枠組み

1 言語治療の目標とアウトカムの評価

失語症者は，発症直後には病前とまったく同じ状態に戻りたいと強く願うであろう．しかし言語治療過程で言語機能がある程度回復し，障害があってもコミュニケーションが取れることを経験すると，重要なのは失語症とうまく付き合い，自分らしく生きることと認識するようになる．このように**言語治療の目標**は患者にとって最善の生活を再構築し，日常生活における活動と参加を充実することにある．

このように考えると**アウトカムの評価**は，言語機能の回復とともに，言語治療が患者の生活や人生にどのような変化をもたらしたかという観点から行うことがわかる．そこでアウトカムの評価は，日常生活における参加と活動，言語機能，コミュニケーション環境，心理などについて行う．なおアウトカムは言語治療の成果や帰結を意味する．

ICFの概念的枠組みに基づき失語症者への介入のアウトカムを評価する枠組みとして，海外では**A-FROM**（Living with Aphasia：Framework for Outcome Measurement）（➡ Note 30）が存在する．

2 包括的介入―言語治療の側面

失語症者が自分らしい最善の生活を構築するには，その人の生きること全体を視野に入れた包括的介入が必要である．このような言語治療の側面をICFの概念的枠組みによって整理することにする．

a 言語機能障害への介入―機能訓練

言語機能障害への介入として，機能訓練が実施される．主な訓練方略は障害された機能の修復と

Note 30. A-FROM

A-FROMは，失語症者の複雑でダイナミックな生活状況の特徴を理解するための統合モデルであり，カナダのKagan（2007, 2011）[1,2]らによって開発された．このモデルはICFの概念的枠組みを失語に適用しており，最も重要なのは参加（関係，役割，活動）と個人要因（感情，態度，自己同定）と考える．

代償である．

　機能訓練がめざすのは，脳に適切な刺激を与えて言語を処理する過程を賦活し，喚語，文産生，書字のような言語行動を回復させることである．神経学的観点からみれば，機能訓練は言語の神経ネットワークの再編成または修復をめざすといえる．そのメカニズムとしては左半球の病巣周辺の機能修復，左半球の残存領域の機能再編成，右半球による機能代償などが考えられている．臨床では，病初期に重度であった失語症が中等度や軽度にまで回復することをよく経験する．これは脳内でこのような神経学的変化が起きたことを示唆するものである．

　機能訓練は一般に呼称，構文，文字といった言語部門別に実施され，課題や刺激は難易度を考慮し，段階的に導入される．現在の代表的な機能訓練法は**認知神経心理学的アプローチ**であり，これに**刺激法**の原則を取り入れて実施されることが多い．また訓練ステップの構成には**プログラム学習法**が利用される．このほか**CI 言語療法**(constraint-induced language therapy)，rTMS や tDCS を使用した**非侵襲性脳刺激法**，ピラセタム投与などの薬物療法も機能回復をめざしている．このような機能訓練は最終的には日常生活における活動・参加の充実をはかるためのものであり，日常生活への般化，つまり**日常生活への橋渡し**を訓練プログラムに組み込むことが重要である．

　コミュニケーションには注意，記憶，推論のような認知機能が密接にかかわり，これに障害を認める場合は**認知機能訓練**を実施する．

　機能訓練は期間を限定して集中的に実施することが効果的とされる[3,4]．8 章で述べた Kleim, Jones[5] の「経験に依存した神経学的可塑性の原則」は，機能訓練に適用される原則である．

ⓑ 活動制限と参加制約への介入

　言語・コミュニケーション障害はその人の生活全体に影響を及ぼすため，活動・参加への介入は多岐にわたる．ASHA は，失語症者と家族の実生活における短期的・長期的目標の達成に向けた介入法として，生活参加アプローチ Life Participation Approach to Aphasia（LPAA）[6] を 2000 年に発表している．LPAA は活動への日常的な参加を強化することによって生活の再構築を支援する．LPAA で重視されるのは実用的コミュニケーションと社会的かかわりへの介入である．

　ここでは，活動・参加への介入を本人のコミュニケーションへのアプローチ，家族・介護者のサポート，コミュニケーション環境の整備，社会参加への支援，心理的支援から説明する．

(1) 本人のコミュニケーションへのアプローチ

　本人のコミュニケーションへのアプローチとしては，実用的コミュニケーション訓練，AAC（Augmentative and Alternative Communication，拡大・代替コミュニケーション），グループ訓練があげられる．

　実用的コミュニケーション訓練は，日常会話におけるコミュニケーションの向上をめざすものであり，PACE（Promoting Aphasics' Communication Effectiveness）のような会話訓練などが実施される．**AAC** は意思を伝えるすべての方法を含む．スピーチ以外の AAC は，ノーテク（ジャスチャー，身振り，顔の表情など），ローテク（コミュニケーション・ノートなど），ハイテク（PC を使用した機器）に分類される．訓練ではスピーチを含めこれらを活用し効率的にコミュニケーションをとる方法の獲得をめざす．実用的コミュニケーション訓練や AAC において重要なことは，能力（できる能力）の回復にとどまらず，日常生活場面における実行（している活動）を可能にすることである．

　グループ訓練は患者間の交流や会話経験を通してコミュニケーション・スキルの向上，社会適応の促進，心理的立ち直り，他者をサポートする力の向上などをめざす．

(2) コミュニケーション環境の整備

　失語症者にとって社会は家庭，コミュニティー，職場，友人仲間，趣味の会などである．このよう

な社会でコミュニケーションが効率的にとれるよう環境を整備する．

(3) 家族・介護者のサポート

失語症によって困難な状況に陥るのは本人だけでなく家族も同様である．家族や介護者に対し失語症への理解やコミュニケーションのとり方を指導し，心理的問題をサポートすることは言語治療の重要な側面である．

(4) 社会参加への支援

家庭における役割づくり，職業復帰，コミュニティや当事者グループへの参加などに向けた支援を行う．

(5) 心理的支援

人生の途上で突然ことばを失うことは，大きな喪失感，悲哀，落胆，悔しさ，怒り，自己否定といった複雑な心情を生む．このような心理的状態から立ち直り，前向きの思考ができるようになるのは簡単なことではない．言語治療では本人の気持ちに寄り添って受容的にサポートし，失語症者が本来の自分（identity）に立ち返ることができるよう，**レジリエンス**（→ Note 31）の向上を支援する．

3　クライエント中心の臨床

クライエント中心の臨床では，失語症者および家族と対等なパートナーシップを築き，当事者のニーズおよび権利を尊重すると同時に，目標やサービスの決定過程に当事者が参加する機会を確保する．

Davidson[8]は，失語症臨床における**クライエント中心のアプローチ**として下記の10項目をあげている．

① 本人・家族の個別性および多様性を尊重する
② 言語治療では本人にとって意味のある社会・感情的要因や活動・参加に焦点を当てる
③ 相互に尊敬し信頼するパートナーシップを築く
④ 参加・活動を促進する
⑤ ICFの概念的枠組みのすべての構成要素に包括的にアプローチする
⑥ 失語症者から学ぶ
⑦ 意思決定や目標設定を本人・家族と共同で行う
⑧ コミュニケーションを支援する
⑨ 失語症者の自律性を高める
⑩ 言語聴覚士のプロフェッションを開発する

わが国の医療・福祉現場では，リハビリテーションの目標やサービスを当事者が自己決定する，ケース・カンファレンスに当事者が参加する仕組みがあり，実行されている．

4　エビデンスに基づく臨床：EBP

失語症の言語治療では，対象者ごとに訓練・支援プログラムを立案し実施する．訓練・支援法を選択する際には，なぜその方法が適切か，すなわちその訓練・支援法を選択するエビデンス（科学的根拠）を明らかにすることが求められる．**エビデンスに基づく言語聴覚療法（EBP）**は，「入手可能な最良の科学的根拠（エビデンス）を把握し，それと患者・家族の意向，病態，言語聴覚士としての経験や臨床環境を統合して最善の言語聴覚療法を行うこと」と定義される[9]．

EBPを実施する手順は次の段階を踏む（表9-1）．臨床上の問いを立て，それを解決するための科学的エビデンスを研究論文等から入手する．入手したエビデンスを批判的に吟味し，本人・家族の意向，病態，臨床経験・環境などと統合し訓練・支援法を決める．訓練，支援法を臨床に適用しその効果を検証する．

EBPを実践するには，毎日の臨床において**言

> **Note 31. レジリエンス**
> Mastenら[7]はレジリエンスを，「脅威や困難な状況にあってもうまく適応する過程，能力，結果」と定義している．失語症を例にとると，失語症によって生じた困難な状況から心理的に立ち直る過程や能力といえる．

表9-1 エビデンスに基づく臨床(EBP)の手順

第1段階	臨床上の問いを立て，それを解決するための科学的エビデンスを研究論文等から入手する．
第2段階	入手したエビデンスを批判的に吟味し，本人・家族の意向，病態，臨床経験・環境などと統合し，訓練・支援法を決定する．
第3段階	決定した方法を臨床に適用し，その効果を検証する．

語聴覚療法記録を作成することが必要である．この記録では訓練材料・刺激，手続き，反応を具体的に，また数値化できるものは数値で示し，訓練内容と行動変化の関係がわかるよう記述する．日々の臨床において訓練内容と行動変化の関係を客観的に把握することなく，EBPを実践することはできない．

5 人生の全ステージにわたる介入

失語症は，本人が自分らしい生活を構築できるようになるまで，その人のコミュニケーション，活動，参加，人間関係などに影響を与え続ける．また8章「失語症の回復過程」で述べたように，失語症の回復は長い経過をたどる．このようなことから，失語症者・家族が直面する問題への介入は**人生の全ステージ**にわたることになる．

失語症者・家族が直面する問題は発症からの時期によって異なり，それに伴い言語治療の目標も変化していく．例えば急性期・回復期は言語機能の回復，実用的コミュニケーションの向上，社会復帰への準備が主な目標となるが，生活期には獲得したコミュニケーションの生活場面での実行，社会参加，機能の維持が課題となる．

このような問題への介入には，医療保険や介護保険などに支えられるものと，ボランティアやNGOなどによって支えられるものが存在する．言語治療はフォーマルな制度下で実施されるが，長期的に社会参加を成し遂げるにはボランティアなどのインフォーマルな活動の利用が有効である．

引用文献

1) Kagan A, Simmons-Mackie N：Beginning with the end outcome-driven assessment and intervention with life participation in mind. Top Lang Disorders 27：309-317, 2007
2) Kagan A：A-FROM in action at the aphasia institute. Semi Speech Lang 32：216-228, 2011
3) Bhogal SK, Teasell R, Speechley M：Intensity of aphasia therapy, impact on recovery. Stroke 34：987-993, 2003
4) Breitenstein C, Grewe T, Flöel A：Intensive speech and language therapy in patients with chronic aphasia after stroke：A randomized, open-label, blinded-endpoint, controlled trial in a health-care setting. Lancet 389：1528-1538, 2017
5) Kleim JA, Heim TA：Principles of experience-dependent neural plasticity：implications for rehabilitation after brain damage. J Speech Lang Her Res 51：225-239, 2008
6) LPAA Project Group(Chapey R, Duchan J, Elman RJ, et al)：Life participation approach to aphasia：a statement of values for the future. The ASHA Leader, 1 Feb：1-15, 2000
7) Masten AS, Karin M, Garmezy N：Resilience and development：contributions from the study of children who overcome adversity. Dev Psychopathol 2：425-444, 1990
8) Davidson B, Worrall L：Living with aphasia：a client-centered approach In Papathanasiou I, Coppens P (eds)：Aphasia and related Neurogenic communication disorders. Jones & Bartlett Learning, Burlington, 311-330, 2017
9) American Speech-Language-Hearing Association：Evidence-based practice in communication disorders (Position statement), 2005. https://www.asha.org/policy（2020年12月閲覧）

B 病期別の言語聴覚療法

現在，わが国では疾患や障害が発生してからの時期を急性期，回復期，生活期(維持期)に分けた**病期別リハビリテーション**が実施されている（図9-1）．また高齢者が要介護状態にならず，できるだけ長く自立生活を営むことを支援する**予防的リハビリテーション**も行われている．失語症の回復経過には個人差があり，個人によってはこのよ

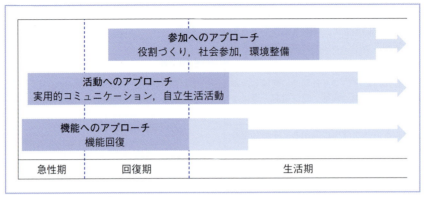

図9-1　病期別リハビリテーション

うな病期区分が回復経過と一致しないことがあるが，言語治療はこのシステムで提供される．

失語症者の多くは急性期，回復期，生活期の言語治療を利用し，自分にとって最善の生活を構築していく．したがって長期的な見通しをもって各期の言語治療を円滑につないでいくことが重要である．

本項では，脳血管疾患で発症し，典型的な回復経過をたどる失語症者を想定して病期別の言語聴覚療法の概要を説明する．

1　急性期の言語治療

失語症の言語治療は発症後できるだけ早期に開始し，廃用症状を予防する．ただし，急性期は全身状態がまだ不安定で，耐久性も低い．したがって，言語治療は**リスク管理**（➡ Note 32）に留意して開始することになる．

急性期の言語治療では，言語機能の回復，実用的コミュニケーションの向上，コミュニケーション環境の整備，心理的サポートなどに取り組む．急性期は失語症の自然回復がみられる時期なので，言語機能訓練を負荷に注意しつつ開始する．またこの時期は覚醒を促し，発動性や注意などの認知機能に対応することが必要なこともある．

実用的コミュニケーションについては，残存機能を活用して現在の能力で**効率的にコミュニケーションをとる方法**の獲得をめざす．コミュニケーション方法の獲得は急性期の言語聴覚療法において最も優先される課題である．失語症者が効率的にコミュニケーションをとるには，家族や医療スタッフなどがその方法を習得して使用できるようになることが必要である．また書字や描画ができる場合はメモ帳を用意する，コミュニケーション・ボードを用意するなど物理的環境を整えることも重要である．

急性期の失語症者は病識が薄く，心理的に不安定になりやすいので，受容的に心理的サポートをする．家族に対しては，失語症，現在の症状や今後の見通しについてわかりやすく説明し，現在の状態を前向きに受け止めることができるよう支援する．またコミュニケーションのとり方を習得してもらい，本人と意思疎通ができるようサポート

> **Note 32.　リスク管理**
> 言語聴覚士には，適正に評価・訓練・支援を提供し，臨床過程における安全を確保することが求められる．リスク管理は，安全を損なうような事態の発生の防止，およびこのような事態が発生したときの取り組みをいう．
> 言語聴覚療法で起こる可能性があるアクシデントには，強い胸部痛や腹痛，てんかん発作，低血糖発作，意識消失，気分不快，血圧低下，不整脈，転倒・打撲・その他の外傷などがある．言語聴覚士は日常的にバイタルサインに注意すると同時に，各施設で定められている対処法を理解しておくことが必要である．

する.

　急性期の言語聴覚士の役割として重要なことに，言語・コミュニケーションの予後を予測し，今後，どのような生活を営むことが可能であるかといった**参加レベルの目標**（またはその目安）を関連職と共同して設定することがある．本人が回復期リハビリテーション病棟などに移転する際はこの目標を申し送ることになる．

2　回復期の言語治療

　回復期は，集中的な言語治療を通して言語機能の回復，実用的コミュニケーションの向上や社会参加への準備が進む時期である．失語症者の多くは**回復期リハビリテーション病棟**で言語治療を受けるが，この病棟の目標は「寝たきりの予防と家庭復帰」である．したがって言語治療では機能回復と同時に，家庭復帰をめざした活動と参加の向上に取り組むことになる．

　言語治療を開始する際は，本人と家族の意向を踏まえてリハビリテーション・チーム全体で**参加レベルの目標**を設定する．そしてこの目標に向かって各専門職が連携してサービスを提供する．言語聴覚士は言語機能，実用的コミュニケーション，社会参加，コミュニケーション環境，心理的問題に包括的にアプローチする．

　回復期は社会復帰の準備をする時期であり，退院後の生活で必要となる支援について検討する．例えば退院後も言語治療が必要な場合は，介護保険サービス利用の準備をする．また会社復帰に向けて職場環境を調整することや，患者会への参加を勧めることもある．いずれにしても退院後に失語症者が孤立し閉じこもりにならないよう，**QOLの充実**に向けて言語・コミュニケーションの側面から支援する．

3　生活期の言語治療

　生活期（維持期）の言語治療では，回復期までに獲得された言語機能やコミュニケーション能力の低下を防ぎ，本人と家族が地域社会で最善の生活を営むよう支援する．よって言語治療の主な目的は，日常生活における参加・活動の向上および家族・介護者の介護負担の軽減にある．具体的には，本人が望む家庭や地域社会における活動や参加の形態を把握し，その実現に向けてコミュニケーション，人的環境，物的環境などに介入する．なお言語治療は実社会への参加の橋渡しであり，できるだけ早期に地域社会で**自立した生活**が営めるよう働きかける．

　近年の研究は，発症後1年を経過しても言語治療を受けた失語症者の言語・コミュニケーション能力が回復することを示している[1-3]．したがって言語治療は長期的な見通しをもって医療保険や介護保険のサービスをつないで提供することになる．

引用文献

1) Szaflarski JP, Ball AL, Lindsell CJ：Constraint-induced aphasia therapy for treatment of chronic post-stroke aphasia：A randomized, blinded, controlled pilot trial. Med Sci Monit 21：2861-2869, 2015
2) 藤田郁代：失語症言語治療の新しい潮流—理論と戦略．言語聴覚研究 16：61-73, 2019
3) Pulvermüller F, Neininger B, Elbert T, et al：Constraint-induced therapy of chronic aphasia after stroke. Stroke 32：1621-1626, 2001

C　言語治療計画の立案

　失語症の言語治療を開始するにあたっては，対象者ごとに評価の結果をもとに**言語治療計画**を立案する．言語治療計画では目標，方針（言語治療の方略とプログラム），期間と頻度を決定する．

　失語症者が自分らしい生活を再構築するには，専門職のチーム・アプローチが必要である．そこでリハビリテーションでは，医師，看護師，理学療法士，作業療法士，言語聴覚士などが評価結果を持ち寄り，協議して実施計画を立案する．現行

の医療保険診療報酬では，これらの専門職が共同して**リハビリテーション実施計画書**を作成し，その内容を当事者に説明して交付することが求められている．また介護保険においてリハビリテーション・マネジメント加算を算定する場合も，医師，理学療法士，作業療法士，言語聴覚士などがリハビリテーション会議を開催し，評価結果に基づき**リハビリテーション計画書**を作成して利用者または家族に説明し同意を得ることとなっている．

このように，リハビリテーションの実施計画は関連職種が連携して作成するが，本項では，言語治療に特定し，その計画立案について説明する．

1 言語治療の適応

言語治療の適応は医師が判断するが，言語聴覚士に意見を求められることがある．一般に言語治療の適応が低いと判断されるのは，生命に影響を及ぼすような疾患や合併症があり，その治療が優先されるとき，全身状態が重篤な状態にあるとき，本人が言語治療を受けない意思を固めている場合などである．

失語症の言語治療では，言語機能の回復とともに，残存機能を活用したコミュニケーション能力の向上，コミュニケーション環境の整備，心理・社会的問題の解決または軽減をめざす．よって**言語治療の適応**は言語機能の回復の可能性だけで決めることはできない．言語機能の回復があまり望めない状態であっても，現在の能力で効率的にコミュニケーションをとる方法を確立することや，コミュニケーション環境を整備することができる．このような活動，参加，環境へのアプローチは言語治療の重要な側面である．

言語機能について，現状では予後を厳密に予測するに十分な研究成果が蓄積しているといえない．また失語症の回復は数年にわたり続くことが確認されている[1,2]．したがって言語機能が回復する可能性が低いと判断される場合であっても，本人と家族の希望があれば一定期間，機能訓練を実施し経過をみることになる．

2 目標の設定

言語治療の目標には，長期目標と短期目標が存在する．いずれも本人と家族に説明し，同意を得ることが必要である．

a 長期目標

長期目標は今後を見通し，どのような個人的，社会的生活を営むことができるようになるかといった観点から設定する．すなわち長期目標は参加・活動レベルの目標といえる．例えば家庭に復帰し家事を分担する，職場に復帰する，趣味をいかして友人と交流する，などである．

どのような長期目標を設定できるかは，本人と家族の希望，言語・認知・運動機能障害の予後，疾患の状態，生活環境やサポート体制などによる．

b 短期目標

短期目標は，長期目標を段階的に達成するため，期間を限って設定する目標である．例えば日常物品の呼称が50％可能となる，非可逆文が理解できるようになる，仮名文字が書けるようになる，などである．短期目標は，長期目標から逆算思考し，それを達成するために必要な活動，機能，環境などを考えて設定するとよい．例えば買い物をするには計算が必要であり，職場復帰には複雑文の理解が求められるので，これらを短期目標として設定する．

一般に，短期目標は1〜3か月の期限で設定する．短期目標の達成度はこの期限の終了時に評価するが，日々の臨床過程においても確認することが重要である．

病期別リハビリテーションでは，失語症者は発症から社会復帰に到るまで複数の施設で言語治療を利用することが多い．このような場合，一貫した方針で効率的に言語治療が受けられるよう，目

標とその達成状況を次の施設に申し送ることになる．

3 言語治療方針の決定—ストラテジーとプログラム

　言語治療方針は，長期目標と短期目標をいかにして達成するか，その道筋を示すものである．具体的には，言語治療の対象と形態，訓練・支援のストラテジー（方略）とプログラムから構成される．

　失語症の言語治療では，機能障害，活動制限，参加制約，環境因子のすべてを**対象**とするが，症状や病期によって優先するものが異なる．例えば重度の失語症者に対しては，機能回復よりコミュニケーション方法の獲得と環境整備を優先する．また回復期リハビリテーション病棟に入院した当初は機能回復と実用的コミュニケーション能力の向上に力点をおくが，退院が視野に入ってきた時期は家庭復帰に向けた参加支援が重要となる．訓練の**形態**については，急性期や回復期は個別訓練が中心であるが，生活期はグループ訓練が効果を発揮する．

　訓練・支援のストラテジーは多岐にわたる．機能障害に対しては認知神経心理学的アプローチ，刺激法，CI言語療法，非侵襲性脳刺激法などが存在し，活動・参加に対しては語用論的アプローチ，社会的アプローチ，心理的サポートなどがある．どのようなアプローチを選択するかは，家族と本人の意向，障害構造，回復経過と予後，個人的背景や臨床環境等を総合的に判断して決める．通常，長期目標を1つのアプローチだけで達成することはできない．したがって，言語治療では複数のアプローチを組み合わせて実施し，最大の効果を狙うことになる．

　訓練・支援プログラムは，課題の優先順序を決めて作成する．その基本原則は下記のとおりである．

- 障害の小さい機能から取り上げる．
- 回復する可能性が高い機能から取り上げる．
- ほかの能力の基礎となる課題から導入する（例えば，単語から文へ，基礎課題から般化をめざす応用課題へ）．
- 生活において必要性の高いものから取り上げる．
- 本人の興味があるものから取り上げる．

　訓練・支援の方略とプログラムを決めることは，その問題を解決または軽減するための**治療仮説**を設定することでもある．言語治療では，その訓練法を選択した**根拠**を明確にして治療仮説を設定し，言語治療過程においてその効果を検証する．期待した効果が得られなかったときは，治療仮説を再検討し，言語治療の方略とプログラムを修正することになる．

4 期間と頻度

　言語治療の期間は，目標を達成するために必要な期間を予測して決める．先述したようにひとつの施設で社会復帰に到る患者は少なく，患者の多くは複数の施設で言語治療を受ける．したがって言語治療の期間は当該施設で言語治療を受ける期間である．また失語症者の多くは右片麻痺などを併発しており，長期目標を達成するのに必要な期間はリハビリテーション・チーム全体で協議し決めることになる．

　言語治療の頻度については，集中的に高頻度に実施することが効果的である[2,3]．これは特に回復期の言語機能の回復についていえる．急性期も高頻度の訓練が推奨されているが，すべての患者に集中的な言語治療を適用できるわけではない．全身状態が不安定で負荷をかけることができない患者に対しては，リスク管理に注意して慎重に対応する．

引用文献
1) 中川良尚，小嶋知幸，佐野洋子，他：アナルトリーを伴わない失語症の長期予後について—SLTA成績と病巣からの検討．高次脳機能研究 24：328-334，2004
2) Ciccone N, West D, Cream A, et al：Constraint-

induced aphasia therapy（CIAT）：A randomized controlled trial in very early stroke rehabilitation. Aphasiology 30：566-584, 2016
3) Godecke E, Hird K, Lalor EE, et al：Very early poststroke aphasia therapy：a pilot randomized controlled efficacy trial. Int J Stroke 7：635-644, 2012

D リハビリテーションにおける連携

1 言語聴覚士の職務を規定する枠組み

a 言語聴覚士法

　言語聴覚療法が実施される枠組みの根底には日本の**社会保障制度**，それを裏付ける法律がある．法律は決して違反してはならず，遵守するように国によって決められている社会規範で，一定の手続きに従って制定され，文字で書き表されている成文法である法規の一形態である．法規のうち，国民の健康の保持や回復，また健康の増進に寄与することを目的としたものが衛生法規で，これは医事法規，薬事法規，保健衛生法規，予防衛生法規，環境衛生法規に分けられ，食品衛生から労働安全などカバーする範囲は広い．法規のなかにそれぞれの領域に係る法律が含まれることになる（表9-2）．

　国民の医療の確保のため，医事法規は医療に関する法の総称であり，医師・看護師などの医療関係者の資格や業務，および病院などの医療施設の設備や運営などを規制するためのもの医療を行う場所や体制に関する，いわば医療機関に関する法律を医療法という．医療を行う人に関する各法としては，医師法，保健師助産師看護師法，薬剤師法，歯科医師法，救急救命士法，理学療法士及び作業療法士法，そして**言語聴覚士法**などがある．医療領域において言語聴覚士の業務に関連する職種である医師，歯科医師，保健師，看護師，栄養士，歯科衛生士，理学療法士，作業療法士などについてはそれぞれを規定する法律がある．母

表9-2　衛生法規の例

医事法規
　医療法
　医師法，歯科医師法，保健師助産師看護師法，歯科衛生士法，救急救命士法
　理学療法士及び作業療法士法，臨床検査技師，衛生検査技師等に関する法律
　診療放射線技師法，視能訓練士法，言語聴覚士法，義肢装具士法
　社会福祉士及び介護福祉士法，精神保健福祉士法 等
薬事法規
　薬機法，薬剤師法 等
保健衛生法規
　母体保護法，母子保健法，学校保健安全法，栄養士法，調理師法 等
予防衛生法規
　感染症の予防及び感染症の患者に対する医療に関する法律，予防接種法 等
環境衛生法規
　食品衛生法，水道法，下水道法 等

子保健法，母体保護法は衛生法規の中の保健衛生法規に含まれる．

　言語聴覚士法は1997年に制定された．この法律のなかには言語聴覚士の定義として「厚生労働大臣の免許を受けて，言語聴覚士の名称を用いて，音声機能，言語機能又は聴覚に障害のある者についてその機能の維持向上を図るため，言語訓練その他の訓練，これに必要な検査及び助言，指導その他の援助を行うことを業とする者をいう．」と明示されている．

b 言語聴覚士法の特徴

　リハビリテーションを円滑に導入し，効果的に実施するためには，医師，看護スタッフ，リハビリテーションスタッフをはじめとする他の専門職種との**連携**がきわめて重要である．

　言語聴覚士法には第43条に連携等という条項がある（表9-3）．これによって言語聴覚士は，業務の遂行にあたっては，医師，歯科医師その他の医療関係者との緊密な連携をはかること，対象者に主治医あるいは主治の歯科医がいる場合はその

表9-3 言語聴覚士法 第43条

（連携等）
第四十三条　言語聴覚士は，その業務を行うに当たっては，医師，歯科医師その他の医療関係者との緊密な連携を図り，適正な医療の確保に努めなければならない．
2　言語聴覚士は，その業務を行うに当たって，音声機能，言語機能又は聴覚に障害のある者に主治の医師又は歯科医師があるときは，その指導を受けなければならない．
3　言語聴覚士は，その業務を行うに当たって，音声機能，言語機能又は聴覚に障害のある者の福祉に関する業務を行う者，その他の関係者との連携を保たなければならない．

指導を受けること，そして対象者の福祉に関する業務を行う者や，その他の関係者との連携を保つことが求められる．言語聴覚士法は医療だけでなくそれ以外の領域においても連携を保つことが明示されている点が特徴的な法律となっている．

言語聴覚士の職務の実施範囲は拡大しており，医療の領域だけでなく，福祉領域や保険領域，あるいは教育関連の領域でも言語聴覚士が活躍する状況となっている．連携を取るべき専門職種も当然，広がることになる．福祉，保健，教育の領域では，ソーシャルワーカー，心理専門職，職業カウンセラー，保育士，教員，介護支援専門員，訪問看護員，社会福祉士，介護福祉士，生活指導員，児童指導員，児童福祉司などの職種が仕事をしている．言語聴覚士が職務を行う際にはそれらの領域の専門職とも緊密な連携をとることが重要である．それぞれの職種には医療関連職と同様に職務を規定する法律があるということを忘れてならない．

c 職種間連携の形態

医療においては，**チーム医療**ということがいわれるようになって久しい．チーム医療とは，厚労省の検討会の報告によれば「医療に従事する多種多様な医療スタッフが，各々の高い専門性を前提に，目的と情報を共有し，業務を分担しつつも互いに連携・補完し合い，患者の状況に的確に対応した医療を提供すること」となっている[1]．この考え方が広がった背景には2000年以降の医学モデルの変化がある．それまでの疾病中心の医学モデルから，倫理的な側面として患者中心の視点が医学教育モデルに加わり，医師と患者の協働を示す患者中心のケアも同時期に海外から導入された．それ以降，医師のみならず医療者全般と患者の協働による患者中心のモデルの開発が進んできた．また地域包括ケアシステムの構築に伴い，医療から地域へという継続が求められるようになっている．急性期，回復期のリハビリテーションは主として医療機関で行われるが，地域は対象者が生活するところであり，リハビリテーションもまた生活全般という視点で考えられることになる．当然，1種類の専門職だけで対応することは難しく，**多職種の協働**が必要とされるようになった．医療において始まった職種間連携は医療の領域にとどまらず，地域ケアにおける介護や福祉領域の専門職を含めた職種間連携まで，発症からのさまざまな時期に応じていろいろな形式で実践されるようになった．

2 失語症対応における職種間連携

a 医療における職種間連携

失語症に対する最も一般的な職種間連携は医療機関においてみることができる．ここでいう他職種には医師，看護師，理学療法士，作業療法士，医療ソーシャルワーカー，心理専門職などが含まれる．患者にかかわる専門職はチームとしてそれぞれの専門性に基づき，対象者の今後の生活も視野に入れた共通の目標を立てる．個別に職種間で緊密なやり取りをすることももちろん重要であるが，医療では**カンファレンス**が開かれることが多い．それぞれの専門職が患者について得た情報を交換することにより，当該患者の全体の状況について情報を整理，統合し分析することができる．関連する職種が一堂に会しているので，患者のリ

ハビリテーションについての目標を共有しやすいという利点がある．共有した目標達成をめざして各専門職が協働する．

　失語症の場合，発症後の経過が短い急性期には，医師は全身状態に関する情報，原因疾患の今後についての見通し，合併症などについての情報を提供する．看護師は全身状態について，その日の様子や変動の有無，家族の情報，病棟における生活の状況についての情報を提供する．理学療法士や作業療法士がかかわっていれば，運動麻痺の現在の状態や今後の見通し，歩行の可能性，上肢の機能やADL（日常生活動作）についての情報を提供できる．言語聴覚士は失語症の状況，失語症以外の高次脳機能や摂食嚥下障害，あるいは構音障害など合併する問題の有無，本人や家族の障害の受け止め，今後の見通し，有効なコミュニケーション方法などの情報を提供する．

　多くの患者は急性期病院から回復期のリハビリテーションを行う医療機関に転院する．転院先を決めることは本人と家族にとっては大きな事柄である．医療ソーシャルワーカーが転院先の選択や手続きには重要な役割を果たす．失語症の重症度，全身状態，リハビリテーションの対象となっているのは失語症だけなのか，ほかの高次脳機能障害や運動麻痺も合併しているのか，あるいは摂食嚥下障害の改善はどうか，経口摂取ができるのかどうか，などの条件を勘案して転院先が決定される．この転院先の決定にも各専門職の的確な評価や経過の把握が重要となる．

　回復期の場合には現在のリハビリテーションに関する事柄だけでなく，失語症ではよくみられることだが，言語聴覚療法の場面に比べ，理学療法や作業療法の実施場面や病棟で発話量が増えることもある．連携がうまくできていれば場面による差異から本人のより正確な状態を判定する，あるいは適切な刺激を増やすことができる．

　また回復期には退院後を視野に入れ，本人，家族の意向も聞いたうえで，最も望ましい目標を設定することになる．例えばリハビリテーションの期間内に自立歩行が可能となり，日常生活動作では入浴など見守りが必要なレベルまで機能改善がはかられるので，自宅復帰が可能と考えられる．一方，失語症については改善は認められるが表出の問題が残存し，発話には制限があるので，昼間一人になる自宅復帰は少し難しいのではなないか，というように専門職によって目標とするところに差異が出る症例も多い．このような場合，専門職としての意見を主張するだけでは，真に患者や家族にとって最善のことをめざすことにはならない．家族は本人が一人になる昼間を心配していたことから，自宅復帰とするが，介護保険を使って昼間の見守りを依頼し，デイサービスを利用して言語のリハビリテーションを継続する，というようなところに着地できる場合もある．患者・家族の意向を聞き，専門職としての自分の意見を述べると同時に，他職種の主張にもきちんと耳を傾け，論理的に思考を展開することが求められる．カンファレンスは適宜行われ，リハビリテーションの進捗状況に応じて目標の修正が行われる．構成員もカンファレンスによって異なることがある．リハビリテーション部門でのカンファレンスの他に，神経内科や脳神経外科など診療科ごとに病棟カンファレンスなどが行われることもある．

b 地域における職種間連携

　重度な要介護状態となっても，誰もが住み慣れた地域で自分らしい暮らしを人生の最後まで続けることができるよう，医療・介護・予防・住まい・生活支援が一体的に提供されるシステムが**地域包括ケアシステム**であり，厚労省の指導のもと，団塊の世代が75歳以上となる2025年を目途に，システムの構築が進められている．構成要素のうち医療，介護は必要となったときに利用するものであり，常に，かつ永続的に関わるのは地域のなかで行われる予防と生活支援である．在宅となった失語症のある人が，住み慣れた地域で暮らしを継続するために，この予防と生活支援を充実させていくことが言語聴覚士にも求められる．

言語聴覚士がかかわる介護保険サービスには，在宅している人が利用できる在宅サービスと，入所する施設サービスがある．在宅サービスには訪問看護と訪問リハビリテーションがあり，言語聴覚士はいずれのサービスにも位置付けられ，訪問業務を行っている．また通所リハビリテーションでは医師，理学療法士，作業療法士，言語聴覚士がリハビリテーションを行う．通所介護で行われる機能訓練を行う機能訓練指導員として言語聴覚士も勤務することができる．また施設サービスのうち介護老人保健施設と介護医療院にはリハビリテーションが位置付けられ，介護老人福祉施設では機能訓練指導員による機能訓練が位置付けられている．ここでも言語聴覚士は勤務することができる．

関連してくる職種は，医療における多職種連携で関連した医師，看護師，理学療法士，作業療法士などの専門職だけでなく，介護支援相談員，社会福祉士，介護福祉士，保健師，さらには市町村など地域包括ケアシステムの主管である行政関係者などとなり，さらに広い枠組みのなかで他職種との連携が求められる．

C 職種間連携における留意点

連携をはかるためには相手の職種について深く理解することが重要である．そのことによって連携する際のポイントがわかるだけでなく，自分の役割を深く理解することができるようになる．自分の役割を理解し，相手が求める情報を適切に提供できるようになるには，自らの職種としての知識や技能を向上させ，専門性を高めることが必要である．専門性を高めるとは言語聴覚士にしかわからないような専門用語を使うことではない．他職種に専門的情報を正確に，相手がよく理解できるように説明するためにはむしろ高い専門性が求められる．また他職種との関係性を作るのはカンファレンスのような公的な場面だけでなく，日ごろから，緊密な関係性を作ることが重要である．良好な人間関係をつくり，**コミュニケーション**をとることはきわめて重要なことである．

これらのことができるようになって初めて，患者や家族の中心となる課題に対して，さまざまな職種が職種の違いを超えて，互いに職種の役割や知識，価値観を共有して連携や協働をすることができるようになる．

医療においても地域においても，1つの専門職で解決できることは少なく，今後ますます多職種と連携して対応しなければならない場面が増えることが想定される．どのように言語聴覚士としての知識，技能を磨き，他職種に対する理解を深め，違いを理解したうえで患者・利用者にとって何が最善かということを考えていくことが求められている．

引用文献
1) 厚生労働省平成22年3月19日付発表「チーム医療の推進について（チーム医療の推進に関する検討会報告書）」
http://www.mhlw.go.jp/shingi/2010/03/dl/s0319-9a.pdf（2020年12月閲覧）

E 安全管理

リスクあるいは安全という言葉は，医療においてはキーワードである．失語症のリハビリテーションは医療機関で関連職種と連携しながら行われている．医療機関では良質なサービスを安全で公平に患者に提供する責任を有する．これが妨げられないように医療の質を確保して患者や施設，職員を危険や損失から守ることを目的とする一連の組織的な取り組みが，医療における**リスクマネジメント**である．

リスクマネジメントの基本理念となっているのは，「ミスは誰にでも起こるものであり，必ず発生するという認識のもとに，患者・障害者の立場に立ち，安心して医療を受けられる環境を整えること」ということである．医療におけるミスは患者の生命を危険にさらすことに直結するため，絶

対安全な体制の確立と，ミスを隠蔽するのではなくミスに学ぶ姿勢が重要とされる．具体的には，医療従事者は考えられるあらゆるリスクの可能性を洗い出し，対策の必要なリスクを特定する．リスクそのものの発生・再発を予防し，発生を回避し，被害の最小化に努める．リスクが現実のものとなった場合にはその事態に対処し，復旧をはかるとともに損失補償を準備する．これがリスクマネジメントの一連のプロセスである．

それぞれの医療機関，施設では医療事故や医療過誤が起こらないような対策を立て，仮にそれが起きてしまった場合でも被害を最小限に食い止められるような対策を講じている．リスクマネジメントは組織で行う必要があり，医療機関では医療安全管理者と医療安全管理体制が設置されている．しかし安全の確保のためには，医療の遂行に関わるすべての人が常にリスクを自覚し，注意を集中して行動することが重要である．したがってそれぞれの施設の安全管理マニュアルは読んでおく必要がある．施設によるが，部門，部署，職種，あるいは疾患ごとにマニュアルが作成されている場合は，言語聴覚療法を安全に実施するためにそれらを確認しておく．

1 失語症のリハビリテーションにおいて起こりうるリスクの原因と対応（表9-4）

a 身体的危害が及ぶもの

失語症のために医療スタッフの指示が理解できずに離床しようとする，注意障害のために車椅子のフットレストに立ち上がり転倒する，自己の状況理解が不十分で床に落ちたものを取ろうとして転倒する，車椅子のロックをかけずに立とうとして転倒する，検査や訓練に用いる文具を取り上げて適切な操作をせずに怪我をする，訓練中に容体が急変した，などのことが起こりうる．言語聴覚士が対象者の状況についてよく理解していなかっ

表9-4　言語聴覚士が関係するリスクの発生原因

リスクの種類	発生原因
身体的危害が及ぶもの	・言語聴覚士としての臨床能力不足 ・医療職としての知識技能不足
患者との人間関係にかかわるもの	・意思疎通能力の不足 ・業務遂行姿勢の不良
個人情報にかかわるもの	・倫理観の欠如 ・業務遂行姿勢の不良
情報共有に関するミス	・情報共有システムの不備 ・業務遂行姿勢の不良
器物の破損	・言語聴覚士としての臨床能力不足 ・業務遂行姿勢の不良
院内感染	・感染防止対策の不備 ・業務遂行姿勢の不良

たことが原因であると考えられる．

活動性を上げることと安全性を保つことの双方に配慮が必要である．その日の全身状態や身体機能，安全な介助方法などについて関連する他職種から事前に情報を得ておくことも重要であるし，患者に常に注意を払い，一人にしないなどの対応も必要である．容体急変など緊急時の連絡方法や体制を決めておくことも重要となる．また言語聴覚士としての臨床能力に加え，より広義のリハビリテーション専門職としての，あるいは医療職としての臨床能力が求められる．臨床能力を高める努力，言語聴覚士だけでなく他職種も含め，先輩の臨床に日々学ぶ姿勢が重要である．

リハビリテーション全体についての中止基準としては，日本リハビリテーション医学会がガイドラインに入れたもの（2006年）が，臨床場面では目安にしやすいとされていた．積極的なリハを実施しない場合の留意すべき項目として，安静時脈拍や安静時収縮血圧，安静時拡張期血圧，安静時体温，安静時酸素飽和度，労作性狭心症，心房細動，安静時胸痛などがあげられている．しかし2018年の第2版ではエビデンスに基づくガイドラインの作成がめざされ，初版の中止基準は第2版では資料という扱いになっている．一律な中止

基準というより，患者個人の疾患や状態に応じて，リハビリテーションを実施してもよいかどうか，他職種との情報共有と異変に気付く観察が求められる．

b 患者との人間関係にかかわるもの

失語症のある本人からの情報収集，あるいは本人・家族への評価結果の説明などを適切に行うことができない，指導や訓練が適正に実施できない，指導の効果が上がらない，などが起こる．患者や家族の不信や不満，不安が高まると，担当を変えてほしいなどの訴えが出てくることもある．これらは言語聴覚士としての意思疎通の能力の不足や業務遂行に関する姿勢の不良が原因であることが多い．

言語聴覚士はリハビリテーションに関与する職種のなかで，失語症のある人の意思を最もよく理解し，それを他職種にも伝えることのできる職種である．伝えることのできない本人や家族の不安や不満を感じ取り，それをわかりやすい言葉を使って説明をくり返し，不安や不満を和らげるよう努めることも重要である．

c 個人情報にかかわるもの

個人情報の漏洩は言語聴覚士法においても禁止されている．専門職としての倫理観の欠如や業務を遂行する姿勢不良などが原因と考えられる．ヒポクラテスの誓いに始まり，医療倫理の4原則，そして言語聴覚士としての職業倫理などを読み，必要に応じて常にそこに立ち戻ることが求められる．

また臨床研究を実施する際には研究対象となる対象者に対する**倫理的配慮**が重視されている．研究の公表においては対象者が特定できないようにすること，研究の対象となることを本人がいつでも拒否できることなど，研究者が対象者の権利について守るべきことを明示し，研究開始前に本人から同意を得たうえで，研究機関の倫理審査委員会で承認を得ることが求められている．状況の理解や意思表出に制限がある失語症のある対象者については，特にその権利が十分守られるように配慮することが必要である．

d 情報共有のミス

患者にかかわる記録は集積され，利用されなくてはならない．情報が確実に集積されず，利用が行われないと患者にさまざまな不利益を生むことになる．施設における情報共有システムに不備があればこの原因となる．失語症の言語聴覚療法では特に評価や課題，反応の記録は詳細に行われるように職種内で決められている場合が多いが，このような手順が守られなければ，情報の共有は行われない．

上司の指示に従い，決められた手順を守り，「見落とし」「見間違い」「思い込み」「取り違え」「勘違い」「確認不足」「注意力低下」などのミスに注意し，防止に努める姿勢が重要である．

e 器物の破壊

失語症の臨床においても患者の保有する眼鏡や補聴器，あるいは義歯などを破損する可能性はある．これも言語聴覚士の臨床能力の不足や業務を遂行する能力が十分でないことが原因の場合が多い．

施設内での決まりごとを遵守すること，同一職種の先輩や上司の臨床や指示に学ぶことが必要である．

f 院内感染

医療機関においては，特にさまざまな病原体の飛沫や接触によって患者への感染が起こりうる．常在菌のような健常な人にとっては問題にならない病原体であっても，免疫力の低下している患者の場合には重症化するリスクが高い．また，施設の感染防止対策に不備があれば，それが原因となる．院内での感染予防に関する規則を守らないことも原因となりうる．

患者を感染リスクから守るとともに，自らも感

染症から自分自身を守ることも大切である．接触感染，飛沫感染，空気感染等の感染経路別の予防対策や汚染対策について熟知し，感染を媒介しないよう感染防止マニュアルの内容の実践を徹底する．感染症に関する知識をもつこと，この程度なら大丈夫などという思い込みをせず，施設内の感染防止対策を遵守することが重要である．

2 インシデント・レポート

医療における**インシデント**（ヒヤリ・ハット）とは日常的な臨床のなかで，誤った医療行為が実行される前に発見されたこと，あるいは実行されたが，幸いにも患者に影響を及ぼすことがなかったものをいう．アクシデントは患者に対する有害な影響が及んでいるものをいう．医療機関ではインシデントやアクシデントが発生した場合，施設内の安全対策委員会に報告する．インシデントが重要なのは，それに対する報告を受け，インシデントの内容を分析し，適切な対策を立てることによりアクシデントを未然に防ぐことができるという点である．インシデントが起こったらこの目的のために積極的に報告するという姿勢が重要である．

リハビリテーション医療は人の働きが中心である．「うっかりミス」に代表されるヒューマンファクター（個人的要因）が大きく，対応を間違えると大きなリスクを生じかねない．そしてヒューマンエラーは個人の状況に左右されることも知っておく必要がある．すなわち，疲労が蓄積している場合，体調が良好に保たれていない場合，また睡眠が不足している場合などに起こりやすいといわれている．医療職として自己の体調管理が重要である．

2 言語治療の理論と技法

失語症の言語治療は，古典論が成立した19世紀にはすでに試みられており，その例はドイツのGutzmann（1865～1922）やオーストリアのFroeschels（1884～1973）らにみることができる．彼らの手法は**教育的アプローチ**であり，聴覚障害児などに行っていた教育法や構音指導法を失語症に適用している．このような教育的手法とは別に，失語症の障害特性を踏まえた独自の治療理論や技法が開発されるようになったのは，第二次世界大戦後のことである（図9-2）．

失語症の言語治療においてまず検討されたのは，言語機能障害へのアプローチであり，1960年代から1970年代にかけて刺激法，行動変容アプローチ（プログラム学習法），機能再編成法などが提唱された．1980年代になると，新古典論を背景として新連合主義的アプローチが隆盛し，メロディック・イントネーション・セラピー melodic intonation therapy（MIT）や言語志向的アプローチ language oriented therapy（LOT）など多様な治療法が開発された．また1980年代には，認知神経心理学的アプローチが発展し，認知モデルに基づく仮説検証的治療が実施されるようになった．近年では，CI療法 constraint-induced therapyや非侵襲性脳刺激法などが言語機能訓練に取り入れられている．

機能障害に対する治療法の開発に少し遅れるが，1980年代から実用的コミュニケーションに視点をおいた語用論的アプローチが浸透してきた．このアプローチは，日常生活におけるコミュニケーションの改善を重視し，CADLやPACEなど多彩な評価・治療法を開発した．また2000年ごろから，失語症者の人生過程のすべてを視野に

```
教育的アプローチ（Gutzmann,1865-1922）
 刺激法（Wepman,1951, 1953, Schuell et al,1964）
  行動変容アプローチ（Tikofsky & Reynolds,1962, Holland,1970）
   機能再編成法（Luria,1973, 1980）
    語用論的アプローチ（Holland,1980, Davis & Wilcox, 1981, Aten et al, 1986, ）
     新連合主義的アプローチ（Helm-Estabrooks et al,1982, Shewan & Bandur,1986）
      認知神経心理学的アプローチ
       ロゴジェン・モデル（Patterson & Shewell,1987），相互活性化モデル（Dell,1992）
        社会的アプローチ（LPAA: ASHA, 2000, A-FROM, 2007, 2011）
         CI 言語療法（Pulvermüller et al, 2001）
          エビデンスに基づく言語治療（EBP: ASHA, 2005）
           非侵襲性脳刺激法（Naeser et al, 2005）
```

図 9-2　失語症の言語治療理論の流れ

入れて生活活動や社会への参加を支援する社会的アプローチが台頭し，活動と参加に関する訓練・支援法が充実した．

現在の言語治療は，一人ひとりの失語症者が直面する機能，活動，参加の問題についてその発現メカニズムを理解し，エビデンスに基づいて治療理論・技法を柔軟に活用する方向にある．実際の言語治療では，理論が示すより多くの要因を考慮することが必要であり，特定の治療理論や技法をそのまま臨床に適用することは少ない．しかし言語治療では先行研究の知と技がいかされるべきであり，これまでの主要な治療理論を理解することは最善の言語治療を提供するうえで非常に重要である．

刺激法

刺激法 stimulation approach は，「刺激―促通法」とも呼ばれ，米国の Schuell[1]や Wepman[2]によって提唱された．刺激法は，機能障害に対する治療理論として長きにわたり，米国を始めわが国の失語症臨床にも大きな影響を及ぼし，「伝統的治療法」とみなされるようになった．

どのような治療理論も，その時代の学問状況という制約のなかで構築されており，科学が進展するに伴い限界も見えてくる．これは刺激法についてもいえ，特に，失語症を一元論的に捉えている点については，異論が多い．しかし，「臨床家の役割は，患者と意思の疎通をはかり，障害された**言語過程**が最大の機能を営むように**適切な刺激**を与えるよう努めることである」という Schuell らの考えは，現在も機能訓練の基本概念として生きている．また Wepman[3]が指摘したように，機能障害に対する治療法はすべてなんらかの刺激を含んでおり，この意味において刺激法はすべての機能訓練に共通する基盤を提供したといえる．本項では，Schuell の刺激法について詳しく説明するが，最初に Wepman の治療法について簡単に触れておく．

Wepman[2]は，第二次世界大戦後の陸軍総合病院において傷病兵に対する失語症リハビリテーション・プログラムを開発している．その基本概念は，刺激 stimulation，促通 facilitation，動機づけ motivation であり，患者のニーズを考慮した適切な刺激を与えることにより，言語過程が促通されて言語機能が回復すると考えた．また発症初

期は患者に反応することを求めず，刺激を浴びせることが重要であると述べている．その後，Wepman[4]は，失語症者は言語障害に起因する思考障害を有しており，言語治療においては思考を刺激することが重要であると考え，思考中心療法 thought-centered therapy を提唱するようになった．

1 Schuellらの刺激法

a 基本概念

刺激法は，Schuellら[1]によって理論化され，失語症の代表的な治療法として広まった．Schuellらの刺激法を理解するには，彼らが失語症をどのように理解していたかを知っておく必要がある．

Schuellらの失語症理論の第1の特徴は，言語の神経学的基盤として視床—大脳機構のダイナミックな相互作用を想定し，失語症は学習された**言語体系の回収（検索）の障害**と考える点にある．言語の回収の障害とは，語彙や文法規則を喪失しているのではなく，それらを回収する（アクセスする）過程が障害されていることを意味する．このような考えから，言語治療では語や規則を教えるのではなく，言語過程を刺激することが重要であるという治療原則が導かれることになる．

第2の特徴は，失語症を「すべての言語様式にわたる**全般的言語機能の低下**であり，他の随伴症状を伴う場合と伴わない場合がある」と捉える点にある．全般的言語機能の低下は，回収できる語彙の減少，言語把持の障害，その二次的症状としてのメッセージの受容と表出の障害を指す．Schuellら[1]は，失語症検査の因子分析結果をもとに失語症を表9-5のタイプに分類し，すべてのタイプに共通する障害として全般的言語機能の低下をあげている．失語症に対するこのような**一元論的考え**から，同じ治療原則がすべての失語症タイプに適用されるようになる．

表9-5 Schuellらの失語症分類

単純失語
全様式にわたって言語機能が軽度に低下しており，知覚障害，感覚運動障害，運動障害性構音障害などを合併しない
視覚障害性失語
中枢性の視覚認知障害を伴う失語症
感覚運動障害性失語
言語機能がすべての言語様式において重度に障害され，感覚運動障害を伴う
散在病巣性失語
言語機能障害は重度でないが，視覚および構音の障害を伴う
不可逆性失語
すべての言語様式が重度に障害され，言語がほとんど完全に消失している
非流暢性発話を伴う失語
言語機能障害は軽度であるが，固有感覚障害の結果である非流暢発話を伴う
浮動的聴覚失認を伴う失語
言語機能の障害は重度で，重度の聴覚過程の障害を伴う

特徴の第3は，感覚情報の流れが学習された運動のコントロールやことばの流れにとって重要であり，なかでも聴覚情報の流れすなわち**聴覚過程**が最も重要な位置を占めると考える点である．これにより，聴覚刺激を重視する刺激法の治療原則が導出されることになる．

b 治療原則

Schuell[1]は，「脳の中に複雑な事象を生起させることができる唯一の方法は，感覚刺激を与えることである」と述べている．そして，感覚刺激によって言語過程を促通する方法として，次の治療原則をあげている．

1) 強力な聴覚刺激を使用する

聴覚刺激は言語過程をコントロールするうえで最も重要な要因であり，強力な聴覚刺激を使用する．これは聴覚回路のみを刺激すればよいということを意味しない．患者によっては聴覚刺激と視覚刺激を一緒に与えたほうが効果的なことがあ

り，このような場合はこれらを結合した刺激を与える．

2）脳に確実に届く適切な刺激を与える

刺激は脳の中に確実に届くことが必要であり，それには刺激が適切でなければならない．Schuellら[1]は，刺激を適切なものにする方法として，言語材料の有意味性，語の頻度，語や句の長さ，聴覚刺激の音量・持続時間などをコントロールすることをあげている．

刺激の適切性に関与する要因については，その後，多数の研究が行われている．検討された要因は，刺激の弁別性（意味的，聴覚的，視覚的），語の出現頻度，刺激の反復，刺激提示の速度と休止，刺激の冗長性，意味カテゴリーと品詞，統語的複雑性，文脈など，多岐にわたる．このうち語の頻度，刺激の弁別性と冗長性については，研究結果が比較的一致しており，呼称では高頻度の語，聴覚的理解では意味的に関連しない語，文理解では冗長性の高い文において正反応が生起しやすいことが確認されている．このほかの要因については，研究結果が一致していない．これは，患者によって障害構造が異なり，各要因が相互作用するためと考えられる．

3）感覚刺激を反復して与える

感覚刺激をくり返し与えることにより，反応は改善する．Schuell らが提唱した刺激のくり返し効果についても，その後，それを検証する研究が行われている．これらの研究は，誤反応をしたあとのくり返し刺激は成績を改善させるが[5]，反応する前に刺激をくり返し与えても成績は変化しないことを示唆している[6]．

4）刺激ごとに反応を引き出す

各々の刺激に対しなんらかの反応を引き出すと，弁別，選択，統合，促進などの回路が働き始め，回復を促進する．また反応を得ることによって，与えた刺激が適切であったかどうかを知ることができる．

5）反応することを強制するのではなく，引き出す．

与えた刺激が適切であれば，反応は自然に生起する．反応が生起しなかったときは，患者が正しく反応できるように工夫をする．例えば，呼称反応が得られない場合，語と絵のマッチングから，復唱，呼称へと課題を段階的に進める．

6）矯正するより，刺激する

言語治療の目標は，言語過程の活動を促進することであり，誤りを指摘し矯正することではない．誤りが生じるのは，刺激が適切でないからである．これは，教育的アプローチと一線を画する治療原則といえる．

Schuell ら[1]は，言語治療の目標は言語機能を最大限に回復させることであり，この目標に向かって系統的かつ強力な治療を行う必要があると述べている．また障害が重度で改善に限界があると予想される場合も，改善の望みを捨てないようにすべきと述べている．

治療原則のなかには，聴覚刺激の過大な強調や刺激のくり返しなど，その後の研究によって批判されたものが存在する．しかし，「言語過程を刺激する」という考えは現在においても，すべての機能訓練の根幹をなす概念である．臨床では刺激法の本質を理解し，患者に応じて柔軟に適用することが重要である．

2 ディブロッキング法（遮断除去法）

失語症の言語治療について，Schuell の刺激法と近い考えをもつ研究者が欧州にも存在した．それは Weigl[7] であり，彼は全体論を提唱した Goldstein のもとで学び，ルーマニアや東ベルリンなどで活躍した．

Weigl は，失語症において言語能力は基本的に保存されており，特定の入力または出力の過程が障害されている，すなわち特定の言語モダリティ

がブロックされていると考えた．そして，障害されている過程を促通する方法として，**ディブロッキング** deblocking **法**を提唱した．ディブロッキング法は，障害されていない，あるいは良好な言語モダリティで語や文を処理することを介して，障害された言語モダリティの促通をはかる．例えば，呼称障害が重度であるが，復唱が良好である場合，復唱を介して呼称の改善をはかる．

ディブロッキング法を適用するには，前刺激となる言語モダリティがほぼ完全に保存されており，その言語モダリティとブロックされている言語モダリティとの間に関連性があることが必要である．失語症では，特定の言語モダリティが完全に保存されることは少ないが，言語モダリティ間に顕著な成績差を認める患者については，ディブロッキング法を試みることができる．

引用文献

1) Schuell HM, Jenkins JJ, Jimenez-Pabon E：Aphasia in adults：diagnosis, prognosis, and treatment. 1964. 〔笹沼澄子，長江和久（訳）：成人の失語症―診断・予後・治療．医学書院．1971〕
2) Wepman JM：Recovery from aphasia. Ronald, New York, 1951
3) Wepman JM：A conceptual model for the processes involved in recovery from aphasia. J Speech Hear Disord 18：4-13, 1953
4) Wepman JM：Aphasia therapy：a new look. J Speech Hear Disord 37：203-214, 1972
5) LaPointe LL：Aphasia therapy：some principles and strategies for treatment. *In* Jones DF（Ed.）, Clinical management of neurogenic communication disorders. Little Brown, Boston, 1978
6) Helmick JW, Wipplinger M：Effects of stimulus repetition on the naming behavior of an aphasic adult. A clinical report. J Commun Disord 8：23-29, 1975
7) Weigl E：The phenomenon of temporary deblocking in aphasia, Zeitschrift für Phonetik. Sprachwissenschaft und Kommunikationsforschung 14：337-364, 1961

B 行動変容アプローチ（プログラム学習法）

1 基本概念

プログラム学習法とは，①学習者本人が自発的に行動し，②その行動に対してすぐにフィードバックがなされ，③学習者ができるだけ失敗しないように難易度の調整をスモールステップで適切に行うことで，④学習者のペースで個別に学習を進める方法である．さらに，⑤その結果を学習者本人がチェックでき，プログラムが適切であったかが結果によって検証される．

プログラム学習法は行動主義的心理学の流れを汲むSkinner[1]によって提案されたオペラント条件付けをもとに発展してきた．行動主義的心理学はそれ以前の心理学が人の意識や感情を内観する方法で論じていたのに対し，客観的に観察できる行動のみを心理学の対象として扱うことで心理学を測定可能なものとした．Skinner[1]は，人間や動物の多くの行動は刺激に対する単なる反応ではなく，生体が特定の刺激条件のなかでなんらかの自発的行動（オペラント行動）をした結果，その行動に伴い報酬（好子）が与えられると，先の特定の刺激条件に対し当該の自発的行動の出現頻度が増加すること（強化），さらにその行動によって不快な結果（嫌子）がもたらされると自発的行動が減少すること（消去）を明らかにした．

プログラム学習法は，この自発的行動を特徴としたオペラント条件付けをもとに，**スモールステップ**で課題目標を明確に分割し，各ステップでフィードバックを与え学習を強化していくという形で，最近ではタブレット端末での学習やeラーニングでの学習に活用されている．また，臨床心理学の分野では「行動療法」として発展し，行動分析学や認知行動療法へと発展していく．

2 プログラム学習の活用例

言語聴覚士として失語症治療や高次脳機能障害の一部でもある社会的行動障害へのアプローチを行うに際して，プログラム学習や行動分析学は非常に実用的な方法である．言語聴覚療法の分野では，プログラム学習法をもとにした訓練方法としてはRosenbekらのアナルトリーに対する8段階統合刺激法[1]やMIT[2]，治療効果を測定するための方法として，La PointeのBase-10Programmed Stimulation[3]が知られている．

例えば，喚語困難が著しいが音読は比較的保たれた症例が意思伝達しようとするときに，コミュニケーションボードにある絵と文字を見て，ときどき音声化ができたとしよう．そこでなんらかの意思伝達や音声化がなされて周囲に喜ばれたり，自分自身が「よかった」と思えれば(好子)，また使って代償手段として定着するであろうし(強化)，そこで相手にまったく伝わらず，「ダメね」と言われたり，自分自身が失望する経験(嫌子)が増えれば，逆に使用を試みることが減少するであろう(消去)．この症例がコミュニケーションボードを使用する頻度を増やすために，①コミュニケーションボードにある絵と実物のマッチングを行い，②場面に応じてSTがボードにて選択を促し(例：お茶を飲みたいか，水を飲みたいかなど)，③自らボードを持参することを促し，④ボードを用いて自分で選択する，といったスモールステップに分けて段階的に望ましい反応を賞賛し，達成度をわかりやすく示しつつ目標行動を形成していくことをシェイピングという．一方，適切な反応が安定して得られたのちに，徐々に手がかりを減らしていくことをフェイディングという．なお，実際の言語訓練時には患者本人の失敗感を強化せずに取り組めるエラーレスラーニングとなることを考慮し，初期には手がかりを多く提示し，徐々に手がかりを減じていく方法をとることも多い．図9-3に前述の症例に対してフェイディングを用い呼称訓練を実施した結果をLa PointeのBase-10Programmed Stimulationを参考にして示す．

失語症の臨床では事例の個別性が高く，大規模な統計に載せることが難しい場合も多いが，プログラム学習法を応用した行動分析に用いられる**単一事例研究法**[5]は，一人ひとりの症例を丁寧に診ていくことを通して失語症や高次脳機能障害の治療に大きな示唆を与えてくれる．

以下は，単一的事例研究法の例である．

1) 単一事例反転デザイン

例）A-B-A-Bデザイン：特定の介入を開始する前の期間(A1：ベースライン)→特定の介入(B1)→特定の介入をやめる期間(A2)→特定の介入を再開する(B2) (図9-4)．

※ただし，実際の臨床上介入が有効であった場合に，介入方法を中止することには倫理的に問題が生じる場合がある．また介入を中止しても元の状態には戻りにくい場合もある．これらの問題を生じさせずに行えるのが，条件交替法や多層ベースライン法などである．

2) 条件交替法

複数の条件をランダムな順番で交替させながら実施する方法．

例：漢字単語音読後の呼称・復唱後の呼称をランダムな順番で実施し，2つの条件別正答数を比較．

3) 多層ベースラインデザイン(行動間多層ベースラインデザイン)

単一事例に，課題の導入時期をずらして，行動の変容を観察する．その一例：「漢字単語の対連合学習」を呼称訓練の介入方法として実施する(独立変数)．A「単語ア群の音声化」B「単語イ群の音声化」C「単語ウ群の音声化」それぞれの訓練後の呼称正答数を従属変数として，A・B・Cそれぞれに順次時期をずらして介入する(図9-5)．Aで介入後正答数が増加，Bでも介入前の正答数は変わらないが介入後正答数増加，Cも介入後増加とした場合，漢字単語の対連合学習は呼称に有効で

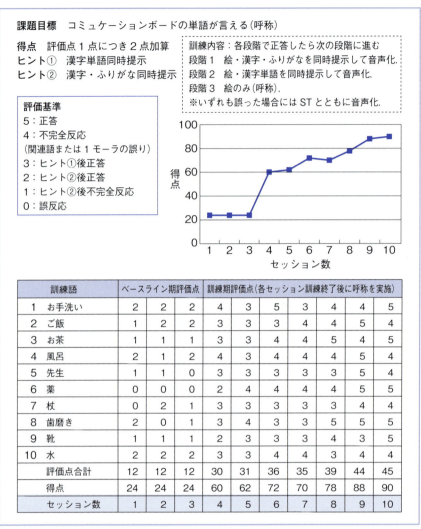

図9-3 La PointeのBase-10(1977)をもとにした訓練例
※ベースライン期と訓練期の呼称成績を得点化した．

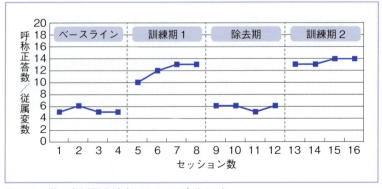

図9-4 単一事例研究法(A-B-A-Bデザイン)
ベースライン測定後，訓練期1/訓練期2の訓練方法(漢字単語音読後呼称)は同じ．

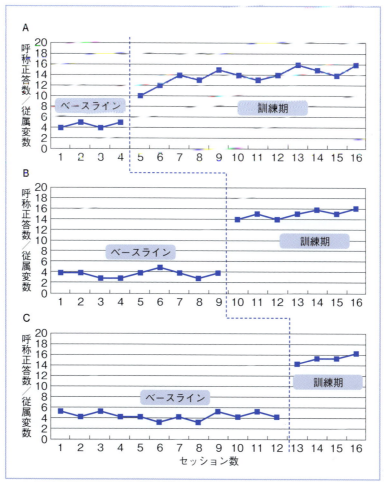

図 9-5　多層ベースライン法の一例
A・B・C 各単語群の呼称を訓練開始時期を変えて正答数を測定．
訓練内容（A・B・C 共通）：漢字単語を対提示し，音読したのち，呼称を実施．
いずれも治療期間に向上を認め，訓練が有効であることを示す．

あると考えられる．

　また，B・C でベースラインの成績自体が上昇している場合，漢字単語の対連合学習をしていない語群にも般化していることが考えられる．反対に介入後も正答率の改善が認められなければ，介入方法の再検討が必要ということになる．

　このように訓練結果を漠然と記載するだけでなく，プログラム学習をもとにした実験計画法を活用すれば，訓練の妥当性を客観的に評価することができる．

　最後に，このようなプログラム学習のステップを症例に合わせて適切に立案していくためには，語の属性や種々の治療法，対象者の症状分析や耐久性，希望などを理解し，日々の臨床を漠然と行うのではなく，丁寧に積み重ねていくことが重要である．

引用文献

1) Skinner BF：Science and human behavior. Macmillan, New York, 1953
　河合伊六，他（訳）：科学と人間行動．二瓶社，2003
2) Rosenbek J：Treating apraxia of speech. In Johns D (ed)：Clinical Management Communicative Disorders. Little Brown Boston, pp191-241, 1978

3）Sparks RW：Melodic Intonation therapy, In Chapey R（ed）：Language Intervention strategies in adult aphasia. Williams & Wilkins, London, 1981〔横山巌，河内十郎（監訳）：メロディック　イントネーションセラピー，pp279-307，1984〕
4）LaPointe LL：Base-10 programmed stimulation：task specification, scoring and plotting performance in aphasia therapy. J Speech Hear Disord 42：90-105, 1977
5）McReynolds LV, et al：Single-subject experimental designs in communicative disorders. Pro-ed, 1989〔西村弁作，他（訳）：言語障害の実験研究法．学苑社，1989〕

C 機能再編成法

機能再編成法は，第二次世界大戦後のロシアで活躍した**Luria**によって提唱された治療法である．彼の脳機能に関する考えは，当時の西洋の局在論とは異なっていた．彼は人間の精神過程を複雑な機能システムと捉え，精神活動は脳の諸領域が協調的に働くことによって実現されると考えた[1]．

Luria の考えは，脳の局所的病変は機能システムの正常な働きを障害するが，同時に損傷されていない脳領域の再構成をもたらすというものであった．すなわち，脳病変によって機能が障害されると，それを元通りに回復させることはできないが，障害されていない脳領域の機能を**再編成（reorganization）**することによって，障害された機能を新しい方式で遂行できるようにすることが可能であると考える．Luria[2]は，このような機能再編成は言語のような高次脳機能についても可能であると述べている．

機能システムの再構成は，システム内またはシステム間で実現されるが，外的補助手段を獲得し，それを内在化させることを重視する．手続きとしては，まず機能システムのどのような部門が障害されているかを調べ，保存されている部門を再編成のためにどのように活用するかについて考える．活用できる外的補助手段にはさまざまなものがあり，リズムをうまくとるための視覚表象や，純粋失読におけるなぞり読みはその例である．

失語症に対する機能再編成アプローチとしてよく知られているのは，力動性失語（dynamic aphasia）に対する文の自発話訓練である．Luria は，喚語はできるが，文がまったく発話できない失語症者においては，句の線形図式（述語構造）が障害されていると考えた．そこで，外的補助手段としてカードを使用し，文発話を促進することを試みた．具体的には，「私は　散歩を　したい」という文の発話を引き出すため，文の3要素に相当するブランクカードを順次提示し，そのカードに語を埋めながら発話するよう求めた．そうすると，患者は文を容易に発話できるようになったという．しかしこのカードを取り去ると，再び文の発話は困難となった．

機能再編成法は残存機能を活用するが，機能代償法とは異なる．機能代償法では障害された機能をほかの方法で代償するが，機能再編成法では残存機能を活用して新しい機能システムを構築する．構築された機能システムは，オリジナルのシステムとは異なるものの，別の方式で同じ課題をこなすことができる．

わが国で考案された仮名文字訓練におけるキーワード法[3]や，呼称を促進する自己生成キュー法[4]は，機能再編成法の例であり，機能再編成の概念は現在の機能訓練にいかされている．

引用文献

1）Luria AR：Основы нейропсихологии. 1973〔鹿島晴雄（訳）：神経心理学の基礎―脳のはたらき．医学書院，1978〕
2）Luria, AR：Restoration of function after brain injury. Oxford, Pergamon, 1963
3）柏木あき子，柏木敏宏：失語症者の仮名の訓練について―漢字を利用した読み―．音声言語医学 19：193-202, 1978
4）Howard D, Harding D：Self-cueing of word retrieval bay a woman with aphasia：why a letter board works. Aphasiology 12：399-420, 1998

D 語用論的アプローチ

1 基本概念

　語用論は比較的新しい学問で，1970年代に言語学の一分野として認知されるようになった．社会科学者のLevinson[1]は，語用論とは言語の使用を研究する学問であると定義している．音韻や語彙，統語といった言語の形式や構造的な側面を扱う分野とは異なる．

　失語症のリハビリテーションでは，失語症者の日常生活場面でのコミュニケーションを高め[2]，生活の質を充実させることが大切である．そのためには，言語の使用を扱う語用論的アプローチが不可欠である．語用論的アプローチの重要性が指摘されたのは1980年ごろであり，その背景には，主に次の2つの研究動向があった．その1つは，言語機能の障害に焦点を当てた訓練では，日常コミュニケーションや社会参加までも視野に入れた**般化**が困難であることが明らかにされたことである．例えばDavis[2]が言語訓練場面での臨床家と患者のやり取りは，自然な会話場面の構造になっていないと指摘したことはその一例である．2つ目は，失語症者には障害されている能力と保たれている能力があることが観察されたことである．例えばHolland[3]は，観察手法を通して「失語症者は話すことよりコミュニケーションすることが上手である」と指摘した．

　語用論的アプローチは，失語症者のコミュニケーション能力を高めることに加えて，**心理・社会的側面**を把握することにも役立つ．例えば，病前と同様の社会参加が困難であったり，失語症が持続することへの不安があるなど，失語症者はさまざまな心理・社会的問題を抱えている．このような心理・社会的問題は，失語症当事者が使用する言語や非言語を通して，把握することができる．また軽度の失語症者の問題を捉えることにも有用である．言語機能障害を調べる検査では非失語と分類されるほどの軽度であっても，日常会話や談話レベルで支障がみられる場合がある．

　意思疎通をするときには，**パラ言語**（発話に伴う身振り，視線，表情などの非言語行為や，声の質や声の大きさ，抑揚など），状況文脈を理解する力，推意などさまざまな能力が必要となる．そのため語用論が扱う領域は幅広く，現在いろいろなアプローチが行われている．ここでは①談話へのアプローチ，②会話へのアプローチ，③実用的なコミュニケーション能力を高めるためのアプローチ，④AACへのアプローチに分けて説明する．

2 語用論的アプローチによる取り組み

a 談話へのアプローチ

　談話とは「文を超えた言語（language above sentence）」[4]である．文よりも大きな意味の単位であり，複数の文から成り立ち，全体としてまとまりのある内容である．

　失語症の評価や訓練に用いられる談話は，主に**物語談話**と**手続き談話**である．物語談話とは，①情景画や4コマの続き絵などの説明，②よく知っている物語，例えば「シンデレラ」や「桃太郎」などの話の筋の説明，③思い出深い出来事の説明などである．手続き談話は，手続きを説明してもらう課題で，例えば，手紙を出すまでの手順など，誰もが知っている手順の説明を題材として取り上げる．

　評価方法にはミクロな視点とマクロな視点がある[5]．ミクロな視点は語や文レベルの分析で，適切で有意味な語彙をカウントするCIU（Correct Information Unit）を用いる方法，発せられた談話の文法的複雑さや適切性を調べる方法などがある．マクロな視点では文と文との関係や談話全体を分析し，①談話全体の意味的な連結関係を調べる整合性（coherence），②文と文とのつながりを

調べる結束性(cohesion)，③少し長い談話において，物語のきっかけ・展開・結末などの要素が含まれているかという物語構造(story structure)などをみる．最近では，話の内容が伝わるかという観点から，**メインコンセプト**を評価する方法もある[6]．メインコンセプトとは，特定の談話課題の説明に重要で不可欠な情報のことである．あらかじめメインコンセプトを定めておき，評価では，そのメインコンセプトが含まれているか，含まれている場合には，メインコンセプトの正確性などを調べる．重要な情報を伝えられるかどうかは，失語症者のコミュニケーション相手であるパートナー側の会話理解に影響する．そのためメインコンセプトを評価することは，失語症者の日常コミュニケーションの様子を推測したり，訓練への手がかりを得ることに役立つ．

談話の産生には，喚語や構文などの言語機能に加えて，話の筋をうまく順序立てて組み立てる遂行機能やワーキングメモリなどの認知機能が必要である．ほかの認知機能の障害がない失語症者では，喚語困難が生じたときに，その部分を飛ばして次を説明するといったコミュニケーション方略を用いる場合もある．談話の障害が，言語機能の問題なのか，ほかの認知機能の問題なのか，その人がもつコミュニケーション方略が影響しているのか，失語症者個々人の症状を捉えて，その問題に応じたかかわりを行うことが大切である．

b 会話へのアプローチ

会話は話し手とパートナーが役割交換をしながら，お互いに協働して展開させていく．したがって会話の成立には，パートナーの協力が不可欠である．失語症者のコミュニケーション能力は，会話する臨床家により変動する[7]と指摘されている．失語症者の抱える思いやニーズを引き出すために，言語聴覚士やパートナーなど失語症者にかかわる人たちがさまざまな工夫を行うことが必要である．

カナダの失語症センターのKaganは，地域住民や家族など失語症者にかかわる人を対象にして，失語症者との有効な会話の方法 Supported Conversation for adults of aphasia(SCA, **失語症者への会話支援**)[8]を体系化した．その主なポイントとやりとり例を**図 9-6**に示す．Kaganは，重度失語症者とパートナーとのSCA前後の会話場面を記したビデオ[9]を作成している．そのビデオには，SCA後にパートナーの対応方法が変化したことで，失語症者も身振りやyes-noのうなずきなどを用いて反応しやすくなったことが示されている．失語症にかかわる周囲の人に，失語症状や，失語症者と会話するときの基本的態度や工夫の仕方を知ってもらうことが大切である．

また近年では，会話分析という手法が注目されている．失語症者では，誰が誰に話しているのか，いつ黙っていていつ話したらよいのかといった会話のターンに関する基本的ルールは保たれている[2]．会話分析では，会話のターンのほかに，①会話の破綻(trouble)とその修復(repair)，②話題の管理(topic-management)や転換(topic-shifting)にも焦点が当てられる．①の修復の仕方には，自己修復・他者修復との2通りがあり，破綻が起こった時に，自分自身で修復するのか，他者が修復するのかをみる．重度の失語症者でも，状況判断や聴覚的理解が保たれている場合には，破綻が起きたことに気付き，自ら代替となる非言語的手段を使用して自己修復を行う場合もある．話題の管理に関しては，例えば，軽度の失語症者の場合，パートナーが失語症者の発話を少し待ち，話題開始の機会を提供することで，失語症者自ら話題を開始する場合もある．会話分析を導入することで，コミュニケーション手段をより有効に活用するための方法を失語症者と話し合ったり，パートナーに効果的なかかわり方をアドバイスすることが可能になる．

c 実用的なコミュニケーション能力を高めるためのアプローチ

失語症者，特に重度失語症者には，さまざまな

<理論的背景>
1 失語症は，知識や考え，感情を表すことが難しくなり，会話で通常明らかにされる能力を覆い隠してしまう後天的な言語障害である
2 失語症当事者が感じている能力と会話の機会との間には，双方向の関係がある
3 多くの失語症者はコミュニケーションを避けるが，会話への参加機会や能力は，日常生活への参加の"コミュニケーションアクセス"の中心である
4 失語症者の能力は，会話へのアクセスを容易にする"コミュニケーションのスロープ"としての役割を担う会話パートナーのスキルを通して，明らかにすることができる

<具体的な方法>
1 失語症者の理解を確実にする
  ジェスチャーを使用する，キーワードを書く，絵を描く，会話のトピックを明確にした材料を使用する
2 失語症者の反応を引き出す
  yes-no 質問をする，回答の選択肢を用意する，適切に反応できる方法を用意する，失語症者が反応するための時間を取る
3 反応を確認する
  書字を用いる，話し合ったことを要約する
4 上述のテクニックを統合して使用する

<SCA の特徴>
1 自然な雰囲気をもった大人の会話の流れになるようにする
2 目的達成のために，ピクトグラムを取り入れた大型のコミュニケーションリソースブックを使用する

<実際のやりとり例>

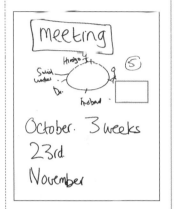

グループでのミーティングの説明（キーワードや絵をかきながらの説明，ミーティングは 10/23 から開始）

図 9-6 SCA の主なポイントとやりとり例
〔Kagan A：Supported conversation for adults with aphasia：methods and resources for training conversation partners. Aphasiology 12：816-830, 1998 より〕

コミュニケーション手段を使用して，実用的なコミュニケーション能力を向上させるためのアプローチが重要である．

さまざまなコミュニケーション手段を使用するための訓練方法として **PACE**（Promoting Aphasics' Communicative Effectiveness）[2] がある．自然な会話に含まれる拡散的言語能力などの要因を組み込んだ訓練法で，失語症者の残存能力を最大限にいかす．相手に見えないように絵カードを取り，その内容を伝達しあうという手順で進める．その原則は，①臨床家と患者との新しい情報の交換，②コミュニケーション手段の自由な選択，③会話における対等な役割分担，④コミュニケーションの充足性に基づいたフィードバックの4つである．コミュニケーション手段を自由に選択して，お互いにやりとりを行うが，失語症者に非言語的手段を使用してもらいたい場合には，まず言語聴覚士が，意識的にかつ自然に，その手段の使用法のモデルを提示することが必要である．モデルを提示することで，失語症者にその手段の使い方を学習してもらうことができる．PACE は訓練室で行う人工的なやりとりであるが，このような練習から実際の会話に結びつける工夫が大切である．

その他にもいろいろな取り組みが行われている．例えばレストランでメニューを注文する**コミュニケーションスキル獲得訓練**もある．メニュー表を指さす，食べたい料理を写真に撮ってそれを提示するなどの工夫がある．食べたい料理を自分自身で決定して，その料理を自分で注文できるようになることはとても大切であるが，日常生活では，食べて美味しいと思う気持ちや，家族や友人と一緒に食事や会話をして楽しいと思う気持ちも重要である．コミュニケーションスキルの獲得訓練が，失語症者の生活の質を高めることにつながるという視点をもつことが必要である．

表9-6 AACで使用するツール

道具を用いないもの	道具を用いるもの	
ノーテク （自分自身の身体を使用する）	ローテク （主にペンと用紙を使用する）	ハイテク
・ジェスチャー ・表情 ・発声 ・ことば ・身振り ・サイン など	・絵 ・実際の事物 ・写真 ・書字 ・文字への指さし ・コミュニケーション・ボード ・コミュニケーションブック など	・電話機能 ・メール機能 ・インターネットを利用した情報検索 ・録音した音声表出や合成音声での読み上げ機能 ・音声認識機能 ・さまざまなアプリ（地図，ゲームや趣味に関するもの） ・カメラ機能 など

注）ASHA[10]の分類方法とその内容に基づいたが，ハイテク部分の内容は変更した．ASHAでは，ハイテクの内容について「音声出力機器」「コンピュータ，タブレット，スマートフォンなどの機器に使われるさまざまなシンボルや言語を表現するソフトウエアなど」と記されているが，各機器が多機能となっているため，ここでは，より具体的で，利用をイメージしやすい機能別に記した．

d AACへのアプローチ

ASHA（2020）は，AAC（Augmentative and Alternative Communication）について，言語の表出と理解の両方またはどちらかの障害によって，著しくて，複雑なコミュニケーション障害がある人のニーズに取り組む臨床領域である[10]と定義している．AACの重要性は，2012年に設立された**国際失語連合** Aphasia United（AU）によっても指摘されている．AUでは10項目の失語のベストプラクティス提言[11]を行い，その4項目めに「失語のある人々は誰一人として，彼らのニーズや望みを伝達する手段（例：拡大・代替コミュニケーションの使用，介助，訓練された補助伝達者）なしに，またはその達成のための方法や時期に関するサービス計画書なしに，サービスを停止されるべきではない」と記されている．AACの対象者は，重度の人だけでなく，例えば「美容師に好みの髪形を伝える」「仕事の取引先との交渉の仕方」など特定の場面での困りごとがある軽度失語症者も含まれる．

AACで使用するツールはさまざまである．**表9-6**にASHAの分類方法をもとに，AACで使用するツールをまとめた．ハイテク機器で用いるソフトには，中〜軽度の失語症者にとって使いやすい便利な機能が含まれている．読み上げ機能や，一文字入力すると候補単語が表示されるオートコンプリート機能，ふりがな機能など，さまざまな機能がある．病前にそのような機能を使用していて，病後に手続き記憶が保たれている場合には，少し練習すると操作方法を思い出すことがあるため，ステップバイステップで試してみるとよい．最重度〜重度の失語症者には，家族等に，病前の生活や趣味に関する情報収集を行い，その人の生活状況に応じた工夫が求められる．例えば，その人が病前に好きだった趣味の本やパンフレットを提示して，好きなものを指さしてもらうなどの方法もある．失語症を抱えて過ごす人生では，その経過のなかで困りごとやニーズが変化する．必要に応じて他職種と連携しながら，失語症者のその時々のニーズを把握して，ニーズと保たれている能力をうまく調整して，生活への参加を高めるための当事者中心の訓練を行うことが大切である．

引用文献

1） Levinson SC：Pragmatics. pp5-6, Cambridge University Press, Cambridge, 1983
2） Davis GA, et al：Incorporating parameters of natural conversation in aphasia treatment. In Language Intervention Strategies in Adult Aphasia. 1981〔横山 巌，他（監訳）：失語症言語治療への対話構造の導入．失語症言語治療の理論と実際．pp177-203, 創造出

3) Holland AL : Observing functional communication of aphasic adults. J Speech Hear Disord 47 : 50-56, 1982
4) Cameron D : Working with spoken discourse. Sage Publications, London, 2001〔林宅男(監訳)：話し言葉の談話分析．p8, ひつじ書房，2012〕
5) Coelho C : Management of discourse deficits following traumatic brain injury : progress, caveats, and needs. Semin Speech Lang 28 : 122-135, 2007
6) Nicholas LE, Brookshire RH : Presence, completeness, and accuracy of main concepts in the connected speech of non-brain-damaged adults and adults with aphasia. J Speech Hear Res 38 : 145-156, 1995
7) 佐藤ひとみ：会話分析の臨床的有用性．コミュニケーション障害学 32：49-54, 2015
8) Kagan A : Supported conversation for adults with aphasia : methods and resources for training conversation partners. Aphasiology 12 : 816-830, 1998
9) Kagan A, et al : Supported conversation for aphasic adults. Pat Arato Aphasia Centre, Ontario, 1996(ビデオ)
10) American Speech-Language-Hearing Association ASHA Practice portal : AAC. http://www.asha.org/njc/aac(2020年12月閲覧)
11) 吉野眞理子：失語のベスト・プラクティス提言：国際失語連合からの報告．高次脳機能研究 36：191-198, 2016

E メロディック・イントネーション・セラピー

1 背景

メロディック・イントネーション・セラピー Melodic Intonation Therapy(MIT)は，**右大脳半球の機能**を活用し，ブローカ失語症者などの発話の改善をめざす治療法であり，米国のAlbert[1]やSparks[2]らによって開発された．

ブローカ失語のなかには，発話が困難であっても，馴染みのある歌であれば歌詞を間違えずに歌える者が存在する[3]．このような患者にとっては，「まったくもー」のような短い感情的表現や，「げっ(月)か(火)すい(水)もく(木)・・・」のように自動学習された言語表現は発話しやすい．

このような言語表現に共通する特徴は，一定のメロディやリズムがあり，表現が固定化していることである．Albertら[1]やSparksら[2]はこの点に注目し，メロディック・イントネーション・セラピーを開発した．この訓練法は，ゆっくりとしたテンポ，明確なリズム，はっきりした強勢(ストレス)を使用し，発話の改善をめざす．訓練は，日常よく使われる短い句(例：「さあ起きよう」)を左手で拍子を取りながら，ゆっくりと歌うように発話することから始まる．

2 目的と基本原理

MITの本来の目的は，**言語(話す側面)の回復**，つまり喚語を含めた言語表出を改善させることにあり，構音の回復ではない．ただし，MITは，発語失行や構音の訓練で使用する「指折り」や「拍子取り」を活用するため，発話明瞭度の改善につながる可能性がある．

Sparks[4]は，MITの基本原理として下記の8項目をあげている．

① 斉唱から復唱，遅延復唱，自発発話へ，「ヒントあり」から「ヒントなし」へ，「強調されたメロディ」から「自然なイントネーション」へなど，難易度の低い課題から高い課題へと**段階的に移行**する．

② 誤りが生じた場合，**バックアップ**という技法を使用する．この技法は，誤りを矯正せずに前のステップに戻って課題をくり返し，その後，失敗したステップの課題を再び実施するというものである．バックアップをしてもまだ誤りが生じるときはほかの表現に移り，誤り反応をくり返させない．

③ **復唱**を重視する．復唱は，刺激を解読し再符号化するプロセスを含み，重要な要素として活用される．

④ **反応潜時**(患者が反応するまでの時間)をコントロールする．

⑤ 同じ材料や決まり文句をくり返し使用することを避け，患者にとって役に立つ豊富な言語材料を用いる．

⑥ 治療者は自分の発話や表情に細心の注意を払

い，強化を与えすぎないようにする．
⑦視覚刺激（文字や絵）は，聴覚刺激を妨害する可能性があるので，使用しない．
　この点については，後に表現に関係する絵は使用してよいこととされた[5]．
⑧訓練頻度は重要な要素であり，重度失語症の場合は1日に2回の訓練セッションが不可欠である．これが困難な場合は，家族をアシスタントとして活用する．後に，基準は週3回以上，期間は3週間以上と緩和された．

　MITにはさまざまな形態があり，限定した表現をくり返し訓練する方法や，メロディを音符で表現した図譜と文を使用し，拍子をとるのに身体のどの部分を使ってもよいとする方法などがある[5]．

3　MITの訓練プログラム

　MITは，4つのレベルから構成され，段階的に進む．予備練習段階であるレベルIを除き，各レベルは3～4個のステップを含み，ステップの成功率が90%に達すると次のステップに進む．MITの進め方を**表9-7**に示した．MITでは斉唱，復唱，遅延復唱，自発話（質問に答える）へと段階的に移行し，手でリズムの拍子をとることを行う．

　各レベルの課題を大まかにみると，レベルIでは，言語を使用せず，メロディパターンをハミングし，リズムや強勢に合わせて拍子をとる（hand tapping）．レベルIIは，復唱によってメロディにことばをのせる．レベルIIIは，訓練者のかかわりを減らし，遅延復唱や質問への応答を行う．レベルIVでは，メロディを自然の抑揚に近いスピーチ・ソング（叙唱）へと移行させ，発話を通常のプロソディに戻していく．

　各レベルで取り上げる言語材料は，12～20個の短い文や句である．文や句はレベルが上がるに伴いより長く複雑になる．メロディについては，慣れ親しんだ歌唱メロディは歌詞との結びつきが強いので使用しない．また，MITを実施している期間は，ほかの発話訓練を実施しない．

4　MITの適応

　MITの適応がある失語症者は，自発話や復唱が重篤に障害されているものの，聴覚理解が良好な者である．また情緒的に安定し課題に集中でき，誤りを修正することに意欲があることも重要である[3]．この基準に当てはまるのはブローカ失語であり，ウェルニッケ失語，超皮質性失語，全失語では効果が見込めない[3]．

5　MITの根拠

　MITは，よく知られている訓練法であるが，なぜ効果があるかについては十分解明されておらず，さまざまな考えがある．Albertら[1]は，MITの音楽的要素が右半球を賦活し，発話を促進させると述べている．この考えを支持するものとして，MITは両半球損傷者より右半球が損傷されていない患者において効果が大きいという研究[5]が存在する．しかし近年の脳画像研究の結果は一貫しておらず，MIT後に右半球の賦活増大を認めた研究[6]と，左半球の賦活増大と右半球の賦活減少を認めた研究[7]が存在する．回復メカニズムの解明にはさらなる研究が必要とされる．

6　MITの日本語への適用

　MITは，米国で開発された訓練法であり，使用言語は英語であった．英語は，メロディ（音の高低），リズム（音の短長），強勢（音の強弱）が特徴的な言語であるが，日本語は特徴を異にする．
　関ら[9]は，メロディとして高低2段階のアクセント，リズムとして4拍子を採用し，日本語版MITを作成し，その効果を軽度ブローカ失語1例で検討している．訓練は，1回45分，11回実施された．その結果，発話所要時間と発音の誤り

表 9-7　MIT の進め方

レベル	ステップ	刺激と反応	得点と前進
I		C は(HT)しながらメロディを 2 回ハミングする． C と A は(U)でメロディを 2 回ハミングする．C は手助けを漸減する．	得点はなし，次のメロディに進む．
II	1	C は(HT)しながらメロディをハミングする → 課題文に抑揚をつける． C は A に合図する． C は A に(HT)しながら抑揚づけた文を(U)．	許容できる；1 点．同じ文でステップ 2 に進む． 許容できない；その課題文を中止する．
	2	C は(HT)しながらメロディをハミングする → 課題文に抑揚をつける． C は A に合図する． C と A に(HT)しながら抑揚づけた文を(U)．C は手助けを漸減する．	許容できる；1 点．同じ文でステップ 3 に進む． 許容できない；その課題文を中止する．
	3	C は(HT)しながら同じ文に抑揚をつける → C は A に合図する． C と A は A のように文に抑揚づけて言う．C は文に抑揚をつける． 必要なら C は抑揚づけた手がかりを与える．	許容できる(手がかりなし)；2 点．同じ文でステップ 4 に進む． 許容できる(手がかりあり)；1 点．同じ文でステップ 4 に進む． 許容できない；その課題文を中止する．
	4	C は抑揚をつけて「あなたは何と言いましたか」と発話する → C は A に合図する． A は抑揚のついた文を復唱する．必要なら C は抑揚づけた手がかりを与える．	許容できる(手がかりなし)；2 点． 許容できる(手がかりあり)；1 点． 次の新しい課題文でステップ 1 を開始する．
III	1	C は(HT)しながら課題文に抑揚をつける → C は A に合図する． C と A は(HT)しながら抑揚づけた文を(U)．C は手助けを漸減する．	許容できる；1 点．同じ課題文でステップ 2 に進む． 許容できない；その課題文を中止する．
	2	C は同じ文に抑揚をつける → C は A に待つように合図する． 1 ないし 2 秒後に C は A に合図する． A は(HT)しながら抑揚づけられた文を復唱する． A が失敗すればステップ 1 で(B)する → ステップ 2 を再度試みる．	許容できる(バックアップなし)；2 点．同じ文でステップ 3 に進む． 許容できる(バックアップあり)；1 点．同じ文でステップ 3 に進む． 許容できない(バックアップあり)；その課題文を中止する．
	3	C は質問文を抑揚をつけて言う → C は A に合図する． A は適切な返答をする(抑揚をつける，またはつけないで話す)． A が失敗すればステップ 2 で(B)する → ステップ 3 を再度試みる．	許容できる(バックアップなし)；2 点． 許容できる(バックアップあり)；1 点． 次の新しい課題文でステップ 1 を開始する．
IV	1	C は(HT)しながら課題文に抑揚をつける → C は A に待つように合図する． C は(HT)しながら叙唱のかたちで 2 回課題文を提示する． C は A に合図する． C と A は(HT)しながら文を叙唱のかたちで(U)する． 失敗すれば C は叙唱のかたちで(HT)しながら文を提示して(B)する． 再び C と A は(HT)しながら文を叙唱のかたちで(U)する．	許容できる叙唱；2 点．同じ文でステップ 2 に進む． バックアップ後に許容できる；1 点．同じ課題文でステップ 2 に進む． 許容できない；その課題文を中止する．
	2	C は叙唱のかたちで同じ課題文を(HT)しながら提示する → C は A に待つように合図する． 2 ないし 3 秒後，C は A に合図する． A は(HT)しながら叙唱のかたちで文を復唱する． A が失敗すればステップ 1 で(B)する → ステップ 2 を再度試みる．	許容できる(バックアップなし)；2 点．同じ課題文でステップ 3 に進む． 許容できない；その課題文を中止する．
	3	ハンドタッピングは行わない． C は正常な発話プロソディで同じ課題文を 2 回提示する． C は A に 2 ないし 3 秒待つように合図する → その後復唱するように合図する． A は正常な発話プロソディで文を復唱する． A が失敗すれば C が正常な発話プロソディで文を提示して(B)する． A は復唱を再度行う．	許容できる(バックアップなし)；2 点．同じ課題文でステップ 4 に進む． 許容できる(バックアップあり)；1 点．同じ課題文でステップ 4 に進む． 許容できない；その課題文を中止する．
	4	C は同じ文について実質的な内容を尋ねる質問をする． A が適切な反応なら何でも行う． 反応が許容できないならステップ 3 で(B)する → ステップ 4 を再度試みる． C は関連した情報について質問する． A は適切な反応なら何でも行う．	実質的な内容を答える；(B)なしで 2 点，(B)の後では 1 点． 関連する質問に 1 つ以上反応する；3 点のボーナス得点． 次の新しい課題文に進む．

＊ A：失語症者，C：臨床家，(HT)：患者と一緒に臨床家が行うハンドタッピング，(U)：斉唱，(B)：前のステップでのバックアップ（いずれかのステップで患者の反応が適切でないと考えられるとき，患者に前のステップをくり返させ，その後失敗したステップを再び試みる）

＊叙唱：朗読調に歌うこと．歌の中で，筋の説明や対話のために用いられる．

[Sparks RW, Deck JW：Melodic intonation therapy. *In* Chapey R(ed)：Language Intervention Strategies in Adult Aphasia. 3rd ed, Williams & Wilkins, 1994〔河内十郎，河村満(監訳)：メロディック イントネーション セラピー．失語症言語治療の理論と実際 第 3 版, pp511-529, 創造出版，2003〕から作成］

は減少したが，呼称などへの般化は認めていない．中川ら[10]も，関らの日本語版MITを重度ブローカ失語1例に実施し，効果を調べている．この研究では，発話明瞭度と非訓練語（アクセントが同じ語）は改善したが，発話所要時間はむしろ延長し，構音以外の改善はなかったとしている．これらの研究から，日本語版MITは発語失行の改善に有効な可能性がある．

7 MITの効果

本来，MITの目的は，構音や定型句の発話の改善ではなく，命題文が発話できるようになることにある．命題文は，定型句とは異なり，自分の考えや判断を文で表現したものである（例：今日は，カレーが食べたい）．

MITによって，発話がほとんどなかった失語症者が会話で文が話せるようになることはまれである．MITの効果を実証した症例は限られており[4]，改善は発話明瞭度のような発語失行症状の軽減に留まることが多い．またMITの効果には，病前の音楽経験や音楽能力などが影響すると考えられている[8]．

MITは，その適応や方法が厳密で，集中的な訓練を必要とするため，わが国ではあまり普及していない．しかし関ら[9]，中川ら[10]の研究が示すように，日本語においても発語失行の改善を促進する可能性がある．

引用文献

1) Albert ML, Sparks RW, Helm NA：Melodic intonation therapy for aphasia. Arch Neurol 29：130-131, 1973
2) Sparks RW, Deck JW：Melodic intonation therapy. In Chapey R(Ed)：Language intervention strategies in adult aphasia, 3rd ed. Williams & Wilkins, 1994［河内十郎，河村満（監訳）：メロディックイントネーションセラピー．失語症言語治療の理論と実際 第3版 pp511-529, 創造出版，東京，2003］
3) Yamadori A, Osumi S, Masuhara S：Preservation of singing in Broca's aphasia. J Neurol Neurosurg Psychiatry 40：221-224, 1977
4) Zumbansen A, Peretz I, Hébert S：Melodic intonation therapy：back to basics for future research. Front Neurol 5：7, 2014
5) Naeser MA, Helm-Estabrooks N：CT scan lesion localization and response to Melodic Intonation Therapy with nonfluent aphasia case. Cortex 21：203-223, 1985.
6) Schlaug G, Marchina S, Norton A：Evidence for plasticity in white matter tracts of patients with chronic Broca's aphasia undergoing intense intonation-based speech therapy. Ann NY Acad Sci 1169：385-394, 2009
7) Breier J, Randle S, Maher LM：Changes in maps of language activity activation following melodic intonation therapy using magnetoencephalography：two case studies. J Clin Exp Neuropsychol 32：309-314, 2010
8) Merrett DL, Peretz I, Wilson SJ：Neurobiological, cognitive, and emotional mechanisms in melodic intonation therapy. Front Hum Neurosci 8：401, 2014
9) 関啓子，杉下守弘：メロディックイントネーションセラピー療法によって改善のみられたBroca失語の一例．Brain Nerve 35：1031-1037, 1983
10) 中川ゆり子，金田順平，林良子，他：Melodic Intonation Therapy (MIT) 日本語版の有効性の検討．言語聴覚研究 7：174-183, 2010

F 認知神経心理学的アプローチ

1 認知神経心理学的アプローチとは

失語症の言語治療では，機能，活動，参加の問題に包括的に対処するが，このうち機能障害に対する治療理論として現在，最も注目され，広く実施されているのが**認知神経心理学的アプローチ**である．このアプローチは，失語症の言語治療にいくつかの変化をもたらした．その1つは，症候群（失語症タイプ）別の治療法から，患者ごとに症状の発現メカニズムを考え治療法を選択する方式への転換であった．

認知神経心理学は1970年代から発達してきた学問領域であり，健常者の言い誤りや脳損傷者のデータをもとに単語の読み，単語の産生，構文処理等に関する健常な**情報処理モデル**を構築している．失語症者に対する認知神経心理我的アプローチは，障害をこのモデルに関連づけて特定し治療法を選択する．統語障害に対するモデルの利用

は，「構文訓練」（➡272頁）で詳しく説明しているので，ここでは語彙障害を中心に認知神経心理学的アプローチについて説明する．

認知神経心理学的アプローチの特徴の第1は，症状の**基底にある障害**を言語情報処理モデルに関連づけて特定し，どのような過程や機能単位が障害され，また保存されているかを理解することである．失語症では，同じ症状が異なる障害メカニズムによって生じる可能性があり，症状の基底にある障害を理解することは障害特徴に応じた言語治療を提供するうえで非常に重要である．

特徴の第2は，失語症者が呈する**エラーの特徴**や，**単語の属性**（親密度，心像性など）（➡ Note 33）が反応に及ぼす影響を注意深く観察し，障害の特徴を理解することである．エラーや単語属性による影響は，障害された過程や機能について多くの情報を提供してくれる．

特徴の第3は，症候群単位ではなく，対象者ごとに症状の基底の障害，すなわち症状の発生メカニズムを検討し，治療法を選択することである．治療研究では，**単一事例デザイン**が重視される．臨床では，同じ失語症タイプであっても，患者によって症状特徴が異なることをよく経験する．本アプローチは，症候群という粗い区分では障害特性に対応した治療法を選択することは困難と考え，ブローカ失語やウェルニッケ失語といった失語症タイプ別に治療法を選択することはしない．

第4の特徴は，評価結果をもとに治療仮説を考え，言語治療過程においてその効果を検証することである．これを**仮説検証的治療**という．治療方略としては，障害された過程に直接的にアプローチする方法と，保存された過程を利用してターゲットの言語処理を可能にする方法がある．

2 語彙障害への認知神経心理学的アプローチ

語彙障害に対し認知神経心理学的アプローチを適用するには，単語の情報処理モデルを理解しておくことが必要である．単語の情報処理モデルは，初期には「箱と矢印」で知られるロゴジェン・モデルが主流であったが，その後，相互活性化モデルや並列分散モデルなど多様なモデルが構築されるようになった．失語症臨床においても，初期はロゴジェン・モデルがよく活用されたが，近年は相互活性化モデルの活用が多くなっている．

a 単語処理のロゴジェン・モデル（"箱と矢印"型モデル）

ロゴジェン・モデルは，当初，単語の読みに関する機能的モデルとして，Mortonによって提案された．その後，読みのほかに，単語の処理に焦点を当てたロゴジェン・モデルが構築されるようになった．1980年代から1990年代にかけて，失語症の臨床や研究に多く取り入れられたロゴジェン・モデルは，Patterson, Shewell[1]の単語の情報処理モデルである（図9-7）．ここではこのモデルについて，説明する．

Patterson, Shewell[1]の単語処理モデルは，単語の聴覚的理解，発話，復唱，読み書きなどの過程を図9-7のように図式化している．モデルでは，心的辞書のように機能的に独立した構成素（モジュール）が**箱**で示され，構成素間の連絡路は**矢印**で示される．意味システムには，単語の意味情報が蓄えられている．聴覚入力辞書には単語の聴覚的形態，音韻出力辞書には単語の音韻形態が記載され，また文字入力辞書と文字出力辞書には単語の文字形態が記載されている．聴覚的分析では音声言語の聴覚的特性，視覚的分析では文字言語の視覚的特性が分析される．音素出力バッ

> **Note 33. 単語の属性**
> 単語の属性には，親密度，頻度，心像性，品詞（名詞，動詞など），表記形態（仮名，漢字など），語の長さ，読みの一貫性・典型性などがある．このうち，親密度は事物や単語の馴染みの程度，頻度は単語の出現頻度，心像性は単語が意味する事物のイメージのしやすさを指す．

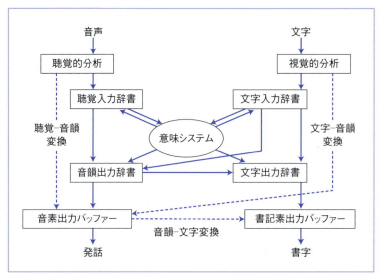

図9-7 単語の情報処理モデル
〔Patterson K, Shewell C：Speak and spell.：dissociation and word -class effects. In Coltheart M, Sartori G, Job R：The cognitive neuropsychology of language, pp273-294, Lawrence Erlbaum Association, London, 1987 より作成〕

ファーと書記素出力バッファーは，音素や書記素を選択し音素列や文字列を生成する過程と考えられている．

このモデルに従うと，**単語の聴覚的理解**は［聴覚的分析→聴覚入力辞書→意味システム］，**呼称**は［意味システム→音韻出力辞書→音素出力バッファー］の過程である．**復唱**には，心的辞書を参照する語彙経路と，心的辞書を参照しないで聴覚入力を音韻に直接的に変換する非語彙経路［聴覚的分析→聴覚・音韻変換→音素出力バッファー］が存在する．語彙経路は意味システムを参照する意味的語彙経路［聴覚的分析→聴覚入力辞書→意味システム→音韻出力辞書→音素出力バッファー］と意味システムを参照しない非意味的語彙経路［聴覚的分析→聴覚入力辞書→音韻出力辞書→音素出力バッファー］に分かれる．

文字単語の**読解**は［視覚的分析→文字入力辞書→意味システム］の経路で処理される．**音読**には，心的辞書を参照する語彙経路と，心的辞書を参照しないで文字を音韻に直接的に変換する非語彙経路［視覚的分析→文字・音韻変換→音素出力バッファー］が存在する．語彙経路は意味システムを経由する意味的語彙経路［視覚的分析→文字入力辞書→意味システム→音韻出力辞書→音素出力バッファー］と意味システムを経由しない非意味的語彙経路［視覚的分析→文字入力辞書→音韻出力辞書→音素出力バッファー］に分かれる．単語の読みについては，Coltheartら[2]が**二重経路モデル**を提案している（➡ 128頁）．

文字単語の**書字**は，［意味システム→文字出力辞書→書記素出力バッファー］の過程である．**書き取り**には非語彙経路［聴覚的分析→聴覚・音韻変換→音素出力バッファー→音韻・文字変換→書記素出力バッファー］，意味的語彙経路［聴覚的分析→聴覚入力辞書→意味システム→文字出力辞書→書記素出力バッファー］，非意味的語彙経路［聴覚的分析→聴覚入力辞書→音韻出力辞書→文字出力辞書→書記素出力バッファー］の3種が想定されている．

失語症の単語の理解・産生障害は，このモデルにおけるどのようなモジュールまたは経路が障害されても生じる．ロゴジェン・モデルは失語症者の読みの障害や語彙障害の評価・診断に大きく貢献した．語彙障害については，Franklin[3]が語

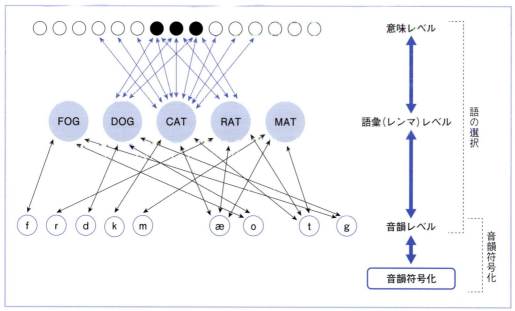

図9-8 単語産生の相互活性化モデル
〔Dell GS, Schwartz MF, Martin N et al：Lexical access in aphasic and nonaphasic speakers. Psychol Rev 104(4)：801-838, 1997 より作成〕

の聴覚的理解障害を語音聾 word sound deafness，語形聾 word form deafness，語義聾 word meaning deafness に分類している．

b 単語産生の相互活性化モデル（局所表象型コネクショニスト・モデル）

相互活性化モデル（Interactive Activation Model：IA モデル）は，ニューラルネットワークによりコンピューター上にシミュレーションされるモデルである．語彙処理のうち単語の産生に焦点を当てたモデルの代表として，Dell ら[4]の相互活性化モデルをあげることができる（図9-8）．このモデルは失語症臨床によく活用されるので説明する．

Dell ら[4]の相互活性化モデルは，単語を産生する過程に2つのステップ，すなわち語を選択する段階と，選択した語を音韻符号化する段階を設けている．

1）語を選択する段階

語を選択する段階には，3つの表象レベルすなわち意味レベル（意味ネットワークの意味素性ノード），語彙レベル〔語ネットワークの語彙ノード（レンマ）〕，音韻レベル（音韻ネットワークの音素ノード）が存在する．語彙ノード（レンマ）は単語の抽象的な語彙表象であり，統語特性を含む．各レベルはリンク（図中の結線）により相互に結合されている．

語の選択においては，初期刺激された意味素性ノードから語彙ノードへ，語彙ノードから音韻ノードへと賦活がフィードフォワード（前方）およびフィードバック（後方）に拡散し，この過程で最も賦活した語彙ノードが最終的に選択される．ロゴジェン・モデルは情報の流れが一方向であったが，相互活性化モデルは賦活が双方向に拡散し，これによって3種の表象レベルが同時に賦活し相互作用することになる．また各表象レベルの賦活は語が産生されるまで維持される．

失語症では，意味-語彙-音韻レベルの賦活拡散においてターゲット語に関連したノードの賦活が弱い，または賦活が急速に減衰する可能性がある．またターゲット語と競合するほかの語のノードも賦活するため，賦活に異常が生じると多彩な

エラーが出現する．

語の選択過程について，「CAT」を例に説明してみよう．意味レベルでCATに対応した意味素性ノードが賦活し，その賦活は語彙レベルに拡がる．語彙レベルでは語彙ノードCATが賦活するが，同時にCATと意味素性を共有するDOGやRATなどもある程度賦活し，その賦活はフィードフォーワードおよびフィードバックに拡散する．

音韻レベルでは，賦活した語彙ノードと結合するすべての音素ノードが賦活する．この賦活はフィードバックにも拡散するため，結合する意味素性ノードの賦活もリフレッシュされる．CATについては，これと結合する音素 /k/ /æ/ /t/ が賦活するが，このときDOGやRATと結合する /d/ /o/ /g/ や /r/ /æ/ /t/ もある程度賦活する．音韻レベルの賦活はそれと結合するすべての語彙ノードにフィードバックされるため，CATと音韻的に関連するMATやRAT，DOGと音韻的に関連するFOGもある程度賦活する．このような過程で，最終的に最も強く賦活した語彙ノードCATが選択されることになるが，CATと競合する語彙ノードも賦活するため意味性錯語（DOG），形式性錯語（MAT），混合性錯語（RAT），無関連語（FOG）などのエラーも生じてしまう．

2）音韻符号化の段階

語の音韻を符号化する段階では，音韻ネットワークにおいて選択された語彙ノードの音素が再賦活し，語が音韻的に符号化される．この段階で音韻的誤りが生じる可能性がある．

相互活性化モデルは賦活拡散の強さを「結合強度」，賦活したノードが減衰する割合を「減衰率」というパラメータで表し，ほかに媒介変数としてノイズと時間経過を設け，コンピューター上にシミュレートされる．

相互活性化モデルとロゴジェン・モデルは，3つの表象レベルと表象レベル間の連絡を想定することにおいて共通している．しかし相互活性化モデルはモジュールを想定せず，各レベルがダイナミックに相互作用すると考える．レベルが相互作用し，賦活が双方向に拡散することは，呼称治療の方法について多くのヒントを与えてくれる．

3 相互活性化モデルに基づく呼称障害の見かた

呼称障害は，単語産生過程のどの表象レベルまたはリンクが障害されても生じうる．ここでは，語を選択する段階と音韻符号化の段階に分けて，呼称障害の特徴をみることにする．

a 語の選択段階の障害

脳血管疾患による失語症では，概念知識と意味ネットワーク間の結合が障害されることはない．意味ネットワークと語彙ネットワーク間の賦活拡散が障害された場合，**意味性錯語**（CAT → DOG）や**無反応**が生じる．無反応はどのような語も十分に賦活しなかったときに出現する．語彙ネットワークと音韻ネットワーク間の賦活拡散において，音韻ネットワークから語彙ネットワークへのフィードバック賦活が障害された場合，**形式性錯語**（CAT → MAT）が生じる．また意味ネットワークからのフィードフォーワード賦活と音韻ネットワークからのフィードバック賦活の両方が障害された場合，意味的にも音韻的にも関連した**混合性の誤り**（CAT → RAT）が生じる．

b 音韻符号化の段階

この段階では，音素選択の誤りが増加し，音韻性錯語や新造語が生じる．

4 呼称障害の評価・診断

呼称障害は単独で生じるより，理解障害や復唱障害を伴うことが多い．したがって，症状の発生メカニズムを理解するには，呼称検査のほかに語の聴覚的理解，復唱，読み書き，意味判断，語彙

判断などの検査を実施することが必要となる．呼称には，語の親密度，心像性，意味カテゴリー，語彙性（語か非語か），語の長さなどの要因が影響する．よって，評価ではこれらの要因が各患者の呼称にどのような影響を及ぼすかについても調べる．また呼称を促進する方法に関する情報を得ることも重要である．このような観点からの評価が可能な検査として，わが国には失語症語彙検査やSALA失語症検査が存在する．

評価・診断は，主として次の観点から行う．

■ 言語モダリティ間の成績の差を調べる

聴覚的理解，読解，発話，書字，復唱，音読といった言語モダリティ間の成績の差を調べる．復唱と音読には複数の経路が存在するので，経路間の差について調べる．

■ 特定のモジュールや表象レベルをターゲットにした課題の成績を調べる

聴覚分析は語音識別，心的辞書は語彙性判断，意味システムは言語性や非言語性の意味判断，意味カテゴリー分類などによって調べる．

■ 誤りの性質を調べる

呼称では，意味的誤り，音韻的誤り，意味と音韻の混合性の誤り，無関連の誤り，発語失行の関与，誤りの自己認識，反応時間などについて調べる．

■ 語の属性が反応にどのような影響を及ぼすかを調べる

一般に，高親密・高心像の語は低親密・低心像の語より産生されやすい．語の心像性は意味ネットワークと語彙ネットワーク間の障害に敏感であり，親密度は語産生の全レベルに影響を及ぼす．語の長さは語彙ネットワークと音韻ネットワーク間の賦活拡散や音韻符号化に影響する．

■ 正反応を促進する方法について調べる

呼称検査では，音韻キューや意味キューの効果を調べる．

以上の結果を総合して障害特徴を把握し，治療ストラテジーを決める．

5 呼称障害の言語治療

呼称障害の治療は，単語の情報処理モデルに基づいてどのような過程が障害され，また保存されているかを把握することから始まる．次にその障害にアプローチする方法を決める．呼称障害へのアプローチには，障害された過程に直接的にアプローチする方法と，保存された過程を利用し間接的に呼称を促進する方法がある．

ロゴジェン・モデルと相互活性化モデルは，表象レベルが相互作用するか否かにおいて異なっており，この違いは治療的アプローチにも反映される．

a ロゴジェン・モデルに基づく意味セラピーと音韻セラピー

ロゴジェン・モデルに基づく呼称治療として，意味セラピーと音韻セラピーが提案されている[5]．意味セラピーは，語の意味表象を賦活させる方法で，語の意味判断，意味キューによる呼称，語と絵のマッチング（聴覚的，視覚的）などを行う．音韻セラピーは，語の音韻形態の賦活をめざすもので，語の復唱・音読，語の音節数判断，音韻キューによる呼称などを実施する．

意味セラピーと音韻セラピーは，どのような障害レベルに有効なのであろうか．Nettleton & Lesser[6]は，意味システムに障害がある場合は意味セラピー，音韻出力辞書に障害がある場合は音韻セラピーが有効であったと述べている．しかし，障害レベルが異なる（意味システムまたは音韻出力辞書の障害）失語症者に同じ音韻セラピーを実施し，障害レベルによる差を見出していない研究も存在する[7]．またLe Dorzeら[8]は，意味性エラーと無反応が多い失語症者に意味セラピーを実施し，ターゲット語の音韻・文字形態を与えた場合と与えない場合（純粋な意味セラピー）の差を調べている．その結果，音韻・文字形態を与える意味セラピーのほうが純粋意味セラピーより呼称を促進したと述べている．

このような研究から，障害レベルと有効なセラピー・タイプの関係は単純でないことがわかる．少なくとも，意味システムの障害には意味セラピー，音韻出力辞書の障害には音韻セラピーといった直接単純な対応には検討の余地がある．

b 相互活性化モデルに基づく呼称治療

相互活性化モデルに基づく呼称治療は，障害レベルとセラピー・タイプを直接的に対応付けることをしない．なぜならば，あるレベルへの刺激はそのレベルだけでなく，ほかのレベルの賦活も促進するからである．よって，相互活性化モデルに基づく呼称治療では，レベル間のダイナミックな相互作用を念頭において，呼称を促進する方法を考える．またノードの賦活パターンは先行刺激や文脈によって変化するため，これらを操作することによりターゲット語の賦活強化を試みる．

呼称の治療については，プライミング法，意味素性分析 semantic feature analysis（SFA），音韻構成素分析 phonological components analysis，階層的キューの使用などが提案されている．ここでは語を選択する段階に焦点を当てたプライミング法と意味素性分析を簡潔に紹介する．

■ プライミング法

プライミング法は，先行刺激（プライム刺激）の処理を通して，呼称を促進する方法である．先行刺激の処理によって後続刺激の処理が促進される現象は，プライミング現象と呼ばれる．呼称治療においては，語の意味理解や語セットの復唱などがプライミングに利用される．語の意味理解プライミングについては，呼称の前に語と絵のマッチング課題を実施すると，意味−語彙レベルの賦活が強化され，呼称が促進される．復唱プライミングについては，ターゲット語と意味的または音韻的に関連する語セットの復唱（contextual repetition priming）が呼称に影響を及ぼすことが報告されている[9,10]．この復唱プライミングについて，Martinら[9]やRenvallら[10]は呼称を促進する語セットの種類は障害レベルによって異なると述

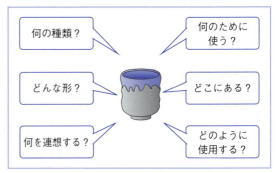

図9-9 意味素性分析のチャートの例

べている．プライミングによって保存された過程を刺激することは，呼称を促進すると考えられる．

■ 意味素性分析（SFA）

SFAは，ターゲット語の意味素性（semantic feature）を複数，想起することによって，呼称の促進をめざす．一般的な手続きは，中央にターゲット語の絵，周辺に意味素性に関する質問などがあるチャートを使用し，意味素性を想起してもらう（図9-9）．例えば，「湯呑」に対し上位概念（食器），機能概念（飲むことに使用），文脈概念（食事）などを想起してもらう．意味素性を自発的に想起できない場合は，選択課題にしてもよい．意味素性分析は，意味ネットワークの意味素性の賦活を強化する方法であり，Boyleら[11]は失語症者の呼称を促進すると述べている．

言語表象の賦活には，語の心像性，親密度，語の長さなどが影響する．したがって，呼称治療ではこれらの変数を操作し，言語表象の賦活を強化することができる．また同時に取り上げる語の関係や数についても考慮する必要がある．意味的または音韻的に関連した語をまとめて取り上げると，ターゲット語の賦活は強まるが，競合する語も賦活し干渉interferenceが生じやすくなるので注意する．

認知神経心理学的アプローチは，根拠を明確にして仮説検証的治療を実施する方法を一歩前進さ

せたが，まだ発達途上にある．また情報処理モデル自体も完成したものではなく，検討が続けられている．現在のモデルは構造がまだ単純であり，人間の認知過程はモデルが示すよりもっと複雑と考えられる．したがって，現時点では，理論やモデルを活用して治療法を開発し効果を検証するとともに，理論やモデルを超えた言語治療を行うことが重要と考えられる．

引用文献

1) Patterson K, Shewell C：Speak and spell.：dissociation and word –class effects. In Coltheart M, Sartori G, Job R：The cognitive neuropsychology of language, pp273-294, Lawrence Erlbaum Association, London, 1987
2) Coltheart, M：Lexical access in simple reading tasks. In Underwood G(ed) Strategies of Information Processing(151-216). Academic Press, New York, 1978
3) Franklin S：Dissociations in auditory word comprehension；evidence from nine fluent aphasic patients. Aphasiology 3(3)：189-207, 1989
4) Dell GS, Schwartz MF, Martin N et al：Lexical access in aphasic and nonaphasic speakers. Psychol Rev 104(4)：801-838, 1997
5) Howard D, Patterson K, Franklin S, et al：Treatment of word retrieval deficits in aphasia：a comparison of two therapy methods. Brain 108：817-829, 1985
6) Nettleton J, Lesser R：Therapy for naming in aphasia：application of a cognitive neuropsychological model. J Neurolinguistics 6(2)：139-157, 1991
7) Raymer AM, Thompson CK, Jacobs B, et al：Phonological treatment of naming deficits in aphasia：model-based generalization analysis. Aphasiology 7(1)：27-53, 1993
8) Le Dorze G, Boulay N, Gaudreau J, et al：The contrasting effects of semantic versus a formal-semantic technique for the facilitation of naming in a case of anomia. Aphasiology 8：127-141, 1994
9) Martin N, Fink RB, Laine M, et al：Immediate and short term effects of contexual priming on word retrieval. J Int Neuropsychol Soc 12：853-866, 2006
10) Renvall K, Lain M, Martin N：Treatment of anomia with contextual priming：exploration of a modified procedure with additional semantic and phonological tasks. Aphasiology 21：499-527, 2007
11) Boyle M：Semantic feature analysis treatment for anomia in two fluent aphasia syndromes. Am J Speech Lang Pathol 13：236-249, 2004

G 社会的アプローチ

1 基本概念

a 社会的アプローチが広まってきた背景

失語症がある生活に対処するための社会的アプローチは，2000年ごろから広まってきた．その背景としては大きくは次の2つ，すなわち各国の複雑な医療事情と，1990年代に行われたいくつかの先進的な臨床研究の進展とが絡み合っていると考えられる．

まず医療事情としては，例えば，英国では医療費が無料であるが，契約に基づいて短期間で言語訓練を終了せざるを得ず，また米国では多くの国民が公的医療保険をもたず，十分な言語訓練を受けられないなどの問題があった．わが国では，高齢者人口の増加や介護期間の長期化，介護する家族の高齢化などの現状があり，高齢者の介護を社会全体で支えあう仕組みとして，2000年に介護保険法が施行された．その後2014年の介護保険制度改正の主な内容として，地域包括ケアシステムの構築があげられた．地域包括ケアシステムは，医療介護総合確保推進法にて「地域の実情に応じて，高齢者が，可能な限り，住み慣れた地域でその有する能力に応じ自立した日常生活を営むことができるよう，医療，介護，介護予防，住まい及び自立した日常生活の支援が包括的に確保される体制をいう」と定義された．失語症があっても，地域のなかで，その人らしい生活を送ることへの支援に焦点が当てられることにつながった．

先進的な臨床研究としては，Kagan[1]による失語症センターでの取り組みや，Parrら[2]による失語症者50人への聞き取り調査，ASHAの国際的なプロジェクトチームによる声明発表**LPAA**（Life Participation Approach to Aphasia：生活参加アプローチ）[3]などがあげられる．LPAAでは

「目標は人生への参加を高めること」「失語症によって影響を受ける家族などあらゆる人がサービスの対象になる」など，評価・介入・研究へと導く5つの中心的理念を掲げている．このような流れのもとで，失語症者の心理・社会的問題や失語症がある生活に関する研究が進められるようになってきた．

また2001年にWHOによって提唱された**ICF**[4]も，社会的アプローチが広まる一因となった．以前のモデルICIDHでは，「疾患・変調」が原因となって「機能障害」が起こり，それから「能力障害」が生じ，「社会的不利」をもたらすと考えられていた．しかしICFでは，①「生活機能」である「機能」，「活動」，「参加」のプラス面の重視，②「環境因子」と「個人因子」という2つの「背景因子」の導入，③「生活機能」，「背景因子」それぞれの間で生じる相互作用などが特徴的な考えである．失語症訓練では，医学モデルの考え方に沿って言語の機能障害面へのアプローチが主であった．しかし，医学モデルと社会モデルを統合したICFのモデルによって，障害の捉え方や支援の方法が変化した．

b 社会的アプローチの原則や考え方

社会的アプローチは，社会モデルの考え方に基づく．社会モデルでは，当事者を中心にすえ，失語症がある生活に焦点を当てる．当事者は，自分自身のヘルスケアの決定において，能動的にかかわり参加型の役割を果たすと考える．このような社会モデルの考え方に沿って行われる社会的アプローチでは，失語症とともに生きる生活を幅広く取り扱う．Simmons-Mackie[5]があげた原則を**表9-8**に示す．

ICFの考え方を失語症者の生活に合わせて整理したモデルに，Kaganら[6]による**A-FROM**（Living with aphasia：Framework for Outcome Measurement）がある（➡204頁）．A-FROMでは「失語症状」，「参加」，「環境」，「個人」の4領域を円で表し，その4つの円の中心に「失語症がある生

表9-8 Simmons-Mackieによる社会的アプローチの原則

1	コミュニケーションの目的を，情報交換と社会的ニーズの充足の両方にする
2	実際の自然な文脈のなかでのコミュニケーションに焦点をあてる
3	コミュニケーションは力動的で，柔軟であり，多次元のものであると捉える
4	コミュニケーションは，対話者との協働作業であることに焦点をあてる
5	自然なやりとり，特に会話に焦点をあてる
6	失語症になって生じた個人的・社会的影響に焦点をあてる
7	失語症になって生じた機能障害や能力障害よりも，適応していることや可能になったことに焦点をあてる
8	失語症になった当事者の視点を取り入れる
9	量的な評価のみでなく，失語症になっての主観的経験を明らかにする質的な評価を行う

〔Simmons-Mackie N：Social Approaches to Aphasia Intervention. In Chapey R(ed)：Language Intervention Strategies in Aphasia and Related Neurogenic Communication Disorders, 5th ed. pp290-318, Lippincott Williams & Wilkins, Baltimore, 2008 より〕

活」を位置づけている．訓練計画の立案や成果の評価を行うときの枠組みとなり，機能障害面だけでなく全体像をみる必要性と，相互作用を把握することの重要性が示されている．

2 社会的アプローチの取り組み

社会的アプローチとして，いくつかの取り組みがあり，各取り組みには考え方が重なる部分があるが，ここでは，①クライエント中心アプローチ，②参加やQOL向上をめざすアプローチ，③失語症の社会的認知度を高めるアプローチの3つに便宜的に分けて紹介する．今後は，これらの取り組みの成果を，客観的および主観的測定ツールを利用してエビデンスとして出していくことが必要である．

a クライエント中心のアプローチ

クライエント中心のアプローチは，Carl Rogersが提唱したカウンセリング技法に端を発す．Rogersは「クライエントのことを一番知っている

のはクライエント自身」と考えて，非指示的方法として新たな技法を結実させた．失語症領域におけるクライエント中心アプローチでは，当事者が自分のことを一番よく知っているという考え方を基本として，失語症者・家族・臨床家が協働して，目標やサービスを決定する．そのため，臨床家が失語症者に関わるときの態度や考え方が重要なキーとなる．

このアプローチでは，当事者の**自己決定**を探り，ニーズを明らかにすることが重要である．失語症者の自己決定を探るツールの1つとして，LIVカード（Life Interests and Values Cards）がある[7]．LIVカードは計約120枚からなり，①家庭やコミュニティ（洗濯など），②リラックス（テレビ鑑賞など）などといった，さまざまな活動や感情を表す．使い方としては，まず絵カードを行いたい活動かどうかに分類する．次に行いたい活動から複数枚の絵カードを選んでもらい，行いたい活動の優先順位を話し合う．その話し合い結果を訓練にいかす．LIVカードの考え方を利用した取り組みを図9-10に示す．自分の思いを言葉で十分に表現することが困難な失語症者には，このような絵カードが役立つ．また失語症者が示す表情や身振りなども，当事者の自己決定を探るための貴重な情報と捉えて，丁寧にかかわることが必要である．最近では，失語症当事者の思いを探るために，自記回答式のイラスト付き質問紙[8]の開発も進められている．

また失語症者にとって一番身近なのは家族であり，失語症の問題は，家族にも等しく降りかかる．そのため家族にも十分な説明や支援が必要である．必要に応じて他職種と連携しながら，家族が抱える問題を軽減することが大切である．

b 参加やQOL向上をめざすアプローチ

失語症は，当事者の**QOL**（quality of life：生活の質）にさまざまな影響を及ぼす．そのため，失語症者の生活のあらゆる側面への参加とQOLの向上をめざす取り組みが必要である．

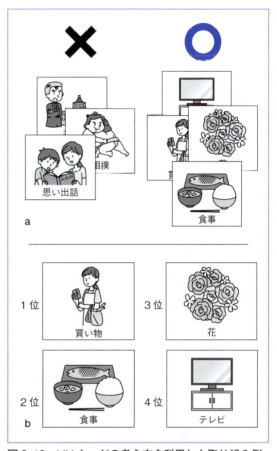

図9-10 LIVカードの考え方を利用した取り組み例
a：話したい話題　b：話したい話題の優先順位
対象者は，女性でウエルニッケ失語（重度）．

Kaganは，前述のA-FROMの観点から，地域住民や家族，ボランティアなどを対象に，会話パートナー訓練 Supported Conversation for Adults of Aphasia（SCA，失語症者への会話支援）を体系化した（➡228頁）．Kagan[1]は，身体障害について，歩行器，車椅子，車椅子用のスロープなどの物理的なアクセスを利用する権利を有していると述べ，その考えを失語症にも当てはめた．失語症によって覆い隠されているその人の能力を引き出すために，訓練された会話パートナー，会話のための適切な資料，失語症者にやさしい環境がコミュニケーションのスロープになるとした．失語症者の会話の機会を増やすことで，失語症になって生じた心理・社会的問題を軽減して，失語症者

の自律性を高めることにも焦点を当てている.

この取り組みは世界的に広がり,わが国にも**会話パートナー**養成という考え方が導入された.2000年には「地域ST連絡会」が会話パートナー養成に本格的に着手し,NPO法人和音や各地域での取り組みにつながっている.今では10を超える会話パートナー団体がある.

また国レベルの取り組みとして,失語症者の意思疎通を支援するための事業が開始され,現在,各都道府県が主体となって,**意思疎通支援者養成**事業が展開されている.いくつかの課題があるが,養成された意思疎通支援者の派遣も徐々に行われている.

C 失語症の社会的認知度を高めるためのアプローチ

失語症は,いまだ多くの人に認知されていない障害である.失語症当事者への調査[9]では,社会や職場で失語症が理解されていない実態が示されている.失語症者のコミュニケーションや生活のしにくさを軽減するために,失語症者と協力して,多くの人に失語症を知ってもらう工夫が必要である.上述した参加やQOL向上をめざすアプローチのなかには,失語症の社会的認知度を高めることも目的にしている場合がある.

わが国では,NPO法人日本失語症協議会(2014年に全国失語症友の会連合会から名称変更)が失語症に対する啓発をはかることを目的の一つにして,さまざまな事業を展開している.また「**言語聴覚の日**」の前後1週間を「言語聴覚週間」とするなど,地域ベースでの種々の活動も行われている.失語症者は患者の立場で参加するのではなく,講演者やファシリテーターとして参加して,自らの体験談などの話題提供を行ったりする.このような取り組みは,地域社会の人々にとって,失語症状や回復過程,失語症になっての当事者の思いを知ることができるなど多くの利点がある.当事者にとっても,自らがもつ専門的知識と,自分自身の価値を再確認することができ,人生への新たな意味を見出すことにつながる.情報へのアクセス支援として講演や活動の進行内容について失語症者の理解を促すため,**要約筆記**が導入される場合もある.地域の人たちに,失語症という言語・コミュニケーション障害があること,失語症状や失語症者とのコミュニケーションの取り方のコツを知ってもらうことが,個人ベースでできる支援にもつながると思われる.

世界的には,2012年に設立された**国際失語連合**がある.失語症当事者・研究者・臨床家が参加する国際的組織で,①失語についての認知度を高めること,②国際的な失語コミュニティを実現すること,③失語のある人に関わる国際的なネットワークを形成することなどをめざしている.2017年にはこれらの目的の達成に向けて,英国で第1回国際失語連合会議が開催された.

失語症者の多くは,失語症がある人生を過ごしていくことになる.医学モデルに基づく機能障害面の回復をめざしたアプローチ・社会的アプローチのどちらにおいても,失語症当事者から悩みやニーズ,その優先順位を聞きながら,失語症者が抱える問題を見落としなく把握して,柔軟に対応することが重要である.

引用文献

1) Kagan A：Supported conversation for adults with aphasia：methods and resources for training conversation partners. Aphasiology 12：816-830, 1998
2) Parr S, Byng S, Gilpin S et al：Talking about aphasia. Open University Press, Buckingham, 1997〔遠藤尚志(訳)：失語症をもって生きる.筒井書房,1998〕
3) Chapey R, Duchan JF, Elman RJ et al：Life participation approach to aphasia：A statement of values for the future. The ASHA Leader 5：4-6, 2000
4) WHO：International Classification of Functioning, Disability and Health. 2001〔障害者福祉研究会(編)：ICF国際生活機能分類.中央法規,2002〕
5) Simmons-Mackie N：Social Approaches to Aphasia Intervention. *In* Chapey R(ed)：Language Intervention Strategies in Aphasia and Related Neurogenic Communication Disorders, 5th ed. pp290-318, Lippincott Williams & Wilkins, Baltimore, 2008
6) Kagan A, Simmons-Mackie, Rowland A et al：Counting what counts：A framework for capturing real-life outcomes of aphasia intervention. Aphasiology 22：

258-280, 2008
7) Haley KL, Womack J, Helm-Estabrooks N et al : The Life Interests and Values Cards (The LIV Cards). University of North Carolina, 2010
8) Kamiya A, Kamiya K, Tatsumi H, et al : Japanese adaptation of the stroke and aphasia quality of life scale-39 (SAQOL-39) : Comparative study among different types of aphasia. J Stroke Cerebrovasc Dis 24 : 2561-2564, 2015
9) NPO法人全国失語症友の会連合会:「失語症の人の生活のしづらさに関する調査」結果報告書. NPO法人全国失語症友の会連合会, 2013

CI言語療法

　CI療法は，当初，脳卒中後の片麻痺に対するリハビリテーション技法の1つとして開発されたが[1]，2000年ごろから失語症の言語治療に適用されるようになった．失語症に対するCI療法は，**CI言語療法** constraint-induced language therapy（CILT）または**CI失語症療法** constraint-induced aphasia therapy（CIAT）と呼ばれる．

　CI言語療法では，ジェスチャー，文字，指差しといったスピーチ以外のコミュニケーション手段の使用を制限し，スピーチを強制的に使用させて短期集中的に発話の改善をはかる．その治療原則は，次のとおりである[2]．
①非口頭言語の使用を抑制し，口頭言語を強制的に使用させる．
②短期集中的に訓練を実施する（1日に3時間を10日間など）．
③スモールステップで行動を形成する．
④日常生活で有用な材料や発話を取り上げる．

　CI療法の失語症への適用は，Pulvermüllerら[3]の研究に始まる．この研究では，脳卒中後の慢性期失語症者（多くはブローカ失語）に10日間（3〜4時間/日）のCI言語療法を集中的に実施し，伝統的言語治療と効果を比較している．結果は，CI言語療法は伝統的治療より言語機能と日常コミュニケーションを有意に改善させることを示した．しかし，この研究は伝統的治療を4週間かけて（訓練時間は同一）実施しており，この差が訓練法によるものなのか，それとも訓練の集中度の違いによるものなのかがはっきりしない．

　Pulvermüllerら[2]が実施した方法は，CI言語療法の原型となっているので，ここで紹介する[3]．彼らは，2〜3人の失語症者と言語聴覚士が参加するコミュニケーション・ゲームのスタイルを採っている．課題は，できるだけ多くの絵カード・ペアを集めることであり，材料として同じ絵が描かれたペアの絵カード16対（32枚）を用意する．
　手続きは，次のとおりである．
①相手の絵カードが見えないように参加者の間に衝立などのバリアを設ける．
②同じ絵カードが1人の参加者のところにこないように絵カードを配る．
③参加者の1人が自分の絵カードセットから1枚の絵カードを取り出し，相手を指名してそのカードを持っているかどうかスピーチで尋ねる（例：○○さん，"本"をもっていますか）．
④指名された参加者はその絵カードの有無を確認し，スピーチで応答する（例：○○さん，私は"本"を持っています）．絵カードを持っていた場合，それを渡す．

　このようなやりとりを参加者間で続けて行う．肝心なことは，やりとりがスピーチのみに限定され，ジェスチャーや指さし等の使用は許されないことである．発話内容は，段階的に複雑なものにしていく．

　CI言語療法のエビデンスに関しては，効果を認めた研究と認めていない研究の両方が存在する．慢性期の失語症については，効果を認めた研究が比較的多いが[2,4]，効果を認めなかった研究も存在する[5]．急性期・亜急性期のCI療法については，効果を認めなかった研究が比較的多い[6,7]．CI言語療法の無作為比較研究を対象としてメタアナリシスを実施したZhangら[8]は，CI言語療法は脳卒中後の慢性期失語症に効果がある可能性があるが，それがほかの言語治療法より優れていることを示すエビデンスはまだ不足していると述

べている.

　CI言語療法の対極にあるのはPACE訓練であり，PACE訓練ではあらゆるコミュニケーション手段を活用し効率的に意思伝達することをめざす．訓練の集中性を統制したうえでのPACE訓練との効果の差や訓練の適応などについて，さらなる研究が必要である．

引用文献
1）Ostendorf CG, Wolf SL：Effect of forced use of the upper extremity of a hemiplegic patient on changes in function. Phy Ther 61：1022-1028, 1981
2）藤田郁代：失語症言語治療の新しい潮流：理論と戦略. 言語聴覚研究 16(2)：61-73, 2019
3）Pulvermüller F, Neininger B, Elbert T, et al：Constraint-induced therapy of chronic aphasia after stroke. Stroke 32：1621-1626, 2001
4）Szaflarski JP, Ball AL, Vannest J, et al：Constraint-induced aphasia therapy for treatment of chronic post-stroke aphasia：A randomized, blinded, controlled pilot trial. Med Sci Monit 21：2861-2869, 2015
5）Kurland J, Stanek EJ 3rd, Stokes P, et al：Intensive language action therapy in chronic aphasia：A randomized clinical trial examining guidance by constraint. Am J speech Lang Pathol 25(4S)：S798-S812, 2016
6）Ciccone N, West D, Cream A, et al：Constraint-induced aphasia therapy(CIAT)：A randomized controlled trial in very early stroke rehabilitation. Aphasiology 30(5)：566-584, 2016
7）Woldag H, Voigt N, Bley M, et al：Constraint -induced aphasia therapy in the acute stage：What is the key factor for efficacy？ A randomized controlled study. Neurorehabil Neural Repair 31：72-80, 2017
8）Zhang J, Yu J, Bao Y, et al：Constraint-induced aphasia therapy in post-stroke aphasia rehabilitation：A systematic review and meta-analysis of randomized controlled trials. PLoS One 12：e0183349, 2017

非侵襲性脳刺激

　非侵襲性脳刺激(non-invasive brain stimulation)は，その名のとおり非侵襲的に脳を刺激することである．脳に電気刺激を与え，その部位の機能について探求することは古くから行われており，その一つの代表的知見が，Penfieldによって提案されたホムンクルスである．Penfieldは大脳皮質に直接電気刺激を行う皮質電気刺激を用いて，言語に関連する脳部位についても検討を行っている[1]．パーキンソン病治療の一つとして，視床下部などの脳深部に電極を留置し，継続的に電気刺激を与える治療法(脳深部刺激 deep brain stimulation；DBS)も存在する．このように，電位変化を活動の根源とする神経細胞 neuron で構成される脳に対し，直接，電気刺激を与えることで，脳機能の探求や機能不全の治療を行う試みは古くから行われてきた．しかしながら，大脳皮質への電気刺激にしても，脳内に電極を留置するにしても，開頭手術や電極の脳内挿入という人体への外科的侵襲性の高い行為である．非侵襲性脳刺激は，こうした外科的侵襲を与えることなく，頭皮上から刺激を与え，直下の脳部位の脳活動変容を生じさせるものである．刺激は，頭蓋 cranium を経ることとなるので，経頭蓋 transcranial と呼ばれる．本項では，経頭蓋磁気刺激 transcranial magnetic stimulation(TMS)と経頭蓋直流電流刺激 transcranial direct current stimulation(tDCS)を紹介する．

1 経頭蓋磁気刺激(TMS)

　経頭蓋磁気刺激(TMS)は，円形あるいは8の字型の磁気コイルに電流が流れることにより発生した電位を，脳表の限局した範囲に刺激を与えるものである．TMSを反復的に与える **repetitive TMS(rTMS)** は，その刺激の与え方により，被刺激部位を興奮性/抑制性に制御可能である．さまざまな刺激法があるが，刺激頻度が1 Hz以下の場合(低頻度 rTMS)は抑制性に，刺激頻度が5 Hz以上の場合(高頻度 rTMS)は興奮性に働かせる方法として用いられている[2]．TMSはミリ秒単位の時間分解能，1 cm程度の空間分解能で任意の脳表部位に刺激が可能である．ただし，刺激に伴い頭皮直下の筋も刺激されるため，痛み/違和感が生じ，これがTMSを受ける側にとって不快となることがある．

2 経頭蓋直流電流刺激(tDCS)

経頭蓋直流電流刺激(tDCS)は，頭皮上から直流電流を与えることによって脳刺激を行うものである．tDCSでは頭皮上に陽極anodeと陰極cathodeの電極を貼付し，その間に，一般的には1〜2 mAの微弱な直流電流を数分から数十分に渡って通電する．この刺激により，陽極下では脳活動の興奮性を，陰極下では抑制性を促進し，その効果は，刺激後，数十分間持続することが知られている[3,4]．tDCSは数分単位の時間分解能，数センチ単位の空間分解能という点は，TMSより劣るが，装置原理は非常に単純で，費用も安価であり，小型であるために持ち運びも容易に可能というメリットがある．刺激に伴う痛み/違和感は，tDCSでは弱いピリピリとした感じが生じることがある程度である．

TMSとtDCSの比較については，田中・渡邉の総説に詳しい[5]．なお，TMSとtDCSについては，その本質的なメカニズムが異なることには留意されたい．TMSは主に神経細胞の活動電位を誘発するものであるが，tDCSは主に神経細胞の膜電位の変化をもたらしているものである．

以上のように，TMSでは刺激頻度を調整することにより，tDCSでは陽極と陰極の電極貼付部位を変えることにより，脳刺激部位の活動を興奮させようとするか，あるいは抑制させようとするかについて制御可能である．失語症を含む，さまざまな脳卒中後遺障害に対する非侵襲性脳刺激を用いた治療においては，脳損傷部位周辺部(つまり脳損傷部位と同一大脳半球)に興奮性刺激を与える場合と，脳損傷部位の対側同部位(つまり脳損傷部位の異なる大脳半球)に抑制性刺激を与える場合に大別される．

3 Naeserらの rTMS 研究

非侵襲性脳刺激を用いた失語症治療として先駆的な報告であったNaeserらの報告[6]を概説しながら，その治療機序について説明を行う(図9-11)．まず，Naeserらは，健常状態では，左右大脳半球は半球間抑制によってバランスが保たれたうえで，各半球が機能すると考えた(図9-11a)．そして，左半球損傷による失語症においては，脳病変により半球間抑制が解かれて半球間脱抑制となることより右半球の活動が過剰となり，この過活動が左半球の病巣周辺部位の機能改善を妨げると考えた(図9-11b)．なお，失語症の回復過程において，右半球が過活動を呈するということについては，Saurら[7]も失語症者を対象とした継時的な機能的MRIの研究から示唆している．

話を戻すと，Naeserらは，左半球ブローカ野損傷による失語症患者に対して，右半球ブローカ野相同部位に低頻度rTMSを与えて過剰な脳活動の抑制を行うことで，半球間抑制が復元され，その結果，左半球の機能再編成が促進され失語症の改善が促進されるという治療仮説を構築した(図9-11c)．

治療対象は，発症から5〜11年の慢性期失語症者4名であり，症例1はブローカ失語から改善した健忘/伝導失語，症例2は軽度ブローカ失語，症例3は中等度ブローカ失語，症例4は全失語であった．4症例の損傷部位は，症例1〜3はブローカ野(左下前頭回三角部・弁蓋部)の皮質部および皮質下白質を含んでいた．症例4は皮質部損傷は認められないが，側脳室付近にまで達する広範な皮質下損傷を有していた．rTMSのプロトコルは，刺激頻度：1 Hz，治療1回での刺激時間：20分(刺激回数は1,200回)で，これを週5回，2週間に渡って，計10回の治療を実施というものであった．また，刺激強度は運動閾値の90%と設定された．運動閾値(motor threshold)とは，一次運動野に対して徐々に刺激強度を高めていきながらTMSを行い，50%以上の確率で運動誘発電位(motor evoked potential；MEP)が認められる刺激強度をいう．TMSは頭皮上から実施するため，刺激強度によっては，必ずしも，刺激が脳に到達するとは限らない．そのため，刺激強度の

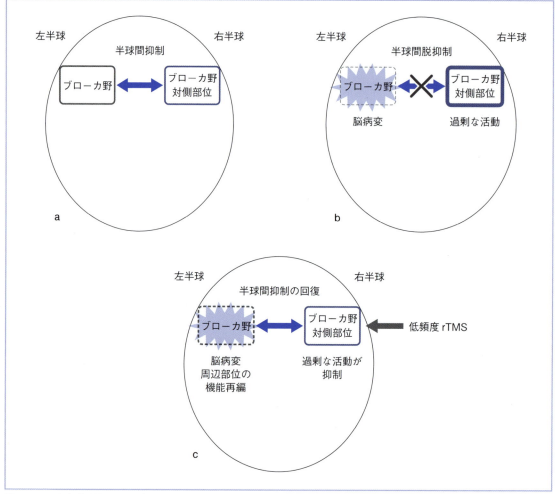

図 9-11 脳病変対側への低頻度 rTMS による治療仮説
a：健常状態では，左右大脳半球間で抑制を保ち(半球間抑制)，それぞれの半球の機能が果たされる．
b：一側脳病変により，半球間抑制が解かれ(半球間脱抑制)，非損傷側の活動が過剰となり，損傷側の機能再編を妨げる．
c：低頻度 rTMS による非損傷側の過活動を抑制させることにより，半球間抑制が改善し，損傷側の機能再編が促進される．

設定が重要であるが，その際の指標の1つとして，運動閾値を基準とすることがある．刺激部位は，4症例とも，右下前頭回で，シルヴィウス裂上行枝の前部(三角部)，つまり右半球ブローカ野相同部位であった．

結果は，2週間にわたる rTMS 治療セッション後，どの症例においても，呼称課題において正答数増加あるいは反応時間減少が認められ，さらに，rTMS 治療セッションの8か月後においても，さらなる改善を認めたと Naeser らは報告している．

Naeser らの報告は，脳損傷部位の対側同部位(つまり脳損傷部位の異なる大脳半球)に抑制性刺激を与える治療法である．一方で，興奮性刺激を脳損傷部位側に与え，脳損傷部位周辺部の興奮性を高めることを意図した治療も行われている．これらの方法の実施については，Norise, Hamilton の総説に詳しい[6]．失語症に限らず，脳損傷による運動・認知機能障害に対して非侵襲性脳刺激を用いるにあたって，病巣側に興奮性刺激を与え

る，あるいは，非病巣側に抑制性刺激を与える，いずれかの治療プロトコルを用いるかについては，本格的な治療セッションに入る前に探索的に両者を行い，反応性のよい方法を選んで実施することもある．また，原発性進行性失語の治療にもtDCSを使用した報告が認められる[6]．

4 TMS，tDCSの危険性

TMS，tDCSは，一般的には，非侵襲的とされる手法である．しかし，脳に刺激を与えるという特性上，さまざまな禁忌事項が存在することにも強く留意されたい．特に，脳卒中患者を対象とする場合には，そもそも，けいれん発作を生じやすい状態にあるなど，健常とは異なる脳状態にあることを十分に念頭におくべきである．なお，本邦においては，日本神経生理学会が，磁気刺激法の安全性に関するガイドラインを策定しており[7]，rTMSの実施者基準として，健常人に対する研究では，医師ではない研究者がrTMSを実施する場合には不測の事態に対処できる1名以上の医師とすぐに連絡がとれるようにしておくこと，患者に対する研究では，rTMSを実施するのは医師に限ることが定められている．

tDCSについても，日本神経生理学会は提言をしており[8]，病院や研究施設の倫理委員会の承認を得てから行うこと，方法に精通した医師の管轄のもと科学的な検証のために行うことを前提にしている．

引用文献

1) ペンフィールド W, ロバーツ L (著), 上村忠雄 (訳)：言語と大脳．誠信書房，1965
2) 竹内直行，出江紳一：大脳皮質刺激によるニューロリハビリテーション：磁気刺激，電気刺激．Monthly Book Medical Rehabilitation 141：5-13, 2012
3) Norise C, Hamilton H：Non-invasive Brain Stimulation in the Treatment of Post-stroke and Neurodegenerative Aphasia：Parallels, Differences, and Lessons Learned. Frontiers in Human Neuroscience 10：1-16, 2017
4) 臨床神経生理学会 脳刺激法に関する小委員会：磁気刺激法の安全性に関するガイドライン（2019年版）．臨床神経生理学 47(2)：126-130, 2019
5) 田中悟志，渡邊克己：経頭蓋潮流電気刺激法―ヒト認知神経科学への応用．BRAIN and NERVE 61(1)：53-64, 2009
6) Naeser MA, Martin PI, Nicholas M et al：Impoved picture naming in chronic aphasia after TMS to part of right Broca's area：An open-protocol study. Brain and Language 93：95-105, 2005
7) Saur D, Lange R, Baymgaertner A et al：Dynamics of language reorganization after stroke. Brain 129：1371-1384, 2006
8) 日本臨床神経生理学会：経頭蓋直流電気刺激(tDCS)についての注意喚起，2019
http://jscn.umin.ac.jp/info/2019-03-28.html（2020年12月閲覧）

第10章

失語症の言語治療の実際

学修の到達目標

- 失語症言語治療の代表的な理論と技法を説明し，実施できる（刺激法，機能再編成法，語用論的アプローチ，認知神経心理学的アプローチ，社会的アプローチ，CI言語療法ほか）．
- 急性期，回復期，生活期の言語治療の特徴，理論および技法を説明し，実施できる．
- 機能訓練（語彙，構文，文字・音韻，発語失行）の理論と技法を説明し，実施できる．
- 活動・参加訓練・支援（実用的コミュニケーション，心理社会的問題）の理論と技法を説明し，実施できる．
- 重度失語症の言語治療の原則と方法を説明し，実施できる．
- 介護保険サービスにおける言語治療の特徴と技法を説明し，実施できる．
- 社会復帰支援の原則と方法を説明し，実施できる．
- 各種障害に対する訓練材料の作成原理と方法を示し，作成できる．
- 言語訓練記録作成の目的と方法を理解し，作成できる．
- 言語治療サマリおよび言語治療経過報告書の作成目的と方法を理解し，作成して報告できる．

急性期の評価・訓練・支援

　急性期に失語症がある場合，コミュニケーションが取りにくいといわれることがある．在院日数の短縮化が定着しているなかで，点滴やカテーテル留置，モニター装着，気管切開なども行われているような症例，あるいは通過症候群や意識障害を示しているような症例，あるいは全身状態が不安定な症例，などに対して，どのように対応するべきか模索している言語聴覚士も多い．あるいは状態が安定してようやくこれから本格的に言語聴覚士が介入できるという状態になると，回復期病院へ転院となり，なかなか言語聴覚療法を実施できないと悩む言語聴覚士もいる．

　例えば，問題となる点を観察ややりとりからチェックできるような評価スケールを用いて患者の状態を把握する．そのうえで患者本人や家族，スタッフにことばの状態についての理解を促し，コミュニケーションをとりやすくするための説明指導など，患者を取り巻く状況を改善するさまざまな働きかけを実施することができる．

　ベッドサイドでの言語聴覚士の介入が発症2日目に開始された事例(60歳代前半，男性)は，意識レベルの日内変動が大きかったが，発話はほとんどなく，理解も不確実な状況で重篤な言語機能の障害があると思われた．言語聴覚士は時間を変えて病室を訪れ，会話や観察を日々継続した．家族に対しては，目覚めているときには可能な限り声掛けをすること，こちらの話す内容の理解も不確実なので，確実に伝えるためにはくり返すこと，本人の意図を確認する際には発話を無理に促すのではなく，yes-noで答えられるようにする，実物を示して尋ねるようにすることなど，接し方の指導を行った．介入して4日目には言語聴覚士の顔を同定できるようになり，徐々に意識も清明となった．家族に言語機能の状態に応じた接し方を指導したことは本人と家族の心理面の支援につながり，言語機能のスクリーニング検査を徐々に開始することができた．この事例では，一見，遠回りと思われるような働きかけを通して患者本人や家族との関係性を作ることで，検査・評価や機能レベルの訓練にもスムーズに進むことができた．

　もちろん急性期であっても直ちに機能レベルへの対応が可能な場合には障害の状況の正確な把握をし，実際の機能レベルの改善をめざす訓練を行う．

　このように対象の状況に応じた対応をすることが重要である．この時期に，言語聴覚士が果たすことのできる役割は大きい．急性期であっても，長期的に今後どのような流れでリハビリテーションを受けることになるか，どのような改善経過をたどるのか，長期的視点が必須である．また患者の種々の症状について，改善の順序性などを踏まえ，どの症状への対応から始めるかを考える必要もある．長期的視点に加え，多角的な視点も重要となる．これらの視点に立って，今，何がなされるべきか考えることが望まれる．

　本項では急性期に言語聴覚士が果たすべき役割はについて述べる．

急性期の評価

　急性期の患者の特徴はさまざまな症状を合併していること，**全身状態**が不安定であり，変動しやすいこと，耐久性にも乏しいこと，などである．したがってこの時期の評価では，障害の有無，また本人とコミュニケーションがとりやすい手段についてスタッフや家族に説明できるような**症状の把握**，症状の変化を追うことが主たる目的となる．

患者の負荷を軽減するために，施行に要する時間が短く，しかもくり返し実施が可能な簡便な検査を用いる．同時に患者の状態に関する間接的な情報の確実な収集が重要である．

1 情報収集について

a 間接的情報

1）関係職種からの情報

カルテや看護記録など医療情報から多くの情報を得ることができる（表10-1）．まず病名，現病歴，治療内容，神経学的所見，放射線診断学的所見，検査所見など入院するに至った疾患に関する情報，既往歴や合併症，また家族に対し今後の見通しなどについてどのように説明したか，家族歴などについて情報を整理する．

脳血管障害を例にとれば，疾患の種類や損傷部位，病巣の大きさにより，出現する症状や経過，治療方針，予後も異なってくる．発症直後の状況（麻痺の有無，言語障害の有無，嘔吐やめまいの有無，意識消失の有無など）や医療機関に搬送されるまでの経過を知ることで重症度の推定も可能となる．治療内容については，特に今後，外科的治療が予定されているのか，あるいは保存的治療をするのか，原因疾患に対する治療の基本方針を知ることは言語聴覚療法の実施にとっても重要な情報である．呼吸管理の有無，気管切開の有無なども確認が必要である．治療内容および経過によって安静度も変化する．現在の麻痺の状況や失調の有無，視野障害の有無など神経学的所見を確認しておく．CTやMRI（SPECT，MRA）などが撮影されている場合には画像や所見から**病巣部位**や大きさを確認する．病巣の確認は出現する症状を予測することにも役立つ．検査所見では特に血液検査の炎症反応〔CRP（C反応性蛋白質）正常値＜0.3 mg/dL〕の確認が重要である．既往歴および合併症の確認も欠かすことができない．特に心

表10-1 事前に確認しておくべき情報

医療診療録から	①入院時診断名 ②現病歴 ③治療内容 ④既往歴および合併症の有無 ⑤神経学的所見〔麻痺（麻痺側と程度）や運動失調，視野障害の有無など〕 ⑥画像所見〔CT, MRI, SPECT, MRA, 胸部X線写真（肺炎など）〕 ⑦検査所見（血液検査における炎症反応の確認など） ⑧医師から患者（家族）への説明内容 ⑨家族歴
看護記録から	①バイタルサイン ②行動記録から 　身体状況や精神機能，言語機能，摂食・嚥下機能などについて概要 　家族の様子（来院頻度など） 　睡眠のパターン

房細動などの循環器系疾患や高血圧，糖尿病など訓練時に危険因子となりうる合併症には注意が必要である．既往歴ではこれまでの治療歴，服薬などでのコントロール状況も確認する．また難聴（補聴器使用の有無など），白内障（視力）など感覚器官の疾病，MRSAなど感染症の有無，肺炎の有無についても確認する．

患者，あるいは家族に疾患について，治療方法，あるいは**予後の見通し**について医師からどのような説明が行われたか確認する．急性期には家族は不安に駆られ，関係するスタッフに予後の見通しなどについてくり返し確認してくることがある．予後の見通しについては基本的に医師が伝えるが，何が伝えられているかを知っていれば，不用意な発言をして家族を不安に陥れるといった危険は回避できる．

日々の記録からは以下の情報収集が重要である．まず意識レベル，心拍，血圧，呼吸，体温などの**バイタルサイン**（表10-2）は特にベッドサイドにおいて言語聴覚士による介入が可能かどうかを判断する目安となるものである．バイタルサインの変動が大きい患者の場合には，例えば収縮期血圧が180 mmHg以上の場合には訓練中止，あ

表10-2 バイタルサイン確認時の留意点

種類	留意点
意識レベル	JCS，GCS
心拍	不整脈や心電図異常の有無の確認 成人　頻脈：100/分以上 　　　徐脈：60/分以下 高齢者　頻脈：80/分以上 　　　　徐脈：50/分以下
血圧	正常血圧 収縮期血圧：130 mmHg 以下 拡張期血圧：85 mmHg 以下
呼吸：経皮的動脈血酸素飽和度(SpO_2)	正常値：約95〜100%

るいは経皮的動脈血酸素飽和度(SpO_2)90%以下でナースコールなど，あらかじめ決めておくこともある．言語聴覚療法は理学療法や作業療法に比べ身体的な負荷はかからないが，場面によっては心理的な負荷がかかり，血圧上昇などを引き起こすこともある．訓練の際のリスクを把握するために確認しておかなくてはならない項目である．

病棟での患者の行動記録には身体状況や精神機能に関する情報が含まれている．例えば昼夜逆転やせん妄などの問題行動の記載があれば，意識レベルの変動について知ることができる．またそのために深夜に睡眠薬を服薬していれば午前中はほとんど眠っていることが推測できる．看護師の問いかけや指示の理解，また発話に関する記載があれば言語機能についておおよその判断も可能である．

理学療法士や作業療法士からは，訓練中の意識レベル，ベッドのギャッチアップの角度，バイタルサイン，麻痺の程度や筋力などの評価結果，高次脳機能障害の有無，ポジショニング，上肢機能，ADLに関する情報，運動麻痺の回復の見通しなどについて情報を得ておく．医療ソーシャルワーカーなどが転院先の決定などで早期からかかわっている場合には本人にとってのキーパーソンは誰か，家族の希望や転帰先などに関する情報を得る．

2）家族からの情報

家族からの情報では特に**家族の理解の程度**，発症前の**患者の生活状況**，家族構成などについての情報が重要である．

家族の訴えを聞くことにより，患者の障害について家族がどのように理解しているのか，最も問題としていることは何かについて知ることができる．家族構成を知ることで将来的に主たる介護者になるのは誰か，一緒に生活することになる家族についての情報などを得て，今後の訓練についての説明や接し方などの家族指導を主に誰に対して行うことが適切か確認することができる．例えば複数の子どもがいる場合，対応や方針が全員で一致しているとは限らない．そのようなケースでは特に**キーパーソン**を確認しておくことが重要である．

家族が冷静で客観的に状況を把握している場合には，発症後の患者の症状の変化についても家族から観察に基づく情報を得ることができる．

また発症前の生活については家族でなければ知りえない情報である．例えば，補聴器や眼鏡，あるいは義歯を日常的に使用している場合には，必要に応じて用意してもらう．それまでの職業歴や学歴なども確認しておく．なおこれらの情報は個人情報に分類されるものも少なくないので，家族には訓練で使用するために情報を集めるという情報収集の目的を明確に伝えておく必要がある．

趣味や関心のある事柄，**病前の言語習慣**，発症前の食事の習慣や状況などに関する情報を得ることは，訓練に役立つ．言語聴覚士がいろいろな話題で話しかけても今一つ反応が乏しい患者が，孫の写真を見て表情が変化する，発症前によく読んでいた新聞を出すと自らページを繰り始めるなど，発症前の生活状況や関心事を知ることが働きかけに有用であった例は多い．また発症前にほとんど文字を読み書きすることがなかった患者と手紙をよく書いていた患者とでは働きかけに用いる素材を変える必要がある．

表10-3　直接的情報収集におけるチェックポイント

(1) 全般的な活動水準や精神機能，見当識	① 問いかけに対する言語的応答の量や反応内容の確認 ② 言語的な反応が不安定な場合，覚醒度，表情，視線，態度の観察 ③ 更衣・排泄など日常的な行為の状況の確認 ④ 身だしなみ，自発活動の観察
(2) 発声発語機能，摂食嚥下機能	① 摂食嚥下障害がある場合，器質性運動障害性の構音障害，発語失行，非流暢性失語などの有無の確認 ② 意識レベル，呼吸，認知面，コミュニケーション機能の事前確認 ③ 同一の器官を用いる発声発語と摂食嚥下はあわせて評価
(3) 言語機能，その他の高次脳機能	① 症状の変動に留意 ② 短時間でチェックができるスクリーニングや会話，観察 ③ 日による，あるいは時間による変化がないかの確認 ④ 食事，更衣，リハ訓練時，会話場面などによる言語機能や失行，注意，記憶などの高次脳機能の状況の確認

3) 観察による情報

他職種や家族から情報を得ることに加え，言語聴覚士は患者の病室や**ベッドサイドの観察**も忘れてはならない．離床センサーマットの有無，床頭台に置かれているものなどから，患者の全般的精神状態や身体機能，状況が判断できることもあるからである．例えばナースコールが手の届く場所にあるか，あるいは手の届かない場所にあるか，など位置の違いからさまざまなことを読み取ることができる．

b 直接的情報

確認する必要があるコミュニケーション機能や摂食嚥下機能の項目は，以下のとおりである（表10-3）．

1) 全般的な活動水準や精神機能，見当識

意識障害は軽度もしくはほとんど目立たないが，言語機能の評価を行うことができるほど反応レベルがよくない場合もある．その原因は，本人の置かれている物理的状況が理解されていないなど見当識が十分でない，あるいは客観的な状況判断が的確にできないなど，**全般的活動性が低下**していることなどに求められる．このような状況では問いかけを行った際の応答やその反応内容，また応答が適切にできない場合は反応時の表情や態度の観察，また整容動作や食事，更衣，排泄などの**日常的な行為の状況**などについても観察を中心としたチェックを行う．失語症によって，ことばでのやりとりが難しい場合は，文字などを用い，yes-no反応を求める．くり返し尋ねるとその都度，反応が異なる場合もあるので注意を要する．言語的な反応が安定していない場合には表情，視線，覚醒度，身だしなみ，自発活動などについての**観察**による確認や発話量，発話意欲，など話の内容の把握が必要となる．

上記確認項目のうち，複数の項目について，反応が不適切で，かつその原因となる理由が明確でない場合は，**全般的活動性**，精神活動に問題があると推察される．このような場合には，言語機能の評価や高次脳機能の評価をただちに行うのではなく，**ベッドサイドのチェック項目**のような短時間で施行できる課題をくり返し行って，経過を観察する．点つなぎや抹消課題など，動作性の課題を用い，集中して1つの課題を施行する練習を行うことも有効である．なお，1日のなかでも時間帯によって反応に差異が認められる場合があるので，時間を変えて確認することも必要である．

2）発声発語機能，摂食嚥下機能

　摂食嚥下障害があるからといって，嚥下機能の評価・訓練のみに終始するのは適切な対応とは言えない．摂食嚥下障害とともに器質性運動障害性の構音障害，発語失行，非流暢性失語など発声発語面の障害をあわせもつことも多いので，意識レベル，呼吸，認知面，コミュニケーション機能などについて事前に情報収集をしておくことが重要である．**発声発語**と摂食嚥下は同一の器官を用いて行われる機能であるので，あわせて評価・訓練の対象とする．発声発語機能の改善は周囲とのコミュニケーションを円滑にし，患者の覚醒度の改善につながることもある．

3）言語機能，その他の高次脳機能

　急性期の段階では，言語機能やその他の高次脳機能の障害は，一過性にみられるものである場合もあり，**症状の変動**がみられる場合が多い．また発症後間もないこの時期に長時間の包括的な検査を施行することは患者にとって大きな負担となる．したがって，この段階では，まず観察や会話，スクリーニングによるチェックなどを短時間で行い，医学的診断名や損傷部位に関する情報，家族・他職種からの情報も参考にして，障害の有無・程度・性質などを大まかに評価することが必要となる．

　まず**観察**によるチェックでは観察する時間帯や患者の体調によって様子が大きく異なる場合もあるので注意を要する．また，言語聴覚士と対面している場面だけでなく，食事場面や家族・病棟スタッフとのやりとり，またほかのリハビリテーション訓練時の様子などの観察も重要である．例えば顔や体幹が常に一側だけを向いている，麻痺側の上下肢の位置を気にしないということが確認される場合には方向性の注意の低下や視空間認知の障害，病態認知の障害が疑われる．パジャマのボタンの掛け違いや衣服が裏返しということがあれば構成障害や着衣失行の可能性がある．家族や病院スタッフとのやりとりにおいて日常会話や指示理解の悪さが見られる，自発話がない，あるいは自発話はあっても発話の状態に異常があるという場合には失語など言語機能の障害を疑う．食事場面では特定の方向に置かれた物を食べ残したりすることがないか，麻痺がないにもかかわらず箸やスプーンなどの使用が上手でないことがないか，などに注意する．こうしたことがあれば方向性の注意の障害や失行などが疑われる．

　実際にあいさつや自己紹介をした際には，質問内容の理解，反応の仕方や発話状態などから言語機能について，また病識や見当識の有無，注意や記憶など高次脳機能について情報を得ることができる．尋ねる内容は初回面接の内容とほぼ同様であり，氏名・年齢・日付や場所，主訴や体調，直前の食事のメニュー，医療スタッフや家族の名前の確認などについて問う．この全体を通して言語理解の程度や発話の内容・状態についてのほか，精神的な状況についても確認しておく．

　観察や会話場面でなんらかの障害が疑われ，さらに詳細な確認が必要な場合には，言語機能や高次脳機能について，特別に用具を必要とせず，**ベッドサイド**でも実施可能な簡便な**スクリーニング検査**（➡160頁）を行う．全身状態も不安定であり，長時間にわたる評価や訓練は効果がないばかりでなく，患者の疲労をまねき，余分な負荷をかけることになる．状況によるが，原則として働きかけは短時間であることが望ましい．多くの場合，総合的な評価はこの時期には実施できない．言語聴覚障害や高次脳機能障害の有無や大まかな症状の把握，症状の変化について大まかに確認するにとどめる．患者に過度な負担をかけないよう留意することが重要であり，同時にその時々で臨機応変な対応が求められる．

B 急性期の訓練・指導・支援

1 訓練・指導・支援の目的

　急性期の訓練・指導・支援は回復期のそれとは異なる．患者の状態によってはその時々の状況について日々，短時間で施行できる評価をくり返す，あるいは意識障害があれば経過観察が中心となる．したがっていわゆる言語機能に対する訓練というよりは評価を含めた働きかけが中心となる．

　この時期の働きかけの目的は以下の3つに分けられる．

1）コミュニケーション手段の確保

　失語症のある本人と確実に意思の疎通をはかる手段を確保することが，この時期の働きかけの最大目標である．患者にとって可能でかつ最も有効な**コミュニケーション手段の確保**を行う．同時に有効な刺激の呈示方法（刺激が入りやすいのは右か左か，まず注意喚起が必要か，など）も見極める．表出の困難な患者の場合，yes-no で答えられるような質問を工夫する，選択肢を文字や絵で提示し選択させる，聴覚的理解の障害が重篤な患者の場合，キーワードを文字で提示する，実物を指し示す，などにより理解を促す，など，個々の患者の言語機能の状態に応じたコミュニケーション手段の確保をはかる．

2）情報提供と助言

　患者・家族およびスタッフに対し，障害に関する情報提供を行い，理解を促す．同時にコミュニケーションの取り方や日常生活における留意点などについて助言する．コミュニケーションはさまざまな場面で行われるため，本人のコミュニケーション状況を周囲の家族やスタッフが可能な限り同じように理解し，留意すべき点を守ることが重要である．それまで何不自由なくことばを使用していたのに突然それができない状況に陥ることが，挫折感や喪失感を生み，自信喪失の状態を引き起こすこともある．また病気や障害の予後に対する不安や焦燥に陥る場合もある．ことばはそれほどに人間の生活に重要な役割を果たしている．したがって，実際の状況や，コミュニケーションを可能にする留意点などを具体的に伝え，実践することは本人，家族の不安を解消する一助となる．

　急性期，亜急性期には医師，看護師と常に連絡を取り，容態の急変などにも対応できる体制を作ることが求められる．また転院先の決定に際しては言語聴覚療法の継続が必要かどうかということが重要な要因となりうるので，日頃から医療ソーシャルワーカーなどとの**情報交換**を密にしておく必要もある．

3）予後予測・今後のアプローチの検討

　機能訓練を開始するか，経過観察しながらほかの働きかけ（覚醒を促すなど）を行うか，詳細な検査を施行する必要があるか，など今後のアプローチについて検討することは，当面必要なことであるが，同時に長期的な**予後予測**も必要となる．

　むしろ患者が将来どのような生活を送ることになるか想定したうえで，必要な訓練や到達目標を考えることが重要である．本来，どのような生活を送りたいかということに関する意思決定は本人（あるいは家族）が行うものである．しかし急性期という状況にあっては患者や家族がこのような決定を下すことはきわめて困難である．言語聴覚士は医師をはじめとする他職種と共同で予後予測を立て，患者や家族の精神状態や理解の状況などに配慮しながら予後予測について情報を提示していくことが重要である．予後予測の判断は転院先などの選択に影響を及ぼす場合もある．

2 働きかけの実際

　患者に会って**あいさつや簡単な質問**を行い，患

者の反応状態を把握する．ある程度の反応が得られる状態であれば，全般的活動性，見当識，精神機能，発声発語・摂食嚥下機能，言語機能・高次脳機能などについて，可能な範囲で，ベッドサイドで行える指導や訓練を導入していく．その日の患者の状態に合わせ，無理のない範囲で行う．覚醒度が低く，全身状態や環境的制約も大きい場合には，実施できることはそれほど多くない．

病棟では特に経口摂取の可否と見通しについて，言語機能の障害がある場合の**有効なコミュニケーション方法**について，早急に判断を求められることがあるが，断定的なことはなかなか言えない場合が多い．

意識状態が**JCS**(Japan Coma Scale)1桁に達しない場合は表情，口腔器官の状態，声掛けへの反応など状態の観察を中心に行うが，覚醒レベル向上を目的として口腔器官の運動訓練，口腔内清拭，口腔のアイスマッサージ，頸部可動域の拡大，声掛けなど試験的な働きかけを行う．覚醒度にも日内変動が認められることもあるので，1日のなかで時間帯を変えて病室を訪れることも重要である．

突然の発症による動揺する患者の家族に対しては，それを受け止め，支持的な態度で接する．言語聴覚士という職種が社会に十分認知されていないために，言語聴覚士が関わる目的や役割についてはリハビリテーションの他職種と比較して理解されにくいことがある．そのような場合にはくり返し説明をすることが必要となる．また症状の変動がこの時期の特徴であることから言語症状の予後の説明については慎重に対応する．

言語聴覚療法の対象となる障害を複数合併している場合には**働きかけの優先順位**を決める．症例により異なるが，例えば，意識障害や全般的精神機能低下などがある場合には，その賦活を促す働きかけから行う．

症状の安定や全身状態の改善に伴い，言語聴覚療法はベッドサイドから訓練室へ移行する．順調な経過をたどる場合は，ベッドサイドで働きかけを継続する期間は，開始後1週間から長くて2週間前後である．

C 急性期の安全管理

1 基本的事項

ベッドサイドで働きかけを行う場合は，感染症などの予防のため，**標準予防策（スタンダードプリコーション）**注1)に準じた予防を行う．これは感染の有無にかかわらず，すべての患者や医療従事者に適用される感染対策である．ゴーグル・フェイスマスクやガウンの着用などについては感染症のレベルに応じて病棟ごとに院内で決められている予防策に従う．

また，**リハビリテーションを中止する基準**（血圧，SpO_2 など）について確認する．**急変時の対応**については，所属施設の安全対策マニュアルなどに従う．個室でない病室では，他患や面会者の出入りもあるので，患者のプライバシー確保に十分に配慮する必要がある．

急性期患者は種々の装置や点滴をはじめとするラインを装着している．訓練室での訓練を含め，働きかけを始める前後でライン類の脱落やゆるみ，漏れがないかについて確認しておく．

2 容体急変時の対応

急性期には，再発作や合併症による痙攣発作や心不全，意識消失を伴う急変などを起こす可能性がある．所属施設の**緊急時対応マニュアル**の内容について日ごろから熟知しておく必要がある．緊

注1) すべての患者と医療従事者に対して適用される基本的な感染対策である．患者の血液，体液，分泌物，排泄物，傷のある皮膚，そして粘膜が感染源になりうると考え，対応する．手洗い，手袋，マスク・ゴーグル・フェイスマスク，ガウン，器具の消毒，リネンの扱いなどが決められている．

急時には複数で対応することが原則であり，個室で個別療法をしている際の急変時には呼ぶ人を決めるなど複数で対応できる連絡体制を確保しておく．急変時に除細動器や吸引が必要となる場合は，吸引できる環境(人・場所・技術)を確保しておく．

安全は医療におけるキーワードとなっており，事故は誰にでも起こるという前提のもと，再発防止のためにインシデント・レポートの提出を求める医療機関が増加している．

3 危険行為の防止

活動性が徐々に上がる一方で，なお病識の欠如あるいは低下が認められる場合には，点滴や経鼻の栄養チューブなど**ラインの自己抜去**に十分注意する．また可能なことと可能でないこととの見極めがついていない，あるいは安全かどうかの判断がつかない場合には，何かを取ろうとして急に立ち上がり**転倒**する危険性も高い．車椅子のフットレストの上に立ち上がる，ブレーキを掛けずに立ち上がるなどの行為がみられることがあるので一人にせず，必ず誰かの目が届いているように留意する．

4 働きかけの内容に関する配慮

理学療法や作業療法で対象とされる運動麻痺の場合には，例えばこの上肢の麻痺があれば箸が持てないだろう，あるいはこの下肢の麻痺があると装具なしでは歩けないだろう，というように**要素の障害**として他者に理解されやすい．一方，言語機能障害や高次脳機能障害ではそのような要素の障害というより，言語機能など認知機能に関わるという意味で知的機能や人格にも関与する，より複雑な側面を含む障害と捉えられやすい特徴がある．言語機能や高次脳機能に関する評価や訓練の実施は患者のプライドを傷つけるおそれもあり，慎重な対応が望まれる．拒否や破局反応の惹起を避けることが重要である．訓練開始にあたっては患者との信頼関係が十分に取れていること，なぜ言語聴覚療法が必要なのか，説明をくり返ししておく．また訓練においても改善の順序性やモチベーションの高さなどへの配慮が必要であり，訓練への意欲が低下しないように，症状に合わせて課題を選択し難易度を設定する．あくまでも個々の患者にとって適切な評価や訓練内容であることが重要である．言語聴覚士が訓練計画に固執することなく，課題の中止も含め，柔軟に対応することを心がける．

5 心理面への配慮

抑うつ状態や，拒否的な反応，自殺企図には十分，注意して対応する．患者は突然の発症によって喪失感や挫折感，無力感に陥りやすく，それを適切に伝達することができないため家族にも理解してもらえない，と孤立感を深めている場合がある．その状態を的確に把握する．必要に応じてまず本人の心理的な支援に重点を置き，同時に家族に適切な接し方を指導することにより，患者を心理的にサポートする体制を整える．あるいは孤立感を深めないための病棟生活における工夫を看護師と検討するなど，本人への働きかけとともに環境面への働きかけを行う．

生活の変化や今後への不安などによって家族にも心理的に過重な負担がかかっている．家族は患者本人を支える重要な役割を担うことになるので，家族に心理的な余裕がないと患者本人の安全管理上も問題が生じる可能性がある．家族への心理的支援もきわめて重要である．

6 急性期の事例

59歳，男性，右利き．会社員．脳梗塞にて発症．会議中，気分不快を訴え，救急搬送される．放射線学的検査により左中大脳動脈領域の広範な脳梗塞(主たる病巣は左前頭葉後部)と診断され，

入院となる．既往歴として心疾患があり，服薬治療中であった．右上下肢ともに重篤な運動麻痺と言語障害が認められた．発症3日目よりベッドサイドにて理学療法，言語聴覚療法が開始となる．初診時は心電図モニター，中心静脈栄養，輸液ポンプを使用した点滴がついている状況であった．訓練開始前にリスク管理を中心とした医学的情報収集を行い，血圧と安静度を毎回，確認することとした．

全体にややぼーっとした印象があり，JCS I-1と判断され，簡単な問いかけに対する反応も曖昧なことが多かった．発声発語器官には麻痺が認められ，右口角より流涎を認めた．反復唾液嚥下には応じることができなかったが，凍らせた綿棒による冷却刺激で嚥下反射が誘発された．発話は時に有意味な単語が出現するという程度で，意思伝達は限られていた．課題に応じようとはしたが，5分程度で反応が低下し，注意がそれることが多く，保続も頻出した．

家族やスタッフには現状の説明と声掛けなどの重要性について説明した．耐久性や意識レベルの変動が認められたため，ベッドサイドでの訓練は1日のなかで時間を変えて実施し，耐久性や意識レベルを確認し，最も適切な時間帯を選ぶようにした．

発症6日目には心電図モニターから離脱し，意識は変動しやすいが，JCS 1桁から2桁レベルとなった．中心静脈栄養から経管経鼻胃栄養に変更されたが，違和感のためか，制止しても管を抜去することがあった．問いかけに対する応答や発声発語器官の運動訓練などを中心に働きかけを継続した．

発症10日目には意識レベルの変動は少なくなり，全身状態の改善に伴い耐久性も改善した．意識障害が軽減するにつれ，言語機能の障害が目立つようになった．すなわち，簡単な日常会話の聴覚的理解はおおむね可能だが複雑な内容の理解は困難であった．また自発話は乏しく，著明な喚語障害が認められた．復唱や音読も困難であった．

自分の意思がうまく伝えられないと落ち込む場面が見られた．そこで家族やスタッフにはyes-noで答えられるような問いかけの工夫など，伝達性を高めるとともに，伝達できないことによる本人のストレスを軽減するための具体的な留意点について説明した．

言語機能について得られた情報は，聴覚的理解の中等度の障害，著明な喚語障害と乏しい発話というものであった．発話は限られていたが喚語障害に加え非流暢な発話があると判断され，発話面の障害を前景とするブローカ失語が疑われると仮説を立てた．この事例では発症直後に見られた意識レベルの障害や状況判断の悪さなども改善していること，耐久性がついてくれば検査や評価を行う阻害因子となるものがなさそうであると考えられたためである．入院期間の短縮化が進む現在，状況が許せば早期に言語障害に対するおおよその判断をしておくことは，その後の介入の方向性を決めるうえでも重要である．のちに行う十分な検査や評価の結果，多少の修正が生じることはあるとしても，限られた情報のなかから必要なものを取り出し，それをもとに仮説を立てることはきわめて重要なことになる．不足する情報に気付くこともできる．

全般的な活動水準の問題や意識障害が遷延する場合には言語障害に対する仮説を立てることが難しくなる．急性期は個体差が大きいので，**仮説的診断**が可能かどうかは事例によって異なる．

発症3週目には単語レベルの復唱，音読が可能となった．読解は短文レベルまで可能であったため，聴覚的理解が不十分な場合には文字も提示して補助とした．文字の利用などについても家族やスタッフにも説明した．自分の名前や住所の一部は漢字で書くことが可能であったが，仮名文字の書字は困難であった．この時点でも重篤な喚語困難は残存しており，運動麻痺も残存していた．本人・家族ともリハビリテーションの継続を希望した．今後もリハビリテーションの継続が必要と判断された．医療ケースワーカーを含めたカンファ

レンスが行われ，発症後4週目にリハビリテーション継続のできる回復期の医療機関へ転院となった．

参考文献
- 院内感染対策のための指針案及びマニュアル作成のための手引きについて．厚生労働省医政局指導課（各都道府県　政令市　特別区衛生主管部）からの事務連絡（平成19年5月8日）より
- リハビリテーション医学会診療ガイドライン委員会（編）：本ガイドライン初版　リハビリテーションの中止基準（参考資料）．リハビリテーション医療における安全管理・推進のためのガイドライン第2版．診断と治療社，2018

機能回復訓練

A　語彙訓練

1　基本概念

　語彙障害とは，単語の理解や産生の障害である．語彙障害はほとんどの失語型に認められ，その訓練は今日まで失語症の機能障害の訓練における大きな柱となってきた．しかし語彙障害の症状はきわめて多彩であり，障害発生のメカニズムは患者によって異なる．単語の処理に必要な情報や機能は，左大脳半球にネットワークとして幅広く分散し収納されていると考えられ，障害発生のメカニズムを古典的な失語症分類と対応させるだけで説明するのは困難である．

　語彙障害の解析には**認知神経心理学**的アプローチが用いられる．これは失語症患者の語彙障害を認知神経心理学の情報処理モデルと関連づけて解析し，訓練しようとする立場である．1990年代以降，処理モデルに基づく詳細な検査バッテリーが出版され，また，コンピュータ上に構築したモデルを用いて患者の症状や回復過程がシミュレーションされるようになり，認知神経心理学的アプローチは今日，語彙障害の評価・訓練におけるスタンダードとなっている．本項では，まず認知神経心理学の語彙処理モデルの基本概念を説明し，次に本アプローチによる評価・訓練法について述

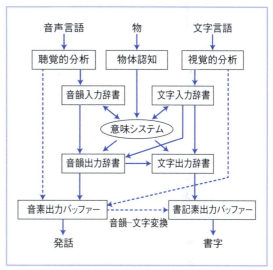

図10-1　単語の情報処理モデル
〔Patterson K, et al：Speak and spell：Dissociation and word-class effects. In Coltheart M, Sartori G, Job R（eds）：The cognitive neuropsychology of language. pp273-294, Lawrence Erlbaum Association, London, 1987に基づく〕

べる．

2　単語の情報処理モデル

　認知神経心理学の語彙処理モデルには大きく分けて2種類ある．ロゴジェン・モデル（図10-1）とニューラルネットワーク・モデルである．以下にそれぞれのモデルの概要を述べる．

(1) ロゴジェン・モデル

　ロゴジェン・モデル（モジュール型モデル，box

& arrow モデルとも呼ばれる）は，箱と矢印からなる図式で表現される系列処理モデルである．個々の箱は特定の情報処理を行う機能単位であり，モジュールと呼ばれる．モジュールで処理された情報は矢印で表される連絡路を通り，別のモジュールに伝えられる．

モデルの左半分は音声言語の処理に，右半分は文字言語の処理にかかわる．中央の意味システムは音声・文字共通に用いられ，単語の意味情報が収められている．意味システムの周辺に4つの辞書と，4つのシステム（辞書と情報をやりとりする）がある．聴覚入力辞書・音韻出力辞書には単語の音韻形式が，文字入力辞書・文字出力辞書には単語の文字形式が収められている．聴覚分析システム・視覚分析システムでは単語の聴覚的・視覚的特徴が分析され，音素出力バッファー・書記素出力バッファーでは単語の音韻列，文字列が系列化される．各システムの間を情報は矢印のように流れ，段階的・系列的に処理される．図の音声言語から意味システムに至る経路が聴覚的理解，物から意味システムを経て発話に至る経路が呼称，文字言語から意味システムに至る経路が読解，物から意味システムを経て書字に至る経路が書称，音声言語から発話に至る経路が復唱，文字言語から発話に至る経路が音読，文字言語から書字に至る経路が書き取りである．

こうした処理過程のどのレベルが障害されるかによって，語彙障害は多彩な症状を呈すると考えられる．例えば意味システムが障害されると，単語の聴覚的理解・読解・呼称・書称など意味処理を必要とするすべての課題の成績が低下する．しかし復唱・音読・書き取りは，意味システムを介さない経路が機能すれば，ある程度は保たれる．音韻出力辞書と音素出力バッファーが障害された場合，呼称・音読・復唱の各課題に共通して音韻的エラーが生じるが，単語の聴覚的理解・読解・書称は保たれる．

(2) ニューラルネットワーク・モデル

従来のロゴジェンモデルに対し，近年，コンピュータを用いて情報処理過程をシミュレートするニューラルネットワーク・モデルが開発されている．代表的なニューラルネットワーク・モデルには，並列分散処理モデルと相互活性化モデルがある．Seidenbergら[1]の**トライアングル・モデル**では，単語の処理は，文字・音韻・意味の3つの語彙レベルで表現された符号が双方向的に計算される過程によって成り立っているとされる．楕円が各語彙レベルの表象を表し，各語彙レベル内には神経細胞を模した多数の処理ユニットがある．ネットワークでは，ユニット間の信号のやりとりによって情報が処理されるが，その際，各ユニットは同時並列的に働き，情報や情報処理のための知識は多くのユニット上に分散して表現されるので，こうしたモデルは並列分散処理型のモデルと呼ばれる．

本モデル上では，単語の聴覚的理解は音韻から意味，読解は文字から意味，呼称は意味から音韻，書称は意味から文字，復唱は音韻から音韻，音読は文字から音韻，書き取りは音韻から文字へのそれぞれ変換過程と考えられる．単語も非単語も同じルートで処理される．最小限の処理システムで語彙処理を説明しようとするのが特徴である．

一方，Dellらの**単語産生の相互活性化モデル**〔図9-8（➡237頁）参照〕[2]では，意味システム・語彙システム・音素システムの3層のユニットが配列されるが，情報が意味・語彙・音素の間を双方向に流れ，各層が相互に活性化し合う構造をもつ．Martinら[3]はこのモデル上を流れる情報の重みづけや減衰率を変化させることで患者の症状や，症状の回復をコンピュータ上で再現することに成功している．単語産生の相互活性化モデルについては，9章（➡237頁）を参照のこと．

3 語彙障害の症状・評価・診断

情報処理モデルは多様化しているが，患者の症状を理解する枠組みとしてはロゴジェン・モデル

が感覚的に捉えやすい．

ロゴジェン・モデルに基づくと，語彙障害は語彙処理過程のどのレベルが障害されるかによって，多彩な症状を呈すると考えられる．評価に際しては，入力モダリティや出力様式による成績の比較や，各処理レベルの機能を反映する課題間の成績のバランス，特徴的な誤反応の分析などにより総合的に診断を行うことが必要である．語彙障害の解析に用いられる主な検査課題を表10-4 にあげた．

また，処理パフォーマンスに影響を与える語の心理言語学的変数として，語の使用頻度，心像性，親密度，文法的カテゴリー（名詞，動詞など），意味カテゴリー（生物，道具など），語彙性（単語，非単語），綴りの規則性（規則語，不規則語，一貫語，熟字訓表語形態など），獲得年齢などがあり，症状の評価に際して考慮する必要がある．

語彙障害を評価する検査バッテリーに失語症語彙検査（TLPA）と SALA 失語症検査がある（➡ 163頁）．SALA 失語症検査は，PALPA（Psycholinguistic Assessments of Language Processing in Aphasia）の日本語版である．

a 聴覚的理解の症状・評価

単語の聴覚的理解は，① 聴覚分析システムで語音が同定され，② 聴覚入力辞書で既知の単語として認知され，③ 意味システムで音韻形式に対応する意味が活性化し，④ 単語の意味が理解される，と考えられる（図10-2）．

聴覚分析システムが障害されると，語音の同定ができず，語音聾 word—sound deafness が発現する．聴覚入力辞書が障害されると，音韻の系列を単語として認知できず，語形聾 word—form deafness が発現し，聴覚入力辞書から意味システムへのアクセスが障害されると，単語とし

表 10-4 語彙障害の主な検査課題

単語の表出に関する課題	音声出力	線画の呼称（名詞） 線画の発話（動詞） 単語・非単語の復唱 単語・非単語の音読 言語的定義による呼称 環境音による呼称 触覚による呼称
	文字出力	線画の書称（名詞） 線画の自発書字（動詞） 単語・非単語の書き取り
単語の理解に関する課題	音声入力	名詞の聴覚的理解 動詞の聴覚的理解 語音異同弁別 聴覚的語彙判断 聴覚的類義語判断
	文字出力	名詞の読解 動詞の読解 文字異同弁別 視覚的語彙判断 視覚的類義語判断
その他の課題		線画の視覚的認知 線画の意味的連合

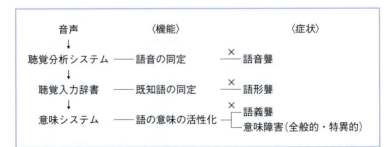

図 10-2 単語の聴覚的理解過程

〔Ellis AW, Young AW：Human cognitive neuropsychology. Lawrence Erlbaum Associates, London, 1988 を一部改変〕

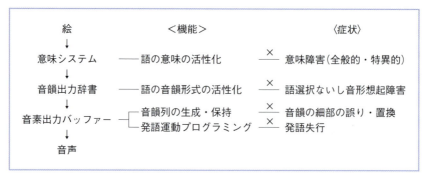

図10-3 単語の呼称過程
〔Seidenberg MS, McClelland JL：A distributed developmental model of word recognition and naming. Psychological Review 96：523-568, 1989を一部修正〕

表10-5 呼称の障害レベルと特徴的な症状

障害レベル \ 症状	語の聴覚的理解障害	意味性錯語	音韻性錯語	語の復唱障害	発語失行による音の誤り	心像性効果	頻度効果	語長効果
意味システム	＋	＋	－	－	－	＋	±	－
音韻出力辞書	－	＋	＋／－（議論あり）目標語の音断片	－	－	±	＋	－
音素出力バッファー	－	－	＋ 自己修正・接近	＋	－	－	－	＋
音素出力バッファー→音声	－	－	－	＋	＋	－	－	＋

＋：症状や効果が認められる，－：認められない

ての認知はできるが意味が理解できず，語義聾word — meaning deafnessが発現する．意味システム自体が障害されると，音声・文字ともに意味理解が障害される（意味障害）が，失語症では意味システム自体が障害されることは少ない．また，名詞と動詞のような品詞間，具象語と抽象語，名詞の意味的カテゴリー間などで，意味理解障害に特異性が生じる場合がある．

上記の各障害は，語音異同弁別，聴覚的語彙判断，聴覚的・視覚的類義語判断の各検査によって検出できる．

b 呼称の症状・評価

呼称では，まず意味システムで意味表象が活性化し，次に，音韻出力辞書で意味に対応する音韻形式が活性化され，音素出力バッファーで音韻列が生成・保持され，その後，発語運動のプログラミングを経て音声が出力される（図10-3）．

表10-5に呼称の各障害レベルとそれぞれに特徴的な症状を示した．呼称障害の解析には，症状の観察により障害モジュールの推定を行う．例えば意味システムの賦活が障害されると，語の聴覚的理解も障害され，心像性の低い語ほど呼称が困難となり（心像性効果），**意味性錯語**や**無関連錯語**が頻発する．音韻出力辞書ないしそれへのアクセスが障害されると，意味性錯語や無反応・迂言などの症状が認められ，使用頻度の低い語ほど呼称が困難となる（頻度効果）が，単語の理解や復唱は保たれる．反応の一貫性が比較的高い場合は，出力辞書自体の障害と考え，一貫性が低い場合は，

辞書へのアクセスの障害と考える．音韻出力辞書の障害で**音韻性錯語**が表出されるか否かについては議論がある（➡ Note 34）．音素出力バッファーが障害されると，呼称だけでなく音読・復唱など発話課題すべてに音韻性錯語が表れるが，音韻出力辞書レベルで音形は回収されているため，細部の誤りや置換が中心となり，音の誤りの自己修正と正しい音形への接近行為が著明に認められる．また，多音節語ほど誤りやすい（語長効果）．音素出力バッファー以降では，発語運動プログラミングの障害によって発語失行が生じる．

【意味システム（ないしアクセス）の障害の事例】

50歳，男性．脳梗塞．CTで左側頭葉皮質下と大脳基底核に損傷あり．右片麻痺と中等度の超皮質性感覚失語を認めた．発話は流暢でSLTA呼称25％，意味性・無関連性錯語と語義理解障害が著明だった．発症1か月より言語訓練を行い，4か月時には失語は軽度に回復したが，SLTA呼称85％で低頻度語の喚語困難が残存した．TLPAなどで障害レベルの検索を行ったところ，語音弁別・文字識別・音声語彙判断・文字語彙判断は良好だった．一方，名詞の理解は音声・文字ともに低心像語で誤りが認められた．類義語選択課題でも72％と語義理解の障害が認められた．カテゴリー別名詞検査の呼称70％，書称52％と低下が認められた．非単語の復唱・音読・書き取りは良好だった．本例には音声・文字に共通の理解・表出障害があり，意味システムの賦活（ないしアクセス）の障害がその原因であると考えられた．

C モダリティやカテゴリーによる特異性

感覚モダリティや語のカテゴリーに特異的な語彙障害が認められることがあり，脳内の語彙処理システムの性質を考えるうえでも，治療のうえでも重要な問題となっている．

モダリティ特異的失名詞とは，視覚・聴覚・触覚のいずれか1つの感覚モダリティでのみ認められる失名詞を指す．例えば，視覚性失名詞の場合，視覚的に提示された物品や絵の呼称が困難なのに対し，定義に対する呼称や触覚的呼称は保たれ，身振りで語に関する知識を示すこともできる．物品や絵の視覚表象から意味表象へのアクセスの障害が原因と考えられている．

カテゴリー特異性は，特定のカテゴリーに属する語の呼称や聴覚的理解が，選択的に障害または保存される現象である．通常，意味システムの特殊な障害によって生じるとされ，名詞と動詞など品詞間，具象名詞と抽象名詞，名詞の意味カテゴリー間などに乖離が生じる．名詞の意味カテゴリーでは，生物カテゴリー，人工物カテゴリー，野菜・果物のような生物のなかのより狭い範囲，色・身体部位などにおいて特異性が報告されている．その原因としては，語の意味表象における知覚的属性と機能的属性の重要性の違いの反映とする説（感覚／機能理論），語の意味がカテゴリー別に脳の異なった部位に貯蔵されているとする説（領域特異的仮説），語の意味的特徴の共有度や生起率の統計的な相関関係によって生じるとする説

Note 34. 音韻出力辞書の2段階モデルと「音韻性失名詞」

音韻出力辞書の障害で音韻性錯語が生じるかについては議論がある．従来のロゴジェン・モデルでは，音韻性錯語は伝導失語の場合のように，音韻出力辞書で語彙が選択された後，音素出力バッファーで音韻列が生成・保持される際に生じると考える．音韻出力辞書の障害で表出されるのは意味性錯語か迂言である．これに対し水田[4]は，理解や復唱の保たれた失名詞失語4例の呼称に，目標語の音形を探索するような音韻性錯語や音断片の表出などの症状が認められたと報告した．こうした音韻エラーは復唱では認められず呼称に特異的に認められたことから，辞書レベルの障害に起因すると考えられた．通常の失名詞失語とは異なりこれらの例では意味性錯語は認められず，語彙は正しく選択され，その音韻表象の活性化が障害されているものと考えられた．以上より水田は，音韻出力辞書のなかに語彙の選択と音韻表象の活性化という2つの段階を想定するLevelt[5]やButterworth[6]の2段階モデルを支持し，語の音韻的側面の選択的障害例として「音韻性失名詞」という症候概念を提起している．

（概念-構造仮説）などがある[7]．意味カテゴリー特異性は TLPA の意味カテゴリー別名詞検査で検索できる．本検査は，屋内部位，建造物，乗り物，道具，加工食品，野菜・果物，植物，動物，身体部位，色の 10 カテゴリー各 20 語，計 200 語からなり，カテゴリー間の成績の差を比較するために，課題語の親密度が統制されている[8]．

4　訓練・指導・支援

訓練においてはまず，障害された処理過程そのものの修復をはかるか，通常とは異なる処理過程を開発するかを検討する．通常の処理過程の回復をはかる機能訓練は，単語の意味情報を重視する意味的訓練（以下，**意味セラピー** semantic therapy）と，音韻情報を重視する音韻的訓練（以下，**音韻セラピー** phonological therapy）に分けられる．代償的訓練（機能再編成法）は，通常の処理過程がうまく機能しない場合に，別の処理ルートを使って言語機能の再編成をはかる方法である〔「言語治療の理論と技法」（➡ 218 頁）を参照〕．

脳血管障害の回復期には機能訓練・代償的訓練のいずれも適応があるが，慢性期には機能訓練の効果は小さく，代償的訓練の有効性が高いとされる．一般的に，訓練の初期にはまず機能訓練を一定期間行い，訓練効果が低い場合には代償的訓練を検討することが望ましい．

a 聴覚的理解障害の治療

(1) 音韻セラピー

聴覚分析システムの障害には，1 個の音素が異なる単音節ペアや単語ペアの聴覚的弁別，音節と仮名のマッチングなどの課題を行う．聴覚入力辞書の障害に対しては，単語か非単語かの聴覚的弁別なども行われるが，課題語の音韻形式と絵のマッチングをくり返し行うことが重要で，その際，選択肢の数や内容は障害の重症度に応じて調整する．

(2) 意味セラピー

意味システムの障害には，課題語の意味的キューや定義に対して絵を選択したり，課題語の文字と絵のマッチングをくり返し行う．また意味素性分析 semantic feature analysis（SFA）を行う．意味セラピーでは，仮名より漢字を用いたほうが意味処理を刺激しやすい．意味システムの障害が重度の場合は，絵のカテゴリー分類やピラミッド・アンド・パームツリー・テスト（➡ Note 35）のような意味的連合課題を行う．比較的軽度の意味処理障害で，絵に描けるような具象語（高心像語）の理解は可能でも，抽象語（低心像語）の理解に障害を示す患者がいる．こうした患者に対しては国語辞典で課題語の類義語や対義語を同定するなど，抽象語の意味理解を促す訓練が有効である．

(3) 代償的訓練（機能再編成法）

聴覚分析システムの障害が重く語音認知が改善しにくい場合，話者の口形や指文字などを手掛かりとする代償法を用いる場合がある．また，単音節や単語の聞き取りが悪くても，2～3 文節の句や短文のように情報に冗長性があれば聞き取れる場合があり，このような文脈の手掛かりを活用する方法もある．聴覚入力辞書から意味システムへのアクセス障害で文字の理解のほうが良好な患者（語義聾）では，課題語を書き取ってそれを読解する迂回経路を活用し，語の音形と意味との対応づけをする方法が有効である．

b 呼称障害の治療

(1) 意味セラピー

意味システムは単語の理解と呼称のどちらの過

> **Note 35.** ピラミッド・アンド・パームツリー・テスト pyramid and palm tree test
> 1 枚の絵（または単語）と意味的に関連のあるものを 2 枚の絵（または単語）から選択する（例；ピラミッドに対し，ヤシの木／杉）．Howard らによって意味システムの機能を評価するために作られた意味的連合検査 semantic association test の一種である．

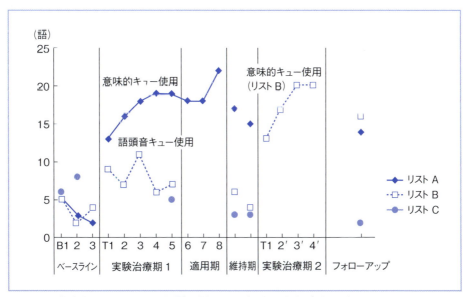

図10-4　意味的キューを用いた呼称訓練の効果（2方向治療デザイン）

程にも含まれる．このため，前述の聴覚的理解障害に対する意味セラピーの課題が，呼称過程を促進する目的でも行われる．

超皮質性感覚失語のように，復唱や音読は良好で音韻処理の障害は認められず，語義理解障害や意味性錯語といった意味処理障害を示す症状が著明な患者に対しては，課題語の意味的キューや文字を用いた理解訓練が効果的である．Boyleの「意味素性分析（SFA）」は課題語の意味的属性（カテゴリー，用途，動作，特徴，場所，連想）を想起させることで呼称を促進する訓練法である[9]．

【意味システム（ないしアクセス）の障害の事例】

前出と同一症例．課題語の意味的キュー（例：床の間に掛ける―掛け軸）を用いる理解・呼称訓練と，語頭音キュー（例：ひ―飛行船）を用いる理解・呼称訓練を行った．課題語は2回のテストで呼称できなかった語のなかからABCの各リスト25語ずつ選択し，リストAは意味的キューを用いた訓練，リストBは語頭音キューを用いた訓練を行い，リストCは非訓練語とした．単一事例実験デザインの2方向治療デザイン alternating-treatment design によって訓練効果を比較したところ，意味的キューを用いた訓練で呼称の改善が良好であった（図10-4）．

（2）音韻セラピー

音韻出力辞書ないし辞書へのアクセスの障害に対しては，課題語の復唱や音読，語頭音キューによる呼称訓練などを行う．前述の「意味素性分析」の音韻セラピー版として，課題語の音韻的特徴（ライム：同韻語，語頭音素，語頭音素の同じ単語，語尾音素，音節数）を想起させる「音韻要素分析 phonological components analysis（PCA）」という訓練法も開発され，訓練効果の比較も行われている[10, 11]．音素出力バッファーの障害に対しては，音韻列の生成過程を活性化するような書記素キューが有効である．例えば伝導失語のように自己修正を伴う音韻性錯語が著明で語長効果が認められる患者に対しては，課題語を構成する仮名文字をバラバラに提示し，正しく並べかえてから音読させるという訓練手続きが取り入れられる場合がある[12]．

（3）意味＋音韻セラピー

私たちが絵を見たり語を見聞きしたときには，ある程度自動的に語の意味表象と音韻表象が活性

化するだろう．Howard[13]は，意味セラピーで課題語の絵を見ただけでも音韻表象は活性化するし，音韻セラピーで単語を復唱しただけでも意味表象は活性化するので，意味セラピーと音韻セラピーにはこれまでいわれてきたほど本質的差はないのではないかと述べた．そして，患者の語彙障害の性質にかかわらず，最も効果を上げる訓練は，絵と音形を対提示することで語の意味表象から音韻表象へのマッピングを強化し，全体的な語回収過程を刺激する訓練であると述べた．近年，こうした見解は広く受け入れられている[14,15]．

(4) 代償的訓練（機能再編成法）

通常の呼称過程を迂回する代償的訓練としては，語の文字形式に関する知識が利用されることが多い．これは，語の音韻形式の想起が困難な患者に対し，文字形式を想起させ，それを書き取って音読させたり，あるいは想起した文字から抽出した語頭音の情報を自己キューとして喚語するなど，呼称過程を代償的に再編成する方法である．

【語の音韻形式の想起が困難だった事例】

30歳，男性，脳梗塞．CTで左側頭葉から頭頂葉に至る広範な損傷．発症2か月時，重度の流暢型失語を認め，3か月間集中的な言語訓練を行った．語音認知の障害が重篤で，語音弁別訓練を行っても重篤な語聾が残存した．呼称では語の音韻形式の想起がきわめて困難で，通常の呼称ルートを促通する機能訓練では改善しなかった．発症4か月ごろから，課題語を漢字や仮名で書称して音読しようとする自己キューがみられたため，これを利用し呼称過程を代償的に再編成する訓練を行った．3回の検査で呼称できなかった80語を，親密度と通常表記型を統制して20語ずつ，AからDの4群に分けた．Aの20語は漢字書称後音読による呼称練習を，Bは仮名書称後音読による呼称練習を，Cは文字なしで呼称訓練を行った．Dの20語は非訓練コントロールとした．訓練終了3週間後の呼称検査では，A漢字書称後音読による呼称11/20，B仮名書称後音読による呼称17/20と，ともに訓練前に比べ有意な改善が認められたが，Cの文字なし呼称は4/20と改善しなかった．AよりBの成績が良好で，呼称の迂回経路としては，漢字書称より仮名書称のほうが有効であった．仮名や漢字で書称後音読する方略が定着し，「で」と書いて「電卓」，「たはご」と書いて「煙草」，「山」と書いて「山羊」と言うなど，語全体を書けなくても語頭文字が書ければおおむね呼称が可能となった．この方略は非訓練語には般化せず，課題語と語頭文字を対にして再学習し，語頭音をセルフキューとして音韻形式を引き出していると考えられた[16]．

5 訓練般化と実用的コミュニケーション能力について

語彙訓練の効果の般化には，大きく分けて項目間般化とモダリティ間般化がある．

機能訓練の効果は訓練した単語に限られ，項目間の般化は起こりにくい，という説がある[10,15]．これは，語の意味表象と音韻表象を同時に活性化して1対1の結びつきを強めようとする訓練の性質に由来するとされる．しかし，意味表象から音韻表象へのマッピング障害に対する訓練で項目間般化が得られたという報告も多い[17]．また，意味システムにおいて項目は相互に連結していると考えられ，意味セラピーは意味システムへの刺激を体系的にくり返すことで意味へのアクセスを容易にし，その結果項目間般化が生じやすいことが知られている[11]．一方，代償的訓練では患者が代償のストラテジーを学ぶか処理過程が改善すれば，ほかの語彙項目の処理も改善する可能性がある．

モダリティ間般化は，例えば聴覚的理解の訓練によって意味システムの機能が改善すると，意味システムを利用するほかのモダリティ（読解・呼称・書称）にも改善が及んだり，音読の訓練で音素出力バッファーの機能が改善すると呼称や復唱などほかの発話モダリティにも改善が及ぶ，などの効果が期待される．

また，単語の呼称や理解の訓練によって患者の

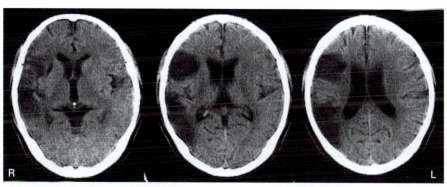

図10-5 事例の頭部CT

実用的コミュニケーション能力が改善するか，という問題もある．機能訓練に項目特異的な側面があることを考えるなら，語彙訓練の実用性を上げるために，課題語は重度の患者ほど生活関連語彙を中心に選択すべきである．代償的訓練によって獲得されたストラテジーは，例えばセルフキューとなって会話中に使えるようになる可能性がある．体系的な談話分析を行うことによって，機能障害に焦点をおいた訓練の日常場面への般化が評価できる[10, 12]．こうしたデータをもとに，より効果的な語彙訓練のあり方について，検討を重ねていくことが重要である．

6 事例

■ 基本情報

58歳男性，大学卒の会社員．利き手は書字・箸は幼時に右に矯正，それ以外は左利き．

■ 現病歴

脳梗塞にて右片麻痺・失語症を発症し保存的に加療された．発症2か月時，リハビリ目的にてA病院に入院した．入院時，神経学的には右片麻痺はほぼ改善，神経心理学的には重度の失語が認められた．その他の高次脳機能障害はなく，WAIS-R動作性IQ103．頭部CTでは前頭-側頭-頭頂葉に広範な損傷を認めた(図10-5)．

■ 失語症の症状

ウェルニッケ失語重度．発話は流暢で多弁であり，文の形式は保たれプロソディも正常だった．会話中には実質語も認められたが，音韻性錯語・新造語の頻出するジャルゴン様で，自分の氏名や職業も伝達困難であった(発話例：外国人→「ザンギョミチ」)．発話の誤りに対する自覚はうすく無反省で，音読や復唱でも音の誤りはほとんど修正できなかった．

■ 語彙障害の評価

発症2か月時，TLPAを中心に語彙障害の評価を行った．

【音声と文字の出力】名詞表出検査では，発話は，「湖」が「トガヨガトヌゲ」，「プロレス」が「プロロ，スロペロ」などと新造語になり3/40しか言えなかったのに対し，書字では「湖」，「格闘技」のように漢字を用いて書けたものが21/40あった．動詞表出検査では，発話は「(靴を)磨いている」を「ケムクトグツヲ，ステックス」など新造語となり0/40だったが，書字では「(靴を)磨いている」を「磨」，「(水が)漏れている」を「漏出」のように語幹部分を漢字で正しく書けたものが16/40あった．

【聴覚-音声系の入力】語音弁別検査28/50と語音聾が著明であったが，音声語彙判断検査は117/120で，名詞理解検査(聴理解)は37/40，動詞理解検査(聴理解)40/40と単語レベルではおおむね良好であった．音声類義語判断検査は27/40と誤りが

多かった.

【視覚-文字系の入力】文字語彙判断検査（漢字）149/160，名詞理解検査（読解）40/40，動詞理解検査（読解）40/40，文字類義語判断検査 40/40 といずれも良好であった.

【非単語の処理】非単語の復唱 0/120，非単語の音読 0/60，非単語の書き取り 0/20 といずれも困難であった.

以上の結果より症例の語彙処理障害のレベルを推定した.

ロゴジェン・モデルでは聴覚分析システム，音韻出力辞書，音素出力バッファー，書記素出力バッファーが障害されていると考えられた. 意味システムや文字入力辞書・文字出力辞書は保たれていると考えられた.

トライアングル・モデルでは，本例の障害特徴は音韻レベルの活性化の低下によると考えられた，非単語の音読では，文字レベルから音韻レベルの直接的活性化が不十分なため正しい表出に至らない. これに対し，なじみのある単語では，音韻レベルの活性化が意味レベルによって支持されて発話に必要なレベルに達した場合，正しく表出できることがあると考えられた.

相互活性化モデルでは，システムの局所的損傷ではなく，システム全般に関わる損傷で発話の誤りをシミュレートする. 本例の発話に顕著に認められる非単語エラーは，結合強度，特に語彙レベル-音韻レベル間の結合強度の弱化により，レベル間を十分な活性化が伝わらないために生じると考えられた.

まとめると，本例では音韻処理は重篤に障害されているのに対し，意味処理はよく保たれており，両機能に著しい乖離が認められた. 本例は左利き，左半球の広汎な損傷による失語であり，言語機能の特殊な側性化（音韻表象は左半球で処理され，意味表象・文字表象は右半球で処理されている）の可能性があると考えられた.

■ 語彙障害の訓練・支援

ロゴジェン・モデルに依拠し，音韻出力辞書における音韻形式の活性化を強めること，音素出力バッファーにおける音韻列生成を促進すること，聴覚分析システムにおける語音認知機能の改善をはかることをおもな目標に訓練を実施した. 呼称訓練においては，機能訓練として，音韻形式の強力な入力と出力の訓練を行った. その際，文字を併用し，かなの操作をさせることで音韻機能を刺激する音韻セラピーを行った. また代償的訓練として，漢字の書称を利用した呼称の迂回経路形成をはかった. 聴覚的理解訓練においては，語音弁別訓練，意味・語彙からのトップダウン的処理の利用を促進した.

■ 訓練支援の結果

3 か月の入院訓練と 20 か月の外来訓練を実施した後の，発症 25 か月の TLPA を中心とした語彙障害の再評価は以下のとおりである.

【音声と文字の出力】名詞表出検査では，発話は名詞 3/40（発症 2 か月）→ 27/40（発症 25 か月），動詞 0/40 → 15/40 と単語レベルではある程度改善した. 一方，書字は名詞 21/40 → 28/40，動詞 17/40 → 26/40 と当初から発話より良好だったが，かな書字障害が残存したために伸び悩んだ.

【聴覚-音声系の入力】語音弁別検査 28/50 → 41/50 と語音聾は残存した. 音声語彙判断検査は 117/120 → 120/120，名詞理解検査（聴理解）は 37/40 → 38/40，動詞理解検査（聴理解）40/40 → 40/40 と初診時から良好であった. 音声類義語判断検査は 27/40 → 32/40 と障害が残存した.

【視覚-文字系の入力】文字語彙判断検査（漢字）149/160 → 157/160，名詞・動詞理解検査（読解），文字類義語判断検査はいずれも初診時から 40/40 と良好であった.

【非単語の処理】非単語の復唱 0/120 → 17/120，非単語の音読 0/60 → 4/60，非単語の書き取り 0/20 → 2/20 と重篤な障害が残存した.

一方，単語の復唱 6/120 → 46/120，かな単語音読 4/60 → 32/60 には改善が認められた. 漢字単語音読 4/120 → 74/120 で，通常表記型・頻度・心像性による差はなく，読みの一貫性・典型性に

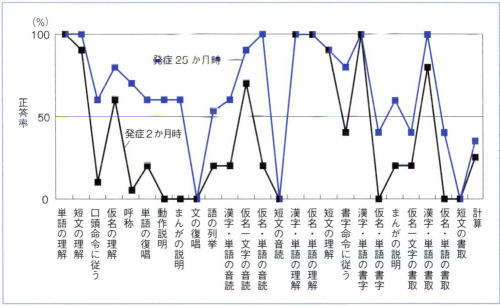

図 10-6　事例の SLTA プロフィール

よる差もなく，熟字訓もある程度読めた．かな単語書き取りは 0/20 → 4/20 と困難だったが，かな 1 文字書き取りは 0/68 → 43/60 と改善し，漢字と対にして key word にして想起する反応（例：わ：「私」→「わ」，り：「利」→「り」，げ：「芸」→「げ」）が認められた．

以上より，本例の語彙障害の訓練経過においては，かな・漢字単語の音読能力の改善を背景に，内的に書称したものを音読する迂回経路を利用して呼称過程が再編成された可能性が強いと考えられた．発症 25 か月の SLTA 発話項目では，呼称 70％，動作説明 70％，まんが説明段階 4 と改善が認められた一方，文復唱 0％，短文音読 0％などには重い障害が残存した（図 10-6）．

引用文献

1) Seidenberg MS, McClelland JL：A distributed developmental model of word recognition and naming. Psychological Review 96：523-568, 1989
2) Dell GS, Schwartz MF, Martin N, et al：Lexical access in aphasic and nonaphasic speakers. Psychological Review 104：801-838, 1997
3) Martin N, Dell GS, Saffran EM, et al：Origins of paraphasias in deep dysphasia：Testing the consequences of a decay impairment to an interactive spreading activation model of lexical retrieval. Brain Lang 47：609-660, 1994
4) 水田秀子，藤本康裕，松田実：音韻性失名詞の 4 例．神経心理学 21：207-214, 2005
5) Levelt WJM, Roelofs A, Meyer AS：A theory of lexical access in speech production. Behav Brain Sci 22：1-75, 1999
6) Butterworth B：Disorders of phonological encoding. Cognition 42：261-286, 1992
7) 加藤元一郎：カテゴリー特異的意味障害．笹沼澄子（編）：言語コミュニケーション障害の新しい視点と介入理論．pp33-56, 医学書院, 2005
8) 奥平奈保子，物井寿子：失語症語彙検査の開発—失語症患者の症状解析を中心に．失語症研究 20：234-243, 2000
9) Boyle M：Semantic feature analysis treatment for anomia in two fluent aphasia syndromes. Am J Speech Lang Pathol 13：236-249, 2004
10) Leonard C, Rochon E, Laird L：Treating naming impairments in aphasia：Findings from a phonological components analysis treatment. Aphasiology 22：923-947, 2008
11) van Hees S, Angwin A, McMahon K, et al：A comparison of semantic feature analysis and phonological components analysis for the treatment of naming impairments in aphasia. Neuropsychol Rehabil 23：102-132, 2013
12) 田中須美子：仮名文字による語の構成を用いた呼称訓練の検討—伝導失語症例に対する単一事例研究．言語聴覚研究 3：57-65, 2006
13) Howard D：Cognitive neuropsychology and aphasia therapy-The case of word retrieval. Acquired

14) Nickels L：Therapy for naming disorders：Revisiting, revising, and reviewing. Aphasiology 16：935-979, 2002
15) Raymer AM, Rothi LJG：Cognitive approaches to impairments of word comprehension and production. in Language Intervention Strategies in Aphasia and Related Neurogenic Communication Disorders, 4th ed. pp524-550, 2001
16) 奥平奈保子：語彙障害の解析から治療へ．高次脳機能研究 24：221-231，2004
17) Robson J, Marshall J, Pring T, et al：Phonological naming therapy in jargon aphasia：Positive but paradoxical results. J Int Neuropsychol Soc 4：675-686, 1998

表10-6 意味役割（主題役割）

動作主（agent）	意思をもって動作を行う主体
経験者（experiencer）	感情や心的状態を経験する者
主題／対象（object）	動作の影響を受ける物・人，変化するもの，ある状態にある物・人
起点（source）	移動の出発点
着点（goal）	移動の着点
道具（instrument）	動作を行うための道具
原因（cause）	感情や動作を引き起こす原因
受益者（beneficiary）	動作によって恩恵を受ける者．授受関係における受益者．

B 構文訓練

　私たちはメッセージを伝えるとき，主に文を使用する．例えば友人に旅行中の出来事を話す場面を想像してみよう．おそらく単語では正確な情報を伝えることができず，文を使用するであろう．特に意識することもなく私たちは文を話しているが，これが可能なのは文を処理するシステムを脳に備えているからである．脳病変によってこのシステムが損傷されると，文が理解できない，産出できないといった統語機能障害が生じる．

　文の産生，理解障害は失語症においてよくみられる症状であり，構文訓練を必要とする者は多い．構文訓練は，文の組み立てと文の意味解読にアプローチする訓練をいう．本項では，最初に構文訓練の基礎となる概念を説明し，次に評価・訓練法について説明する．

1 文の仕組み

　文は，語を単に結合しただけでは作ることができない．文を作るには，文を構成する要素（構成素）を一定の規則に従って構造化することが必要である．ここでは，「太郎が猫を抱いている」を例として，文の仕組みをみていくことにする．

　文 sentence を構成する最小の要素は，名詞，述語（動詞，形容詞など），格助詞，助動詞（時制辞など）などである．文をよく見ると，いくつかのカタマリがあることがわかる．そのひとつは**句** phrase であり，句は1語またはそれ以上の語からなるカタマリである．例文では，「太郎が」は名詞句，「猫を抱いている」は動詞句というカタマリをなしている．さらに「猫を抱いている」という動詞句は，名詞句「猫を」，動詞「抱く」に分解することができる．句のほかに，**節**というカタマリも存在する．例えば，「母が作った弁当は評判がよい」という文では，句が集まって〔母が作った〕という節を構成し，これが文中に埋め込まれている．このように，語がまとまって句ができ，句がまとまって節や大きな句ができ，これらは階層構造をなしている．このような文の構造を**統語構造（句構造）**という．

　文の組み立てをそれが表現する意味から見ると，述語とそれが要求する**項** argument が基本となって構成されている．項とは，述語が意味を完結するために要求する要素である．例文では，「太郎が」と「猫を」が項である．述語と項は意味的な関係を結んでおり，項が述語に対してもっている意味関係を，**意味役割**または**主題役割**と呼ぶ．意味役割（主題役割）には動作主，対象，着点などがあり，例文では，「太郎が」は〔動作主〕，「猫を」は〔対象〕である．表10-6に代表的な意味役割

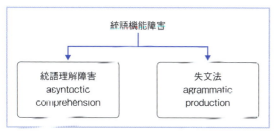

図10-7　統語機能障害の種類

（主題役割）をあげた．

　すべての述語は，何個の項をとるか，またそれぞれの項との間にどのような意味関係を結ぶかに関する情報をもっており，これは**述語-項構造** predicate-argument structure と呼ばれる．項を1個とる述語は1項述語，2個とる述語は2項述語，3個要求する述語は3項述語という．

　　1項述語　走る　＜<u>動作主</u>＞
　　2項述語　書く　＜<u>動作主</u>　対象＞
　　3項述語　渡す　＜<u>動作主</u>　着点　対象＞

　下線を引いた項は，主語と対応付けられる．主語や目的語は文中での機能を表す用語であり，**文法関係**と呼ばれる．日本語では名詞句が**格助詞**と結合して文法関係を表す．したがって，項の意味役割（主題役割）が特定できると文法関係も決まり，統語構造と結びつけることができる[1]．

2　統語機能障害の基本概念と症状

　失語症の統語機能障害は，しばしば**失文法** agrammatism と呼ばれるが，この用語は主として産生面の障害に対して用いられる．一方，理解面の障害に対しては，**統語理解障害** asyntactic comprehension/syntactic comprehension deficits という用語が使用される（図10-7）．

　失文法は主にブローカ失語および全失語からの回復期の患者に認められる．また一部ではあるが，流暢性失語のなかにも統語機能が低下している者が存在する．

a　文の産生障害のみかた

1）各言語に共通した失文法症状

　20世紀初頭，Kleist[2]は文の産生障害を**失文法** agrammatism と**錯文法** paragrammatism に分類している．そして，失文法は左前頭葉病変で生じ，その特徴は語配列の単純化と粗略化にあり，錯文法は左側頭葉病変で生じ，文の表現法の誤った選択を特徴とする，と述べている．当時は，失文法の発生機序として，表現能力に制限がある者が示す経済的文体 economy of effort などが想定されていた．しかし20世紀後半になると，ブローカ失語は文の産生障害だけでなく統語理解も障害されることが明らかとなり[3]，失文法は統語機能の障害とみなされるようになった．

　失文法には各言語に共通した症状と言語によって異なる症状が存在する．日本語を含む14か国言語の失文法を分析した Menn, Obler の研究[4]は，各言語に共通する主要症状として次の点をあげている．①統語構造が単純化する，②文法的形態素が省略または誤用される（拘束文法形態素は省略より置換が多く，自由文法形態素は省略される），③動詞は省略されることが多い，④基本語順は保存され，この語順に依拠して文を発話する（➡ Note 36）．

2）日本語の失文法症状

　日本語の失文法症状について，症例を通して見

> **Note 36. 文法的形態素**
> 　文法形態素は，文法的役割をもつ形態素であり，拘束文法形態素 bound grammatical morpheme と自由文法形態素 free grammatical morpheme に分けられる．拘束文法形態素は，単独で語になることができない要素であり，日本語では時制時［—た］・［—る］，英語では過去時制の［—ed］や3人称単数現在の［s］などが該当する．自由文法形態素は，単独で語となる要素であり，日本語では格助詞，英語では前置詞などがこれにあたる．

失文法例 A (39 歳男性　右利き)
脳梗塞でブローカ失語発症．発話は非流暢で発語失行を呈した．喚語困難は言語訓練開始から 11 か月で軽度まで回復したが (SLTA 呼称 16/20)，失文法症状が前景に出てきた．文の理解 (聴覚・視覚) については非可逆文は理解できるが，可逆文が理解できない．X 線 CT にて左下前頭回，下頭頂小葉皮質・皮質下白質，上側頭回の一部に低吸収域を認めた．
SLTA まんが説明 (発症 11 か月後)

男・・・杖・・・
風・・・帽子・・・ンー
杖・・・エート・・風・・・帽子・・・シロッテ

失文法例 B (44 歳男性　右利き)
脳梗塞でブローカ失語発症．発話は非流暢で発語失行を呈した．喚語困難は早期に回復したが (SLTA 呼称 15/20)，失文法症状が前景に出てきた．聴覚的理解では非可逆文は理解できるが，可逆文が理解できない．X 線 CT にて左下前頭回，被殻，島，上側頭回の一部に低吸収域を認めた
SLTA まんが説明 (発症 39 か月後)

散歩・・・する
帽子を　ピューと　飛んだ
帽子が・・・帽子が・・・
帽子が　が　帽子が　待ってくれと・・はしれ，はし　走る
海を・・海を・・みす・・水を・・帽子・・・水を・・・

図 10-8　失文法発話

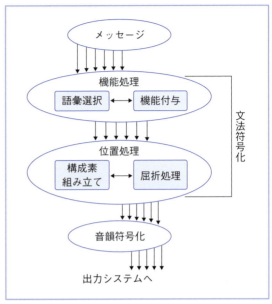

図 10-9　文の産生モデル
〔Bock K, Levelt W：Language production：grammatical encoding. In Gernsbacher MA (ed)：Handbook of psycholinguistics. Academic Press, San Diego, 1994 より〕

てみよう．図 10-8 の症例 A と B の発話は，断片的で文として構造化されておらず，単語または句の羅列が多い．症例 A は，典型的な電文体発話をしている．症例 B は，「帽子を　ピューと飛んだ」のような文が発話されているが，構造は単純で短い．症例 A と B ともに，動詞の脱落を認め，助動詞の使用は制限されている．格助詞については，症例 A はすべて省略しているが，症例 B には省略と誤用が認められる．

症例の発話が示すように，日本語の失文法の主要な特徴として下記の点をあげることができる．
① 動詞が省略される．一部，誤用や名詞化もある．
② 統語構造が単純である．重度の場合，発話は断片的で単語の羅列となる．中等度以上になると，句または短い単純な文が発話される．
③ 格助詞が省略される．一部，誤用もある．

④ 助動詞〔受動 (られる)，使役 (させる) など〕の使用が制限される．

錯文法については，症例報告が少なく，障害特徴の詳細は十分明らかになっていない．日本語の錯文法に先駆的に注目した井村[5]は，その症状として格助詞や助動詞の誤用をあげている．しかし，近年の研究によって，失文法も文法的形態素の誤用を呈することが明らかになり，文法的形態素を誤用するか，省略するかという点から錯文法と失文法を区別することに疑問がもたれている．

3) 文の産生障害の発生メカニズム

(1) 文の産生プロセス

一人ひとりの失語症者に最適の構文訓練法を提供するには，症状の特徴を把握するだけでなく，その症状が文産生プロセスのどのような障害によって生じているかを理解する必要がある．

文産生プロセスについては，研究者間でかなりの意見の一致があり，失語症臨床でよく用いられるのは，図 10-9 に示した Bock, Levelt の文産生

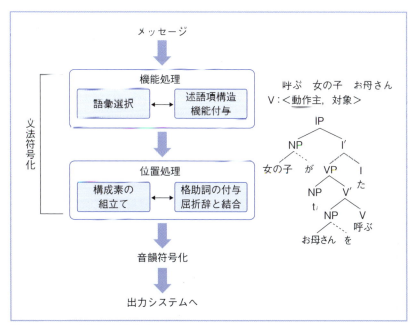

図10-10　日本語の文産生プロセス

モデル[6]である．このモデルは，言い誤り研究の結果に基づいて構築されたGarrett[7]のモデルを踏襲しており，文産生プロセスにメッセージ，機能処理，位置処理，音韻的符号化のレベルを設けている．メッセージレベルは非言語学的レベルであり，機能処理レベルと位置処理レベルにおいて文法符号化が行われる．

Bock & Leveltのモデルに基づくと，日本語の文産生プロセス（図10-10）は次のように考えることができる．例文として「女の子がお母さんを呼んだ」を取り上げる．文を話そうとするとき，まずメッセージ（概念）が生成される．次に，機能処理レベルで概念に対応した語「呼ぶ」，「女の子」，「お母さん」が選択される．このうち動詞「呼ぶ」は，次のような項構造情報をもっている．

　　　呼ぶ：＜動作主＞，対象

この情報をもとに「女の子」は[動作主]，「お母さん」は[対象]といった意味役割（主題役割）が特定され，「女の子」は主語，「お母さん」は目的語といった文法関係も決まる．

位置処理レベルでは，これらが配列されて統語構造が構築される．さらに名詞句に格助詞が付与され，動詞「呼ぶ」と時制辞「―た」が結合される．なお，受動文や関係節文などを産生するときは，構成素の移動movementが行われる．その後，音韻的符号化と発語運動プログラムを経て文は発話される．

(2) 失文法の発症メカニズム

失文法は，文法符号化過程のどのレベルが障害されても生じる可能性がある．機能処理レベルにおいて，動詞へのアクセスが困難な場合は**動詞が脱落**するであろう．動詞の項構造が喚起されないと，名詞の意味役割（主題役割）や文法関係が特定できず，発話は**断片的で語の羅列**となり（例：「電車・・・奥さん・・アノー」），**格助詞も省略・誤用**されてしまう．

位置処理レベルで，構成素を組立てる機能が低下すると，**統語構造の単純化**が生じる．また基本語順文（主語―目的語―動詞）でない文や移動操作を伴う文（受動文や関係節文など）は産生が困難となる．さらに格助詞の付与機能が低下していると，**格助詞の省略や誤用**がこのレベルでも生じる．

文の誤りがどのレベルで生じているかを考えるうえで，注意しなくてはならないのは，同じ誤りが異なるレベルで生じうることである．例えば格助詞の誤りは，機能処理と位置処理のどちらのレベルでも生じる可能性がある．また前のレベルが障害されると，その障害は後のレベルに影響する．例えば，機能処理レベルで動詞の項構造が喚起されないと，位置処理レベルで文の構造化や格助詞の付与ができなくなる．

失文法でよく認められるのは，**マッピング障害**であり，この障害に対しマッピング・セラピー（➡283頁）が考案されている．マッピング障害は，意味役割（主題役割）に文法関係をマッピング（写像）することが困難な状態である[8,9]．日本語では格助詞が文法関係を表すので，マッピング障害は意味役割（主題役割）に適切な格助詞すなわち文法関係を付与できない状態といえる．なお，動詞の項構造が喚起されないことも，広い意味でのマッピング障害に含まれる．

b 文の理解障害のみかた

文の理解には統語機能のほかに語彙や音韻などの機能が関係するが，統語機能の低下によるものを**統語理解障害**と呼ぶ．統語理解障害は，ブローカ失語だけでなく，ウェルニッケ失語など後方言語野病変でも生じる．Caplan[10]は，統語理解にかかわる領域として左下前頭回，上側頭回，角回，縁上回をあげ，統語理解障害はこれらの領域に病変がある失語症者の90％以上に認めると述べている．

1）統語理解障害の症状

日本語における統語理解障害の主要な症状は，**格助詞の解読の誤り**である．これは日本語だけに認められる症状であるが，下記のような各言語に共通する症状も存在する．各言語に共通した症状が認められるのは，意味的可逆性，基本語順性，統語構造の複雑性といった要因が，人間の文理解に関与するからである．

①可逆文は非可逆文より理解が困難である（意味的可逆性）
②基本語順でない文は基本語順の文より理解が困難である（基本語順性）日本語の基本語順は，〔主語−目的語−述語〕とされる．
③統語構造が複雑な文は単純な文より理解が困難である（統語構造の複雑性）．

2）統語理解障害の発症メカニズムと理解方略

（1）統語理解障害の発症メカニズム

文を理解するプロセスには，統語構造を解析する過程と，文の意味を解釈する過程が存在する．前者においては文の構造が解析され，後者では格助詞から文法関係（主語，目的語）と意味役割（主題役割）が解読される．後者はマッピング操作であり，**マッピング障害**は理解面でも生じる．例えば，「男の子が女の子を呼んだ」という文を理解するには，格助詞を手掛かりとして「男の子が」は主語で動作主，「女の子を」は目的語で対象であることを解読しなければならないが，マッピング障害ではこの過程が障害される．マッピング障害は各言語に共通して認められ，日本語では格助詞の解読障害として現れる．

失語症者のなかには，統語構造が単純な文の格助詞は解読できても，構造が複雑な文の格助詞は理解できない者が存在する．例えば，能動文「男の子が女の子を呼んだ」は理解できても，受動文「女の子が男の子に呼ばれた」は理解できない，または単文「少年がお母さんに謝った」は理解できても，関係節文「窓ガラスを割った少年がお母さんに謝った」が理解できない者が存在する．理解が低下するのは，いずれも統語構造が複雑で，各詞句の移動操作を必要とする文である[11]．このように，格助詞の理解には統語構造の複雑性も関係する．

失語症の統語理解障害は，文の理解プロセスのどのレベルが障害されても生じる可能性がある．なかでもマッピング障害は失語症者によく認められる症状である．

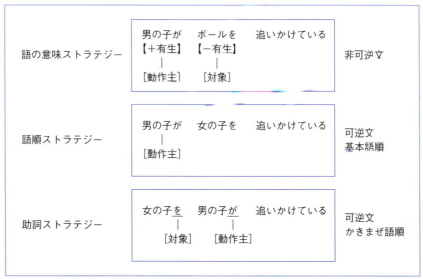

図 10-11　文の理解ストラテジー

(2) 文の理解ストラテジー

失語症者は，格助詞が解読できず，文法関係と主題役割（意味役割）のマッピングができないとき，残存機能を利用して文の意味を解釈しようとする．その1つが**語の意味的制約** semantic constraint を手掛かりとした理解であり，もう1つは**基本語順性** canonical word order に依拠した理解である．これらは障害への適応方略であり，日本語以外の言語でも広く認められる．

意味的制約に基づく文の理解について考えてみよう（図 10-11）．失語症者のなかには，「男の子がボールを追いかけている」という非可逆文は理解できても，「男の子が女の子を追いかけている」という可逆文が理解できない者が存在する．このような症状がみられるのは，動詞「追いかける」と結合する［動作主］は有生名詞でなければならないといった意味的制約が働くからである．この制約に従うと，非可逆文において［動作主］になりうるのは生物名詞の「男の子」のみであり，格助詞を解読しなくても「男の子が」が［動作主］，「ボールを」は［対象］と解釈することができる．このように格助詞を解読しないで，語の意味的制約に依拠して文を理解する方略を**語の意味ストラテジー**と呼ぶ．一方，可逆文は「男の子」と「女の子」の両方が生物名詞であるため，語の意味ストラテジーによって意味役割（主題役割）を解釈することができない．

次に，可逆文の理解を見てみよう．図 10-11 の「男の子が女の子を追いかけている」と「女の子を男の子が追いかけている」はどちらも可逆文であるが，前者は基本語順，後者はかきまぜ語順となっている．失語症では，基本語順文は理解できるが，かきまぜ語順文が理解できない者が多数存在する．このような症状がみられるのは，文頭の名詞句に［動作主］の意味役割（または主語）を付与する方略が存在するからである．この方略は**語順ストラテジー**と呼ばれ，日本語以外でも認められる．格助詞が解読できない場合，失語症者は可逆文を語順ストラテジーによって解釈する．このストラテジーに依拠して可逆文を理解する場合，基本語順文は文頭名詞句が［動作主］（主語）なので正しく解釈されるが，かきまぜ語順文は文頭名詞句が［対象］（目的語）なので，逆の意味（女の子が男の子を追いかける）に誤って解釈されてしまう．

可逆文のかきまぜ語順を理解するには，正規のルートで格助詞を解読することが必要である．格

助詞を解読して文を理解する方略は，**助詞ストラテジー**と呼ばれる．失語症者が格助詞を解読できるかどうかを調べるには，かきまぜ語順の可逆文を使用することが必須であり，非可逆文や可逆文の基本語順を使用して評価することはできない（➡ Note 37）．

統語理解障害がある失語症者にとって，最も理解が容易なのは語の意味ストラテジーで解釈できる非可逆文であり，次に語順ストラテジーで解釈できる基本語順の可逆文である．最も困難なのは格助詞の解読を必要とするかきまぜ語順の可逆文である．

3種の理解ストラテジーは**階層性**をなしており，上位のストラテジーで文を理解できる場合，下位のストラテジーによっても文を理解できる．また失語症者の構文理解は語の意味ストラテジー，語順ストラテジー，助詞ストラテジーの順に回復し，崩壊は逆の順序をたどる．

3）統語理解とワーキングメモリ

文の理解を理解する過程では，次々と入力される言語系列を保持しつつ構造や要素間の関係を分析しなければならない．このような過程にワーキングメモリが関係するのではないかということは誰もが思いつくが，この関係はそう単純ではない．

ワーキングメモリは情報を一時的に保持しつつ，それに操作を加える認知システムである．このシステムには，注意を制御する中央実行系と下位部門として音韻ループ，視空間スケッチパッド，エピソードバッファーが存在する[12]．このうち，音韻ループは，音響的な情報を一時的に保持する機能を担い，その容量は**音韻性 STM** phonological short term memory と呼ばれる．通常，音韻性 STM は非語系列や数字系列の復唱によって測定される．

失語症者の統語理解障害と音韻性 STM 低下との関連性について，多くの研究が行われてきたが，まだ一定の結論は出ていない．いくつかの研究は，音韻性 STM の低下が統語理解障害に関連することを認めている[13,14]．

この一方で，1980年代後半から，音韻性 STM が低下していても，複雑な文が理解できることを示す研究が次々と発表されるようになった．例えば，Waters ら[15]は STM が2〜3単位に低下していても，多様な文を理解できた症例を報告している．

このように，統語理解と音韻性 STM の関係は複雑であり，現在もさまざまな観点から研究が続けられてる．

C 統語機能の神経学的基盤

文の産生障害はブローカ失語に認められるが，失文法を呈さないブローカ失語も存在する．近年の非流暢／失文法型進行性失語に関する研究は，失文法にブローカ野病変が関与することを示唆しているが[16]，まだ文の産生障害にかかわる脳領域の全貌は十分明らかになっていない．

統語機能の神経学的基盤の解明は，これまで，主として文の理解障害を対象として進められてきた．Dronkers ら[17]は，ブローカ領域の病変のみでは統語理解障害は発現せず，側頭葉病変を合併すると統語理解障害が生じると述べている．そして文の理解に関与する領域として中側頭回後部，上側頭回前部，上側頭溝後部・角回，前頭葉下部（BA47・46）をあげ，これらの領域が構造的，機能的に神経結合することを示している[18]．

Tyler ら[19]は，可逆文の理解に関連する領域を失語症者の病巣解析と健常者の脳賦活実験によっ

Note 37. 非可逆文と可逆文

非可逆文は文中の名詞を交替すると意味が成立しない文である．例えば，非可逆文「男の子がボールを追いかける」の名詞を交替すると，「ボールが男の子を追いかける」となり，意味が成立しない．これに対し，可逆文は文中の名詞を交替しても意味が成立する文である．例えば，可逆文「男の子が女の子を追いかける」では，「女の子が男の子を追いかける」と名詞を交替しても意味が成立する．

て調べ，左下前頭回，中側頭回後部，角回・縁上回が統語処理に関係すると述べている．また述語の項構造の処理に角回・縁上回が関係することを示した研究も存在する[20]．

以上のように，文の理解に関係する領域として左大脳半球の前頭葉下部，上・中側頭回，角回・縁上回などがあがっており，現在のところ，文の理解は，これらの領域を含む広範囲な神経ネットワークによって支えられると考えられている．

表 10-7 談話産生における統語機能の評価項目

構造	a. 文発話率（文数／発話数） b. 適正文率（適正文数／文数） c. 平均発話長（MLU）（語数／発話数） d. 従属節率（従属節数／主節数）
形態素	e. 名詞と動詞の比率（名詞数／動詞数） f. 機能語と実質語の比率（機能語数／内容語数） g. 格助詞の脱落率（脱落格助詞数／必須格助詞数），誤用率（誤用格助詞数／必須格助詞数） h. 移動を伴う助動詞の発話率（助動詞数／動詞数）

MLU：mean length of utterance.

3 統語機能の評価

統語機能の評価は，談話と検査によって行う．文の理解と産生は必ずしも並行して障害されるわけではなく，理解障害が軽度であっても，文の発話が重度に障害されることがある．よって，評価は理解と産生について実施しその差を把握する．また聴覚的理解と読解の差，発話と書字の差を把握することも重要である．

a 文の産生面の評価

1) 談話における統語機能の評価

談話において統語機能を評価する場合は，よく知っている物語の発話や情景画の説明などを使用する．発話データは，最初に課題に関係しないコメント，つなぎ言葉，言い直しなどを取り除き，次にデータを発話 utterance 単位に区切る．発話単位の区切りは文形式，意味的まとまり，発話間の間（ポーズ）やイントネーションなどを手掛かりとする．

談話における統語機能の評価は，文の構造と形態素について行う．**主要な評価項目**を表 10-7 にあげた．構造については，まず文の発話率を調べる．文は，述語と 1 個以上の句を含むとされる．次に，文法的に正しい文（適正文）の比率と平均発話長（MLU）を把握する．さらに文構造の複雑性について，主節に対し何個の従属節が付加されているか（従属節率）を計測する．

形態素については，まず動詞と名詞の比率を調べる．次に機能語と内容語の比率を把握する．機能語は格助詞や助動詞のように統語的関係を表す語であり，内容語は名詞，動詞，形容詞のように語彙的意味をもつ語である．格助詞については，脱落率と誤用率を調べるが，誤用は動詞が発話されている場合に評価できる．また受動や使役の助動詞のように移動を伴う助動詞の発話率についても調べる．

評価においては同年齢の健常者データと比較することが必要である．統語機能障害がある者は健常者より格助詞の脱落率・誤用率と名詞と動詞の比率が上昇し，ほかの項目は低下している．

2) 検査による統語機能の評価

産生面の統語機能および関連機能の評価には，下記の検査が使用できる．

- **新版失語症構文検査（Syntactic Processing Test of Aphasia-Revised；R-STA）**[21]：本検査は，失語症者の統語機能を客観的に評価し，構文訓練の手がかりを得ることを目的としている．産生では，可逆性，基本語順性，主題役割数，補文（移動操作）の有無，格助詞の種類が異なる 15 文型が用意されており，どのような構造の文が産生できるかを明らかにすることができる．

この検査では，産生可能な文構造を把握するだけでなく，誤りの特徴を調べることが重要で

ある．誤りは，文の構造，格助詞，動詞，助動詞を中心に調べる．文構造は，断片的発話，語順の逸脱，構造が複雑な文(受動文など)の構成困難などに注意する．格助詞の誤りは，どのような種類の格助詞を誤るか，可逆文で逆エラーが生じていないかを調べる．動詞の脱落，項の欠損，助動詞の使用などにも注意する．

- **名詞・動詞検査**：「失語症語彙検査(Test of Lexical Processing in Aphasia；TLPA)」[22]のなかにある「名詞・動詞検査」で，品詞の差を調べることができる．
- **音韻性STM検査**：ワーキングメモリースパンを測定する検査として，リーディングスパンテストやWAIS-Ⅳの語音整列課題が存在するが，これらは言語的負荷が高く，失語症者への適用には限界がある．一般的には，音韻性STMを数唱や非語復唱によって調べる．

b 文の理解面の評価

1) 談話における統語機能の評価

談話では，文の意味を文脈から推測することができるので，文レベルの理解を談話によって評価することは難しい．談話中の文理解を調べるには，話題を変えるときに複雑度の異なる文を挿入するといった工夫が必要である．

2) 検査による統語機能の評価

統語理解は，R-STAによって評価できる．
本検査では，格助詞の解読が障害されているかどうか，障害されている場合どのような理解ストラテジーに依拠して文を理解しているかを把握することができる．また本検査は聴覚的理解と読解を用意しており，両者の差も調べることができる．
理解ストラテジーのレベルは，次のとおりである．
レベルⅠ：語の意味ストラテジー(非可逆文のみ理解できる)，レベルⅡ：語順ストラテジー(基本語順の可逆文が理解できる)，レベルⅢ：助詞ストラテジー(能動形について，かきまぜ語順の可逆文が理解できる)，レベルⅣ　助詞ストラテジー(受動形について，かきまぜ語順の可逆文が理解できる)．

構文理解がどのレベルにあるかを明らかにすることにより，構文訓練の開始点と目標点を把握することができる．

4　統語機能の訓練

構文訓練の目的は，文の理解・産生力を最大限に回復し，メッセージの伝達力を向上させることにある．訓練では機能と活動の両面に対処する．機能訓練では，統語処理にアプローチし，会話場面への般化をめざす．活動訓練では，現在の能力で効率的にメッセージが伝達できるようになることをめざす．機能訓練と活動訓練は並行して実施する．

a 文の機能訓練

文の機能訓練の原則は下記のとおりである．
①脳内の文処理過程を刺激し，反応を引き出す．
②文の導入順序を考慮し，理解と産生を段階的に回復させる．
③障害された機能を保存された機能で補う．
④理解から産生へと訓練を進める．
⑤構造が同じ文および会話場面への般化をめざす

1) 訓練の適応

構文訓練の適応があるのは，文の理解・産生が困難な失語症者である．理解障害は左シルヴィウス裂周辺に病巣がある失語症者に認める．産生障害はブローカ失語および全失語からの回復期の患者に認めることが多い．また一部の流暢性失語も対象となる．

構文訓練を開始するには，単語の理解と産生がある程度，可能なことが必要である．その目安として，理解訓練はSLTAのような総合的失語症検査の物品名の理解がほぼ可能であること，産生

表10-8 文の導入に関与する要因と基本的順序

要因	導入順序
可逆性	非可逆文 → 可逆文
基本語順性	基本語順 → かきまぜ語順
項・意味役割(主題役割)の数	少ない → 多い
統語構造	単純 → 複雑

訓練は物品名の呼称が30％程度可能なことが考えられる．

2) 文の導入順序

文の理解・産生力を段階的に回復させるには，訓練に取り上げる文の導入順序を考慮することが重要である．文の導入に関与する要因と基本的順序を表10-8に示した．

(1) 産生訓練における文導入

産生訓練で文を導入する順序は，非可逆文→可逆文→構造が複雑な可逆文(移動操作がある受動文，関係節文など)，である．可逆性については非可逆文から可逆文へ，語順については基本語順からかきまぜ語順へ，項・意味役割(主題役割)の数は少ない文から多い文へ，統語構造は単純な構造から複雑な構造(受動文や関係節文など)へと進む．産生面ではかきまぜ語順の発話を可能にする必要はなく，可逆文も基本語順のみ取り上げればよい．

(2) 理解訓練における文導入

理解訓練の文導入順序は，かきまぜ語順の可逆文を取り上げる点が産生訓練と異なっている．格助詞が解読できるようになるには，可逆文・かきまぜ語順を取り上げることが不可欠である．理解訓練における文導入順序は，非可逆文→基本語順の可逆文→かきまぜ語順の可逆文(基本語順とミックスして提示)，となる．かきまぜ語順文はそれのみを提示するのではなく，基本語順とミックスして提示する．このようにしないと，格助詞の解読につながらないことがあるので注意する．

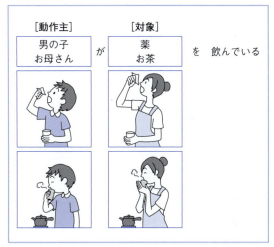

図10-12 非可逆文の課題文作成

3) 課題文と絵の作成

文タイプが決まると，実際に訓練で使用する課題文とそれに対応した絵を作成する．課題文は，基本文と応用文から構成される．

(1) 基本文

基本文は，意味役割(主題役割)が確実に処理されるよう，各意味役割(主題役割)に2種類の名詞を用意して作成する．非可逆文と可逆文では，文セットの構成が異なるので，具体的に作成方法を説明する．なお各タイプの文について，少なくとも5セットを作成する．

- **非可逆文のセット**：「［動作主］が［対象］を飲んでいる」という文タイプを訓練する場合，図10-12のように［動作主］に「男の子」・「お母さん」，［対象］に「薬」・「お茶」の2種類の名詞を用

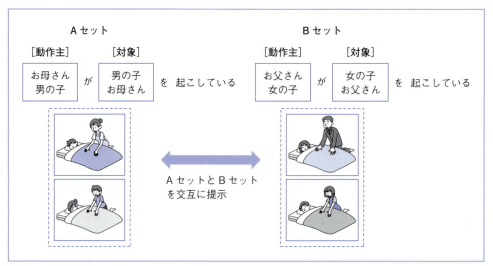

図 10-13　可逆文の課題文作成

意して4文を作成する(図 10-12)．
- **可逆文のセット**：可逆文では，逆関係にある2文が1セットとなり，1個の動詞について2セットを作成する(図 10-13)．例えば，「起こしている」という動詞を取り上げた場合，Aセットとして「お母さんが男の子を起こしている」と「男の子がお母さんを起こしている」のペア，Bセットとして「お父さんが女の子を起こしている」と「女の子がお父さんを起こしている」のペアを作成する．

(2) 応用文

応用文の訓練は，基本文を会話で使用できるよう，日常生活への般化をめざすものである．主として産生面について実施する．

訓練に取り上げた文タイプについて，基本文が5セット程度産生できるようになってから，その文タイプの応用文へと進む．応用文は文タイプが同じであれば名詞や動詞が文ごとに異なってよい．留意すべきは，患者にとって親密度が高く，実用的な文を取り上げることである．「お母さんが薬を飲んでいる」の応用文としては，「お母さんが洗濯物を干している」，「子どもがスマホを見ている」などが考えられる．応用文は，各文タイプについて30文程度用意する．

4) 機能訓練法

訓練法は，患者の障害特徴に合わせて選択する．ここでは代表的な機能訓練法として，文刺激法，マッピング・セラピー，文の構造化訓練，動詞訓練を取り上げる．

(1) 文刺激法(文と絵のマッチング法)

文刺激法は，文の処理過程全体を刺激し，文の理解または産生の回復をめざす訓練法である．理解と産生の両方が障害されている場合，文理解が可能となってから，文産生訓練に移る．この訓練法は，障害が重度～軽度の者まで幅広く適用できる．

- **文の理解訓練**：文を聴覚提示し，対応する絵を選択してもらう．復唱が可能な場合は，復唱も実施する．音声刺激のみで正反応が得られない場合は，文字刺激を併用する．

　文型は，「(2)文の導入順序」で述べたように非可逆文から可逆文へと段階的に導入する．非可逆文の場合，課題文は図 10-12 に示すように作成するが，これらの文は課題文であると同時に選択肢でもある．可逆文の場合，図 10-13 に示すように，逆関係にある2文を1セットとし，選択肢としても使用する．AセットとB

セットを合わせて選択肢を4枚にすると非常に困難度が上がるので，必ず選択肢の絵は逆関係にある2枚に限定する．AセットとBセットは交互に提示し，選択してもらう．
- **文の産生訓練**：産生訓練の手続きは，〔文を音声提示-絵の選択-文の復唱-文の発話〕を基本とする．発話が困難な場合，文字カードを用意し，〔文字と音声で文を提示-文字カードによる文の構成-文の音読-文の発話〕を行う．この過程のうち，〔文を音声提示-絵の選択-文の復唱〕は文理解の訓練ではなく，文発話を引き出すための手続きである．この過程を強化すると発話が促進される．文の刺激訓練において，絵の選択後の文の復唱や音読を抑制すると，発話への般化が起こりにくい[23]．

文の発話は，〔文を音声提示-絵の選択-文の復唱〕の過程が90％程度可能となってから引き出すようにする．

(2) マッピング・セラピー

マッピング・セラピーは，Schwartsら[24]によって考案された訓練法であり，文法関係（日本語では格助詞が示す）に意味役割（主題役割）を対応付ける機能（マッピング機能）の回復をめざす．日本語では，主語や目的語以外の名詞句の意味役割（道具，原因，起点など）も格助詞が表すので，マッピング・セラピーは格助詞全般の理解・産生にアプローチする訓練法といえる．訓練の適応は，障害が中等度以上の者である．適応が高いのは，産生では格助詞の省略・誤用が認められる者，理解では格助詞の解読が困難で可逆文・かきまぜ語順の理解が低下している者である．

マッピング・セラピーはメタ言語認知を利用した訓練法であるため手続きがやや複雑であり，患者によっては取り組みにくいことがある．またマッピング・セラピーは格助詞だけに焦点を当てた訓練法であるが，失語症者の統語理解障害は文理解過程のどのレベルが障害されても生じうる．したがって，上記のような症状を認めた場合も，すぐにマッピング・セラピーを選択するのではなく，まずは文処理過程全体の賦活を目ざす文の刺激訓練を試みる．文の刺激訓練で回復の徴候を認めない場合に，マッピング・セラピーを選択するとよい．

マッピング・セラピーは，文の理解面と産生面の回復をめざす．対象となる文タイプは，理解では可逆文，産生では非可逆文と可逆文である．マッピング・セラピーの手続きはいろいろ考案されているが，基本はwh質問を使用して文中の動詞と意味役割（主題役割）を抽出し，抽出した意味役割（主題役割）と文法関係・格助詞をマッピングすることである．

ここでは，日本語の格助詞に視点をおいた手続きの例を紹介する．

　例文「男の子がお母さんを起こしている」
　課題文の提示：課題文を文字で提示し音読してもらう．その後，訓練者とともに音読する．
　動詞の同定：「どのような動作をしていますか？」と質問し，文中の動詞をカラーでマークしてもらう．直後に正答をフィードバックする．
　主題役割（意味役割）の同定：［動作主］について「誰が起こしていますか？」，［対象］について「誰を起こしていますか？」と質問し，各々を異なるカラーでマークしてもらう．質問文の提示順序はランダムとする．直後に正答をフィードバックする．エラーをした場合，なぜそれが誤りであるかを理解してもらう．

以上の手続きの訓練を実施した後，文の理解または発話について確認する

(3) 文の構造化訓練

文の構造化訓練は，受動文や関係節文のように複雑な統語構造をもつ文の理解・産生の回復をめざす．一般に対象となるのは，構成素の移動操作がある可逆文であり，受動文，使役文，「してあげる・してもらう」文，関係節文などをあげることができる．適応があるのは，障害が軽度の者である．

文の構造化訓練法のひとつに，**TUF**(Treatment of Underlying Forms)[25]がある．TUFはマッピング訓練と同様に，最初に動詞と主題役割の同定を行い，次に，文字カードを使用して，文の構成素の移動操作（能動文を受動文に変換するなど）を細かいステップで練習する．各ステップでは，文の音読または復唱を実施する．

(4) 動詞訓練

動詞と項構造は文を構築する基本となる．したがって動詞の処理を回復させることは，文の理解・産生の向上につながる．訓練法には，動詞を単独で取り上げる方法と，動詞の項構造にアプローチする方法が存在する．

- **動詞の単独訓練**：動詞の音韻形式へのアクセスが障害されている場合は，動詞を単独で取り上げて理解と発話の回復をめざす．基本的手続きは，〔聴覚的理解−復唱−発話〕の過程を刺激することである．意味キューなどを使用し，喚語を促進することもある．
- **動詞と項のマッチング訓練**：動詞がとる項・主題役割（意味役割）へのアクセスを促進する訓練である．手続きとしては，動詞を音声または文字で提示し，その動詞と結合する意味役割（主題役割）の名詞を選択してもらう，などが考えられる．名詞は絵または文字で提示する．例えば，「磨く」という動詞に対し，靴［対象］，ブラシ［道具］の絵を選択してもらう．その後，動詞と名詞を結合し，文を発話または復唱してもらう．

(5) 般化

機能訓練の最終的な目標は，**般化**の実現である．般化には，訓練で取り上げなかった文への般化と，会話場面への般化がある．このような般化を起こすには，綿密な訓練プログラムが必要である．

- **非訓練文への般化**：訓練に取り上げた文と同じ構造の文への般化は生じやすい．一方，異なる構造の文への般化は生じにくく，生じても限定的である．特に，単純な文が複雑な文に般化することは少ない．また，複雑な文は単純な文に般化することが確認されている[26]．
- **会話場面への般化**：機能訓練で取り上げた文は，会話で実際に使用できるようにする．これには基本文を取り上げた後に，応用文を多数取り上げ，発話・理解の自動レベルを上げることが必要である．限定された数の基本文を訓練しただけでは，会話への般化は生じにくい．また会話において，訓練に取り上げた文を使用する機会を意図的に多数設けることも重要である．

b 文の実用訓練：代償方略の使用

会話において文の発話を引き出すには，効果的な問いかけをすることが必要である．現在もっている能力で，文発話を促進する方法として代償方略の使用が効果的である．会話における代償方略としては，拡大発話や選言発話が考えられる．**拡大発話**は，相手の発話を拡大して返す方法であり，「弁当を‥，弁当‥‥」と問いかけ，「弁当を食べる」のように発話を文に拡大して返してもらう．

選言発話は，文形式の選言質問を利用する方法である．例えば，「明日は会社の人が病院に来ない？　それとも　病院に来る？」と問いかけ，「病院に来る」と文で応答してもらう．

いずれの方法も，プロソディを強調した応答しやすい話しかけがカギとなる．

5　統語機能障害を呈した事例

【基本情報】50歳代男性，右利き．自営業（不動産関係）を妻と営んでいる．

【主訴】言葉が出ない（妻より）．

【現病歴】心臓バイパス手術後に脳塞栓を発病し，失語症と右片麻痺を発症した．発症3か月時の頭部MRI(FLAIR)にて，左下前頭回および中心前回の皮質・皮質下白質に高信号域を認めた（図10-14）．

■ 初診時（発症3か月時）の失語症状

ブローカ失語（重度），発語失行（中等度），口舌顔面失行（軽度）を認めた．知的機能は保たれてい

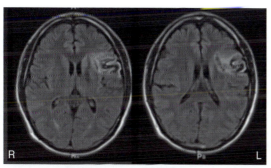

図 10-14　事例の頭部 MRI 画像
発症 3 か月時の頭部 MRI（FLAIR）．
左中心前回・下前頭回および皮質下白質に高信号域を認めた．

た（RCPM 33/36）．

　理解面については，簡単な日常会話の理解は可能であるが，話題が転換すると理解できないことがある．標準失語症検査（SLTA）にて，単語の聴覚的理解が 9/10，短文の理解が 5/10，口頭命令が 2/10 であった．2 桁の数字の順唱が可能であった．聴覚的理解と読解の間に顕著な差はなかった．

　発話は非流暢であり，名詞と動詞の喚語困難（8/20，1/10）と発語失行を認め，会話は「うん」「そうだね」といった短い応答が主であった．

■ 構文訓練開始時の統語機能評価（発症 4 か月時）

【文の理解】会話では文脈を手掛かりに 2-3 文節文の理解が可能であるが，理解していないのに「うん，うん」とうなずくことがある．SLTA 単語の理解は 10/10，単文の理解 6/10 と改善していた．新版 失語症構文検査では，非可逆文が理解できるレベルであり，可逆文の理解は困難であった．

【文の産生】会話は，語や句を断片的に発話する程度であり，完結した文は少なかった．動詞はきわめて少なく，名詞と動詞の比率は 7/1 であった．格助詞の脱落および誤用を認めた（例：「帽子，風，とった」，「奥さん の，来てる」）．R-STA において，「男の子が　泣く」のみ発話可能であった．文構成では名詞と動詞の語順は正しいものの，格助詞を誤った．

　要約すると，機能面として，理解においては統語理解障害，産生においては失文法を呈していた．障害レベルとして，動詞の処理，格助詞と主題役割のマッピング，統語構造の構築過程の障害が疑われた．活動面では会話における意思疎通が困難であり，参加面においては現状では現職復帰は困難であった．

■ 構文訓練

　訓練の長期目標は現職に復帰し社内での部下との対話が可能になること，短期目標は日常会話を理解し，非可逆文や可逆文を用いて情報の骨子を伝達できることとし，入院中 6 か月は週 6 回，退院後 4 か月は外来にて週 2 回の訓練を実施した．

【訓練内容】理解面については，文刺激法を実施した．課題文は非可逆文から可逆文へと進んだ．非可逆文は，［動作主-対象-動作動詞］（例：男の子がラーメンを食べる）→［動作主-目標-動作動詞］（例：女の子が学校に行く）→［動作主-目標-対象-動作動詞］（例：男の子が本をカバンに入れる）へと段階的に導入した．会話でも同じ文型の理解を強化した．

　産生訓練においても文刺激法を実施し，非可逆文の［動作主-動作動詞］（例：男の子が走っている）から開始し，理解と同様に課題文を導入した．会話における実用的訓練も実施し，選言発話方略も強化した．また，動詞の喚語訓練も並行して実施した．

【訓練経過】構文訓練開始後 10 か月の時点で再評価を実施した．構文訓練開始時と再評価時の成績を **表 10-9** に示した．R-STA では理解成績が向上し，格助詞の理解が可能となった．産生においては，新版 失語症構文検査では産生成績は 1/15 から 8/15 へと改善した．格助詞の誤用はまだ出現するものの，可逆文の発話が可能となった．談話は 2・3 文節文の発話が主体となってきた．格助詞の脱落は減少したが，誤用はまだ出現する．動詞の喚語も改善傾向にある．

　日常会話はほぼ理解ができるようになった．ま

表 10-9　構文訓練の開始時と再評価時の成績

検査項目			開始時 （発症 4 か月後）	終了時 （発症 14 か月後）
新版失語症構文検査 （R-STA）	聴覚的理解	レベルⅠ（語の意味）	7/8	8/8
		レベルⅡ（語順）	5/8	8/8
		レベルⅢ（助詞，補文（−））	2/8	7/8
		レベルⅣ（助詞，補文（＋））	2/8	7/8
		関係節文	4/8	7/8
	読解	レベルⅠ（語の意味）	7/8	8/8
		レベルⅡ（語順）	4/8	8/8
		レベルⅢ（助詞，補文（−））	3/8	8/8
		レベルⅣ（助詞，補文（＋））	2/8	8/8
		関係節文	4/8	8/8
	産生	正答率	1/15	8/15
談話における発話分析	発話の長さ	平均発話長（MLU）	1.1	2.6
	格助詞	脱落率	6/10	0/10
		誤用率	2/10	2/10
SLTA	動作説明		1/10	8/10

MLU：mean length of utterance.

た文を使用して情報の骨子を伝えるこが可能となった．今後は，職場におけるコミュニケーション環境を調整し，職場復帰に向けて構文訓練を継続する予定である．

引用文献

1) 井上和子，原田かづ子，阿部泰明：生成言語学入門．大修館，1999
2) Kleist K：Aphasie und Geisteskrankheit. Muenchner Medizinische Wochenschrifft L Ⅺ：8-12, 1914
3) Caramazza A, Zurif EB：Dissociation of algorithmic and heuristic processes in language comprehension：evidence from aphasia. Brain Lang 3：572-582, 1976
4) Menn L, Obler LK：Cross-language data and theories of agrammatism. *In* Menn L, Obler LK（eds），Agrammatic aphasia：a narrative sourcebook. Benjamins, Amsterdam, 1990
5) 井村恒郎：失語—日本語における特性．精神神経学雑誌，47 巻，1943〔井村恒郎著作集 2, 脳病理学・神経症．78-112, みすず書房，1983〕
6) Bock K, Levelt W：Language production：grammatical encoding. In Gernsbacher MA（ed）：Handbook of psycholinguistics. Academic Press, San Diego, 1994
7) Garrett MF：Levels of processing in sentence production. In：Butterworth B（ed），Language production（Vol.1）. Cambridge, Academic Press, pp170-220, 1980
8) Saffran E M, Schwartz, MF, Marin OSM：The word order problem in agrammatism：Ⅱ Production. Brain Lang 10：249-262, 1980
9) 藤田郁代：日本語の失文法と錯文法の特性と回復パターン．失語症研究 11(2)：96-103，1991
10) Caplan D：The neural basis of syntactic processing：a critical look, *In* Hills AE（Ed），The Handbook of Adult Language Disorders, Psychology Press, New York, pp331-350, 2002
11) Grodzinsky Y：The Neurology of syntax：language use without Broca's area. Behav Brain Sci 13：1-21, 2000
12) Baddeley A：The episodic buffer：a new component of working memory. Trends in Cognitive Science 4：417-423, 2000
13) Vallar G, Baddeley A：Phonological short-term store, phonological processing, and sentence comprehension. Cogn Neuropsychol 1：12-141, 1984
14) Baddeley A, Wilson B：Comprehension and working memory：a single case neuropsychological study. J Mem Lang 27：479-498, 1988
15) Waters GS, Caplan D, Hildebrandt N：On the structure of the verbal short-term memory system and its functional role in language comprehension：evidence from neuropsychology. Cogn Neuropsychol 8：81-126, 1991
16) Wilson SM, Henry ML, Besbris M, et al：Connected speech production in three variants of primary progressive aphasia. Brain 133：2069-2088, 2010
17) Dronkers NF, Wilkins DP, van Valin Jr, et al：Lesion analysis of the brain areas involved in language comprehension. Cognition 92：145-177, 2004

18) Turken AU, Dronkers NF：The neural architecture of the language comprehension network：converging evidence from lesion and connectivity analyses. Front Syst Neurosci 5；1-20, 2011
19) Tyler LK, Marslen-Wilson D, Randall B, et al：Left inferior frontal cortex and syntax：function, structure and behavior in patients with left hemisphere damage. Brain 134：415-431, 2011
20) Thompson CK, Bonakdarpour B, Fix SF：Neural correlates of verb argument structure processing. J Cogn Neurosci 19：1753-1767, 2007
21) 藤田郁代, 三宅孝子：新版失語症構文検査. 千葉テストセンター, 2016.
22) 藤田郁代, 物井寿子, 奥平奈保子, 他：失語症語彙検査, エスコアール, 2000
23) Mitchum CC, Heandiges AN, Berndt RS：Treatment of thematic mapping in sentence comprehension：implications for normal processing. Cogn Neuropsychol 12：503-547, 1995
24) Schwartz M, Saffran EM, Fink RB, et al：Mapping therapy：a treatment program for agrammatism. Aphasiology 8：19-54, 1994
25) Thompson C：Treatment of syntactic and morphological deficits in agrammatic aphasia：treatment of underlying forms. *In* Chapey R（ed）, Language intervention strategies in aphasia and related neurogenic communication disorders. pp735-754. Lippincott Williams and Wilkins, Philadelphia, 2008
26) Thompson C, Shapiro L, Kiran S, et al：The role of syntactic complexity in treatment of sentence deficits in agrammatic aphasia：the complexity account treatment efficacy（CATE）. J Speech Lang Hear Res 42：690-707, 2003

C 文字・音韻訓練

1 文字・音韻障害の基本概念と症状

現代の社会において文字の読み書きは生活を営むうえできわめて重要であり, 文字障害の評価と訓練も失語症臨床の必須の要件である. 言語発達の面からいうと, 人は幼少期に音韻意識（phonological awareness）の能力を獲得し, それが文字（仮名文字）の習得につながる. したがって, 文字障害の背景に音韻障害を認めることもある.

患者の読み書き機能の評価と訓練においては, 第一に, 以下を念頭におく必要がある.
①もともとの能力が人によって異なる：音声言語に比べて, 文字言語の運用水準や使用習慣は人によってかなり異なる. 評価の際は, 患者の**読字・書字習慣**について家族から情報を得たり, 患者の病前能力を推測するために学歴や職業歴について知っておくとよい. また訓練においては, 文字を訓練することが患者のニーズに合致するか吟味する必要がある. 書字の必要性がない患者に書字訓練を行っても, 実用的な意味は低く, 患者にとっては苦痛で意欲の湧かないものになる可能性が高い.

②仮名と漢字を区別する：日本語の表記には大きく仮名（ひらがな, カタカナ）と漢字があり, 両者の性質は大きく異なる. 仮名の読み書きは一般的に, 発達早期に学習し, 病前は誰でもある程度の運用は可能である. 一方, 漢字の読み書きは, より遅くに学習し, 病前能力の個人差が大きい. なお, 本項では便宜的に「仮名の障害」「漢字の訓練」などと表現するが, 近年では仮名表記・漢字表記というのは当該単語を特徴づける諸属性の1つにすぎないと考えられている. 例えば「イギリス」という単語はほとんどの場合で仮名表記されるので（仮名の**表記妥当性**が高い）, 脳内ではむしろ漢字のような処理がなされるといわれる.

2 評価

a 読字

本項では, 「読字」や「読み」という用語は読解と音読の両方を指す意味で用い, 読解や音読とは区別する.

読字障害は大きく, **失語性失読**, **失読失書**, **純粋失読**（文字の視覚認知障害による失読）に分けられる. 後2者も失語と合併することが多いので, 音声言語課題との成績差（失語で説明できる読字障害なのか否か）や書字課題との成績差に注意して評価する.

1）総合的失語検査：読解

総合的失語検査の読解課題の実行状況を以下の観点から評価する．
①正答率の水準：健常者や失語症者の標準値またはカットオフ値と比較．
②正答率の課題間差：音声言語課題との差，書字課題との差，仮名単語と漢字単語の差，単語と文の差．
③反応速度：遅くないか，文字数の影響があるか．
④誤り方：文の場合，仮名と漢字のどちらで誤るのか，どの品詞（名詞，動詞，助詞等）で誤るのか．

2）総合的失語検査：音読

音読課題では上記に加え以下の観点から評価する．
①読解課題との正答率の差
②錯読のタイプ：視覚性，音韻性，意味性，類音性の各種錯読の頻度や，保続，無反応の頻度．類音性錯読とは文字の音としては正しいが単語としては誤った読み方のことで（例：時計→じけい），LARC（legitimate alternative reading of components）エラーともいわれる．
③特徴的な読み方：**逐字読み**（単語全体を把握しておらず1文字1文字をたどって読む）や**なぞり読み**の有無など．

3）特定（掘り下げ）検査

より詳細な評価のためには，SALA失語症検査の読解・音読の課題，失語症語彙検査（TLPA）の文字提示課題や，以下の評価項目に着目した自作の課題を用いる．その成績を以下の観点から評価する．
①単語の属性と正答率：正答率の水準について，以下の影響があるかなどを評価．表記（仮名と漢字），表記妥当性，語の出現頻度や親密度，語の心像性や品詞，語長（文字数），文字形態の複雑さ，発音の典型性（例：「神経」は典型発音語，「神主」は非典型発音語）や一貫性．
②特徴的な読み方：純粋失読を疑う場合はなぞり読みによる促進効果の有無など．

b 書字

書字障害は大きく，**失語性失書**，**失読失書**，**純粋失書**に分けられる．後2者も失語と合併して現れることが多いので，音声言語課題との成績差（失語で説明できる書字障害なのか否か）や読字課題との成績差に注意する．書字は読字よりもさらに，病前能力が大きく関与するので留意する．

1）総合的失語検査

総合的失語検査の書字課題の成績を以下の観点から評価する．
①正答率の水準：健常者や失語症者の標準値またはカットオフ値と比較．
②正答率の課題間差：音声言語課題との差，読字課題との差，仮名単語と漢字単語の差，単語と文の差．また，書称と書取の差にも注目する．
③反応速度
④錯書のタイプ，誤り方：視覚性，音韻性，意味性，類音性（同じの発音のほかの漢字を書くもの）の各種錯書の頻度や，保続，無反応の頻度．文の場合は加えて，仮名と漢字のどちらで誤るのか，どの品詞（名詞，動詞，助詞等）で誤るのか．
⑤キューの有効性：キューが有効か，どのようなキューが有効か（後述）．
⑥特徴的な書き方：形態の乱れや鏡映文字の有無，一般的に漢字で書くような単語でも仮名で書くかなど．写字であれば，見本と手元を何度も見比べながら少しずつ写すのか（piecemeal approach，一般的により重度の障害）など．

2）特定検査

より詳細な評価のためには，SALA失語症検査の課題や，以下の評価項目に着目した自作の課題を用いる．その成績を以下の観点から評価す

表10-10　読解・書字課題の難度に影響を与える主な要因

単語における要因(音声言語と共通のもの)	出現頻度：高頻度語＜低頻度語
	親密度(馴染みの程度)：高親密度語＜低親密度語
	心像性(イメージのしやすさ)：高心像語＜低心像語
	長さ：短い語＜長い語※
文における要因(音声言語と共通のもの)	長さ：短い文＜長い文
	文構造：単純な文＜複雑な文
文字言語特有の要因	文字の学習年次・頻度・親密度：低学年で学習し頻度や親密度の高い字＜そうでない字
	文字形態の複雑さ：単純な形態の文字＜複雑な形態の文字
	表記妥当性(もっともらしい表記か否か)：妥当性の高い表記(例：英国，イギリス)＜妥当性の低い表記(例：えいこく・エイコク，英吉利・いぎりす)
その他の要因	回答の選択肢が示されているか否か(選択肢あり＜選択肢なし)
	選択肢の数(選択肢が少ない＜選択肢が多い)

※音声言語とは異なる

る．また，特に仮名の書字障害の背景に音韻認識・操作の障害を認めることもあり，必要に応じ**モーラ分解・抽出検査**で音韻意識・操作の障害を評価する．
①単語の属性と正答率：正答率の水準について，以下の影響があるかなどを評価．表記(仮名と漢字)，表記妥当性，語の出現頻度や親密度，語の心像性や品詞，語長(文字数)，文字形態の複雑さ．
②特徴的な書き方

3　訓練・指導・支援

　言語訓練には教材が必須である．教材に関して，児童や認知症者向けのドリル教材も一概に悪いとはいえないが，それらを無神経に使用して，成人失語症者の**自尊感情**を傷つけることのないような配慮が必要である．患者の回復段階にもよるが，教材はより実用的でリアリティのあるものを用いたほうがよい．長文読解であれば，国語辞典・図鑑・新聞記事などから設定した教材のほうが，患者は興味が湧くし，社会への関心，社会とのつながりの維持にも役立つ．

a　読字の訓練

　音読はそれ自体はコミュニケーションの機能をもたないので，一般的には言語訓練の目的とはならない(例えば発話訓練の手段として用いることはある)．以下では，まず読解の訓練について解説し，音読の訓練についても簡潔に紹介する．

1) 読解訓練

　訓練課題の設定にあたっては，**課題の難易度**について熟慮し，患者の障害の性質と重症度に適合したものを用いる必要がある．課題の難度に影響を与える主な要因を**表10-10**に示した．これらの要因に注意しながら，すなわち単語レベルであれば高頻度・高心像の単語から低頻度・低心像の単語へ，文レベルであれば短く単純な構造の文から長く複雑な文そしてテキスト(長文)へというように，難度を統制して訓練を行う．
　また，同じ課題ばかり続けることは患者にとって飽きが生じやすく，自身の進歩を感じにくい面もあって適切とはいいがたい．複数の課題を準備して訓練にバリエーションをもたせ，患者が意欲的に取り組めるよう配慮が必要である．
　以下に代表的な訓練課題と実施方法について述

べる．

(1) 単語レベルの訓練
■ 対象

単語の読解に困難のある患者(比較的重度の読解障害の患者)．または言語訓練導入初期の患者．

■ 方法

① 単語と絵のマッチング：文字呈示された単語に対応する絵を複数の選択肢のなかから選ぶことを求める．例えば，「柿」の文字を呈示し，「これはどれですか？」と問い，「🫐．🐌．🐢」の中から対応する絵を選んでもらう．文字は漢字，仮名，漢字＋振り仮名での呈示があり得る．選択肢は絵に限らず写真や実物品でもよい．問いを絵で，選択肢を文字で呈示する方法もある．

② 単語と単語のマッチング：例えば，漢字「柿」に対応する単語を仮名「かき，もも，かめ」の中から選ぶよう求める．最重度の患者や文字の視覚認知にも問題のある患者であれば，漢字表記同士，仮名表記同士のマッチングも考えられる．

③ 単語のカテゴリー分類：例えば「柿，亀，桃，蛇」のカードを呈示し，意味によって2群に分類することを求める．

④ odd word out：例えば「柿，桃，亀」と呈示し，意味的に仲間外れのものを選ぶよう求める．

(2) 文レベルの訓練
■ 対象

文の読解に困難のある患者(中等度の読解障害の患者)．

■ 方法

① 定義文と絵のマッチング：文字呈示された定義文に対応する絵を複数の選択肢のなかから選ぶことを求める．例えば，「硬い甲羅をもち，ゆっくり歩く動物」の文字を呈示し，「これはどれですか？」と問い，「🫐．🐌．🐢」のなかから対応するものを選んでもらう．

② 定義文と単語のマッチング：①の課題を，選択肢を文字単語で行う．

③ 文と文のマッチング(意味的類似文の判断)：例えば「馬は俊足だ」の文を呈示し，「馬は速く走る」「馬は足が長い」のどちらと同じ意味かの判断を求める．

④ 文の内容を問う：例えば「山の上に大きな栗の木が1本あります」という文を呈示し，「何がありますか？」「どこにありますか？」「何本ありますか？」などの質問への回答を求める．

(3) テキスト(長文)レベルの訓練
■ 対象

テキストの読解に困難のある患者(軽度の読解障害の患者)．

■ 方法

① テキストの内容を問う：新聞記事のリード(前文)や短いエッセイなどを読んでもらい，内容に対する質問への回答を求める．

② テキストの説明：新聞記事や短いエッセイなどを読んでもらい，内容の説明を求める．

2) 仮名1文字の読字訓練

仮名単語では読解の前提として**文字-音韻変換**が必要となるので，文字-音韻変換の障害に特異的に作用する訓練法(仮名1文字の読字訓練)について述べる．

(1) キーワード法
■ 対象

仮名の音読・読解が困難な患者．仮名1文字の音読を実現し仮名単語の読解につなげる．

■ 方法

音読困難な仮名1文字に対し，あらかじめ**キーワード**となる単語(一般的には漢字で表記できるもの)を設定し，仮名1文字の音読を実現するものである．具体的な手順を図10-15に示した．文字-音韻変換が困難な患者において，[文字-意味-音韻]という新たな経路の学習を促すものと解釈されるが(機能再編成法)，詳細はNote 38を参照のこと．

(2) 50音系列を用いる方法
■ 対象

仮名の音読・読解が困難な患者．仮名1文字の音読を実現し仮名単語の読解につなげる．

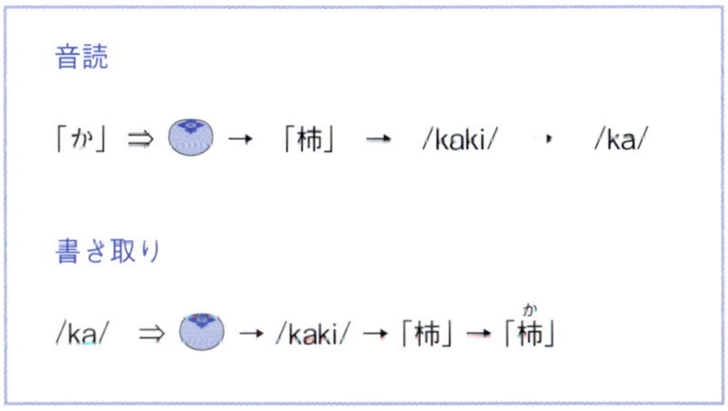

```
音読
「か」 ⇒ 🧠 → 「柿」 → /kaki/ ・ /ka/

書き取り
/ka/ ⇒ 🧠 → /kaki/ → 「柿」 → 「柿か」
```

図 10-15　キーワード法による仮名 1 文字の読字・書字訓練

- 音読では，「か」の文字が呈示されたら，①所定のキーワード（柿）を想起し，②「柿」と漢字で書き，③/kaki/と音読し，④語頭の 1 音 /ka/ を分離して言う．
  習得できたらキーワードを使わずに，「か」を見て /ka/ と言えるよう練習する．障害が比較的軽い場合は②③は省略できる．
- 書き取りでは，/ka/ の音が呈示されたら，①所定のキーワード（柿）を想起し，②/kaki/と言い，③「柿」と漢字で書き，④語頭の 1 文字を漢字に添えて書く．
  習得できたらキーワードを使わずに，/ka/を聞いて「か」と書けるよう練習する．

〔柏木あさ子，柏木敏宏：失語症患者の仮名の訓練について—漢字を利用した試み．音声言語医学 19：193-202, 1978 をもとに筆者が作成〕

■ **方法**

自動的な「系列語」が，失語症になっても比較的保持されることはよく知られている．仮名 1 文字の音読についても，**50 音系列**を利用すると有効な場合がある．上島ら[1]は以下の方法で訓練を行った．①あらかじめ患者に 50 音表を渡しておく，②例えば患者が「く」の文字が音読できない際

> **Note 38.　キーワード法の訓練効果機序**
> 認知神経心理学的な情報処理モデルに基づけば，一般的に仮名の書き取りにおいては，呈示された音声情報は「聴覚分析システム」から「音韻出力バッファー」を通り，「音韻-文字変換」を経由して文字として出力されると考えられている．そして，この「音韻-文字変換」のモジュール（処理単位）は失語で損傷されやすく，したがって仮名書字障害は出現しやすいのだと考えられている（読字における文字-音韻変換モジュールも障害されやすい）．キーワード法は，音韻を特定のキーワードと結びつけることによって，障害された音韻-文字変換モジュールを迂回する経路（意味が関与する経路）を形成し，その迂回路を用いて仮名書字を実現するものと考えられる．

には，言語聴覚士が 50 音のカ行を聴覚的に呈示する（例：『かきくけこ』のなかにあります），③患者は 50 音の行・段から当該の文字を同定し，目標の音を抽出する（例：「あか，かきく，く」）．

(3) 純粋失読に対する訓練

〔あわせて「純粋失読」（➡ 116 頁）を参照のこと〕

■ **対象**

純粋失読の患者．

■ **方法**

純粋失読の患者ではなぞり読みによる読字の促進が特徴的であり，訓練でもそれを強化するアプローチが有効である．なぞり読みの際に，文字を自分の体（手の平など）に書くことによって，運動覚に加え触覚の補助を得る方法もある[2]．

個別の文字はある程度読めるまで回復し，単語レベルの訓練を行う場合は，単語を短時間呈示し，文字を逐字的に読むのではなく単語全体として把握することを促す訓練が有効である．同じものをくり返し音読してもらい，記憶や文脈の助けによって逐字的な読みからの移行を促す方法（multiple oral reading 法）もある[2,3]．

日本語の純粋失読ではしばしば漢字書字障害を伴うので，必要に応じ失書に対しても並行してアプローチする．

3) 漢字 1 文字の音読訓練

(1) キーワード法

■ **対象**

漢字の音読が困難で特に音読向上を望む患者．

■ **方法**

伊澤ら[4]は漢字単語のおおまかな意味は捉えているが音読が困難な患者に対し，漢字 1 文字の音読訓練において，当該漢字を含む熟語とその振り仮名を同時に呈示して学習させたほうが，単に漢字 1 文字とその振り仮名を呈示して学習させたときよりも効果が高かったと報告している．仮名に比べて音韻情報に乏しい（文字-音の対応が弱い）漢字において，意味から音を引き出す経路が補助的に作用し，音読が促進されたものと解釈される．

4）機器の使用，代償的手段の訓練

(1) パソコン，スマートフォンの使用

■ 対象

読解に比べ聴覚的理解が良好な患者など．

■ 方法

Microsoft 社の Windows 10 には**音声読み上げ機能**（ナレーター）が組み込まれているし，それ以外にも多くの音声読み上げソフト・アプリが提供されている．読解に比べて聴覚的理解が良好な患者においては，これらを用いてパソコン，タブレット，スマートフォン画面上の文字情報を機械に読み上げてもらうと理解が促進される．印刷物はカメラやスキャナで取り込んで同様に行う．また，仮名に比べ漢字の読字が困難な場合は，仮名振りソフトを用いることもできる．

(2) 代読を求める

■ 対象

軽度を除く読字障害の患者．

■ 方法

自立の本質は「人の助けを借りない」ことではなく，必要な部分は他人の支援を受けながらでも「自分で自分の人生を決定していく」ことにある（**自律**，autonomy）．したがって，読むのに困難な文書を他人に読んでもらうことは，決して失語症者の自立を損なうものではない．言語聴覚士としては，援助資源としての家族，友人，**失語症者向け意思疎通支援者**などを整備・活用し，患者の読字障害を補う働きかけをする必要がある．

b 書字の訓練

書字の機能はほかの言語モダリティに比べて，自然回復の要素が小さく，訓練をしないと改善しにくいと考えられている．また，書字機能は比較的長期にわたって改善し，逆に継続して訓練しないと機能低下を起こしやすいという指摘もある．患者のニーズに応じてではあるが，書字は大いに訓練に取り入れる必要がある．また，書字の課題は自習（宿題）として提供しやすい．宿題を上手に使い，必要な量の訓練を行いたい．

書字については，片麻痺の患者などでは書字運動の基礎訓練が必要な場合もあるので，まず**書字運動・書字形態**の訓練について述べてから，狭義の書字訓練について解説する．

1）書字運動訓練

■ 対象

書字運動が困難な患者．

■ 方法

片麻痺などによって利き手に運動障害をもった患者や使用手を交換した患者では，運筆の練習が必要なこともある．単純な線・図形の描線練習から始め，複雑な図形，そして文字へと進めていく．一例として，以下のステップでの訓練があげられる[5]．①同一方向の運動を何回もくり返す線・図形を書く，②その大きさを変えて書く，③形や運動の方向を変えて書く，④運動の方向が絶えず変化する連続的な形を書く，⑤文字を書く．

また，筆記具は細いものよりも適度に太いものが，麻痺手・非利き手にとっては持ちやすく筆圧を確保しやすい．チクワ状の穴の中に筆記具を差し込んで握りやすくするチューブや，球体の中央に筆記具を差し込んで持ちやすくするボールなどの**自助具**も市販されている[6]．

2）書字形態訓練

■ 対象

書字形態の乱れが著しい患者．

■ 方法

書字形態の乱れが著しい患者は少なくない．要素的運動の問題（使用手の運動麻痺や非利き手使用）や失語に起因するもののほかに，失認や失行との関連が推定されるもの（空間性失書，構成失書，失行性失書など）もある．書字形態の問題に対しては，正しい書字運動パターンを反復して行う訓練が基本となる．なぞり書きや写字を，必要に応じ筆順を示しながらくり返し実施する．

教材として，児童向けの書字練習ドリルやペン

習字の教材が有用である．また，近年ではタブレットやスマートフォン向けの書字練習アプリも提供されており，画面上で書字練習を行うことも可能である．

3）書字訓練

前述のとおり，書字訓練では適切なレベルを設定したうえで，一定量の練習を継続することが必要である．**課題の難易度**に影響を与える要因については表 10-10（➡ 289 頁）を参照のこと．

書字訓練においては，**キュー**（手がかり）の呈示が重要になる．音韻キュー，意味キュー，そして文字形態のキューがあるので，患者の障害の性質と重症度に応じて適切に用いる．特に仮名単語では，音韻キューの促進効果が強い．単語であれば，丸の数で文字数を示したり（拗音，促音は小さな丸で示してもよい），語頭文字（音）を与えるなどの方法がある．仮名単語・漢字単語のいずれにおいても，同じ文字で始まるほかの単語をキューとして用いることもある．すなわち，例えば「さかな」の「さ」が書けないときに「さくらの"さ"です」と言ったり，「学習」の「学」が書けないときに「がっこうの"がく"です」と言うなどである．文字形態のキューは，仮名でも用いられるが，形態がより複雑な漢字の場合に使用頻度が高い．漢字の「へん」や「つくり」または字画の一部を示すとよい（言語聴覚士が言う，または書く）．

書字機能がかなり改善した患者でも，仮名では濁点・半濁点の脱落や拗音・促音の誤りは残存しやすい．漢字でも字画の一部の誤りが起きやすい．患者自身で誤りに気付くことができるよう，犯しやすい誤りに注意しながら自分の書いたものを読み返す習慣をつけるとよい．

以下に代表的な訓練課題と実施方法について述べる．

(1) 基礎的訓練

■ **対象**

書字が著しく困難な患者（重度の書字障害の患者）．または書字形態の乱れが著しい患者，言語訓練導入初期の患者．

■ **方法**

①写字：1 文字や単語，または患者にとって馴染みが深く実用的な意味合いも強い自身の氏名や住所などの写字を求める．

(2) 単語レベルの訓練

■ **対象**

単語の書字に困難のある患者（比較的重度の書字障害の患者）．または言語訓練導入初期の患者．

■ **方法**

①書き取り，書称：単語を音声呈示して書き取りを求めたり，絵を呈示して対応する単語の書称を求める．単語全体を書くことが困難な場合は，一部の文字をキューとして呈示してもよい（穴埋めのようにして行う）．

②漢字と仮名の変換：漢字と仮名で機能差がある場合は，漢字を仮名に変換したり（仮名振り），仮名を漢字に変換する課題を行うとよい．

③書字による語列挙，語連想，しりとり：狭義の書字機能だけでなくほかの言語機能にも働きかけることを目的に，語列挙等を書字によって行う．

(3) 文レベルの訓練

■ **対象**

文の書字に困難のある患者（中等度の書字障害の患者）．

■ **方法**

①文の書き取り，動作絵の書字説明：文を音声呈示して書き取りを求めたり，動作絵に対応する文を書くことを求める．文全体を書くことが困難な場合は，一部の文字や単語をキューとして呈示してもよい（穴埋めのようにして行う）．

②書字による単語の定義：単語を呈示して，その定義文を書くよう求める．

③指定の単語を含む文を作る（作文）：例えば「柿」「投げる」「小さい」の単語を呈示し，それを含む文を書くよう求める．

(4) テキスト(長文)レベルの訓練

■ 対象

テキストの書字に困難のある患者(軽度の書字障害の患者).

■ 方法

①情景画やまんがの書字説明：絵を見て起きていることを書いて説明するよう求める．
②テキストの要約や手続き書字：新聞記事などの内容を要約して書くことを求めたり，「歯の磨き方」「カレーライスの作り方」のような手続きの書字説明を求める．
③日記や手紙を書く：宿題として日記や手紙を書くことを求める．

4) 仮名1文字の書字訓練

(1) キーワード法

■ 対象

仮名の書字が特に困難な患者．

■ 方法

仮名書字が困難な患者に対して，それぞれの仮名文字にあらかじめ**キーワード**となる単語(一般的には漢字で表記できるもの)を設定し，そのキーワードを手がかりに当該の仮名文字の想起・書字を促す方法である(291頁, 図10-15). 訓練効果の発現機序はNote 38(➡ 291頁)を参照のこと．【留意点】本訓練は，言語理解や発話，漢字書字などのほかの言語機能は実用レベルにまで回復したが，仮名書字に障害の残る患者が対象となる．一般的に仮名書字は失語症者にとって最も回復しにくい機能の1つなので，このような患者は少なくない．言語機能が全般的に障害されている患者では本訓練の施行は難しく，またほかに優先されるべき訓練課題があるので，本訓練の対象とはならない．本訓練法は導入初期には多少の困難を伴うので，仮名書字を習得したいという患者の動機・意欲も重要である．

本訓練法では，呈示された音からキーワードを想起する段階が患者にとって最も難しい．したがって，想起しやすいキーワードを設定することがポイントとなる．キーワードは画一的に決めたり言語聴覚士が押しつけるのではなく，それぞれの患者に応じて患者自身が最も想起しやすいものに設定する．

また，音韻操作(モーラ分解・抽出)障害のある患者では，本訓練の前に(または併せて)その問題へのアプローチが必要である．聴覚的に呈示された単語のモーラ数を指を折ったりオハジキを置いて数えたり，特定のモーラ(音)が当該単語の何モーラ目にあるかの判断を求める課題などを行う．

(2) 50音系列を用いる方法

■ 対象

仮名の書字が特に困難な患者．

■ 方法

仮名1文字の書字に**50音系列**を利用する方法である．物井[7]は，以下のステップで訓練を行い，キーワード法と同等以上の訓練効果が認められたと報告している．①50音系列の行ごとの復唱，写字，音読を行う，②1音を呈示し，別に呈示された行の5文字の中から対応する1文字を選択し写字するよう求める，③1音を呈示し，それが含まれる行を想起してそれを書き取るよう求める，④1音を呈示し，なるべく50音系列を用いずにそれを書き取るよう求める．キーワード法と比較して，キーワード法のほうがより重度の患者にも適応するが，50音系列は病前から習熟しているものなので，効果の維持という面では50音系列法がより有利であろうと述べている．

5) 機器の使用，代償的手段の訓練

(1) ワープロ(パソコン，スマートフォン)の使用

■ 対象

最重度を除く書字障害の患者．

■ 方法

書字機能の代償においては，パソコンの**ワープロ**機能を用いることが考えられる．病前の使用習慣が乏しかった人や仮名書字困難が強い人では，キーボード入力の際の困難が目立つ場合もある

が，それでも導入に成功した多くの報告がある．入力方法は仮名入力に限らず，ローマ字入力の報告例もある．スマートフォンでの入力は，50音の行の中から必要な文字を探す形式になるので，一般的にキーボード入力より容易である．

これらの機器を用いる利点としては，まず**漢字変換や予測変換**の機能がある．また，漢字の手書き検索機能や文法的誤りを防ぐための文書校正の機能，そして語句の辞書登録の機能も利用価値が高い．スマートフォンでは絵文字の利用もコミュニケーションを豊かにするのに役立つ．

■留意点

利き手の麻痺がある患者では機器の操作が難しい面があるが，パソコンでは大型キーボードやスクリーンキーボードの使用も考えられる．左手使用のためマウスの左右ボタンの機能を入れ替えたほうが使いやすい場合は，OSで設定する．最近では，**ソーシャルネットワーキングサービス**による新しいコミュニケーションの方法が出現している．失語症者の楽しみとしてのパソコンやスマートフォンの使用についても，言語聴覚士は積極的にかかわっていきたい．

ただし，「パソコンであれば字が書ける」と導入にあたって過大な期待を抱く患者・家族もいる．仮名文字を手で書いて綴ることとキーボードで綴ることは基本的には同じ能力が要求されるので，高額な機器に無駄な出費をすることがないよう注意が必要である．

6）芸術療法としての書字活動

川柳・俳句，短歌の創作や，書道などの書字活動は，**芸術療法**（芸術的諸活動を通じて心身の不適応状態の回復をはかる心理療法の技法）としての意味をもつ．集団で実施すれば社会的交流の手段としても有意義であり，患者のQOL向上に寄与した多くの実践報告がある．このような活動について患者自身が自発的に取り組みを始める可能性は低く，必要に応じて言語聴覚士から提案することが望まれる．

4 失語と失読失書が合併した事例

失語と失読失書が合併した症例を紹介する．前述のとおり，失読失書や純粋失読も実際は失語と合併していることが多い．一般的に読み書き障害よりも失語のほうが生活上の大きな問題になるので，言語聴覚士は失語へのアプローチを忘れてはならない．

【基本情報】74歳，右利き，女性，高校中退，元パート勤務．長男と2人暮らし．読字・書字習慣はあまりなく，新聞をざっと見たり役所の書類を記入する程度とのことである．

【現病歴】平日の夕方，自宅で倒れているところを近所の人が発見．救急車にて搬送され，左中大脳動脈領域の脳梗塞と診断され入院，血栓回収術が施行された．当日のMRI拡散強調画像を図10-16に示す．左半球の放線冠を中心とした皮質下と角回を含む頭頂葉に高信号域を認めた．神経学的には軽度の右片麻痺を認めた．

【失語症の症状】自発話は，発話量がやや少ないが，構音の歪みなく流暢．喚語困難が目立つ．時に聞き返しがあるが，聴覚的理解には重篤な問題は認められない．発症9日後から施行のSLTAの成績は図10-16のとおり．すべての言語モダリティに成績不良を示し，失語が認められる．一方で，「聴く」や音読以外の「話す」（特に呼称）に比べて，「読む」「書く」および「音読」の正答率は著しく低い．漢字だけでなく仮名でも困難で，この低成績は病前の読み書き水準・習慣の問題に帰するとは考えにくい．特に読字で仮名が漢字より不良であり，失語に**頭頂葉型（角回型）の失読失書**が合併していると考えた．

【失読失書の評価】まずは読解・音読課題も含めた失語に対する訓練を行いながら，並行して読字について詳細な評価を実施した．逐字読み傾向は認められず，仮名文字のなぞり読みを促したが促進効果は認められず，純粋失読は否定的であった．失読失書であることの確認および介入の手がかりを得るために，SALA失語症検査の「OR35　単語

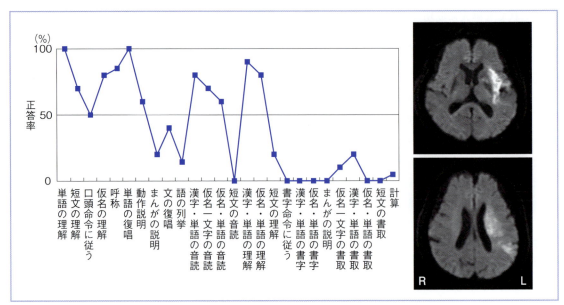

図10-16　事例のSLTAプロフィール（発症約10日時）とMRI拡散強調画像（発症当日）

の音読Ⅱ（表記タイプ×モーラ数）」および「OR34 単語の音読Ⅰ-漢字（心像性×頻度）」を実施した．いずれも正答率は低く，前者ではやはり仮名が漢字より困難であった．後者では明確な心像性効果と頻度効果が認められた．すなわち，高心像・高頻度語の正答率がほかに比べて高かった．

【失読失書の訓練・支援】失語の訓練と並行して，患者にとって容易な高心像・高頻度語の読字訓練を導入した．まずは3～5語ずつ，漢字＋仮名表記で呈示し，単語と単語のマッチング課題を行い，次に絵を添えた単語を音読してもらい（呼称が音読より良好なことを利用），最後に絵を除いて音読してもらった．徐々に訓練の単語数を増やすとともに，表記は漢字だけまたは仮名だけにした．書字については，患者自身が「あまり必要ない」と言い，また発症早期ということもあり，氏名・住所等基本情報の写字課題を導入するにとどめた．

【訓練・支援の結果】患者は約1か月後に回復期リハビリテーション病院に転院した．

引用文献

1) 上島睦，沖春海，能登谷晶子，他：五十音ヒントによる読字訓練．失語症研究 12：75-76, 1992
2) Starrfelt R, Olafsdóttir RR, Arendt IM：Rehabilitation of pure alexia：a review. Neuropsychol Rehabil 23：755-779, 2013
3) 吉野眞理子，山鳥重，高岡徹：純粋失読のリハビリテーション―単語全体読み促進を目ざしたフラッシュカード訓練とMOR法による検討．失語症研究 19：136-145, 1999
4) 伊澤幸洋，小嶋知幸，加藤正弘：漢字の失読症状に対する訓練法―漢字一文字に対して熟語をキーワードとして用いる方法―．音声言語医学 40：217-226, 1999
5) Eggers O（著），柴田澄江，原和子，山口昇（訳）：エガース・片麻痺の作業療法―Bobath理論による．pp117-126, 協同医書出版社，1986
6) 公益財団法人テクノエイド協会 http://www.techno-aids.or.jp/（2020年12月閲覧）
7) 物井寿子：文字言語障害の治療．濱中淑彦，波多野和夫，藤田郁代（編）：失語症臨床ハンドブック，pp610-617, 金剛出版，1999

D 発語失行（失構音）訓練

1 基本概念

Darleyは発語失行を「構音プログラミングの障

表 10-11　Darley による発語失行の特徴

1. 音韻性の誤りが主である：省略，置換，歪み，付加，音韻のくり返しなど
2. 順向性(保続)の誤りや逆向性の誤りが見られる
3. 構音位置や構音順序を努力しながら探索し，比較的近い音に誤る
4. 誤り方が一貫性に乏しい
5. 目標構音の複雑さに影響を受ける
6. 目標構音の長さに影響を受ける
7. 随意的発話では誤ることが多く，反射的あるいは自動的発話では正しく発音することが多いなどの乖離が見られる
8. 復唱は特に困難である
9. 自分の誤りに気付いてはいるが，それを予測したり修正したりはできないことが多い
10. 自分の構音を意識的にモニターする結果，発話速度の低下，ピッチの平板化などプロソディの障害を生む
11. 口舌顔面失行が多くの場合に合併する

〔Darley FL, Aronson AE, Brown JR, et al：Motor Speech Disorders. WB Saunders, Philadelphia, 1975 より〕

害」と位置付けている〔「純粋型の発語失行(失構音)」(➡ 113 頁)参照〕．したがって，発語失行は発話したいことが想起されているにもかかわらず(内言語障害すなわち失語症でない)，また発話するのに必要な運動能力があるにもかかわらず(運動実行機能障害でない)，うまく発話できない状態をいう．発語失行は発話長の短さ，話量の低下とともに失語症分類の要である非流暢性の要因である．ブローカ失語の非流暢性は発語失行によるところが多く，復唱を含むすべての発話に障害をもたらす．

2　症状

発語失行は失語症と合併することが多い．失語に伴う発語失行は失語症状が重なるため特徴が見えにくくなる．Darley によるブローカ失語に伴う発語失行の特徴を表 10-11 に示す．1～6 までが音の誤り方について，7～9 については発話行動について，10 はプロソディ障害の発現メカニズムについて，11 は随伴症状について述べている．ここで Darley は痙性構音障害との鑑別を念頭においたために，発語失行の特徴を置換など「音韻性の誤り」が主であると表現している．しかし失語症は音韻の障害を呈するため合併例ではその特徴をみるのは難しい．発語失行の特徴は純粋例で見るのがよい．以下に純粋発語失行の症状について，① 聴覚的印象，② 音響分析，③ 構音運動の側面に分けて述べる．

a　聴覚的印象

発語失行は重症度にもよるが，言おうとする語の音節(モーラ)数が保たれることが多い．麻痺性構音障害や失語症と比べると，音節数の一致率は痙性構音障害＞純粋発語失行＞ブローカ失語＞ウェルニッケ失語となり，発語失行では語の音韻情報が失語症に比べ正確に想起されていると推測できる．目標音へ近い音への誤りが多いことも同様の理由からと考えられる．

次に発語失行では構音運動の複雑な音で誤る傾向がある．子音に比べ構音運動が比較的単純な日本語の母音は保たれやすい．音の種類では破裂音や鼻音が出やすく，次に破擦音，そして摩擦音と続き，弾音・わたり音が難しい傾向にある．これは子どもが構音を習得する順番とほぼ一致しており，構音運動の複雑さを反映しているものと考えられる．わたり音が難しいのは 1 つの構音から次の構音へわたる，すなわち連続性が必要となるからと考えられる．音の複雑さは言語によって異なる．英語圏では最も難しいのが破擦音や摩擦音であるが，やはり子どもの習得順序とほぼ一致する．英語には /θ/ など難しい摩擦音がある一方で，/l/ は簡単で比較的早く習得される．また，英語には子音が続く子音連結(例：/st//kt/ など)がありこれらは発語失行でも子音のみに比べ困難となる．

音の誤り方としては置換，省略，付加，歪みのすべてがみられる．失語症の音韻性錯語とは歪みでの有無区別されるが，痙性構音障害とは主に置換，付加で区別される．歪みはどちらにもみられるので，歪みというだけでは区別できずその性質

をみる必要がある．痙性構音障害にはみられない純粋発語失行に特異的な歪みとしては，構音器官間の異常な同時挙上（例：[nm/n]）やオーバーシュート＋発声タイミングのズレ（例：[ᵏa/a]）などがある．

Darleyは音の置換が発語失行の特徴であると考えたが，複数の純粋例を初期から回復まで見ていくと個人差があるのと同時に，経過とともに音の誤り方が変化していくことがわかる．初期の重度のときは置換中心が多いが，時に省略が多いこともある．置換では多くの音が /t/ /b/ などの歯茎音になるタイプ，/k/ /g/ など軟口蓋音になるタイプなど，出せる音の種類の幅が狭い傾向がみられる．その後は置換，省略，付加，歪みなど多様な誤りが頻出し，軽度になるにつれ目標音に近い音，すなわち歪みが中心となるが，その苦手な構音運動の違いによって，無声化タイプ，非弾音化タイプ，鼻音化タイプなど，個人差がみられる．

b 音響分析

音響分析ではプロソディの3要素のうち発話長とピッチに特徴がみられる．純粋発語失行とブローカ失語の患者に「八百屋でニラを見る」を発話してもらうと，母音の引き延ばしや音節ごとに休止が入る音節化構音が共通してみられる．結果として発話速度が低下する．また，同じ /ja/ でも最初の /ja/ の長さが次のものよりも長かったり，/de/ がほかの音節に比べ短くなったり，音節長が不規則になることも多い．ピッチの平板化も認められるが，文全体としてのピッチ曲線（話し始めに上がり，終わりに下がる）は保たれている．音節化構音はすでに獲得している構音プログラムを自動的に発動できなくなり，音節ごとに再プログラミングしている可能性を示唆している．

c 構音運動

発語失行が構音運動のプログラミングの障害であるならば，構音運動自体を分析するのが望ましい．しかし，実際には口唇以外，外からの観察は難しい．口腔内の構音運動を分析するためにエレクトロパラトグラフィー，X線マイクロビームシステム，X線やMRIなどが使われている．図10-17はX線マイクロビームシステムを使い，顎，口唇，前舌，後舌の縦の動きを見たものである．「いい（ええ）〜です．」という発話で「〜」部分にはさまざまな語が入る．健常成人では「いい（ええ）」と言うとき，後ろの語が何であれ，一定の位置を取っていることがわかる．しかし，軽度発語失行例の事例1では音としての誤りはないものの，構音運動は後舌以外で一致しない．また，発声前には探索行動と見られる不必要な後舌の挙上がある．より症状が重い事例2では本来不必要な口唇，前舌，後舌の挙上がさまざまにみられ，[miː][diː][giː]など一貫性のない音の付加となっている．なお，この症例の「いい」の発話は20回の内，1回は正しく，10回は[g]，4回は[d]，2回は[dʒ]へ，そして[m][n][tʃ]が各1回付加され，一貫性はないが誤り方の傾向は認められる．

図10-18は，事例1がさまざまな語のなかで，[ɲi]を目標として発話しているときの動きである．聴覚的印象では[ɲi]と正しく聞こえたり，[mɲi]と歪んだり[mi]と置換に聞こえた．動きを見ると本来[ɲ]の構音には必要ない口唇の挙上がどの発話にも認められる．それが前舌の挙上や発声とのタイミングによりさまざまな音になっているのがわかる．これらのことは発語失行の特徴を置換，省略，付加，歪みなどの聴覚的印象でのみ語ることは難しいことを示している．少なくともどの音がどのように誤るのか，詳細な音声記号表記を用いて記録し，一人ひとりの構音運動障害の傾向を分析することが大切である．

表10-12に純粋発語失行の特徴をまとめた．なお，失語症と合併した場合には内言語の障害を反映し，呼称に比べ喚語の負担が少ない復唱や音読（読みの障害が軽い場合）で発話症状が改善する等，モダリティ間で差が生じることがある．また，自動的な発話と随意的発話に差がみられるこ

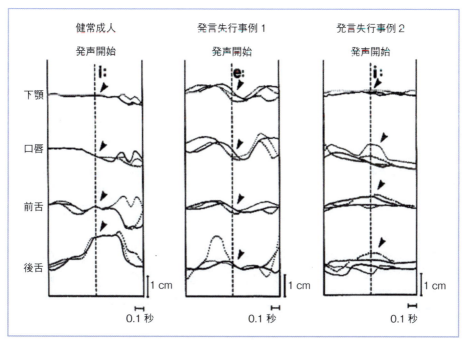

図10-17　X線マイクロビームシステムによる健常成人と純粋発語失行事例にて「いい（ええ）〜です」と発話したときの顎，口唇，前舌，後舌の縦の動き

事例2のiは正しく発音したとき，diは/d/の付加，miは/m/の付加，giは/g/の付加がおきたときの動きである．

〔Konno K, et al：Articulatory Movement of Apraxia of Speech. Annual Bulletin. RILP 21：171-191, 1986 より〕

とが多いのも特徴である．

3　評価

鑑別診断のための評価は純粋型の場合は失語症との鑑別が必要になるが，これについては〔「鑑別診断」（➡114頁）〕を参照のこと．運動障害性構音障害，特に痙性構音障害との鑑別はすべての発語失行で必要となる．構音器官の形態や機能を評価する構音器官検査はSLTA補助検査や音声言語医学会の試案など簡便なものでよい．多くの場合，患者は右口腔顔面麻痺を伴っているが，それが構音に影響を及ぼす程度のものかを確認する．

/papapa…//tatata…//kakaka…//patakapataka…/などのディアドコキネシスも，発語失行と痙性構音障害の違いを際立たせてくれる手軽な検査の1つである．発語失行では単音節のくり返しは比較的速くスムーズに行えるのに，多音節になると急に発話速度が低下したり，音の誤りが頻発したりするが，痙性構音障害では一般にこのような単音節と多音節の差はみられない．また，構音障害では[b]が鼻音化して[m]となることはあっても，[b]を[d]と間違える，つまり両唇音を舌音に間違えるといった構音器官間の置換はほとんどみられない．

a　会話などによる評価

これは主にインタビュー，会話などでの自発話で評価することが多いが，失語を合併して喚語困難が著しく自発話が少ない場合は，場合によっては復唱で行うこともある．評価は発話明瞭度と異常度の2つの側面について行う．発話明瞭度は内容伝達度の評価で，内容がすべて理解可能な「1」からまったく理解不可能の「5」までの5段階評価となっている．異常度は発話の自然性を評価するもので正常の「0」から最重度の異常を示す「4」の5

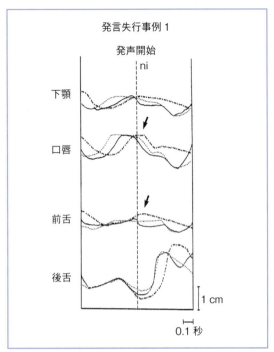

図10-18 /ni/ 構音時のX線マイクロビームシステムによる純粋発語失行症例の顎，口唇，前舌，後舌の縦の動き

mi/ni は /m/ へ置換に聞こえたとき，ni/ni は正しく聞こえたとき，mni/ni は歪みに聞こえたときの動きである．
〔Konno K, et al：Articulatory Movement of Apraxia of Speech. Annual Bulletin. RILP 21：171-191, 1986 より〕

表10-12 純粋発語失行の特徴

1. 構音器官の選択，構音位置，構音様式の誤り，声帯調節の誤り，構音器官の不必要な動きなど構音運動の異常が主で音韻性の誤りが主ではない
2. 誤り方の一貫性が乏しいが傾向はある
3. 構音の複雑さに影響を受けるため日本語では母音よりも子音に誤りが多く，子音でも両唇や歯茎破裂音は良好なことが多い．
4. 構音の長さに影響を受け，長いものほど誤りが多い
5. 随意的発話と自動的発話に差が少ない
6. 自発話，復唱，音読で差が少ない
7. 音節化構音のため発話速度の低下，ピッチの平板化を生じ，非流暢な印象を与える
8. 探索行動，発話開始の遅れ，音や音節のくり返しがみられる
9. 口舌顔面失行は初期には合併することが多い
10. 音の省略，置換，歪み，付加など誤りタイプや構音様式，位置，有声無声，鼻音性の誤りは個人差と回復過程により異なる傾向がある

〔紺野加奈江：発語失行の言語治療．失語症研究 18：133-137, 1988 より〕

段階で評価する．なお，この全体評価は訓練前後の総合評価として用いることが多い．

b 構音検査

目標音の長さに基づく「単音節検査」，「単語検査」，「文検査」，「文章検査」と，主に単語レベルで音環境により構音がどのように影響されるかをみる「調音結合検査」がある(例：/na/：/nata/ /nada//naka/ など後続の子音の違いによる影響)．患者のレベルに合わせて課題を選択するのは言うまでもないが，発語失行では「構音の誤り方に一貫性がない」という特徴があるので，目標語を3回ほどくり返して発音してもらうと，この「一貫性」の側面を捉えることができる．

分析は音節，単語，文などの正答率でみる「構音単位のレベル」，母音，両唇音，前舌音など構音の種類別の正答率でみる「構音の種類による難易」，3回くり返した場合などの「構音の誤りの一貫性」，破裂音化や鼻音化などの「構音の誤りの方向性」に加え，「長さの影響」，「音の発話内における位置の影響」，「音環境による影響」，「保続の有無」，「探索行動の有無」，「発話開始までの時間」「自己修正の有無とその結果」，「自動的発話(例：10まで数える，月〜日曜日まで言う)と随意的発話の相違」などの観点から行う．

1) 被刺激性の評価

構音がどのような条件で改善しそうかを調べる検査で，再刺激(刺激をくり返すと構音が改善するか)，文字提示(文字を提示すると構音が改善するか)，口形提示(口形を見せたり，図示したりすると構音が改善するか)，運動指示(構音の仕方を指示すると構音が改善するか)，視覚性フィードバック(鏡などで自分の構音を見ると改善するか)，斉唱(一緒に言うと構音が改善するか)などを試す．

c プロソディ検査

プロソディの評価には「雨」と「飴」などを正しく発音するアクセント検査（地域による差異に留意）と「疑問文」と「平叙文」の違いを正しく表現するイントネーション検査，そして自発話でのプロソディ評価が含まれる．データの分析は「ピッチアクセント障害の有無」，「意味的イントネーション（疑問文と平叙文の対比）障害の有無」，「その他のピッチの障害（平板化など）の有無と程度」，「音節化構音の有無と程度」，「ポーズの位置と頻度」などについて行う．

d 口舌顔面失行検査

口舌顔面失行は発語失行に合併することが多く，これが重いと訓練で構音運動を指示することが困難になるなど，直接訓練に影響するので，その有無と重症度は調べておく必要がある．WAB失語症検査やSLTA-STなどの当該課題が活用できる．

e 評価のまとめ

これらの評価を常に一律に行う必要はない．言語訓練の目的はコミュニケーション機能の改善にある．その意味で発話明瞭度の評価は必要である．また，これを改善するための訓練に直接かかわる発話能力レベルにあった構音検査，被刺激性の評価，口舌顔面失行検査は優先順位が高い．一方で，プロソディ検査はその異常がコミュニケーションに影響する場合に行うのが現実的である．そして最も重要なことは，どんな構音運動異常が構音を不明瞭にしているかを個別に見極め，どの訓練法が有効的かを試し，訓練計画に結びつけることである．

発語失行の重症度は，明瞭度で考えるとわかりやすい（表10-13）．最重度は明瞭度5でまったく発話内容が伝わらない，発声や母音の構音すら困難な状態，重度は明瞭度4で構音可能な音が限られ単語でも伝わりにくい状態，中等度は明瞭度3

表10-13 明瞭度と異常度

```
明瞭度（1～5）
1）全部わかる
2）時々わからない語がある程度
3）聞き手が話題を知っていればどうやらわかる程度
4）時々わかる語があるという程度
5）まったく了解不可能

異常度（0～4）
0）正常である
1）まったく正常とは言い切れない
2）異常と感じることが時にある
3）異常と感じることが頻繁にある
4）すべての発話を通して異常と感じる
```

〔田口恒夫：言語障害治療学．37-38．医学書院，1966より作成〕

で構音可能な音が増え何を言いたいかがある程度伝わる状態，軽度は明瞭度2で/r//s/など複雑な音を除けば大抵の音の構音が可能であり，時に誤ることはあるものの，話しの内容はほとんど伝わる状態である．

4 訓練

訓練方法としては①構音運動訓練，②発話速度／リズムの制御訓練，③システム間促進／再編成訓練，④拡大・代替コミュニケーション支援がある．客観的な効果が最も確認されているのは構音運動訓練であり，発話速度／リズムの制御訓練もある程度の効果が見込まれている．他方，システム間促進／再編成訓練や拡大・代替コミュニケーション支援については効果の確証は得られていない[1]．失語症訓練のなかに発語失行の訓練を組み入れるなどのシステム間促進やコミュニケーション・ボードやノートなどの拡大・代替コミュニケーション支援は関係する要素が増すために客観的に訓練効果を測ることがより困難になると考えられ，必ずしもこれらのアプローチが役に立たないということではない．

構音運動訓練は正確な構音運動の再獲得をめざす方法で，Squareらはこれをボトムアップ・ミクロ構造的アプローチと呼んでいる．主なものに反

復運動訓練，模倣，構音定位法，構音派生法，これらを統合した8段階統合刺激法，構音に合わせて顔などに触覚刺激を与え，口径や舌の位置のヒントを提供するPROMPTなどがある．一方，構音運動への直接的働きかけをするのでなく，発話速度やリズム，イントネーションに働きかけて構音の改善をめざす訓練法はトップダウン・マクロ構造的アプローチと呼ばれ，メトロノームに合わせて一音節を発音するメトロノーム・ペーシング，コンピューターが出力する自然なリズムに合わせる韻律ペーシング，指折り法，手拍子や斉唱なども含まれる．どの手法を用いるかは発語失行，口舌顔面失行，失語症の有無と程度，ほかの高次脳機能障害の種類と程度などにより調整が必要となるので，その点からも被刺激性の評価は重要である．

構音運動自体にアプローチする場合，McNeil[2]らはその6原則のなかで集中的な反復練習が重要であるとしている．しかし，運動学習の原則principles of motor learning(PML)によれば同じ運動の反復は習得速度に影響するが，異種の運動の組み合わせは効果維持と別の運動への般化がよいという[3]．したがって構音訓練は導入には集中して目標構音をくり返し，維持や般化のためには別の構音との組み合わせを取り入れることが効果的と考えられる．

また，構音訓練は構音に集中できるので非語で行うほうが効果的とする立場[4]と言語音のなかで訓練すべきと考える立場がある．意味のある言葉が言える喜びは訓練の動機づけになること，また，失語症を合併している場合，意味から発話ルートを刺激することで内言語の訓練も兼ねることができる点で言語音を用いるほうがよいと考える．後者にはRosenbekら[5]の8段階統合刺激法やWambaughら[6]の音産生訓練 Sound Production Treatment(SPT)などがある．SPTは語，句，文のなかで目標音の改善をはかる．具体的にはモデル提示，復唱，ミニマルペア対照，総合的刺激，構音場所のヒント提示，反応に対するフィードバックを行う．一人ひとりの必要に応じて効果的な刺激やヒントを選び，必要なステップのみ選択して行うのが現実的である．

リズムやプロソディを使って発話を促進する方法は構音運動に直接アプローチする方法に比べてその研究は少ない．モーラ指折り法，メトロノームやペーシング・ボードを使ってリズムを取る方法，歌唱法などがあるが，臨床での対応を考え，以下に重症度別に一般的に用いられる訓練法を提示する．

a 重度の発語失行

■ 意図的発声
なじみのある歌の斉唱，ハミング

■ 随意的な非構音運動
ハミング，頬を膨らまして開放する，舌の出し入れや挙上など非構音的運動で構音器官の随意性を高める．ハミングから[m：ma]に，また，頬を膨らませて開放し[pa]の構音に結び付けていく（構音派生法）．

■ 構音
意図的発声が可能であれば構音動作の負荷が少ない母音から始める．最初は斉唱で行い，次に模倣へ移行する．子音も両唇破裂音や両唇鼻音など構音動作が簡単なものから始める．

この段階では発話によるコミュニケーションは難しいので，コミュニケーション・ボードやコミュニケーション・ノートの使い方を指導することも忘れてはならない．重度の発語失行の訓練で大事なのは普段よく使う有意味語を目標語に選ぶことである．「あ(は)い」や「いーえ」や「おーい」などは構音運動の負荷も少なく，すぐに会話でも使え（例：名前を呼んで返事してもらうなど），話している実感が感じられ訓練意欲につながることが期待される．強調したイントネーションで弾みをつけることで想起，発話しやすくする場合でも「おあおー(おはよー)」など毎日使える定型句を目標語にすることが大切である．

b 重中度～中度の発語失行

■ 系統的構音訓練

母音，鼻音，破裂音など簡単な音から，摩擦音，弾音などより複雑な音へ，短い音節から長い単語や文へ，簡単な調音結合からより言い難い調音結合へシステマティックに進む．

■ 構音運動の説明

目標音が「ま」であれば「唇を閉じて」など具体的な構音運動を説明したり，見せたりして構音運動のイメージを作る．また，これを思い出すヒントとして口形図を作って提示してもよい．「唇が閉じてるのを確かめて」など教示により触覚-運動感覚情報を強調して意識し構音の定着を促してもよいであろう（構音定位法）．

■ 視覚的フィードバック

鏡，エレクトロパラトグラフィ，ビジピッチ，発声発語訓練装置などを用いて視覚的にフィードバックができるようにして，構音動作の精度を上げていくのも効果的である．しかし，患者によっては鏡を見ながら構音するという慣れないことに戸惑い，効果が望めない場合もあるので注意を要する．聴理解が良好であれば教示により聴覚フィードバックを強調するだけで効果がある場合もある．

ほかに指折り法やペーシングボードなど，リズムを使って発話の促進をはかるのもこのレベルと考えられる．

c 軽度の発語失行

症状が軽度の場合は，文，文章での訓練が中心となる．この時点では明瞭度は良好で，問題はむしろ異常度の改善に絞られてくる．それにはより速く，より長く，豊かなイントネーションでの発話への訓練が必要となる．

■ 文節単位の構音

非流暢の印象の主な原因は文節中の音の引き延ばしやポーズなので，モーラごとの構音プログラミングでなく，文節ごとのプログラミングをするように訓練する．

■ 調音結合の訓練

単音では正確に構音できているのに，前後の音の影響で上手く構音できずに発話のリズムが乱れることがある．どんな調音結合が難しいのかを調べるには，文章の音読をしてもらい，音の引き延ばしによるリズムの乱れが生じる部分を取り出して行く．「[t][d]などの前舌音から[k][g]など後舌音に移る動きが重なるときに乱れやすい」など困難な調音結合が特定できれば，それを2つの音節の結合でなめらかに言えるようにし，徐々に音節数を増やしていく．

■ 文ごとのイントネーション強調

文節ごとのプログラミングが可能となったら，構音よりも文単位でイントネーションに注意を向け，発話する訓練を行う．ここでは多少の音の誤りは気にしない．しかし，同じ調音結合で躓くようであれば調音結合訓練を行う．

軽度の場合は訓練も患者が家で行うことを中心にし，ボイスレコーダーによる自己評価ができるよう指導し，これを月に数度，言語聴覚士がチェックし次の課題の選択を行うのが現実的である．課題は復唱，音読中心からより総合的，実際的なまんが説明や会話場面での訓練に焦点が移る．

5 事例

58歳，右利き，男性．脳梗塞．右片麻痺，軽度の中枢性右顔面麻痺．CTにて左第3前頭回，中心前回，中心後回の皮質，皮質下白質，島に低吸収域を認めた（図10-19）．発症3か月の言語検査では中等度の口舌顔面失行，重度の発語失行，中等度の失語が認められた．口舌顔面失行検査では「吹く」に「ち」や「ん」と言ったり，「咳払い」に「ど」や「どんき」と言ったりする音声化の誤りが比較的多くみられた．自発話は比較的速いジャルゴン様の発話とゆっくりで音節ごとに区切り，発話開始のためらい，努力性がみられる発話とが初期には混在していた．音の種類は歪んだ[o, i, d,

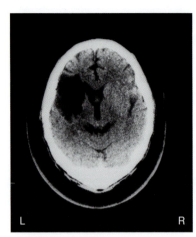

図 10-19　事例の CT 画像
〔紺野加奈江：純粋語唖．岸本英爾，他（編）：神経心理学と画像診断，108-115，朝倉書店，1988〕

g, k, dʒ, tʃ] など限られた母音と限られた破擦音や破裂音のみであった．また，3 回同じ語を発話すると，3 回とも別な音となり一貫性のない構音の誤りを呈した．発語失行は復唱，音読でもみられたが，自発話が最も目的語から離れた発話となった．発話明瞭度は 5，異常度は 4 であった．聴覚理解は単語レベルや簡単な文では良好であるが，助詞の理解が要求されるより複雑な文や文章の理解は困難であった．読解は漢字，仮名とも聴理解とほぼ対応して良好であり，複雑な文，文章で困難を示した．書字は不良で漢字に比べ仮名がより困難であり，錯書が顕著であった．構音検査（復唱）では単音では /i/ /o/ と /ka/ /da/ のみが可能であった．単語では /ie/ が [dogi] に，/aoi/ が [koido] になるなど音節数はほぼ一致するが，母音は [oi] [/oio] [oii] [oiii] のいずれかに置換されることが多かった．

　訓練は週 1 回 1 時間行った．中等度の失語症を合併していたので，失語症の訓練と合わせて行った．被刺激性の評価で，口頭指示での構音の定位は口舌顔面失行のため困難であったが，口形の模倣は比較的有効であった．構音しようとすると体に不必要な力が入ってしまうので，準備としてリラックスの声がけを行った．

【第一期】課題は，① 発音可能な音の組み合わせの単語（「父」や「5」など）の絵や数字を提示する呼称課題，② 鼻音 /n/ /m/，両唇破裂音 /pa/ の再獲得を口形模倣と構音派生法で行い，「パン」などの有意味語の復唱につなげる課題，③ /a/ の口形模倣から「あお」などの模倣課題であった．なお，絵，数字，漢字を組み合わせたコミュニケーションノートを作成，使用訓練も同時に行った．その結果，[a, e, m, p, b, n] が訓練場面では新たに発音可能となったが，すべての発話でこれらの音を含め置換，付加，歪みが頻発した．

【第二期】① 発音可能な音からなる単語呼称課題に取り組んだ．長さを順次長いものへ，音産生訓練（SPT）でアプローチした．② 摩擦音 [h, Φ, ʃ] の再獲得を模倣と構音派生法で行い，有意味語へと移行．その結果，③ すべての母音と [h, Φ, ʃ] が訓練場面で新たに発音可能となった．モーラ数に加え，母音の一致率が上がり，何を言いたいか推測できるようになった．一方，子音は置換，付加，歪みの頻発が継続した．

【第三期】① 句〜短文の音読課題．誤りの部分に SPT でアプローチした．② [ɾ] の構音を図示，舌の動きを手でヒント，エレクトロパラトグラフィによるフィードバックを用いて再獲得をめざした．ただし，[s, z] は置換による意味伝達の錯誤が比較的少なく，かつ，構音運動が極め複雑なので訓練対象としなかった．）その結果，③ 発話は置換よりも歪みが多くなり，明瞭度は 2 まで改善した．[ɾ] は訓練場面では歪んだ音が可能となったが，会話場面では [d] に置換されることもしばしばみられた．

引用文献

1) Ballard KJ, Wambaugh JL, Duffy JR et al：Treatment for Acquired Apraxia of Speech：A Systematic Review of Intervention Research Between 2004 and 2012. Am J Speech Lang Pathol 316-337, 2015.
2) McNeil MR, et al：Apraxia of Speech in Adults：The Disorder and Management. Grune & Stratton, Orlando, 1984
3) Schmidt R, Lee T：Motor Control and Learning：A Behavior Emphasis. Human Kinetics, Champaign, IL, 2005

4) Dabul B, Bolller B : Therapeutic Approaches to Apraxia. J Speech Hear Disord 41(2) : 268-276, 1976
5) Rosenbek JC : Treating Apraxia of Speech. In : Johns DF(ed) : Clinical management of neurogenetic communicative disorders, pp251-310, Little Brown & Company, Boston, 1978
6) Wambaugh JL, Kalinyak-Fliszar MM, West JE, et al : Effects of Treatment for sound errors in apraxia of Speech and Aphasia. J Speech Lang Hear Res 41 : 725-743, 1998

3 活動・参加訓練

A 実用的コミュニケーション訓練

1 基本原則

　実用的コミュニケーション訓練は，従来の話す，聞く，読む，書くといった言語機能の改善・向上を目的とする訓練方法に対して，ジェスチャーなど非言語の伝達手段も含め，内容の伝達そのものに焦点を当てた訓練といえる．つまり，実用的コミュニケーション訓練の目標は正しく発語，あるいは正しい文法で伝達する能力の改善を第一とするのではなく，ジェスチャーや描画などの**非言語的手段**も含むあらゆる伝達手段を活用することで，意図する内容の伝達を可能にすることである．

　しかし，実用的コミュニケーション訓練は言語機能の改善に対する訓練と対立するものではなく，発語で十分に伝達できない部分を非言語的手段により充足し，コミュニケーションを成立させようとするものである．そのため，非言語的手段を使用しながらも，訓練時に言語聴覚士は常に発語を併用し，正しい単語や文章をフィードバックするよう留意する必要がある．さらに，実用的コミュニケーション訓練では，その成果を日常生活において実用化させることが最終目標であると考えると，日常の会話相手となる家族などに対する具体的なアプローチは不可欠といえる．

　急性期を経て回復期から生活期へと，発症からある程度の時間が経つと，コミュニケーション障害に対する受けとめ方も，失語症者により差が出てくる．それは言語能力検査からの客観的な重症度と必ずしも一致するものではない．さらに失語症者や家族が言語訓練に期待する内容や効果も，個々の生活での必要性に合わせて具体化してくる時期でもあろう．

　そこで本項では，言語聴覚療法をICFでいうところの**活動・参加**[1]を見据えた実用的コミュニケーション訓練をする際の，評価，訓練・指導・支援に関する視点や留意点とその効果を紹介する．

2 評価

　実用的コミュニケーション訓練の対象者は主に失語症の重症度が重度～中等度であり，特に重度の場合は，言語機能のみを対象とする．包括的失語症検査の実施が難しいと思われる場合がある．しかし，活用できるコミュニケーション手段を把握するには，できる限り総合的検査を試みることが望ましい．そうすることで，意外な残存能力を発見できることもある．同時に検査の実施にあたり大切なことは，第1に失語症者の表情や精神的負担感などに十分留意することである．あまり無理を強いると，言語訓練室は「できないこと」を突きつけられる辛い場となってしまう可能性があり，言語訓練や言語聴覚士との関係にも影響を及ぼしかねない．

　第2に，検査に取り組むことができる場合には，正答に至らなくても，検査中に表出される非

言語的手段にも注目することである．例えば，呼称を制限時間内に成功できなかったとしても，自然に表出されるジェスチャーや文字，「鳥居」など対象物の形の空書などの表出も見落とさず記録しておくことが重要で，また書字においては，正確に書くことは難しくても漢字の一部を正しく書くことができれば，それもコミュニケーション場面では会話相手が伝達内容を推測するための有効な手段となる．このように，検査の基準では正答にならなくても，意図する内容を伝達するための実用的コミュニケーション手段となりうることを念頭におくことが，残存能力の活用には重要である．

一方，失語症が重度であり，言語機能の評価を目的とするSLTAなどの実施が心理的に負担となるようであれば，総合検査より先に**重度失語症検査**や**実用コミュニケーション能力検査(CADL)**[2]などの実施を検討する．重度失語症検査には，失語症者の非言語手段の表出能力とジェスチャーなど非言語手段を理解する能力の評価も含まれている．そのため，言語聴覚士および失語症者も新たなコミュニケーション能力を発見できることが多く，実用的コミュニケーション能力の向上にむけた訓練のヒントを得ることができる．さらに，病棟でのコミュニケーション場面を観察したり，家族や周囲の人から日常生活場面での情報を聴き取ることで，日常生活での貴重な実用的なコミュニケーション能力に関する情報入手することができる．

発語以外の実用的コミュニケーション手段としては，拡大・代替コミュニケーションAugmentative and Alternative Communication(AAC)が対象となる．AACの説明としては，AACの国際学会であるISAAC(The International Society for Augmentative and Alternative Communication)(➡ Note 39)では，「AACとは，日々のコミュニケーション障害を解決するために，個人が用いるツールや方略であり，具体的には，発話，視線の共有，文字，ジェスチャー，表情，接触，手話，シンボル，絵，発話生成機器Speech-Generating Devices(**SGD**)など多様である．文脈や会話相手により，多様なコミュニケーション手段を使用し，意図や意味が相手に理解されることが有効なコミュニケーションである．その際に重要なことは，言語形式よりもメッセージが正確に理解されることである」[3]としている．

Garrettら[4]は，失語症者にAACの使用にむけたアプローチを実施する際には，使える手段は何でも使うという「多様式のコミュニケーション手段(multimodal communication strategies)」の活用という点を重要視しており，これは大切で実用的な観点である．

そこで，これらの多様式なAACを活用する能力を評価することが重要となるが，わが国では確立されたAAC能力に特化した検査方法はないのが現状である．一方，欧米では，失語症者のAAC能力を示す指標として，AACの活用状況により6つのグループに分類し，支援目標を示す．「AACの活用状況による失語症者のグループ分け」[5]を用いることが多い(表10-14 ➡ 308頁)．この分類にはSGDの活用も入っており，わが国の現状ではSGDを使用している失語症者はまれであり，評価が難しい点もある．しかし，この分

> **Note 39. ISAAC(アイザック)**
> AACの国際学会であるISAACは，1983年に創設され，現在15か国にチャプター(支部)がある．学会は隔年でチャプター国などで開催される．学会のプログラム構成は，2日間のプレカンファレンス(1日あるいは半日単位のワークショップ)，4日間のメインカンファレンスとなっている．また，メインファレンス前の2日間には，AACユーザーを対象とした，各種レクレーション企画も開催される．学会の参加者は言語聴覚士，理学療法士，作業療法士，教員，カウンセラー，エンジニアなどAACの支援に携わる専門職者のほか，多くのAACユーザーやその家族も参加することが特徴といえる(https://www.isaac-online.org/english/home/)．

類の評価の指標はAACの評価・訓練を進めるための参考になり，今後はコミュニケーションを支援するアプリケーションapplications（Apps）の活用も含めた指標になると思われる．また，失語症者のAACに関する評価方法の1つに，Garrettら[6]が開発したMCST-A（The Multimodal Communication Screening Task for Persons with Aphasia）があり，米国を中心に広く使用されている．文化的な違いもあり，本検査の図版などをそのまま使用することはできないが，AAC能力を評価する際の参考になると思われる．MCST-Aの詳細に関しては，インターネットからマニュアルと図版をダウンロードできる[7]．

3 訓練・指導・支援

　実用的コミュニケーション能力向上にむけた訓練・指導・支援は評価に基づきまず何を目的に，どのようにアプローチしていくかについて計画を立てることが重要である．また，実用的コミュニケーション能力を向上させるためには，会話相手のコミュニケーションスキルの向上も重要である．そこで，訓練計画を家族などにする．客観的根拠を示しながらわかりやすく説明し，訓練に同席し，参加してもらう．日常生活における会話場面で協力してもらうことが効果的である．家族によっては，AACの訓練を実施することで，もう発話の改善は期待できないのか，発語できなくなるのではないかと思ってしまう場合も少なくない．そのため，AACを使用する意義や，AACの使用に伴い発話が促進されることなどを，丁寧に説明し，導入の意図をよく理解してもらうことが大切である．

　実用的コミュニケーション訓練には，①残存するあらゆるコミュニケーション能力を活用するための訓練と，②新たなコミュニケーション手段を獲得していく訓練がある．残存するコミュニケーション能力があっても，それを十分に活用していない場合がある．これはICFでいう「**できる活動**」と「**している活動**」[8]の乖離といえる．例えば，少し不明確でも，ジェスチャーや描画が可能であるにもかかわらず，喚語困難に陥ると発語以外の伝達手段を使用せずに伝達を諦めてしまう場合などである．AACは，多様な手段を十分に活用することが有効なのだが，失語症者が自発的に複数の手段を試みることは少ない．そこで，会話相手が別の手段の使用を促し，伝達に成功する経験を積み重ねることで，失語症者がその有用性を認識し，自発的に使用できるまでの訓練が望まれる．

　さらに，新たなコミュニケーション手段としては，生活に即した**コミュニケーション・ブック**を作成したり，アプリケーションの導入も検討する必要がある．

　AACの種類は多様であるが，その訓練方法にマニュアルはない．伝達内容によっては，ジェスチャーより描画のほうが適していることもあるし，描画よりもジェスチャーのほうが表現しやすいこともある．一方，ジェスチャーや描画は，**観念（運動）失行**や**構成失行**の影響により困難な場合が少なくない．そのため**PACE**（Promoting Aphasics' Communicative Effectiveness）[9]（→229頁）を取り入れ，実践的な伝達訓練をくり返すことが必要である．

　自由な会話場面では，言語聴覚士も知らない内容があり，失語症者からの伝達内容がすぐには理解できないことがある．その際には，内容を理解するために多様なAACの使用を促し，それらを総合して推測するなど，言語聴覚士の熱意と感性が求められる．そして，言語聴覚士と失語症者でやりとりをくり返しながら伝達内容を理解できた時には，お互いがAACの有効性を実感できる．また，このようなコミュニケーション場面を家族にも観察してもらうことで，家族がAACを活用するためのコミュニケーションスキルを習得することにもつながる．

　これらの情報を踏まえて，活動・参加の視点での支援を考えると，家族構成，生活歴，趣味，病前の性格や，地域の人との交流状況，さらに現在

表 10-14　AAC の活用状況による失語症者のグループ分け

	グループ	支援目標
コミュニケーションパートナーの支援を必要とする人たち	グループ 1：発展段階の人たち 認知-言語面に重度の障害がある．発話，シンボルの使用，会話理解が困難で，指差しや頷きなど基本的な合図によるコミュニケーションもほとんどない．	・興味ある対象を注視する，物品や写真などを選択する，yes-no 反応の前段階として同意や拒否の合図を確実にするなど，コミュニケーションの基礎的スキルを確立する．
	グループ 2：状況文脈を利用して選択を行う人たち 自ら会話を始めることは難しいが，パートナーの適切な支援があれば基本的なニーズを伝えたり，会話に参加したりすることができる．	・身近な話題のなかで AAC を用いる． ・指差したり，シンボルの意味を理解したり，選択肢を利用して質問に答えたりする．指差しやイントネーションの変化を利用して質問を開始する．
	グループ 3：自立前の状態にいる人たち 構造化された ST 場面では AAC を用いてコミュニケーションを行うことができるが，自然な会話場面では自分の考えや思いの伝達方法を考えつくことができない．	・できるだけ少ない手がかりで会話を始める． ・伝達カードやあらかじめ録音しておいた発話生成機器を用いて自己紹介をする． ・伝えたい出来事などをコミュニケーションノートや発話生成機器に，一連の文に分けて保存しておき，順序よく提示して伝える．
自立してコミュニケーションをする人たち	グループ 4：機器の保存メッセージを使う人たち なじみ深い環境のなかでは AAC 機器に保存してあるメッセージを自力でみつけて使うことができる．発話や書字，AAC 活用の制限は大きく，馴染みのない話題について新しい情報を生成することは難しい．	・特定の場面で必要になるメッセージや話題のリストを言語聴覚士や家族と一緒に作成する． ・それらを AAC 機器に保存する． ・脚本をつくってロールプレイで練習した後，新しいパートナーや実際のコミュニケーション場面で使用し，変更が必要か検討する．
	グループ 5：新しいメッセージをつくり出す人たち 文字や発話によって，断片的であるが新しい情報を生成できる．発話能力には制限があるがジェスチャー，描画，単語を書くなどのスキルが保たれているため，独自のメッセージをつくり出すことができる．	・このグループの人たちへの AAC 活用のための支援は複雑である． ・参加のパターンを予測し，コミュニケーションニーズと興味をもつ話題を明らかにする ・多様な AAC システムを活用する方法や利用する順序について整理して教え，自然の場面で練習を重ねる．
	グループ 6：特定のニーズをもつ人たち 日常のコミュニケーションは自立しているが，正確さや効率が求められる特定のコミュニケーション場面で困難を感じる．	・困難を感じている特定の場面で必要となる要因を分析し，本人の現在の能力を考慮して対応方法を考える． ・伝達カードやリストを作成する（買い物リストを作成しておき，買い物時にチェックするなど） ・ロールプレイ形式で練習する．

〔出典：吉畑博代：拡大・代替コミュニケーション．鹿島晴雄，大東祥孝，種村純（編）：よくわかる失語症セラピーと認知リハビリテーション，pp331-347，永井書店，2008 より〕

の心理状態や日々の生活態度などを家族などから聴き取ることは不可欠である．

　失語症者の心理状態や生活に対する価値観を理解しながらも，家庭内での役割，失語症友の会や地域の行事への参加，さらには参加した場でなんらかの役割を担うことができれば，帰属感や，やりがいにつながる．それらをきっかけに，生活態度が活発化していく失語症者は多い．

本人(失語症者)の目標	パートナーの目標
・写真や実物に注意を向け，好みのものに手を伸ばす/嫌いなものを押しのける，また，頷き，発声，指差しなどの方法を用いて同意や拒否の合図を確実にする ・日常生活に必要な物品を実際に選んだり(その日に着る服など)，趣味活動に必要な物品をカタログから選んだりする(園芸用品など).	・日常場面で写真や実物から選択する，同意や拒否の合図をする機会をつくる. ・家族などの写真にキーワードを添えた簡単なスクラップブックをつくり，回想しながら話を進める. ・本人の反応にフィードバックを行う. ・聴理解を補助するため，物品を指差したり，会話の要点をジェスチャーや絵で表現する.
・文字単語，段階尺度，地図などの選択肢を指差して答える. ・ジェスチャーや文字単語などを交えたパートナーからの質問にジェスチャーや発声などで答える. ・ジェスチャーやイントネーションの変化などを使って自ら質問する. ・パートナーのメッセージを理解したかどうかをyes-no反応などで示す.	・本人が興味をもつ話題を探し，質問を考え，回答の選択肢を用意する. ・ジェスチャーを交えながらyes-no質問をする. ・聴理解を補助するため，伝達カード，地図，ジェスチャー，指差しなどを用いる. ・本人の示すすべてのコミュニケーションモードに反応し，伝えようとしていることの理解に努める.
・ローテクAACやハイテクAACを使って自己紹介をする. ・映画の半券など記念の品や新聞の見出しなどを示して会話を開始する. ・スクラップブックから必要な情報を探して質問に答える. ・発話生成機器に録音してある. ・メッセージを利用して質問に答える.	・適切な場面でAACが使えるように，ヒントや指示を与えて待つ. ・日常の身近な会話のなかで情報を伝える機会を設ける. ・会話用のスクラップブック作成や発話生成機器への録音を手伝う.
・コミュニケーション場面で必要な語彙を選んだり録音したりする. ・実際の生活のなかでも練習し，AACを活用することのメリットを実感し，受け入れてゆく. ・失語症のことを知らない人とのやり取りにも使うなど，AACの活用範囲を徐々に広げる.	
・AACと自然なコミュニケーションを併用して情報を伝える. ・なじみのある/ない人とさまざまな場面で会話をする. ・コミュニケーションノートや発話生成機器の中から必要なページを探し出して利用する. ・会話のつまずきを解決するさまざまな修復ストラテジーを系統的に利用する.	
・発話生成機器に録音してある簡単なメッセージを，電話でのやり取りなどのときに利用する(例:「私は失語症で話すのに時間がかかるので待ってください」など). ・特定の場面で，ニーズを伝えるために伝達カードを利用する(美容院でのヘアスタイルなど).	

4 事例

■ 基本情報

A氏，70歳代，男性，右利き，妻と二人暮らし．長男と共同で工務店を経営する準備をしている時期に発症．発症前から大工をしており，現在は長男が継いでいる．2年前まで，長男と現場にも行き手伝いをしていた．実母がA氏の妹夫婦と近隣に居住．二男は近隣の県に在住．

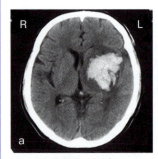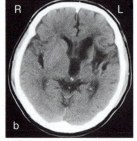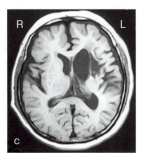

発症翌日(CT)　　　発症後1年6か月時(CT)　　　発症後8年0か月時(MRI)

図10-20　事例の脳画像(提供：原田俊英博士)
a：左被殻出血を呈しており，MCA領域に広範な出血巣が認められる．周囲に浮腫を伴い左の側脳室は圧排されている．
b：出血巣は吸収され空洞化している．左の側脳室と第三脳室は拡大している．
c：CTと同レベルのMRI(T1強調)画像であるが，発症後1年6か月時と比べ画像上は大きな変化は認められない．(読影：原田俊英博士)

■ 現病歴

8年前に脳出血を発症(図10-20)．失語症以外の高次脳機能障害はなし．身体障害者手帳3級．介護保険は申請していない．

朝，動けない様子に家族が気付き，意識はあるが言葉が出ず右半身に麻痺があった．近所のA脳外科に入院し保存的治療，言語聴覚療法，理学療法を実施し1か月後には独歩にて退院．喚語困難は顕著であった．その後，B病院の外来にて6か月間言語聴覚療法，理学療法を実施して終了．自宅では何もせずごろごろしているだけの生活を妻が心配し，リハビリテーション目的にて市外のCリハビリテーション病院に入院．2か月間，理学療法，作業療法，言語聴覚療法を実施．発語は単語レベルが可能だが，「あれ」「これ」という発語も多い．退院後は近隣の福祉センターで週に1回言語聴覚療法を実施し，発症後1年5か月時に言語聴覚療法目的で当診療所を受診．開始当初は2週間に1回の頻度で実施し，現在は3〜4週間に1回実施．理学療法はD病院にて週2回実施．現在の運動機能は，MMT(徒手筋力テスト)で上・下肢ともに右4(Good)，左5(Normal)．握力は右15.2kg，左40.7kg．書字などすべて右手で行うが，軽いしびれ感もあり，大工として釘を打つことは困難．

■ 失語症の症状

ブローカ失語を呈し，重症度は中等度である．発症から8年となる現在の症状は，聴覚理解は日常生活で習慣化された内容や文脈を伴う内容であれば問題はない．しかし，単発的な出来事や時間など数値を伴う際には，理解できないこともある．発語は4文節程度の文で説明できることもあるが浮動的で，喚語困難により発話が停滞することも頻回にみられる．自由会話の際には，「バカになっとる」「わかっとんじゃけど」という表現をされることが多い．普段の声量は低下しており，ごく軽度の**発語失行**と**構音障害**も疑われる．観念(運動)失行は顕著ではないが，自発的に表出されるジェスチャーは動きも小さくやや不明確である．病前より温厚な性格で口数も少なかったようだが，家庭では家族の話しかけに相槌をうつか，短いことばで応じる程度とのことであった．しかし，言語聴覚療法中にはある程度まとまった発話や表出意欲がみられ，喚語困難時にはジェスチャーや形を示したり，促すと以前より抵抗感もなく書字や描画が可能となっている．

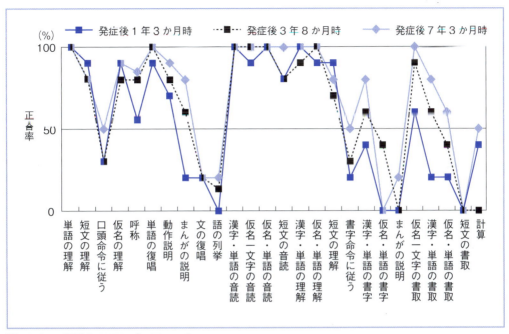

図10-21　事例のSLTAプロフィール

■評価

これまでのSLTAの結果を図10-21に示す．本診療所で言語聴覚療法を開始した発症から1年3か月時には，呼称11/20，動作説明は7/10正答，まんがの説明は段階2であった．また，「聴く」の単語・短文の聴覚理解および，「読む」の漢字・仮名単語，短文の理解の正答率は高いが，口頭命令および書字命令に従うは両項目ともに正答率が低く，単語や短文との差が顕著であった．さらに実用的なコミュニケーション能力を評価することを目的に，**実用コミュニケーション能力検査 (CADL)** を実施した．結果は，総得点85点で「一部援助」(68〜92)であり，聞き返しが1回のみで代償反応もみられなかった(図10-22)．出前を注文する際のダイヤル(14-①)は，誤りに気付かず，また注文(14-②)では，「ざるそば5つ」と言うのみで，聞かれて名前を言えるだけであった．エレベータの階を言う(9)では，「何を買う？」と質問され，状況の理解が難しいようであった．新聞を読んだり，一人で買い物に行ったりという，日常生活で実施している内容は可能であり，経験していない状況や設定の理解にやや困難さがみられた．

■訓練・支援

評価結果より，表出能力の向上を目的に，低頻度を含めた名詞および動詞の喚語能力，伝達手段の1つになると思われた漢字書字能力の向上を目的に，訓練を開始した．同時に，実用的なコミュニケーション能力の向上を目的に，描画やジェスチャー訓練を行った．訓練時は必ず妻にも同席してもらい，A氏から妻や言語聴覚士に課題語を伝達する**PACE**も実施した．さらに，前院より継続していた手帳サイズのノートへの日記を継続し，内容を増やすために毎日の過ごし方を聞き取り，いくつか書き方を示した．手帳の白紙のページには家族や親族名などを記載し，自由会話で頻回に使用した．また，自宅学習用として，名詞・動詞の呼称や短文理解の改善を目的とするプリントを渡した．仮名文字の理解が可能であったことより，2年ほど前に，50音配列の電子辞書を紹介し，日記や書字をする際に使用を促した．

プリントの教材は，呼称や聴覚理解，書取りの

総得点： 85 /136　コミュニケーション・レベル：　3　　　　（　一部援助　）

コミュニケーション・ストラテジー
聞き返し　1 回　　　　　　　代償反応 0 回　　　自己修正 0 回　　　回避 0 回

(難易度順プロフィル)

項目 No.	通過率	項目内容	得点	プロフィル
1	96.0	適切な挨拶をする	4	4
11	95.0	メニューを見て注文する	4	4
3	92.0	早口の質問に対して聞き返しをする	4	4
22	86.5	量の概念がわかる	4	4
2-①	86.0	自分についての情報を伝える(氏名)	3	3
5-③	84.0	受診申し込み用紙記入(受付番号の模写)	4	4
2-②	83.0	自分についての情報を伝える(はい―いいえ)	4	4
10-②	82.5	買い物をする(値段の判断)	4	4
6-②	82.0	病院内のサインを読む(薬局)	4	4
2-④	76.0	自分についての情報を伝える(年齢)	3	3
6-①	75.5	病院内のサインを読む(新患―再来)	4	4
10-③	74.0	買い物をする(おつりの計算)	4	4
16-①	73.0	電話を受けメモをとる(電話を受ける)	4	4
4	70.5	症状を言う	3	3
19-②	68.5	テレビの番組欄を読む(チャンネルの同定)	4	4
14-①	68.0	出前の注文をする(ダイヤルを回す)	0	0
19-①	68.0	テレビの番組欄を読む(番組の選択)	4	4
2-③	67.0	自分についての情報を伝える(住所)	4	4
10-①	62.0	買い物をする(品物の選択)	3	3
13	61.0	指示を理解する	2	2
5-①	49.5	受診申し込み用紙記入(氏名・住所・年齢)	2	2
9	45.5	エレベーターの階を言う	0	0
5-②	45.5	受診申し込み用紙記入(症状)	0	0
16-②	45.5	電話を受けメモをとる(メモをとる)	0	0
8	44.5	自動販売機で切符を買う	4	4
15	40.0	電話番号を調べる	3	3
18	38.5	時刻を告げる	2	2
14-②	34.5	出前の注文をする(注文をする)	0	0
12-①	32.5	人に道を尋ねる(交番で道を尋ねる)	1	1
17	32.5	聞いた時刻に時計を合わせる	2	2
20	32.0	新聞を読む	1	1
21	29.5	ラジオの天気予報を聞く	0	0
12-②	22.5	人に道を尋ねる(道順の理解)	0	0
7	9.0	薬を指定量だけ飲む	3	3

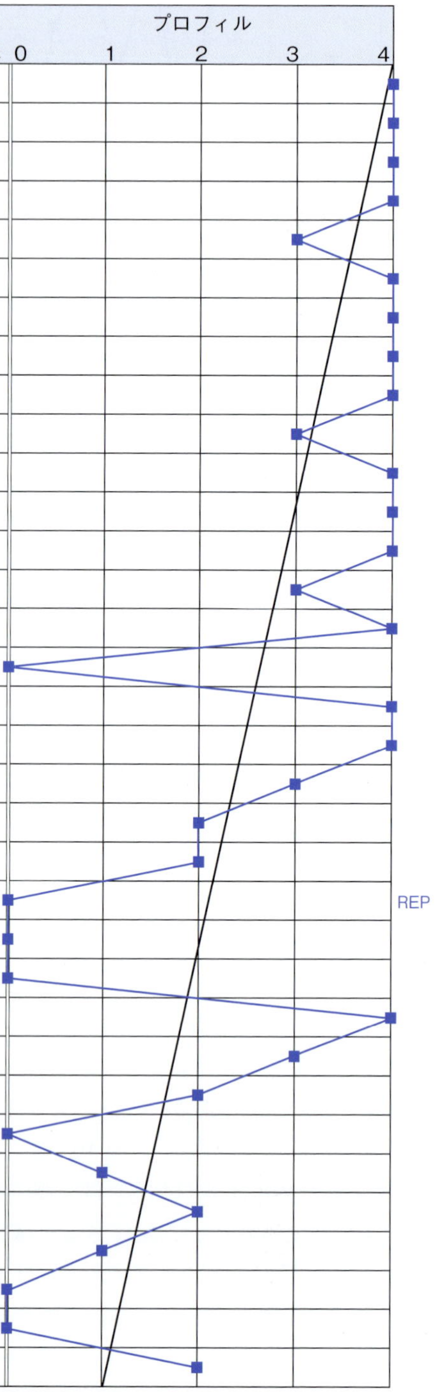

プロフィル上の斜線は失語症患者200例における各下位検査平均得点の直線近似である．

図10-22　事例の実用コミュニケーション能力検査(CADL)の結果(発症後1年6か月)

練習などもできるように，専用シールに音声を録音→再生ができる VOCA-PEN（➡ Note 40）[10]を使用した．

また，日常生活上での「参加・活動」の場を広げていくことも大切であると考えたが，社交的ではなかった A 氏の性格を考慮し，スモールステップで次のような機会を利用した．まず，発症後 2 年ごろに長男の結婚式があり，最後のお礼を言うことを提案した．さらに，失語症友の会の県大会が自宅の近くで開催されたため，見学に行ってみることを勧めたところ，それを機会に近くで開催される月 1 回の友の会定例会に参加するようになった．

発症後 4 年ごろには，二男の結婚式で挨拶をすることを自分で決めて，その内容を近所の人に相談していたことがわかった．そのため，音読の誤りや音読しにくい部分を修正し，錯読がみられる漢字単語には仮名をふった原稿を作成し，VOCA-PEN を利用して練習できるようにした．

発症後 6 年ごろには，友の会の総会で妻と役割分担をして会計報告をすることもあった．発表に際し，音読の練習と同時に当日の支援方法を妻に伝えた．この時期には，人前で話す機会も増えていたため，大学のチーム医療演習の一環である学生との交流会で，保健福祉学部の学生 10 名に，受傷からの現在までの経過や経験を話すことを依頼した．発表内容は A 氏や妻と相談し，自宅でも音読の練習ができるよう VOCA-PEN に録音した．

■ 結果

発症後 1 年 3 か月から発症後 7 年 3 か月までの SLTA の変化をみると，全般的に年を経るごとに改善が認められ（図 10-21），特に，「話す」では呼称，まんがの説明，「書く」では漢字単語の書字および書取に改善がみられた．また，「読む」では書字命令に従うで顕著な改善がみられた．さらに，検査時には喚語困難時やまんがでうまく説明できないときには，自然にジェスチャーなどの表出がみられることが増加した．脳画像上では，発症 1 年 6 か月後と 8 年後では大きな変化はみられないことを考えると（図 10-22），これらの機能面の改善は注目すべき点であるといえる．

自由な会話時にも，自発的なジェスチャーが増加した．その一方で，書字や描画は促すことが必要であるが，聞き手が伝達内容を推測するのに有効であり，伝達に成功することも増加した．さらに PACE での課題語伝達場面では，妻も複数の AAC の使用を促すなどのコミュニケーションスキルを習得し，課題語の受信に成功することが増えた．

日常生活では，日記を見ると発症 1 年 6 か月時と比べ 6 年後には内容が豊富になり，毎日 1 万歩以上の散歩のほか，実母のデイケアへの送りや自宅の掃除など，「参加」レベルの記載が増えている

Note 40. VOCA-PEN

ペン型の録音・再生機器とセットになっているシールに，ペンを使って音声を録音しておき，そのシールにペンの先を当てることで音声が再生される．

この機能を使用することで，絵カードや教材のプリントにシールを貼れば，正答を確認しながら呼称練習や短文の表出練習ができる．また，音読課題では，単語や文章にシールを貼ると音読の確認，また復唱もできる．さらに，聴覚理解の練習としては，問題カードと選択肢となる絵を準備する．問題カードには単語や文を録音したシールを貼り，カードの裏には正答となる選択肢の番号を記載する．患者は課題を聴いて絵を選択し，正誤を問題カードの裏を見て確認する．また，書き取り練習としては，課題単語や文を録音し，正答は課題カードの裏に記載しておく．患者は再生後に書字し，カードの裏を見て正答を確認する．このように，シールの録音機能を活用することで，さまざまな自主練習の幅が広がると同時に，誤りを修正しながらの練習が可能となる．

さらに，コミュニケーションブックなどに活用すると，音声を発生させることで，失語症者は選択した内容を聴覚的に確認でき，コミュニケーションの相手にはより明確に内容を伝達できるなど，実用的な AAC 手段にもなる．

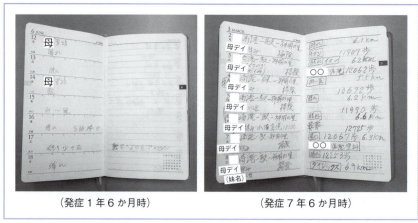

（発症1年6か月時）　　　（発症7年6か月時）

図10-23　事例の手帳記載例

（図10-23）．

　発症後2年ごろの，長男の結婚式での挨拶は，妻によると自信がなさそうであったらしいが，最後に「ありがとうございました」と言うことができ，訓練時には，「あんなもんじゃろう」という感想であった．この時期に参加した失語症友の会の県大会については，自分より身体的にも重度の人が参加している様子を見て，自分もがんばらなければという感想であった．その後，失語症友の会の月1度の定例会に妻と参加し，最近は一人でも参加している．

　発症後4年ごろの二男の結婚式では，少し詰まりながらも挨拶文を音読し，妻によると二男夫婦や参加者は感動していたとのことであった．

　この時期には，近所の人からの誘いで，日帰り旅行に一人で参加することを決めたが，参加に際し妻は理解の悪さを心配していた．そのため，バスガイドに失語症のことを説明する携帯用のカード作成し，休憩後の集合時間や場所を記載してもらえるメモ帳も準備した．しかし，それらを使用することなく旅行を楽しむことができた．

　さらに発症5年ごろには，近所の人たちと九州への1泊旅行にも参加した．また，友の会での総会では，妻の担当する会計報告や，県大会での失語症者から介護保険制度などに対する要望書の読み上げなども担当した．音読では文頭でつまったり，錯読や脱落があった際には妻が小声で支援した．これらの経験を重ね，現在もうまく言えないという思いは強いが，学生に体験談などを話す依頼などに対しては，「何かの役に立つのであれば」と大変協力的である．

　以上のように，生活期においては参加・活動を支援するためには，個々の性格や障害の受容などにあわせて，AACも含めた実用的なコミュニケーション能力の向上を支援していくことが大切である．そのためにも，生活を把握することと，まずは参加する機会を紹介し，できる限り成功の経験を積み重ねることを念頭においた支援が必要であるといえる．

引用文献

1）厚生労働省HP：「国際生活機能分類―国際障害分類改訂版―」（日本語版）の厚生労働省ホームページ掲載について　（平成14年8月5日）
https：//www.mhlw.go.jp/houdou/2002/08/h0805-1.html（2020年12月閲覧）
2）綿森淑子，竹内愛子，福田陽子，他：実用コミュニケーション能力検査―CADL検査．医歯薬出版，1990
3）The International Society for Augmentative and Alternative Communication（ISAAC），（https://www.isaac-online.org/english/what-is-aac）（2020年12月閲覧）
4）Garrett KL, Lasker JP：Adult with Severe Aphasia and Apraxia of Speech. In Beukelman DR, Mirenda P（eds）：Augmentative and Alternative Communication Supporting Children and Adults with Complex Communication Need, 4th ed. pp405-445, Paul H.

5）吉畑博代：拡大・代替コミュニケーション．鹿島晴雄，大東祥孝，種村純（編）：よくわかる失語症セラピーと認知リハビリテーション．pp331-347，永井書店，2008
6）Garrett KL, Lasker JP：Using the Multimodal Communication Screening Test for Persons with Aphasia (MCST-A) to guide the selection of alternative communication strategies, for people with aphasia. Aphasiology 20：217-232, 2006
7）Aphasia assessment materials https://cehs.unl.edu/aac/aphasia-assessment-materials/（2020年12月閲覧）
8）上田敏：ICFの理解と活用―人が「生きること」「生きることの困難（障害）」をどうとらえるか．pp27-28，萌文社，2005
9）Davis GA：PACE revisited. Aphasiology 19：21-38, 2005
10）坊岡峰子：コラム　機器を活用した自主訓練．鈴木勉，綿森淑子（編）：失語症の訓練教材―140の教材と活用法―．pp160-161，三輪書店，2016

B 心理・社会的問題の支援

　受傷から数年経った失語症者やその家族から話を聞くと，受傷当初は大変なことになったと驚く一方で，時間が経てば治っていくだろうと思っていたと言われることもある．身体の障害とは違い，目には見えない「失語症」の症状やその診断名に関する知識がない場合も珍しくない．そのことを考えると，急性期からの症状に関する丁寧な説明の必要性は言うまでもないが，どこまでどの程度の説明をするかや，表現については，失語症者や家族の心理状態に十分配慮する必要がある．そして，言語機能面においてもリハビリテーションの効果を感じることのできる回復期を経て，維持期に入るころには，失語症者や家族は言語機能の回復についてある程度の限界を感じることも多くなる．その限界の受けとめ方は失語症者や家族で個人差が大きい．その背景には，失語症の重症度，発症からの経過時間にもよるが，もともとの性格，物事に対する価値観や人生感，さらには家族や地域，職場の人的環境の影響は大きいといえる．

　活動・参加に向けた訓練をする際には，心理面に留意し，より個々人の生活に目を向け，**人的環境**も含めたアプローチが重要となる．たとえ失語症の重症度が重度であっても，趣味や友人との交流を楽しんで生活している人，中等度で喚語困難があり，他者との会話を正確に聴き取れなくても，病前からの趣味であった卓球や書道，絵画を従来のクラブや教室で楽しんでいる人も少なくない．その一方で，他者からは失語症だとはほとんどわからない軽度であっても，個別の言語訓練以外は，他者との交流は避けて家に閉じこもりがちな人もある．

　在宅失語症者の家族の負担感を失語症のない脳血管後遺症者の家族と比較した研究がある．この研究では失語症家族群は二次的社会的負担である「本人の交流の減少」が，有意に高かったことより，社会的交流の機会や場がきわめて限定されていることを報告している[1]．また海外では，失語症に対するリハビリテーションは患者の自己を再建するための過程であり，心理・社会的側面に対する支援の重要性も早くから指摘されている[2]．これらの結果からも失語症をもちながらどのように生きていくかは，最終的には失語症者自身や家族が決めていくことである．しかし，その過程においていくつかの選択肢を紹介，提案をしていくことは，言語聴覚士の重要な役割である．その選択肢には，**集団コミュニケーション療法**（以下，集団療法），失語症友の会など失語症者同士の場や，福祉センターなどでの絵画，書道，絵手紙などの障がい者サークル，介護保険施設の**デイサービスやデイケア**，地域内のイベントや会合への参加などがあげられる．まずは，一度見学することを勧め，場の様子を肌で感じてもらうことが大切であると考える．そして，興味をもった場への継続した参加を促し，可能であればその場で何か簡単な役割があればさらによいであろう．例えば，資料などの配布や片付けなど，ことばを使用しなくても役割を果たせることが有効な場合もあるかもしれない．大切なことは，まずはその会などへ

の所属感をもつことができ，何よりも楽しめることである．参加の機会を設け，失語症者自身が参加するかどうかを自己決定することが大切である．

　この過程で言語聴覚士はまず，失語症者の思いを傾聴し，自己決定へと導くスキルを習得しておくことが有効であると考える．そのスキルのひとつとして，ケースワーカーなどの対人援助職者がクライエントとの援助関係を形成するための「**バイスティック（Biestek）の7原則**」[3]が役に立つ．バイスティックの詳細は専門書に譲るが，大切なことは，言語聴覚士が失語症者の性格や生活環境など（個別化）を加味し，自分の価値観を優先していないかを自己点検しながら（統制された情緒関与），失語症者の気持ちをそのまま聴き取ることである（非審判的態度）．そして，失語症者の思いを受けとめながら（受容），参加できそうな場などを提案し，時間をかけて，その参加について失語症者自身が決めること（自己決定）ができるように配慮すべきである．つまり，失語症が重度の場合にはついつい家族に対して話しかけ，家族に意見を求めてしまいがちであるが，失語症者自身の自己決定を促す働きかけが大切なのである．そのためには，コミュニケーション能力に応じて，参加を勧めたい場の写真やパンフレット，イラストなど，視覚的かつ具体的な情報を提供する必要がある．このように，言語聴覚士の専門性に加え，対人援助技術を習得していると，失語症が重度であっても，失語症者を中心に据えた支援ができる．

　言語訓練時には自由会話や家族との会話において，さまざまな気持ちを吐露，相談を持ちかけられることは少なくない．そのような際にも，専門職者としての対応をする指標としてこの「バイスティックの7原則」は役に立つ．

　失語症者が参加しやすい場としては，失語症者のみの集団療法があげられる．その構成は，参加者全員が，AACも含め対等に表出をする機会を設けられるような，人数，重症度，性格などを勘案する必要がある．さらに，家族の交流の場にもなるため，家族の性格なども考慮するとよいであろう．集団療法では，個別療法ではみられない新たな実用的コミュニケーション能力や，コミュニケーション態度を発見できることも多い．毎回，近況報告に時間をかけるようにしていると，参加者は報告のために一人で近所に出掛けて写真を撮ったり，旅行先のパンフレットなどを持参するなどの積極性がみられることも多い．また，なるべく言語聴覚士が介入することを控えると，一人が喚語困難で状況の伝達などがうまくできない際には，ほかのメンバーがジェスチャーや描画なども駆使して，最終的に発話者が意図していた内容の共有に至ることもある．例として，非流暢失語で中等度の3名（全員60歳代）の集団療法でのやりとりを図10-24に示す．この集団療法では，近況報告に失語症者自身が撮影した写真を持参することにしていた．そこで，A氏は新幹線の駅のホームから新幹線を撮った写真を提示した．しかし，新幹線には受傷後は乗ったことがないらしい．聴覚理解にやや低下がみられるA氏と，喚語困難のあるほか2名とのやりとりがちぐはぐになり，一時混乱する．しかし，各自が使用できるAACを駆使しながら，最終的にA氏の伝達内容を正しく理解することができ，全員で達成感を味わうことができた．

　このように集団療法では，日常のコミュニケーション場面では受け身になりがちな失語症者にとって，自信がなくても表出することや，ほかの人を支援することを経験する場となる．これは，維持期において，社会的参加にむけた心理的な支援につなげる効果も大きい．

　以上のように，維持期における心理・社会面に対する支援においては，まずそこに至るまでの生活や人生，心理的変化までも視野に入れておくことが不可欠である．そして，失語症者が望む，その人らしい生活に近づけるような支援をめざしていくことが必要である．そのためには，言語聴覚士の専門的視点をいかした**多職種連携**を実現して

参加者3名：全員非流暢，中等度失語症
近況報告で，A氏が自身のスマートフォン（以下，スマホ）で，駅に止まっている新幹線をホームから撮った写真を提示．
- A氏：男性，右片麻痺，非典型，聴き誤りが多い．
- B氏：女性，右片麻痺，非典型，緊張が高く発語に自信がない．
- C氏：ブローカ失語，短文レベルの聴覚理解はよいが，発語に自信がない．

A氏：「え，（『新幹線』と書字しながら）新幹線．はじめて．」「あ，え，じゅう…じゅう―…（『22』と指で机上に書字）にじゅうに…あれ」「にじゅう，あれ（左手で麻痺した右手を触りながら）障害者（手をふりながら）だめです．ほんと．」少し…あれえーっと．少し（手を振る歩く動きをしながら）歩きます．少しです．」「（スマホをスワイプして電車の写真を提示して）でん…あれ，新幹線と電車．あれ」「（『いき』と書きながら）行き・・・ました．」
C氏：（手を動かしながら）「乗ったんか．」
A氏：（手を振りながら）全然だめです．
B氏，C氏：＜一生懸命に聞いておられるが，突然提示された新幹線についての話が理解できない様子＞
B氏：「（在来線だけの駅）Mに行ったんですか？」
A氏：（うなづきながら　路線図を描画して，駅名Mを指して）「ここ」．
B氏：「そうそう．（『M』をポイントしながら）ここ，行った．」
C氏：（在来線のことなので，『新幹線』という文字をポイントしながら）「これ何だったんか．」
A氏：「そうそう．」
言語聴覚士：「（路線図をポイントしながら）これと，（『新幹線』をポイントしながら）新幹線は関係ないんですか？」
「M駅に行ったついでに，行ったんじゃないですか？」
A氏：（手をふりながら）「いや，行ってないです．」
言語聴覚士：「じゃあ，どうして新幹線の写真があるのですか？　新幹線のホームで撮った写真ですけど．」
＜A氏は何か説明しようとされるが喚語困難で停滞し，B氏，C氏は困った様子＞
B氏：（はい，と手を挙げて）「あの，乗りたいですかね？」
A氏：「うん，そうそう．」
B氏：「あの，乗りたいそうです．」
C氏：「あ～どっか行ったいう意味かと思った．」
言語聴覚士：「でも，この写真があるのはどうしてですか？　撮ったのはどなたですか？」
A氏：（自分を指さす）
＜B氏，C氏はしばらく混乱した様子＞
B氏：（写真を何度も指さしながら）「これこれ．乗ったことはないんだけど（写真を指さして）これ．」
「じゃなくて，乗ったことはないんだけど，ど～言えばいいんだろう．なんだっ」
（手の平を縦にしたり，腰に高さで水平にしたり，身体の回りを四角く囲むような動きをしながら）「こうゆうふうに．」
C氏：（両手を開くような動きをしながら）「とびら？」
言語聴覚士：「扉？　最近ホームに扉がありますね．」「そこの…」
B氏：「前の」
言語聴覚士：「そこまでは行った．」
B氏：「そうそう．」（A氏のほうに腕を伸ばし）「ですか？」
A氏：（自分を指さし）「そうそうそうそう．あるみます．（＝歩きますの意？）」
B氏：「あ～よかった．」
言語聴覚士：「乗ってはないけど，そこまでは行ったっていうことですか？」
A氏：そうそう．
B氏：（手をたたいて笑顔で）あ～
言語聴覚士：でも，どうしてそこまで行ったですか？
A氏：（『140』と指で机上に書きながら）150円．
C氏：（手を前後に動かし，改札を通るような動き）
B氏：「見に行った．」
言語聴覚士：「新幹線の写真を撮るために，入場券だけ買って，ホームまで行かれたんですね？」
A氏：「そうそう．」
＜B氏，C氏も笑顔で頷く＞
言語聴覚士：「やった～皆さんで解決しました～」
＜全員笑顔で拍手＞

図10-24　集団療法でのやりとり

いくことも重要である．しかし，失語症の多様な症状は，関連職種であってもまだ十分に理解されていないのが現状である．そのため，失語症者も利用することの多いデイケアやデイサービスにおいては，失語症や個々の言語症状を説明し，どのようなコミュニケーション方法が有効であるかを具体的に助言することも必要である．例えば，筆者はデイサービスの介護士にAACの活用も含んだコミュニケーションスキルを向上させるための支援を行った．その結果，介護士は話しかける際に，指さしのほかにジェスチャーや書字など複数のAACを使用し，失語症者にもAACの使用を促すようになった．そのことが，失語症者があきらめていた意思表出を促し，「その人らしい」生活の支援へとつながったのである[4]．

このように，多職種と連携する際には，他職種者が失語症の症状を理解し，共通の目標をもった支援ができるよう，言語聴覚士がチームの要となり実現していく責任があると考える．そのことで，失語症者や家族があきらめていた参加や活動を実現でき，人生に張り合いや喜びを取り戻せる支援ができる可能性がある．

また，最近は失語症者向けの意思疎通支援者養成が法制化されたことも相まって，各地で講座が開催され，その経過や効果も報告され始めている[5]．養成講座修了者の支援があれば，いつも外出時には家族に頼っている失語症者や，一人暮らしの失語症者が，より自立した生活を送り，社会参加の機会を広めていくことができるであろう．言語聴覚士はその制度の利用方法などの情報を提供することも，今後の大切な役割であるといえる．

引用文献

1) 小林久子，綿森淑子，長田久雄：在宅失語症者の家族における介護負担感の評価—非失語片麻痺者の家族との比較．総合リハビリテーション 36：57-64，2008
2) Sarno MT：Aphasia rehabilitation：psychosocial and considerations. Aphasiology 7：321-334, 1993
3) Biestek FP：The Casework Relationship. Loyola University Press, Chicago, 1957〔尾崎新，福田俊子，原田和幸（訳）：ケースワークの原則 援助関係を形成する技法．誠信書房，2006〕
4) 坊岡峰子：介護士のコミュニケーションスキルアップとAAC活用の効果．地域リハビリテーション 4：829-832，2009
5) 安保直子：各地のモデル事業③；世田谷区における失語症者向け意思疎通支援者養成の取り組み．地域リハビリテーション 13：115-118，2018
6) 日本言語聴覚士協会：厚生労働省 令和元年度障害者総合福祉推進事業 失語症者向け意思疎通支援者の効果的な派遣実施に向けた調査研究報告書．2020

C 重度失語症の訓練

1 重度失語症の特徴

ここで扱う「重度失語症」には明確な定義があるわけではないが，ボストン失語症診断検査 Boston Diagnostic Aphasia Examination（BDAE）（表10-15）における重症度尺度（6段階の評価）における下から2つの段階，0（実用的な話しことばも，理解できることばもない）と1（すべてのコミュニケーションは断片的な発話によって行われ，聞き手が推論したり，質問したり，憶測したりする必要がある．交換できる情報には限りがあり，コミュニケーションは聞き手が責任をもつことによって成立する）を重度とすることがある[1]．基本的には言語機能に重篤な障害があることが特徴としてあげられ，失語症のタイプは主に全失語に該当するが，個々の失語症者をみると症状は一様ではなく，重度ブローカ失語や重度ウェルニッケ失語など，複数の失語症のタイプが含まれうる．また，言語以外の高次脳機能に障害があることも多く，非言語的な象徴機能にも障害がみられうることにも注意したい．病期にもよるが，大幅な機能回復を期待することが難しいこともあり，本人の社会参加を促すためには，機能レベルの訓練のみならず，本項で扱う介入方法を考慮する必要がある．

表10-15 ボストン失語症診断検査（BDAE）

区分	評価尺度
0	実用的な話し言葉も，理解できる言葉も，ない．
1	すべてのコミュニケーションは断片的な発話によって行われ，聞き手が推断したり，尋ねたり，憶測したりする必要がある．交換できる情報には限りがあり，コミュニケーションは聞き手側が責任をもつことによって成立する．
2	身近な事柄に関しては，聞き手が支援すれば会話が成り立つ．患者は意思を伝えることにしばしば失敗するが，コミュニケーションには聞き手と責任を分かち合う．
3	患者は，日常的な問題の大部分について，ほとんど，またはまったく支援なしに話すことができる．しかし，話し言葉と理解のどちらか一方，または両方に制限があり，ある種の事柄についての会話には困難を伴うか，または不能である．
4	話し言葉のなめらかさ，または理解力に多少の障害が明らかにあるが，表出された考えや表現のしかたには著しい制限はない．
5	ごく軽微な発音の障害がある．患者は，主観的には困難を感じているが，聞き手には，はっきりした障害は感じられない．

〔Goodglass H, Kaplan E（著）．笹沼澄子，物井寿子（訳）：失語症の評価．p32, 1975〕

2 基本原則

近年，失語症者の支援において，失語症者の実生活での目標をいかに達成するかに力点をおくようになってきた[2]．

失語症があったとしても**本人の意思**に基づいて主体的に社会にかかわることができるようになることが望ましい．言語聴覚士はコミュニケーションの支援を通じて本人の意思を引き出す工夫をし，本人の意思決定の手助けをすることが求められる．また，本人の社会参加に関する意識を高める（**エンパワメント**）という視点[3]から，本人に対して社会参加の機会を提供していくという発想も必要である．

社会とのかかわり方は人それぞれである．支援の内容は個別的であり，その人にとって「納得のいく」ものでなければならない．支援の目標設定にあたっては，「**生活機能**」（ICF，国際生活機能分類）のさまざまな側面を考慮したい．

失語症が重度であることを踏まえ，本人の**できること（強み）をいかした支援**が求められる．評価においては，何ができるのか見極める必要がある．

3 評価

多層的・多面的な観点に基づいた評価を心がけたい．また，既存の評価法をいかしつつ，各自創意工夫する必要がある[4]．SLTAなどの既存の検査では，多くの項目で得点が得られない可能性があり，市販されている重度失語症者を対象とした検査は「重度失語症検査」[5]のみである．失語症者の残存能力を把握するためには，これらの検査で扱われている項目を参考に各自工夫してみるとよい．

a 背景情報

活動・参加レベルの支援の内容は，本人にとって個別的なものとなる．ICFにおける**個人因子**と**環境因子**の把握を心がけたい．個人因子では生活歴，趣味などについて，環境因子では，人的環境（家族，友人など），物的環境（住居，交通機関など），制度的（社会的）環境（種々のサービス）について情報を収集する．本人から直接聞き取ることが難しく，家族等から情報を収集する可能性が高いが，その場合でも本人の側に立って情報を収集するように意識したい．効率的に情報を収集するためにはあらかじめ質問紙を用意しておくとよい．

b コミュニケーション

(1) 狭義の言語機能

SLTAなどの総合的失語症検査を行う時間的な余裕があり，本人にとっても負担とならないようなら，中止基準を取り入れつつ実施してみる価値はある．重度失語症に限ったことではないが，

得点のみではなく**症状の質的側面**にも注意したい．また，本人のできることをいかした支援を行うためには，「**できる課題**」を見出していくという視点ももちたい．手続きの一部を変更すると（例：聴覚理解課題で選択肢の数を減らす）正答に至るかもしれない．

(2) 非言語的記号操作・非言語行動

重度失語症では，意味処理の障害が言語面のみならず，**非言語的な象徴機能**にも及んでいる可能性がある．既存の評価法として有用なのが「**重度失語症検査**」[5]のPart I（非言語基礎課題）とPart II（非言語記号課題）である．また，呼称課題を実施する際に，喚語ができなくとも，実施可能なコミュニケーション手段があるか（描画など）調べることでも有用な情報が得られる[6]．

(3) 対話者とのコミュニケーション

対話者との会話の観察に基づいて言語・非言語行動の特徴を把握する．重度失語症者では適切な音声言語の使用が困難であるが，相手の働きかけに応じてなんらかの言語表出がみられるかもしれない．**非言語行動**においては，概念の表出・理解に関わるものとして象徴的動作（描画やパントマイム）や指示的動作（指差しや物品の使用）の表出・理解がある．ただし，重度失語症者においてはこのような情報伝達にかかわる非言語行動が得られにくい可能性もある．基本的な身体動作（コミュニケーション態度）として，姿勢，視線（アイコンタクトや共同注視），表情，うなずき，上肢の動き（広義のジェスチャー）にも着目したい．これらの動作は対話者を意識したものであるかどうかも合わせてチェックしたい．また，失語症者本人だけでなく，対話者のコミュニケーション態度・技能についても評価することもできる．

c その他の障害

認知面や行為面の障害も必要に応じて確認しておく．コミュニケーション手段として言語の代替となる非言語行動を勧められることが多いが，重度失語症者ではほかの障害を合併している可能性があり，認知・行為面での障害が重篤であれば，代替コミュニケーション手段の適用は困難となりうることにも注意したい．

d 心理面

社会参加を促すためには，社会的なかかわりにおける**心理的側面**にも意識したい．とりわけ，本人が周囲の環境をどのように捉えているか，またその環境に照らし合わせた際に自らの障害をどのように捉えているかが重要である．近年注目されているアプローチとして**患者報告アウトカム** patient-reported outcome（本人による社会参加や心理状態の評価）を把握する試みがある[7]．本人の意思を直接聞き出すことが難しいことも予想されるが，働きかけに工夫（イラストの活用など）することで把握できる可能性がある．

4 訓練・指導・支援

支援の目標・内容の決定にあたっては，さまざまな手段を通じて本人の意思を引き出せるように工夫したい．また，本人ができることをいかした支援を行うためには，機能レベルの評価結果，個人・背景因子に関する情報に照らし合わせて無理のないものにしておく．

本人の社会参加につなげるためには，**心理的なハードル**を低くする必要がある．施設内であれば，言語聴覚士とコミュニケーションを行う際の安心感が施設外での社会参加への心理的なハードルを下げることにつながりうるし，家族がいる場合は，家庭内での安心感が社会参加に伴うストレスを軽減する．

現実的にどのような支援を行うか決める際には，具体的な活動目標を立てて，そこから逆算して何をしたらよいか考えると，当人のニーズに合ったアプローチがしやすくなる〔例：交友関係の復活というニーズに基づき，友人への手紙の作成（パソコンの操作）の支援をする〕．

a 活動レベルの訓練

1対1の訓練では，対話者との相互作用を通じ，**具体的なコミュニケーション手段**を意識して，実用コミュニケーション能力を高めるという視点をもちたい．また，本人の**実生活**で必要とされる場面を想定した課題となるようにする．できるだけ本人の自発性を引き出し，成功体験を持ってもらうための工夫が必要になる．

グループ訓練は，大まかにコミュニケーションに焦点を当てたものと心理・社会面に焦点を当てたものに分けられるが[8]，グループ全体の目標に加えて，個々の参加者において目標および評価の視点〔「(2)非言語的記号操作・非言語行動」「(3)対話者とのコミュニケーション」(➡320頁)を参照〕をもつことが重要である．

b 社会参加の支援

本人の**外出の機会**を増やす工夫（**失語症友の会**の紹介や**趣味活動**の支援など）を通して，本人と社会との接点を作っていくことも必要である．趣味活動では写真撮影のような非言語的な活動が取り組みやすい[9]．

近年，**会話パートナー**（**意思疎通支援者**）の養成が行われているが，対話者の側が失語症に関する知識やコミュニケーション技術を身に着けることで，失語症者の社会参加をより促すことが期待されている[10,11]．

失語が重度であると，家族による本人へのサポートがより求められる．家族の役割には，主に本人に対する心理的サポートと本人の社会参加の支援があるが，いずれも本人との良好なコミュニケーションを前提とする．家族自身の心理的な安定，また家族による失語症および適切なコミュニケーション手段に関する理解を促す必要がある（**家族支援**）．家族に共感的な態度を示すことはもちろんのこと，家族に訓練場面に同席してもらい，本人ができることを具体的に示し，そのうえで必要に応じて具体的なコミュニケーションの指

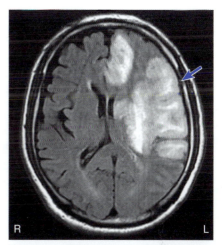

図10-25 事例のMRI FLAIR画像（発症4日目）
左前頭葉から島回，前頭頭頂葉弁蓋，上側頭回に病巣を認める（矢印）．

導をすることが望ましい．

5 事例：重度失語症

スモールステップで言語課題を行い，活動や参加に変化のみられた重度失語症例を紹介する．

S氏，70歳代，男性．失語症と右麻痺を発症し，急性期病院に緊急搬送．心原性脳梗塞と診断され，入院後5日目に言語聴覚療法が開始された．事例の病巣は図10-25に示した．

■ 急性期病院での経過

インテーク面接では，話し手の顔を凝視し，問いかけにうなずくだけだった．音声言語の表出では，口を大きく開けるが呼気を止め，声を出すことは困難だった．また開口時は，顎だけではなく，目も大きく見開き，舌や頸部，上肢など身体全体に緊張が入っていた．SLTAでは，机上に置かれた図版全体を見ることができず，左側の絵を見ながら，ページをめくっていた．

S氏には，失語症，口舌顔面失行，発語失行に加え，右視空間失認，注意障害（選択・転換・固着・分配）が合併していると推察された．そのた

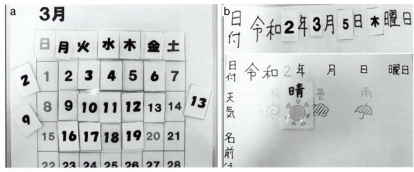

図10-26　カレンダーワーク
a：剥がせるカレンダー，b上：日付シート，b下：ダイアリーシート．

め，回復期転院までの3週間は，言語課題ができるようになることを目的に，机上や指差した所に注意を向ける訓練を行った．

■ 回復期病院から自宅退院まで

回復期病院では，①日付や名前の写字および斉唱，②発声訓練，③家族指導が行われた．特に家族指導では，ジェスチャーや実物を提示した話かけなど，具体的なコミュニケーションの取り方の指導が行われた．

しかし3か月間の訓練でも，言語機能の改善は得られず，失語症が重度のまま言語訓練は終了となり自宅退院となった．自宅退院後は，週3回のデイサービスを利用したが，一人で過ごすことが多く，食事や入浴の拒否が増えていった．また易怒性がみられ，家では大声で叫ぶようになった．徐々に，デイサービスを拒むようになったため，困り果てた家族が当院外来での言語訓練を希望し，受診となった．

■ 外来言語訓練開始から現在まで

急性期のときと同様に，問いかけにはすべてうなずいており，意思疎通は困難なままであった．SLTAの「聴く」では，図版を見て選択可能となっていたが，全体を見ることは難しく，左側の絵のみの選択となった．「話す」も，開口時には，顔や身体全体に緊張が入り，随意的な音声表出は困難であった．「読む」および「書く」も変わらず，課題の教示が理解できずに図版や検者の顔を凝視

するのみであった．

S氏には，依然として，重度の失語症に加え，右視空間失認や注意障害が合併し，コミュニケーションに影響を及ぼしていた．また常に表情は暗く，下をうつむき，自信を失っている様子がうかがえた．そのため，言語訓練では，スモールステップで改善が実感できるよう訓練を工夫した．

■ 訓練課題と経過

【訓練課題：カレンダーワーク】

カレンダーを使用し，月・日・曜日のマッチングや天気の選択を実施した．教材では，月・日・曜日が，日ごとに剥がせる『剥がせるカレンダー』や，剥がしたものを貼り付ける『日付シート』，それらを書き写す『ダイアリーシート』（図10-26）を用意した．月・日・曜日のマッチングでは，はじめに月・日・曜日の書かれた見本を提示し，指をさしながら斉唱を行った．次に，剥がせるカレンダーから今日の日付と曜日を剥がし，順次日付シートに貼り付けてもらった．完成後はダイアリーシートになぞり書きを行った．また天気は，窓の外の天気を確認後，ダイアリーシートになぞり書した．書き終わったダイアリーシートは指差しながら音読を行い，最後に，日付シートに貼られた月・日・曜日を剥がせるカレンダーの元の位置に戻してもらった．当初，日付の指さしや剥がす，貼り付ける，なぞるといった作業すべてに介助を要していた．しかし，1年という長期経過の

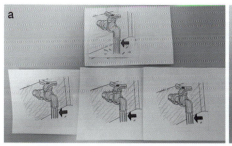 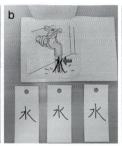 

図10-27　マッチング
a：絵と絵のマッチング，b：絵と文字のマッチング，c：絵と写真のマッチング．

なかで，少しずつ着実に自力で行えるようになっていった．

【訓練課題：マッチング】

「健常高齢者が日常生活で使用している語彙」[12]の中から漢字1字で書き表せ，かつS氏の自宅にある物品の単語を3語選択した．3語に対して，各5枚同じ絵カードを用意した（図10-27）．訓練では，机上に見本となる絵カードを1枚ずつ置き，S氏に1枚の絵を渡して同じ絵の上に置いてもらった．すべてのマッチングが可能になってから，絵カードに文字を付け，今度は文字のマッチングを行った．次第に文字を隠していき，絵と文字のマッチングに段階を上げていった．最終的には，選択した3語の写真をS氏に自宅で撮影してもらい，形態が異なっても，同じものであることを理解してもらうように，絵カードを写真に替え上記の一連のマッチング課題を行った．当初，マッチングは全介助で行っていたが，1年という長期経過のなかで，最終的にはすべてのマッチングが可能となった．

S氏は，自力でできることが増えていくことで，表情が明るくなり，買い物では妻の手荷物を自ら持つなど活動性が高まっていった．日常会話では，首を横に振ったり，わからないことには首をかしげたり，文字や絵を選択することで意思表示が可能となっていった．またデイサービスにも，週3回行くようになり，月に1回はショートステイも利用し，施設の利用者とのゲームに参加するようになった．発症から1年半経ったころにはSLTAの実施が可能となり，「聴く」は単語理解9/10，短文の理解3/10，「読む」は漢字単語の理解6/10，仮名単語の理解10/10，短文の理解5/10の結果に，妻ともども喜んでいた．

重度失語症例では，脳の損傷部位が広範であるため，失語症に加え，多くの高次脳機能障害が合併し，言語課題が遂行できないことが多い．特に評価ができない場合，訓練の手がかりを見つけることが難しく，何につながるのかわからない絵カードの指差し訓練や，なんとなく声を出す発声訓練など，「なんとなく訓練」になりがちである．そして医療機関などでは，一定期間が過ぎると算定期間の制限を理由に「あとは障害受容」として言語訓練を終了してしまうケースは少なくない．

中川ら[13]は，失語症の長期にわたる外来訓練で，広範な病巣であっても改善した多数の症例を報告している．S氏も同様に，発症から3年経過した現在も，SLTAの改善に伴うコミュニケーションの変化が見られ，評価結果の説明ではうれしそうな表情をしている．

本症例は，重度の失語症や高次脳機能障害に対してスモールステップで取り組むことで「できる課題」が増え，それが自信を回復させ，「活動」や「社会参加」につながったのではないかと考えている．

引用文献

1) 竹内愛子, 中西之信, 中村京子, 他：重度失語症検査—重度失語症者へのアプローチの手がかり. p2, 協同医書出版社, 1997
2) LPAA Project Group：Life participation approach to aphasia：A statement of values for the future. ASHA Leader 5(3)：4-6, 2000
3) 安保直子：失語症をもつ人への意思疎通支援の制度化に向けての課題—失語症会話パートナーに関する先行研究のレビューから—. 社会福祉学 55(3)：53-65, 2014
4) 村西幸代：生活適応期における言語訓練サービスの考え方. 鈴木勉(編)：重度失語症の言語訓練—その深さと広がり, pp100-105, 三輪書店, 2013
5) 竹内愛子, 中西之信, 中村京子, 他：重度失語症検査—重度失語症者へのアプローチの手がかり. 協同医書出版社, 1997
6) 廣實真弓：評価を訓練へつなげるための観察のポイントと精査. 鈴木勉(編)：重度失語症の言語訓練—その深さと広がり, pp32-33, 三輪書店, 2013
7) 吉畑博代：失語症がある人のコミュニケーション力を高めるために：患者報告アウトカム測定ツール JAIQ-21 の試用結果. 高次脳機能障害学 38(2)：177-183, 2018
8) 中村やす：失語症グループ訓練. 竹内愛子(編)：失語症者の実用コミュニケーション 臨床ガイド, pp194-201, 協同医書出版社, 2005
9) 佐藤ゆう子, 石戸純子, 安保直子：重度失語症者の活動の広がり—社会参加を目指して—. 鈴木勉(編)：重度失語症の言語訓練—その深さと広がり, p216, 三輪書店, 2013
10) 立石雅子：失語症のある人のための意思疎通支援. 保健医療科学 66(5)：512-522, 2017
11) 竹中啓介：失語のある人向け意思疎通支援者の養成と派遣. 高次脳機能障害学 38(2)：155-159, 2018
12) 古川大輔, 村西幸代, 小嶋知幸：健常高齢者の言語生活の実態—日常会話の1日調査からの検討. 第18回言語障害臨床学術研究会発表論文集：8-15, 2010
13) 中川良尚：失語症の長期経過—外来訓練の意義. 言語聴覚研究 17(1)：19-28, 2020

4 生活適応期の訓練・支援

A 生活適応期とは何か

生活適応期とは，発症からの急性期，回復期に続く病期であり，生活期あるいは維持期，または慢性期と呼ばれることもある．回復期までのリハビリテーションが医療保険で行われるのに対し，生活適応期のリハビリテーションは主に**介護保険**で行われ，心身機能へのアプローチのみならず，活動，参加へのアプローチを重視して，生活機能を総合的に向上させ，生活に適合させることをめざす．この時期に言語聴覚士は**通所リハビリテーション**や**訪問リハビリテーション**などいくつかの場面でかかわるが(表10-16)，それぞれの場面ごとに提供できるサービスの内容や期間に制約があり，制度に即したリハビリテーションを提供する．

失語症の言語治療もその一環として行われる

表 10-16　言語聴覚士が関わる生活適応期の場面

	通院	外来によるリハビリテーション	医療保険
在宅	通所	診療所・病院・介護老人保健施設の通所リハビリテーション	介護保険
		通所介護	
	訪問	診療所・病院からの訪問リハビリテーション，訪問看護ステーションからの訪問，介護老人保健施設からの訪問	医療保険 介護保険
	短期入所	介護療養型医療施設，介護老人保健施設による短期入所によるリハビリテーション	介護保険
施設	入院	介護療養型医療施設，介護医療院	
		介護老人保健施設	

が，以下のような失語症の特色に配慮をして，生活適応期における言語治療の特徴を理解しておくことが重要である．

まずは，失語症は運動機能の回復などと比較すると，**長期にわたり機能回復が続く可能性**が高いことである．この時期のリハビリテーションとして一般に活動，参加へのアプローチが強調されるが，失語症については機能回復が望める可能性も視野に入れて，適切な評価を行うことが大切である．また一般に失語症は，その症状の理解が難しく，「失語症」の知名度も高くない．当事者の活動や参加の機会を増やすためには，当事者を取りまく**環境への働きかけ**が不可欠であるとともに，**心理的サポート**を含めた継続的な支援が必要である．

生活適応期における対象者は，発症からの期間や重症度がさまざまである．一般に，言語聴覚士が対象者に直接かかわる機会は少なく，また一回に対応できる時間は短いが，関わりは数か月，年単位で継続する．言語聴覚士は，直接言語評価や訓練を行うのみならず，当事者の有する能力，自立のために必要な支援方法や日常生活上の留意点に関する情報を専門的な見地から当事者やその関係者に伝えていくことが求められている．そのため，失語症状のみに目を向けるのではなく，実際に行っているコミュニケーションの状況，生活の環境，当事者や家族の希望など，広い視野で評価を行い，短期的，長期的目標をリハビリテーションチーム内で共有しながら進めていかなければならない．

B 通所系・訪問系サービスにおける評価・訓練・支援

1 評価

評価に際しては，急性期，回復期と同様に情報収集が必要である．情報は，言語面，医学面，社会・生活面と諸方面の情報を収集し，それらを統合して目標の設定を行う．

a 言語を含むコミュニケーション能力の評価

生活場面でどのような人とどのようなコミュニケーションを行っているのか，また失語症に限定せず，コミュニケーションに影響を及ぼす関連障害の有無や大まかな程度を含めた総合的評価が重要である．評価には必ずしも標準化された既存の検査が用いられているわけではない．集中的な言語訓練を開始するのではなく，生活によりよく適応するためにどのようなコミュニケーション能力を改善，維持，あるいは拡大させていくのか，そのために必要な評価を工夫して行う．

1) インテーク面接（導入面接）

当事者および当事者の家族と面接を行う．面接では，①現病歴や最近の体調，②大まかな毎日・週間・月間のスケジュール，毎年行う重要なイベント（家族の誕生会など），③家族や家族以外の人と，どのような場面で，どのような方法でコミュニケーションをとっているか，④当事者が改善させたい，やりたいと思っていることは何か．家族が望んでいることは何か，⑤言語聴覚士のかかわりに何を期待するか，などを聴取する．面接を通して，当事者が意思をどれくらい伝えることができているか，当事者にはどれくらい情報が伝わっているか，失語症のほかに関連症状はないか，どのようなことに価値を置いて生きてきたか，など生活場面における**コミュニケーション行動全般の概要や背景**を把握して，リハビリテーションにおける問題点や目標のあたりをつける．

2) 言語のコミュニケーション面

①会話の評価，②失語症の評価，③関連障害の評価，③実用的コミュニケーション能力の評価について方法を工夫して行う．

①**会話の評価**：会話や観察，家族からの情報などから，**会話能力の評価**を行う．会話の理解や表

表 10-17　実用コミュニケーション能力の着眼項目の例

1. 挨拶ができるか	
2. 自分の情報が伝えられるか	名前
	住所
	電話番号
3. 電話が使えるか	電話をかける(相手・内容の特定無)
	電話をかける(相手・内容の特定有)
	電話を受ける(相手・内容の特定無)
	電話を受ける(相手・内容の特定有)
4. メールは使えるか	メールを発信する(相手・内容の特定無)
	メールを発信する(相手・内容の特定有)
	受信した内容を理解する
5. 診療申込書等の記入ができるか	名前
	住所
	電話番号
	主訴など
6. エレベーター操作ができるか	
7. 自動販売機を利用できるか	
8. タクシーが利用できるか	
9. 電車やバスが利用できるか	
10. 買い物ができるか	店頭で
	インターネットで
11. 喫茶店・レストランで注文ができるか	
12. 内服薬の管理ができるか	
13. 銀行 ATM などが利用できるか	

出の能力をいくつかの段階で評価して記載するのも1つの方法である。「ボストン失語症診断検査の失語症重症度尺度」なども参考にするとよい〔表10-15(➡319頁)を参照〕。また、会話の際に**会話ノート**など**補助・代替手段**がどの程度利用されているか、についても評価の対象とする。

②**言語機能面**：回復期病院を退院後間もない時期などに機能訓練を継続して行う場合は、情報提供書に基づいた評価を行う。定期的(数か月に1度程度)にSLTAなどの総合的失語症検査(場合によっては抜粋)を用いて回復の状態を評価する。また、例えば特に文字の回復に重点をおく場合は、文字に関する特定検査を行うなど訓練内容に合わせた検査を適宜行う。

一方、発症からの経過が長く、コミュニケーション障害の選別が必要な場合は、当事者の症状や意向に合わせて評価方法を工夫しなくてはならない。15～20分程度で、日常物品などを用いて聞く、話す、読む、書く、数の操作、などの簡易な検査を行って失語症の選別を行うのもよい。当事者の拒否などでそれもできない場合は、家族からの情報や会話、行動の観察などを通して言語のそれぞれの側面を評価する。

③**関連行動面**：失語症のほかに失行や失認、視空間障害、記憶障害、気分や情緒面の変化の有無なども、簡単な検査や行動観察、家族からの情報などから把握する。また、生活適応期では高齢者が対象である比率が高いため、**全般的認知機能の低下**を伴う場合も少なくない。

④**実用的コミュニケーション面**：この評価に関しても生活適応期では標準化された検査を用いるよりも、生活場面の観察を通して行うことが一般的である。実用的コミュニケーション能力として着眼する項目と記載の例を**表10-17**にまとめた。

b 医学面の情報

医学的診断名、疾患、治療の内容や経過、脳画像情報などが得られれば、より精緻な評価が可能となる。現在行われている治療の内容、内服薬、生活上や言語訓練を含めたリハビリテーションを行ううえでの禁忌事項などを確認する。禁忌事項の例としては、特定の姿位を避けること(例：疾患のある部位を圧迫しない)、特定の脈拍数・血圧・酸素飽和度を超える程度の労作を行わないことなどである。アレルギーのある食物や薬品を知っておくことも重要である。これらの情報を得るよう努める。

c 社会・生活面の情報

社会・生活面の情報は，生活適応期を支えるうえできわめて重要である．インテーク面接や多職種が集う会議などの場面で，また直接，介護支援専門員などから聴取する形で行う．

当事者が生活する社会的環境について，人的・物理的・社会制度的環境の情報を収集する．人的環境とは，当事者がどのような人とのつながりのなかで，どのような役割を果たしているか，どのような支援を受けているか，などである．この情報については現在の環境のみならず，発症以前の状況についても理解しておくことが有用となる．物理的環境とは当事者の自宅内外の住環境，利用できる移動手段，インターネット環境，などである．社会制度的環境とは，利用できる保険制度などであり，経済的状況についても大枠で把握しておくことが必要である．これらの情報を統合して，当事者が時間軸上で(1日のなかで，各曜日で，月間・年間のどの時節で)どこで，誰と，どのような方法でコミュニケーションをとって，どのような制約のなかで，何を大切にして，どのように過ごしているのか，を整理する．

d 目標の設定

言語訓練の目標は多職種間で作成するリハビリテーションの目標の一側面として設定する．目標の設定は当事者一人ひとりに個別的なものであり，かつ多面的なものである．さらに，時間の経過とともに見直すことが重要である．**リハビリテーション会議やサービス担当者会議**(→ Note 41)などにおいて，関連する専門職員らが定期的に評価をまとめ，当事者や家族とともに目標の見直しなどを行う．その際に重要なのは，失語症の当事者が**目標の意思決定**に十分に参加できているか，という点である．具体的には，当事者本人が，これらの会議の意味をどこまで理解しているのか，提示される書類の理解ができているのか，などである．特に重度の失語では生活を向上させるうえで行いたいことの選択肢を本人に理解できる形で提示するなどして，本人の意思が十分にくみとられているか，といったことに注意する．そのためには，失語症の症状を理解する言語聴覚士などが当事者の**意思疎通を支援**する必要がある．家族と当事者の視点は一致しないことが多いことにも留意しておきたい．

当事者の意思をていねいにくんで目標設定を行った報告例をあげる．右半身麻痺を伴う重度の失語症の女性に「行いたいこと」を写真で示した選択肢から，「料理」をしたい，という意向が得られたが，「料理」という一連の行為のなかで，何を求めているのか，掘り下げる必要があった．本人の思いや価値観を丁寧に聴取したところ，ヘルパーに委ねている調理の行為そのものではなく，家族の好みに合ったメニューの決定，その家庭に馴染んだ味付けにかかわりたい，という意向であったことがわかった．「家族に食べてもらうメニューを自分で決めて，自分で味付けすること」をリハビリテーションの目標として，言語訓練では，その過程で必要な，料理に関する語彙の理解・表出を可能とすることや，コミュニケーション代替手段として利用できるレシピの作成と活用などを目標とした．

2 訓練・支援

一般に生活適応期のリハビリテーションの効果

> **Note 41. リハビリテーション会議とサービス担当者会議**
> いずれも当事者が介護保険を利用した場合に行われる会議である．リハビリテーション会議は，適宜適切でより効果の高いリハビリテーションを実現するために，当事者と家族，医師，理学療法士，作業療法士，言語聴覚士，介護支援専門員，居宅サービスなどの担当者などによって行われる会議である．サービス担当者会議も同様の構成員で行われ，サービス利用者(当事者)の状況を各担当者間で共有し，提供するサービス内容について各専門的見地からの意見を聴取する目的で行われる．

として求められているのは，**身体や認知機能の維持・改善，日常生活能力・自立度の維持・改善，意欲・情緒面の安定**である．失語症の言語治療を進めるうえでもこれらの視点をもち，機能回復訓練とその他の訓練・支援の優先順位などについて，バランスを考えながら，さまざまな対象に合わせた目標を立てて，実施していく．

a 機能回復訓練

　法制度上で回復期として算定される期間のみでは，失語症の回復においては多くの場合でいわゆるプラトーといわれる状態に達していない．損傷部位やその範囲，年齢などによって予後は異なるが，失語症については少なくとも**2～3年以上は機能回復の可能性**を追求すべき，という研究成果がある[1]．また，失語症の改善には特に重度の失語症において，SLTAの得点の向上のような量的改善のみならず，例えば再帰性発話などの自動言語が抑制されるようになったり，著しかった新造語が出現しなくなる，などの質的改善として現れることがある[2]．このように症例の改善の経過や様相を把握して，生活適応期においても機能回復訓練の適応と訓練方法を検討することが重要である．そして，生活適応期の機能訓練のあり方として重要な点は，常に**改善させる機能を実用的場面につなげる**配慮を忘れないことである．例えば，自分の情報（名前，住所，電話番号など）の書字訓練とともに，病院の問診票の所定の箇所に記入する練習を行い，受診の際に実行する，などである．実用的場面でいかされた機能が活動・参加を拡大させ，そのことがさらなる機能改善につながることが少なくない．

　生活適応期では，個別に対面できる訓練時間は限られる．訓練の効率を高めるために，1つの課題でも複数のモダリティにわたる訓練となるように工夫したり，自習課題の難易度や量を適宜調節して回復を導く必要がある．

　さらに，特に発症からの経過が長期に及んだ時期，あるいは高齢者では，新たな脳血管障害の発症や変性疾患の進行によって失語症のほかに見当識や記憶，その他の高次脳機能が低下したり，認知症が合併するなどの症状を呈する可能性もある．定期的な評価とともに，**全般的認知機能を維持する**課題や環境を継続的に提供することも重要である．このための訓練は個別対応に限らず，小グループを作って，見当識を確認したり，簡単な記憶や言語などの課題を楽しむことも有効である．

b 活動の増進と参加の拡大

　失語症の当事者が活動を増進させてさまざまな場面に参加する機会を拡大させていくためには，実用的コミュニケーション能力の改善が重要である．当事者の病前の生活と現状を鑑みて，当事者の意向に沿って取り組む項目を選び，機能回復訓練とも連携させながら改善をはかっていく．

　回復期病棟から退院後間もないなど生活適応期の早期の段階では，今後の生活環境で家族や家族以外の人（生活適応期を支える各スタッフ，公共交通機関利用の際にかかわる人，店員，など）と確実なコミュニケーション手段を整えることが重要である．必要に応じて会話ノートやタブレットなど，コミュニケーションの代替手段の整備や使用方法の練習を行う．さらに，周囲の人にも，代替手段の使用方法を含めたコミュニケーション方法を理解していただき，当事者の**コミュニケーション・パートナー**を積極的に増やしていく働きかけが重要である．

　また，当事者の意向に合わせて絵画，書道，俳句などの趣味活動の再開や開始を促すことが活動の増進につながる．利用できる社会資源の紹介も含めて，楽しんで参加できる場を設定することも行う．日常生活がそれなりに安定したころには，より活動の範囲を広げるように，発症後途絶えていたさまざまな場面への参加（旅行，同窓会への参加など）についても支援の枠を広げていく．当事者や家族の心理面にも配慮して，失語症友の会，失語症カフェなど**ピアサポート**が得られる場

の紹介も有用である．

さらに失語症の障害受容が進んだ時期では，新たに失語症になった人に対するピアサポートを行う機会や，社会に向けて失語症の啓発にかかわる機会を紹介するなど，失語症とともに積極的に生きることに生きがいを感じられる場面を設ける支援も大切である．

引用文献
1) 中川良尚，小嶋知幸：慢性期の失語症訓練．高次脳機能研究 32(2)：73-84，2012
2) 市川勝：認知症のある人へのコミュニケーション支援の考え方―訪問言語聴覚療法の視点から．訪問リハビリテーション 8(4)：296-307，2018

5 社会復帰

A 社会復帰とは何か

かつて社会復帰とは，職業復帰か家庭復帰かといった，失語症のある人が最終的に落ち着く先であると考えられていた時期があった．

一方で，ICFの採択(2001年WHO総会)の普及，わが国での障害者総合支援法に基づく施策の推進，「共生社会」やユニバーサルデザインという用語の普及など，障害のある人の社会参加を広げるためのさまざまな施策が推進され，障害の有無などにかかわりなく，誰もが人格と個性を尊重し支え合う社会の実現という流れが着実にできつつある．

ICFでは「心身機能・身体構造」「活動」「参加」の3つのレベルと，それらに影響を及ぼす「環境因子」などの因子を加え，障害はマイナスであるとしてもそれを含む，生きること全体としてのプラスを重視する生活機能という概念を強調している．

社会復帰についてこのような流れを受けて考えると，上述の職業復帰か家庭復帰かなど外的基準に合致するかどうかで判断するのではなく，それぞれの最終的な生活場面において個々人が社会生活にどのように適応しているかという，より広範な視点で考えることが重要である．

したがって，本項では**外的基準に基づく失語症のある人の社会復帰の状態**のみならず，失語症のある人がどのように社会に適応しているかという側面を含む**広義の社会復帰**について考える．

1 職業復帰率

言語機能に障害が残る失語症者にとって，病前の職業に復帰することは多くはきわめて難しい．一方で，就労年齢にある失語症者にとって，**職業復帰**は最も大きな目標である．日本高次脳機能障害学会実施の高次脳機能障害全国実態調査(2006年)[1]における408施設，2,570名について社会復帰の状況をみる．最も多いのは家庭復帰で47%，次いで病院に入院中の者27%，福祉施設入所，通所者が10%と続く．職業復帰を果たした失語症者は，全体のわずか5.5%にとどまる．同学会の失語症全国実態調査(2002年)では，失語症者の職業復帰率は，全体の8%であった．さらに病前には就業していた人の職業復帰率は，約10%である(不明とその他に該当する19%を除く)．また過去に行われた失語症者の職業復帰の調査では，10〜20%という数値が出されている．

調査により職業復帰率に差があるのは，対象者や発症後の経過時期など，調査を行った条件が異なるためと考えられるが，いずれにせよ低い数値であることに変わりはなく，失語症者の職業復帰

がいかに難しいかを裏付ける結果となっている．病前の言語機能をどの程度まで回復したか，身体的な状況はどうか，さらに病前従事していた業務内容，受け入れ環境などが，職業復帰に影響を及ぼす要因となる．

失語症者の抱える問題が，単にこれまであった機能が障害されたという要素の問題にはとどまらず，コミュニケーションをはじめとする他者とのかかわり，日常生活，ひいては職業生活にまで波及する問題であることが，改めて示唆される．

2 失語症のある人の生活期の状況

では家庭復帰の観点からは，失語症者はどのような生活状況にあるのだろうか．

発症から5年以上経過した慢性期の失語症者について，「聴く」「話す」「読む」「書く」「計算」の各言語様式別に，発症後1～3か月時点のSLTAの得点を基準とした得点増加率の推移をみると，全症例の平均値では「計算」を除く言語様式は発症5年経過後になお得点の増加傾向を認めた．特に増加傾向が著しかった様式は「書く」，および「話す」であったという報告がある[2]．また個々の症例では言語機能が維持されている症例と低下している症例とに分けられたが，言語機能の障害が重度であっても機能が維持されている症例では生活のなかで「新聞を読む」「買い物」「家事」などの日常的な活動をよく行っている傾向を認めた[2,3]．

さらに症例により活動性には差があるため，活動性の高い群と低い群に分類して失語症のある人の活動性について検討した研究では，活動性の高い群では就業率が有意に高く，年齢は有意に低いという結果を示した．活動性は加齢に伴って低下することが推測された．一方，運動機能と活動性の間では，運動機能が良好であると活動性が高いといった特定の関係を認めなかった．また同居家族の人数については，活動性の高い群では3.8人に対し低い群では2.8人と，活動性の高い群で有意に多いという結果を示した．活動性の高い群では低い群に比べ，「外向的で細かいことにこだわらない」循環気質という性格傾向の比率が高い傾向を示した[3]．これらの結果は，生活期にコミュニケーションの機能が維持されるためには，発症時年齢や性別，運動機能の程度，言語機能の障害の程度というより，行動の広がりを維持し，多くの刺激を得ることが，プラスの影響を及ぼすことを示唆するものである．

NPO法人全国失語症友の会連合会は，「失語症の人の生活のしづらさに関する調査（2013年）」[4]を行い，486人から回答を得た．日常生活のなかで特にコミュニケーションに関係する項目では，携帯電話を持っていた246人のうち，発症後に電話としての使用が難しいとの回答は約60％，メールの使用ができなくなったとの回答は約63％，インターネット検索ができなくなったという回答は約89％に上った．パソコンを発症前に使用していたと回答した258人のうち，発症後，使えなくなったとの回答は65％を占めた．これらの結果は，情報交換において重要な手段となっている携帯電話やパソコンが使用できなくなった人が多いことを示している．情報入手・コミュニケーション方法について，表出の手段というだけでなく，情報入力ということも含め，失語症者の情報交換がかなり制限されている状況を示すと考えられる．

また家族との間であっても，ことばだけではコミュニケーションがとれない場合が過半数を占めている．さらに家族以外とのコミュニケーションとなると，ことばを使用した会話で伝達可能であるとの回答は約30％に減少した．失語症者がコミュニケーション面でかなりの不自由さを感じていることがうかがわれる[4]．

これらの結果から，失語症者の社会復帰を考えるには，活動性，趣味の活動，他者とのかかわり，地域活動への参加などを含め，さまざまな側面を考慮する必要が示唆されている．

3 社会適応に関する調査結果

リハビリテーションの領域では，障害への対処のしかたとして **coping**（→ Note 42）という考え方がよく知られている[5]．障害がなんらかの形で残存する以上，障害とともにどのように社会に適応していくかという観点が重要となる．

発症後3年以上経過した失語症者について，主観的に困っていないとする例を適応良好として，それ以外の例との出現頻度を検討した報告がある．その結果，言語機能の障害の程度が軽度の者では，障害の程度が中・重度の症例に比べ適応良好例が有意に多く，言語機能の障害が重くなるにしたがって適応良好例が減少した．一方で，失名辞失語，ブローカ失語，ウェルニッケ失語のいずれの失語型においても中・重度の症例で50％以上の適応良好例が認められ，障害の程度が中・重度であっても適応良好例が存在していた．

適応良好例を特徴づける要因として，①障害に対する本人の理解，②病前性格，③家族の理解，④脳損傷による器質的人格変化の4項目があげられた[6]．また失語型，重症度によってこの4項目の組み合わせが異なっていた．失語症者の良好な社会適応に影響を及ぼす要因のなかに**病前性格**がある．前出の慢性期失語症者の活動性に関する結果とも関連して，**性格傾向**は発症後の言語障害をはじめさまざまな変化をどのように捉え，変化にどう折り合いをつけていくか，という部分と緊密に関係することが示されている．障害の程度が重度であっても高い活動性を保持できる，障害の程度がたとえ軽度であっても活動性を高められないなど，さまざまな事例は性格傾向と coping の結果として表れると考えることができる．

B 言語聴覚士の役割

失語症者が言語機能の障害と付き合いながらよりよい生活を送れるよう，補助手段，代償手段の活用を促し，行動範囲を拡大するよう支援することは言語聴覚士の担う重要な職務の一つである．また言語機能の改善のみでは失語症者の抱える問題は解決しない．このような認識から，失語症の訓練は以前に比べ広がりのあるものとなっている．

1 職業復帰

復職の可能性が高い場合には，訓練において言語機能の問題だけでなく，言語機能以外の高次脳機能障害にも十分な配慮が必要となる．特に発症直後に言語機能以外の高次脳機能障害の存在が疑われた症例では，経過観察が必要である．

軽度の健忘失語で復職が可能になって以降，言語聴覚士の注意が言語機能のさらなる改善に向き，軽度の注意や集中の問題に気付かないまま，職業復帰した事例がある．復職後，伝票の集計における誤りや書類の転記の誤りが頻出するという形で注意や集中の問題が顕在化し，最終的には早期退職に至った．復職前の検査では注意も集中も著明な問題を認めなかったが，結果として復職前の対応が十分でなかったということになる．何がどこまでできるようになっていれば復職可能であるかという判断は，職種によって決まるだけでなく，職場環境や本人の状況など個別に異なることを常に考えておく必要がある．

職業復帰に関しては主治医，ソーシャルワーカー

Note 42. coping

coping とは，障害への対処のしかたという意味でリハビリテーションの領域で用いられている用語である．障害にどう対処するかということは，障害とともにどのように社会生活を営むか，という観点が重要となる．この観点で社会生活への適応を考える際には，例えば職業復帰か家庭復帰か，あるいは，病前の職業への復職が可能か，配置転換が必要かというような外的基準ではなく，生活の質や本人・家族の満足度などの面が重視されることになる．

などと協力して対応する．失語症者が病前の職種に完全復帰が可能となる程度まで機能障害が改善していない場合には，本人を交え職場の関係者との調整が必要である．ここでは職場の関係者に，本人は何ができて何ができないかを明確に説明することが重要である．知的活動に問題がある，外見よりも障害が重度である，本人に可能でかつ望むような仕事が与えられない，外見よりも障害が軽度と考えられ，本人にとって困難な仕事が与えられる例は珍しくない．外見では測れない障害であるだけに，本人の状況を正確に理解してもらうことは難しいが，それでもなお可能な限り，職場の関係者に状況を把握してもらうように努めることが重要である．言語聴覚士は，失語症の状況とともに，本人の心情も周囲に的確に伝える代弁者であることが求められる．

失語症者の抱える問題は，言語機能という要素の問題と単純に割り切れないことはすでに述べた．コミュニケーションの問題は他者とのかかわりにおける問題を生じやすく，職業生活にまで波及することもある．それだけに復職を果たした事例については，言語聴覚士やソーシャルワーカーが職場を訪れて，実際の就労状況をチェックするなど復職後のきめ細かな支援が望ましい．一定期間の経過観察を行う．

2 家庭復帰

機能レベルの改善に限界があることが予測されたとき，機能レベルに対する働きかけと並行してコミュニケーション能力に対する働きかけが開始される．重度の失語症がある場合には，**VAT**(visual action therapy)，コンピューターを用いたアイコンやサイン，描画，あるいは本人にとって必要性の高い絵や文字を**コミュニケーションノート**に書き込んでおき，やりとりをするなど**代償手段の獲得訓練**が行われる．また獲得した代償手段を実際に使用する訓練，あるいは訓練室における評価上では言語機能の改善が認められるにもかかわらず，実際の場面でいかせない場合の使用訓練として，実際のコミュニケーション場面に近い場面を設定して情報のやりとりをする**PACE**などの訓練法を用いることができる．

本人の性格にもよるが，**家庭での訓練方法**について指導が必要な場合がある．言語聴覚士に依存的で，その指示には従うが，自ら応用する，あるいは課題を作り出すことをしない場合が少なくない．障害の程度が軽度であっても自信がもてずに，社会参加の観点からは適応が良好であるとはいえない場合もある．このような場合には言語機能の維持のために，本人の状況に合わせて家庭用のプログラムを作成する．できるだけ日々の生活に密着した課題とし，くり返し練習など，訓練を継続して行えるようにする．また素材を変えることで，同じ難易度で同種の訓練が行えるよう，汎用性にも留意する．

障害の程度が重度である場合には，家族の理解が社会生活を営むうえで重要な要素となる．残存する障害が重篤であっても，家族がその限界を知ったうえで配慮すれば，本人の社会参加を良好なものとすることができる．失語症者の行動半径の拡大は，家族の理解と協力に大きく影響される．

家族に失語症者の訓練の様子を見てもらい，評価結果についてもその都度，本人だけでなく家族にも伝えるなどして，失語症の状況やコミュニケーションの確実なとり方や接し方のポイントについて，家族の理解を深めるようにする．また日常の生活のなかで趣味，地域活動など本人の生きがいとなることを見つける支援も必要である．職業生活を送っていた人が意識を変え，職業に代わる活動を見つけることができれば，社会適応の状況は改善する．地域の福祉センターや生涯学習センターなどが開催する種々の企画への参加など，社会資源の活用も1つの方策である．

各地にある失語症友の会の活用も有用である．地域の活動にはなかなか親しめなかった人が，同じ障害をもつ者同士というピアグループならではの安心感から友の会活動には抵抗なくとけ込み，

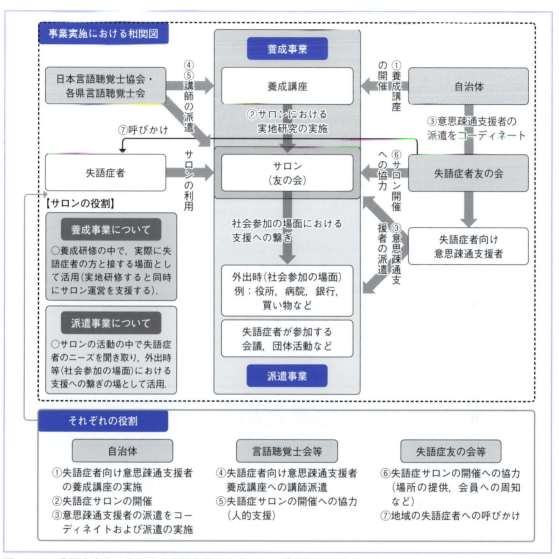

図10-28 失語症者向け意思疎通支援事業の事業イメージ（厚生労働省行政資料より）

新しい活動の契機となった例もある．
　ここで失語症者に対する**意思疎通支援事業**[8]（図10-28）についてふれておく．
　失語症者が置かれている状況は厳しいものであったが，ようやく失語症に焦点を当てた国の施策が行われることになった．障害者への支援・サービスは障害者総合支援法に基づいて実施されている．この法律の施行後3年の見直しを契機として，失語症者を意思疎通の側面で支える支援者を養成し，支援のために派遣するという事業が開始されることになった．講師としての支援など，本事業は言語聴覚士が地域において行う職務の1つと位置付けられ，2018年度から各都道府県が主体となる**地域生活支援事業**として支援者養成のための研修が開始された．事業の実施主体である都道府県，あるいは市町村などにとっては，養成と派遣の実施主体が異なる，当事者である失語症者にとっては地域に当事者の団体（友の会など）がない，高齢化している，都道府県ごとの言語聴覚士の団体である都道府県言語聴覚士会にとっては

マンパワーや予算の問題など，行政，当事者，言語聴覚士会というこの事業の運営の中心である三者にとって，それぞれの課題が出てきている．しかしながら，これまで家族がほぼ支援の中心であった失語症者にとって，家族以外との会話の機会はきわめて限られていた．今後は支援者という家族以外の他者との交流，その支援者とともに友の会や会話サロンに出向くことなど，気軽に会話を楽しむことのできる機会が提供されることになる．失語症者の社会参加を促進する本事業のもつ意味は大きい[7]．さらにまたこの事業において言語聴覚士の果たすべき役割は大きい．一人では難しいことも，言語聴覚士会という集団で取り組み，連携していくことによって，可能なことは多い．このような当事者支援の事業を今後も組織的に展開させていくことが重要である．

引用文献

1) 高次脳機能障害全国実態調査委員会：高次脳機能障害全国実態調査報告．高次脳機能研究 26：209-218, 2006
2) 立石雅子，大貫典子，鹿島晴雄，他：慢性期失語症者の言語機能の維持について．失語症研究 20：71-72, 2000
3) 立石雅子，大貫典子，鹿島晴雄，他：慢性期失語症者の活動性について．失語症研究 20：287-294, 2000
4) NPO法人全国失語症友の会連合会（編）：失語症の人の生活のしづらさに関する調査．2013
5) Broida H, et al：Coping With Stroke. pp100-122, College Hill Press, Huston, 1979
6) 立石雅子：社会適応に影響を及ぼす要因の検討．失語症研究 17：213-217, 1997
7) 令和元年度厚生労働省委託事業：失語症者向け意思疎通支援者指導者養成研修テキスト．p156, 厚生労働省作成資料．2019
8) 立石雅子：失語症者の地域支援体制構築に向けて—失語症者向け意思疎通支援者養成事業．言語聴覚研究 17：11-18, 2020

6　言語治療結果のまとめと報告

A　言語訓練記録の取り方

1　電子カルテ時代における言語訓練記録のあり方

　診療録の電子化が進められる中，言語聴覚士の日々の業務記録も端末からの事後入力となっている職場が多いことと思われる．しかし，失語症の言語治療においては，訓練場面で言語聴覚士と失語症者の間に取り交わされる一回限りのやりとり（インタラクション）を，リアルタイムで記載していく作業が不可欠である．

2　言語訓練記録のポイント

a　基本的な考え方

　診療報酬を請求するうえで，日付，請求種別および単位数，実施時間，実施者氏名などが記載されていなければならないことは当然として，それ以外には訓練記録に特別な決まりはない．基本的には自分が最も書きやすい様式で記録していけばよいのであるが，いくつかポイントを述べる．

　まず心得ておくべき大前提は，訓練記録は自分のためのメモではないということである．それを閲覧した他者（担当医や他の言語聴覚士など）に，そのセラピーの様子が生き生きと伝わるような記録を心がける．一般的な失語症訓練の組み立ては，会話（導入），課題（メイン），所見（まとめ），という構成になると考えられるが，そのまま時系

列に沿って記載していけばよい．その際，対象者の反応（発話，書字，表情・身振りなど）は，取捨選択せず極力「そのまま」記載するように心がける．会話場面での応答の際のわずかな言いよどみや，課題場面における自己修正，あるいは書字を行っている際のつぶやきなどは，評価に直結する貴重な情報である．詳細な特定（掘り下げ）検査を実施しなくても，具体的に記載された訓練記録から，対象者の障害メカニズムを推定し，訓練プランの立案に結びつけることは決して不可能ではない．

b 具体的な方法

会話場面の記録では，言語聴覚士からの問いかけを用紙の左側に，それに対する対象者の応答（反応）を右側に記載すると見た目にもわかりやすい．また，失語症者は，口頭で応答できない際に書字（主として漢字）を併用しようとする場合があるので，発話で応答したのか書字で応答したのかについても，その場に居合わせなかった人にもわかるよう，発話は，""，書字は「　」でくくるなど，略号を決めておくとよい．

課題場面の記録では，目標語（文）に対する反応を1つひとつ具体的に記載する．特に表出系の課題（単語の呼称・書称，情景画の説明など）では，自己修正のプロセスがわかるように記載する．言語聴覚士からヒントを出した場合には，どのタイミングでどのようなヒントを出したのかがわかるように色を変えるなどして記載するとよい．

そして，毎回，訓練結果をできる限り数値化し，得られた**エビデンス**や，1つひとつの仮説・検証のプロセスを記載するよう心がける．加えて，心理面や生活面で留意すべきことなど，言語機能面以外に関する所見も記載しておくと，何かの事情で急遽代理の言語聴覚士が入らなくてはならなくなった場合にもスムーズな業務連携を行うことができる．

c 課題（宿題プリント）や訓練中に得られた生データの保管

毎回の課題（宿題プリント）は対象者に保管してもらう．取り組んだ教材の束は，訓練開始時点から現時点までの回復経過そのものであり，**訓練効果のエビデンス**である．また，訓練中にみられた会話中の書字断片や課題に対する解答などの生データは，訓練記録に貼付して保存する．図10-29に訓練記録の例を示す．

B 言語治療サマリーの作成

1 目的

言語治療サマリーを作成することの目的は，①言語治療のアウトカムを確認すること，②その情報を本人および関連職種と共有すること，③他施設への情報提供，の3点である．担当症例すべてに関して，初期評価終了時や退院時にサマリーを作成するべきである．言語治療サマリーは，自分が担当症例に対してどのような言語評価を下し，どのような訓練プランを立て，そしてその訓練プランの効果はどうであったのか，についての総括である．担当症例一人ひとりに対するサマリーを作成・蓄積し続けることなくして，言語聴覚士としての資質の向上はありえないと言っても過言ではない．

2 構成（項目立て）

言語治療サマリーの構成（項目立て）に関しても，絶対に従わなくてはならない決まりはない．勤務する施設で決められたフォーマットが用意されている場合もあろう．ポイントは，言語治療サマリーであるからといって，いきなり言語症状から書き出すのではなく，それだけを読む人にも症

```
XXXX年XX月XX日(X時X分〜X時X分)脳血管リハ        (男の子が押し入れの中に隠れている)
×2  実施者：○○○○                              書字:「・・・(10秒)・・・男の子が押し入れの中に・・
会話                                                  (8秒)・・隠れている」(OK)
 (だいぶ寒くなりましたね)                           発話：(OK)
  3年・・・ぼく、あと1週間で3年・・・18日         ③文章完成ドリル(5者択一)  all OK
  わたし、そこで・・・死んじゃった                ④ ③の音読
  5か月、ほとんど、寝てなかったんです。           ・きんねん・・・(SC)最近、女性のなかで日本酒が
  すごいのがいっぱいあったんですよ                  はやっている         (間)
  だから●●(註：本人の職業)なんて、               (流行している)
  人間は80％、人間としてバカです。                ・両国が、ゆうこうでワールドカップの開催準備を、
  これは、いいやつ。20％、これはいいんだな。       (NR)   (共同で)
 (具合が悪くなったのは？)                         (進めている)
  夜です。酒のんでた。それで寝た。                ・戦後50年の歳月を経て、(NR)土を踏んだ
  それで、バタン                                              (故郷の)
  imp)来週で、発症から3年になるとのことで、本日は ・2(NR)の家は(NR)隔てて向かい合っている。
  落ち込んでいる。                                  (軒)   (道を)
課題チェック                                      ・ひとり・・・暮らしの老人が降り込め詐欺に遭ってし
 ①単語の呼称・書称                                 まった。(OK)
  弁当        "benko：" 「弁当(OK)」
  お握り      "OK"     「お握りぎ」                ┌─────────────────────────┐
  餅         NR  // 食(篇の部分)→OK "moti        │会話の場面での書字や課題の反応を貼布する   │
             SC  motci(OK)"                       │                                        │
  パイナップル "pai…"「ハイフ SC パイプ //        │                                        │
             パイナ → OK」                        │                                        │
  苺         "itsigo"                              │                                        │
  梨         "kakji SC nici SC OK" 「梨          │                                        │
             (OK)」「なし(OK)」                   │                                        │
  じゃが芋    "dzi…" 「じか芋」                   └─────────────────────────┘
  枝豆        "ebamame" 「枝豆(OK)」「えだま       所感
             め(OK)」                              1週間後に発症から丸3年となる。本日は心理的にやや
 ②情景画の説明(書字および発話での再生)             不調。
  (先生が黒板に字を書いている)                     呼称、音読の様子から、音韻処理能力の改善が感じられ
  書字:「先生が黒   に字を書いている」              る。
  発話: "せんせいがこくばんに、じをよんでいる"
```

図10-29 訓練記録の例
手早く記録できるよう，適宜略号を用いると便利である．例えば，""は発話，「 」は書字，ヒントを出した箇所は //，自己修正は SC，無反応は NR，反応のよどみは・・・，誤り箇所はアンダーライン，自分の印象は imp など．

例の全体像が伝わるような構成にすることである．

　まず，冒頭にサマリーのタイトルとなる症例の基本属性(氏名，性別，発症時年齢)，発症日，診断名，既往歴，現病歴，職業，家族背景，経済状況，その他(他部門からの情報など)などを記載する．

　続く項目としては，①初期評価，②訓練方針，③経過，④再評価，⑤まとめ，などが一般的である．①と②については〔「評価サマリーの作成」(➡180頁)〕を参照されたい．本項では③以降を概説する．

　③経過は，治療期間中にみられた患者の変化について簡潔に記載する部分であり，④再評価は，その経過を裏付ける各種検査データである．ここで留意したいのは，経過の記載は，再評価で示されている諸検査の正答率などを単に文章化することではないということである．しばしばサマリーにおいて，「当院入院中に，呼称正答率が初期評価時の20％から80％に改善し」といった記載を見かけるが，このような情報は検査データによって伝わる内容である．経過には，必ずしも検査成績には表れない患者の変化について記載する．その

際，初期評価での記載項目に沿って，全体から細部へという手順で記載するとわかりやすい．

まず全体像の変化として，例えば「入院当初は注意・集中力を保つことが困難であり，しばしば訓練開始から15分ぐらい経過すると帰室しようとするといった場面がみられたが，現在では40分間集中して訓練に取り組めるようになっている．」などである．言語機能面の変化についても，例えば「発話については，検査では構音の歪みによる減点のため，呼称の正答率の上昇が3ポイントにとどまったが，実際の会話においては，入院当初はこちらが頻回に聞き返さないと発話内容を把握することが困難であった．現在では，こちらからの聞き返しがほとんど必要のない水準にまで発話明瞭度が改善している．」など，検査成績には表れない変化について記載するとよい．

⑤のまとめでは，退院後も続く患者の今後の生活（人生）について，これまでの経過をもとに自分なりの見通しを立てる．そして今後どのような支援が必要なのかについて記載する．具体的には，退院（転院）後も継続が必要と思われる機能訓練の内容や，コミュニケーション環境を整えるうえで必要な種々の具体的な支援の内容などである．特に，職場復帰の支援が必要なケースでは，言語聴覚士が職場の担当者と面会し，本人のコミュニケーション能力の現状や，望ましい環境（業務配置など）について説明を行うことが必要となる場合もある．

C ケースカンファレンスにおける報告

1 基本原則

医療情報の電子化が進められる中，ケースカンファレンスのあり方も変わりつつある．事前に参加者全員に紙の資料が配布されるという形式は少なくなり，端末（ディスプレイ）に表示させた患者情報を取り囲んで，簡潔に意見を述べ合うという形式が主流になってきているものと思われる．しかし，実施形態がどうあれ，カンファレンスに臨む際の心構えは変わらない．その際重要になってくるのが前項までに述べた，訓練記録やサマリーである．当日検討する症例の基本情報・初期評価・訓練内容・経過と現状について，事前にしっかりと頭のなかに入れておくことが重要である．

2 プレゼン能力

カンファレンスでは，1症例10〜15分程度という決められた時間枠のなかで，各部門からの簡潔にして要を得たプレゼンテーションが求められる．すでに述べたように事前に当該症例の問題点・現状・今後の方向性について整理しておき，1〜2分で述べることができるように準備しておく必要がある．その際，重要なことは2つある．1つは，発言を求められたら結論を先に述べ，根拠は問われたら答えるというスタンスである．カンファレンスの場で求められているのは「要するにどういうことか」であって，結論に至る長々とした説明は重要ではない．もう1つは，極力専門用語は用いないということである．職種間連携の場で重要なことは共通言語で話すということである．言語聴覚士の間でしか理解されないような用語の使用は避け，一般的な用語に言い換えるように努める．

3 日ごろからのスタッフ間コミュニケーション

ケースカンファレンスに限らず，そもそも会議というものは，情報の確認と共有を行う場であると心得るべきである．時間をかけた議論が必要な案件は，事前に下相談をして大まかな方向性に関しては共通認識を形成しておくことが望ましい．そのためには，常日ごろから，担当医を中心とする他部門のスタッフと情報を共有しておく姿勢が

D 本人・家族への説明

1 基本原則

リハビリテーション業務において，本人・家族に説明・指導などを行ううえで重要なことは2つある．1つめは，リハビリテーションは担当医をリーダーとするチームで行われているのだという認識である．したがって，言語聴覚士からの本人・家族への説明も，チーム全体の方針に沿ったものでなくてはならない．たとえ正論であっても，カンファレンスなどですでに決められたチームの方針から逸脱する内容の説明を行うことは間違いである．そのようなリスクを避けるためには，本人・家族と面談を行う際には，伝える内容について担当医と共有しておくようにするとよい．もう1つは，平易なことばを用いてわかりやすく伝えることである．ケースカンファレンス以上に，専門用語を使わずに説明することが求められる．

2 説明の範囲

あくまで言語聴覚士として説明をするのであるから，基本的には言語訓練に関する内容から大きく超えないように配慮する．例えば，本人・家族は，医療スタッフであれば誰に聞いてもわかるだろうとの思いから，言語聴覚士に対して，身体機能についての不安や，医学的診断にまつわる疑問などを投げかけてくる場合もある．そういう場合には，丁寧な応対を心がけつつ，自分の専門外であることを伝え，それぞれの担当者に尋ねるよう促す．

3 改善経過についての説明

期間中の改善状況は，初回と再評価時における総合的失語症検査の結果を提示しながら，伸びてきている側面を中心に肯定的に説明する．その際，先にも述べたが，初回からの課題(宿題)の蓄積が改善のエビデンスとなる．

4 予後についての説明

リハビリテーションにおいて，予後は最もデリケートな問題である．基本的にリハビリテーション全体の予後説明は医師の業務であるが，失語症の予後について言語聴覚士が質問を受けることも多いと思われる．その際の説明のポイントは，将来に対する言明を避け，現在改善中であることを共有することである．例えば，「今，日に日によくなっていらっしゃる時期ですので，とにかくできる限りの支援をさせていただきます．」というような表現が妥当と思われる．これは説明から逃げるということではない．当事者にとってリハビリテーションは，長い時間をかけて行う人生の書き換え作業でもある．言語聴覚士の役割は，その書き換え作業に寄り添い伴走することである．「完治か否か」といった二元論で捉えることはできない．「おそらく元のお仕事には戻れないと思います」といった不用意な発言は厳に慎みたい．

第11章

失語症研究の歴史

学修の到達目標

- 失語症の古典論および知性論の成立と流れを説明できる．
- 局在論と全体論の展開を説明できる．
- 言語病理学の発展過程を説明できる．

A はじめに

　失語症研究史を述べるうえでは言語機能が大脳の中で特定の部位に強く表象されており、失語症は局所損傷の結果として出現するという**局在論**と、言語機能は認知や記憶などの関連機能に支えられていることを強調し、失語症を特定の脳部位と結びつけることに消極的な**全体論**の対立が軸となっている。この両者の対立が失語症評価・検査法や治療介入法の発展にも強い影響を与えている。本項は失語症観の歴史的発展をたどり、評価・治療介入法の展開を概観し、わが国における失語症研究の流れについて解説する。

B 失語研究前史

　失語症研究史における前史は18世紀までとされる。19世紀に入りGall(1758-1828)によって古代以来の動物精気説や脳室学説が明確に否定され、心的機能の大脳局在を明らかにするための努力がなされ始めた時代から失語症研究は大きく発展した。本節では古代から18世紀に至る失語症と心的機能の座をめぐる記載をたどる[1-5]。

1 古代

　米国の考古学者Edwin Smith(1862)が発見した紀元前3500年のパピルスに、頭部外傷による発話の喪失症例が記載されている。古代ギリシャ医学を集大成したHippocrates(前5世紀末から4世紀)は言語障害を示す発声と発話の喪失を意味する語を用い、右上肢の麻痺と痙攣を伴う発語不能の症例を記載している。また、食物摂取と呼吸から心臓、動脈を通じて生命精気が脳に運ばれ、脳で理性的な霊魂の源泉である動物精気が精製される、という動物精気説が唱えられた。このようにこころの座は脳であるという説がGalenos(131-201)の体系に結実した。一方でAristoteles(BC384-322)など、霊魂やこころの局在を心臓に求める考え方もあり、すべての感覚を集合する「共通感覚」の座は心臓であり、心臓でイメージや記憶が組み合わさって思考になると考えられた。その後、**脳室学説**が出現した。これは「霊気」や「動物精気」が脳室に関係するという一種の局在論であった。4世紀のPosidoniusは想像力は脳の前部、理解力は中部脳室、記憶は脳の後部に局在すると主張した。Nomesiusは感覚、悟性、記憶のそれぞれを、前部、中部、後部の脳室に位置づけた。

2 ルネサンス期

　古代に始まる脳室説は長い歴史を生き延び、1512年のReischの諸学百科事典には、共通感覚、想像および空想が前部脳室、認知と評価が中部脳室、記憶が後部脳室に割り当てられた図が載っている。一方、ルネサンスを代表する医学者のVesalius(1514-1564)は、脳室は動物と人間で変わりがないから脳室と理性は関係がないと考えた。人体解剖学が発展し、脳室学説に疑いが向けられ、脳実質や脳回転の役割が重視されるようになっていった。15世紀にA. Guanerioが2名の失語症者を記載し、1名はほとんど言葉が出ず、もう1名は錯語を呈した[1]。脳疾患が非麻痺性の言語障害をもたらすこと、語健忘、純粋失読などが記載された。1585年にJohann Schenck von Grafenbergは発話の喪失は記憶能力の障害によるもので、舌の麻痺によるものではないこと、また舌の運動障害と発話の喪失とは異なることを述べた。

3 17世紀

　1676年にJohann Schmidtは脳卒中後の書字能

力の保存，読字能力の喪失と錯語を記載し，間違いなく失語症とみられる記述が現れた．Peter Rommel(1683)は「まれな失声」を記載し，その症例では非流暢発話，復唱障害，会話は低下し，聖書の一節などの系列語は保存されていた．しかし系列中の一部の言葉を取り出して言うことはできなかった．このように詳細に記載された症例報告が現れた．Willis(1622-1675)は，はじめて大脳皮質を重視した．大脳皮質で動物精気が蒸留され，これが髄質に達して全身に分配され，感覚と運動を伝達する．また，大脳は，構想力や記憶力などの心的機能の直接の源であると唱えた．また，Descartes(1596-1650)は精神と身体の接合点が松果体で，視覚と聴覚が1つの統合される共通感覚の場所が松果体であると考えた．

4 18世紀

Linue(1745)は，どんな名称の想起も復唱もできなかったが，読解が可能であった症例を記載した．Morgagni(1769)は，病因分類別の脳疾患により起こる失語の多数例を報告し，右片麻痺または左脳疾患に言及した．Johann Gesner(1770)は，発話と書字に新造語ジャルゴンを示した症例などを記載し，喚語困難と錯語は一般的な記憶喪失の表れではなく，言語の健忘であると述べた．脳疾患は語の記憶を障害するが，物体は認知可能で，その意味もわかっている．しかしそれについて誤った名称を述べたり，まったく名称が言えなかったりする．知覚ないし観念と，それに対して適切な言語記号を結合することに障害があるという，連合主義的な考えを述べた．

以上，18世紀までの失語症に関する知識は大部分臨床的性質に関するもので，非流暢発話，失名辞，錯語，ジャルゴン失語，失書，純粋失読，系列語・歌唱の保存，異なった言語の読み能力の乖離，障害の否認が記載されていた．一方，言語の神経学的基盤に関しては未だ明らかではなかった．

C 古典論の成立

Franz Joseph Gall(1758-1828)は新しい神経解剖法を提唱し，骨相学という大脳局在論を提唱した．1810年に心理機能の大脳局在についての学説を発表し，この学説はその後**骨相学**と名付けられた．人間の傾向性と能力は脳にそれぞれの座がある．傾向性や能力は個体によって異なり，それに応じて脳の部位や大きさが異なってくる．頭蓋骨の形態は脳の形を反映するので，頭蓋骨の形の違いによって，その傾向性の強弱や能力の大小を推定することができ，それを頭蓋診断学とよんだ．言語の能力は語の記憶と言語の感覚の2つの成分からなると述べ，発音，語の記憶を前頭葉の眼窩部に位置づけた．Bouillaud(1796-1881)はGallを支持し，構音器官の機能が発話以外の運動の障害に対して完全に保存された症例の存在から，失語症では発話に対する運動制御が消失していることを指摘した．また言語障害は2つのタイプ，すなわち構音と想起の問題に分かれることを述べた．Jacques Lordat(1843)は発話意図や考えを系列的に配置する，音をまとめて系列化，運動実現，観念に対応する音韻系列の喚び出しなど，発話メッセージの表出を10段階に分類した[1-6]．

Paul Broca(1824-1880)(図11-1)は1861年に症例Leborgne(図11-2)について発表した．この症例は右上下肢に麻痺があり，問診に対して"tan, tan"と答えるのみであったが，人の言うことをほとんどすべて理解できた．脳の剖検の結果左半球前頭葉後下部を中心に，頭頂葉の中心後回や第1側頭回を含む広範な脳皮質の破壊が認められた．この経験からBrocaは構音言語能力の喪失をaphemieと名付け，その脳病変の原発巣は左の「第2あるいは第3前頭回，おそらくは後者」と考えた．引き続いてBrocaは第2の症例Lelongを発表した．彼も同様に構音言語能力のみを失ったaphemieであり，この第2例の病変は「第2お

図 11-1　Pierre Paul Broca
〔萬年甫，岩田誠（編訳）：神経学の源流 3 ブロカ．東京大学出版会，1992 より〕

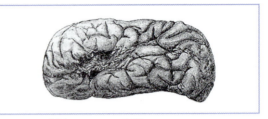

図 11-2　症例 Leborgne の脳
〔萬年甫，岩田誠（編訳）：神経学の源流 3 ブロカ．東京大学出版会，1992 より〕

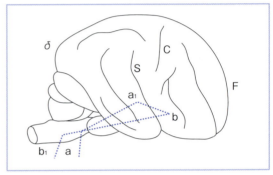

図 11-4　Wernicke の失語図式
a がウェルニッケ中枢，b がブローカ中枢を示す．
a：脳幹における聴覚路の侵入部位，a_1：聴覚路の皮質末端部位，b：語の運動表象中枢，b_1：遠心性運動路の脳幹出外部位，δ：後頭葉，F：前頭葉，C：中心溝，S：シルヴィウス溝
失語は，a・a_1・b・b_1 という経路のあらゆる部位の離断によって生じうるが，その臨床像は離断部位に応じて異なる．成人の場合，a・a_1 の病変で，失語を伴わない聾が，a_1 の病変で，語音心像の消失が生じるが，概念は保存される．a_1・b の病変では，復唱は不可能であるが理解の保たれている失語が生じる．b の病変ではブローカ失語が出現する．
〔萬年甫，岩田誠（編訳）：神経学の源流 3 ブロカ．東京大学出版会，1992 より〕

図 11-3　Carl Wernicke
〔Hécaen, Lanteri-Laura 著，濱中淑彦，大東祥孝訳：大脳局在論の成立と展開．医学書院，1983 より〕

よび第 3 前頭回の後 1/3」であった．1863 年にも左前頭葉病巣の 8 例を報告し，1865 年には「われわれは左半球で話す」と述べた．この事実はすぐに確認され，言語の半球優位性学説が成立し，その後機能局在研究が次々に発表されることになった．Broca はその後も引き続き論文を発表し，構音言語の座を「左第 3 前頭回後半，おそらくはその 1/3」というように限定していった[7,8]．Broca はすべての失語型が左前頭葉に関連していると述べたわけではなく，彼のいう aphemie だけが関連し，別に語の健忘の存在を認めていた．

Carl Wernicke（1848-1905）（図 11-3）は 1874 年に感覚失語の特徴を記載し，その病巣を左上側頭回後方に位置づけ（図 11-4），モデルを用いて失語症候を説明した．感覚失語の発話症状について「構音は保たれ，たいてい多弁である．流暢に，比較的豊富な語彙と目的に適した文構成で話すが，しばしば表現の選択を誤り，それと気付かず

に誤った，または歪んだ語を用いる．聴覚的言語理解の障害によりその誤りに気付かない．物品呼称も障害されている．これらでみられる錯語は音響心像が運動表象に対して及ぼす調節的影響が失われることによるのであろう」と記載した[7]．このWernickeの業績により失語症の分類と，図式的モデルの基礎が整った．Lichtheim(1845-1928)は1885年に失語図式を拡充し，そのモデルによって7類型を定義づけた(図11-5)．聴覚言語中枢と運動言語中枢を結合する経路の病巣により伝導失語が出現し，復唱が困難になる．また，概念中枢を仮定し，語のイメージに意味を与える概念知識が貯蔵されている，などが理論化された．

　20世紀に入ってからも**Joseph-Jules Dejerine**(1849-1917)が純粋語盲(純粋失読)を離断説から解釈し[7]，シルヴィウス裂周辺領域のどんな病変でも言語の複数のモダリティに影響を与えることを指摘した．純粋語盲に関して脳梁の役割について述べ，さらに失書を伴う失読の症候を記載して，左半球角回が視覚・言語領域であることを述べた．これらの成果から，失語症には単一モダリティに障害を示す亜型が臨床的に実在することを確認した．Kussmaul(1881)は失文法と語の健忘について，失語症の臨床症状として位置づけた．Pitores(1898)は健忘失語を概念中枢と語イメージの貯蔵との間の乖離と位置づけた．S.E. Henschen(1847-1930)はあらゆる言語機能，さらには計算や音楽の需要や表現などの活動に関する数多くの皮質中枢を分離した．Karl Kleist(1870-1962)は正確な局在を明らかにすることは可能であるとの立場で構成失行の記載など多くの業績をあげた．

D　古典論に対する批判，知性論

　古典論に対立する全体論は合理論の系譜を引い

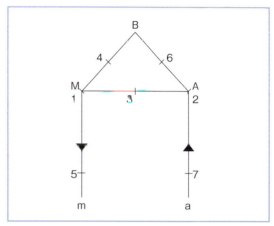

図11-5　Wernicke-Lichtheimの失語図式
矢印は言語の理解と表出の流れを示す．
A：音響心像中枢，M：運動表象中枢，B：概念中枢，a：聴覚経路，m：運動経路
1：皮質性運動失語，2：皮質性感覚失語，3：伝導失語，4：超皮質性運動失語，5：皮質下性運動失語，6：超皮質性感覚失語，7：皮質下性感覚失語

ている．心的機能は要素に分けて捉えることはできず，全体として作用する．さまざまな心的機能は相互に密接に関連して，全体としての機能を発揮する．したがって機能は全体的水準で評価される．認知能力は原始的な反射の水準から人の知性の象徴機能まで大きく進化および発達しており，失語症も象徴化作用における障害として捉えられる．このような考え方から失語症における知性障害が検討され，このような立場は**知性論**と呼ばれた[1-6]．

　Brocaの時代にあってArman Trousseau(1801-1867)は，失語症者は多くの知的障害を示すことを指摘した．**John Hughlings Jackson**(1835-1911)は発話には2つの水準，すなわち感情(自動)言語と知的(命題的)言語の別があることを指摘し，失語症者で障害されるのは命題的言語であり，感情言語は障害されないことを示した．感情言語には再帰性発話，感嘆，ののしり，決まり文句が含まれる．左半球の広範な損傷による全失語患者では，よく記憶された語や罵倒のことばを表出することができる．これには右半球が介在して

いる．知的言語は言語的思考の一部であり，失語症者は思考にも障害が及ぶ．失語は語の喪失ではなく，情報を伝達し命題化するために語を使用する能力の喪失である．また，失語症には2亜型があり，発話が重度に障害されるタイプと表出は多量だが誤りが多いタイプの存在を指摘した．Finkelnburg(1870)は失象徴という用語を用い，脳損傷に伴って象徴的思考の障害が出現し，言語性，非言語性の情報の扱いに障害が出現すると主張した．非言語的能力の障害としてパントマイムの象徴的意味，コインの価値，環境音の意味などがわからなくなる．失語症はこの失象徴の言語面での表れであると捉えた．

20世紀に入ると**Pierre Marie**(1853-1940)は，ブローカ野が言語表出の中枢であることを否定した．彼の考えによればウェルニッケ失語が唯一の基本的な失語症で，流暢な発話と聴覚的理解障害とともに一般知能の障害も含んでいる．ブローカ野の損傷のみでは失語症は出現しないと述べた(図11-6)[9,10]．Henry Head(1926)は，失語とは象徴の形成と表現の障害であり，思考における障害も含むことを指摘した．象徴と概念の操作に関する系列テスト〔「標準的失語症検査」(➡346頁)を参照〕を非言語素材についても行い，失語症において基礎的認知能力に障害があることを示した．失語を語性失語(発話の運動実現の障害)，統語失語(感覚失語に類似)，名辞失語(健忘失語)，意味失語(語の意味を超えて含意を引き出す能力の障害)に分けた．

さらに**Kurt Goldstein**(1878-1965)はゲシュタルト心理学の考え方を背景にして，抽象的態度の喪失が呼称や喚語困難に関係していると述べた．抽象化作用には分類能力が必要となるが，健忘失語の症例にさまざまな色の毛糸を分類させたところ一定の基準で分類することができず，色相と明度が入り交じった分類となっていた．これは一定の抽象概念に基づく分類が困難なのであり失語症における抽象的態度の喪失を示すと考えられた．さらに失文法は文法的形態素の抽象的特性に対応

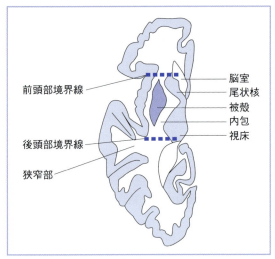

図11-6　Marieの四方形図
〔大東祥孝：フランス学派．長谷川恒雄(編)：失語症の基礎と臨床．pp216-227, 金剛出版，1980；大橋博司，濱中淑彦(編)：Broca中枢の謎—言語機能局在をめぐる失語研究の軌跡．金剛出版，1985；Benson DF：Aphasia, alexia and agraphia. Churchill Livingstone, New York, 1979より〕

できないための結果であり，また健忘失語は個々の対象ではなく一般性を指示する名称を理解することができないための結果であると解釈した(秋元，他，1984)．構音，統語，読字，書字および聴覚的理解のような特異的なコンポーネントを言語の「道具性」とよび，これらが抽象的行動のための能力とは独立に障害されることがあるとした．

E 局在論の復活と展開

Geschwind, Benson, Goodglassを中心とする**ボストン学派**は古典論の再評価を行った(➡74, 75頁)．機能局在を明らかにするうえで，離断症候群の意義が大きかった．重度のてんかんの治療のため左右大脳半球を結ぶ脳梁を切断した患者において，左半側視野に与えられた視覚刺激を呼称できない．左視野の視覚刺激は右半球視覚野に入るが，脳梁損傷のため左半球へ伝達されない．このことから，右半球に言語野はなく，左半球の言語

野で呼称という言語行動が成立していることが明らかになり，この症候群の存在が機能局在を証明することになった[12, 13]．Wernicke-Lichtheim の失語図式に代表される失語の古典論では単一の症状と局所病変とを対応づけていた．しかしボストン学派の研究者たちは症候群が局在価値を有すると考えた．失語症状の臨床的評価法に関する彼らの貢献として流暢－非流暢の2分法の確立があげられる[14]．自発話の流暢性の評価項目を定め，左半球前方病巣例では非流暢性発話，一方左半球後方病巣例では流暢性発話と，対比的な成績を示した．彼らは言語症状に関し局所病変と対応づけて検討し，それらの症状の組み合わせによる失語症候群の診断基準を作成した．さらにウェルニッケ領域，縁上回，中心回下部はすべて音韻処理にかかわる領域として，環シルヴィウス裂言語領域と呼んだ[15]．

近年の質的徴候を重視する立場として**認知神経心理学的**アプローチをあげることができる．彼らは健常者を対象として発展してきた精密な認知機能のモデルを高次脳機能の障害の分析に取り入れた．例えば，失読症の症状の分析に，綴りと音読する際の音との対応の規則性が単語によって異なることを取り上げ，文字と音との対応によって読む症例と，単語を意味と結びつけて読む症例とがいることを指摘した．前者を表層性失読[16]，後者を深層性失読[17]と呼ぶ．読みのプロセスには視覚意味経路と音韻経路が仮定され，表層失読では音韻経路が保たれ，視覚意味経路が障害されており，深層失読では音韻経路に重篤な障害がある，とされた．特に音韻経路のみの障害は音韻失読と呼ばれた．言語情報処理の経路がフローチャートの形式で分析され，経路内のどの部分が障害されればどのような反応が出現するのか，について各種の障害を示す失語症者の成績と対応づけられている．このように情報処理経路として個々の神経機能が成立する，というモデルに基づいて各種言語機能の経路の存在が明らかにされていった．

視覚の背側経路で視空間認知，腹側経路で対象認知が行われることが明らかにされ，特定の脳部位ではなく神経経路の意義が明らかになった[18]．言語機能に関しては，非語復唱のような音韻から構音へのマッピングは背側経路（上側頭回～弓状束・上縦束～前頭葉前運動野），音韻からの意味理解は腹側経路（中側頭回～外包～腹外側前頭前野）の両経路モデルが提唱されている[19]．

F 失語症評価の歴史的展開

古典論以降，20世紀末に至る失語症の評価，検査法および治療介入法の発展を中心に述べる[20, 21]．

1 失語症状の臨床的評価法

失語症の言語症状に対する評価法の歴史的展開は言語症状の定性的な記述から始まった．Wernicke は，Broca の示した aphemia（運動失語）に加えて健忘失語，感覚失語，錯乱状態や精神病との鑑別，さらには対象物の呼称における失認との鑑別について言及した．感覚失語症例の記載においては会話，呼称，歌唱，口頭命令，書字，読字の検査とその反応についての記述が見られる．Jackson は進化論的観点から，より高次な知的言語が侵され，感情言語の段階に退行していると考え，評価の面でも残存した言語機能としての自動的言語活動や，陽性徴候[注1]としての錯語，錯文法，ジャルゴンなどの過剰な発話に注目した．Pick は評価法として発話の言語学的分析と失文法の類型化を行った．Luria は神経心理学的検査法の体系化を行った[22]．言語理解に関しては，①音素の聴き取り，②語の理解，③単文の理解，④論理的文法構造の理解に区分された．

注1）脳損傷により高次の機能によって統制されていた低次の機能が解放され，出現する症状をいう．

Luriaの検査法はこれ以外に話し言葉の表出，書字・読解文字や，その他の神経心理機能に関して大量の項目を用意した．

2　標準的失語症検査

失語症検査の起源は**Headの系列テスト**[23]であるとされる．検査項目には日常物品・色彩の呼称と認知，絵カード・文字の呼称，音読，書字，硬貨・コップを用いた口頭命令と書字命令などが含まれている．この検査は標準化されていないが，言語のあらゆる側面を系列的に検査する考え方や個々の検査の方法が，以後の発展に大きな影響を及ぼした．Weisenberg, McBride[24]は知能と言語の標準化されたバッテリーを施行し，失語を記述的に，主に表出失語，主に受容失語，健忘失語，表出受容失語の4類型に分けた．特定の技能や感覚・運動チャンネルに関する障害を同定することの意義を指摘した．

1950年代になると第2次世界大戦の戦傷者に対する集中的治療の成果として次々に検査が作成された．それらのうちSchuellら[25]の**Minnesota鑑別診断検査**は言語治療上の指針と予後を知ることを目的として，聴覚過程，視覚過程および読み，構音と発話，視覚運動と書字，数概念と計算，身体像の領域にわたっている．Schuellらはこの検査データに因子分析を行ったところ第1因子が全分散の41%を占め，すべての言語モダリティに関わる失語症の重症度を反映する因子であると解釈された．そしてこの因子分析の結果を自己の全体論的失語症観を主張するひとつの根拠とした．

これに対して**Boston失語症検査**(1972)は古典的失語症タイプに対応する検査得点を得ることを目的として，会話の評価，聴覚的理解，口頭表出，文字の理解，書字からなっていた．この検査の因子分析結果については失語症状の特定の側面と各因子が対応した．すべての主な失語タイプは個々の症例の因子得点から分類が十分に可能であり，この分類には流暢性と錯語の因子が大きく関与する，との知見が得られた[26]．

以上のように言語機能の局在論と全体論の対立が失語症検査作成の考え方に反映されていた．その後，失語症タイプの診断の目的のためには失語症検査の下位検査成績の比較と言語症状の評価とを組合せて一定の診断をする方法がとられるようになった．このような検査の例としてWAB失語症検査[27]，Aachen失語症検査[28]があげられる．失語症の言語情報処理の心理言語学的評価法(PALPA)[29]では認知神経心理学的モデルの各過程の機能を分析的に捉えることを目的としている．

また，コミュニケーション・レベルの評価法として機能的コミュニケーション・プロフィール(FCP)[30]および実用的コミュニケーション能力検査(CADL)[31]が開発された．

以上のように失語症の捉え方は臨床症状の質的評価と言語機能別の検査による量的測定およびコミュニケーション・レベルの評価と多様な方法が開発されている．これらの方法は対立的なものではなく，現在では必要に応じてバッテリーを組んで総合的評価が行われる．

G　失語症治療介入法の歴史と言語病理学の成立

1　19世紀まで

失語症の古典論の成立以前では失語症が舌の麻痺によるものだ，という考え方と言語記憶の障害であるという2つの考え方が対立していた．治療としては首にお灸を据えるなどで舌を動かそうとしていた[20]．17世紀のRommelは残語(一定の発話のみがくり返し出現し，その他の発話はほとんど見られない症状)から，より長い文を復唱させたり，歌を歌わせて訓練を進めたことが記載されている．Brocaは左半球前頭葉下部の損傷で失語

症が生じると考え，右半球の対応する部位で言語機能を回復させることを意図して言語訓練を行った．実際には子どもの言語習得をもう1回くり返し，それによって患者の語彙が増えたという．このような考え方は当時すでに普及していた聾者の言語教育法の応用であり，同様に子どもの言語発達を逆にたどる聾教育法を失語症例に適用することが Trousseau, Kussmaul, Bastian によって試みられていた．Kussmaul は発音訓練で治療者の口の運動に着目させる方法，健忘失語に語の語頭音を聴かせて単語を引き出す方法を推奨した．また，聾教育の視・触覚法を失語治療に導入し，治療者と患者自身の発語運動を，鏡を用いて視覚的に比較するとともに，触覚的に治療者の口や喉頭を手で触れて発声，発語運動を模倣，訓練させた．また Bastian(1898) は失語症のタイプ分類を行って，タイプによって訓練法を変えるべきだ，と主張した[20,32]．

2　20世紀前半

20世紀初頭に失語症言語治療に大きく貢献したのは Gutzmann であった．**Gutzmann**(1865-1922)は言語障害の学校を開き，発声・発話に関するさまざまな言語障害例のなかで失語症も扱った．彼は患者が馬車に乗って行き先が言えなかったのを言えるように訓練した，など実用的コミュニケーションの考え方を導入した．また聾者の教育法を基本的には踏襲し，復唱の際に鏡や治療者の口許をよく見せたり，子どもの語音の獲得順序に従って構音訓練を行い，母音から始まって，破裂音，摩擦音，子音プラス母音の順序を定式化した．書字訓練，喚語訓練にもさまざまな手がかりを利用し，口，頬の形で文字を示唆する音声図法を考案した．Froment と Monad(1914) はこの Gutzmann の方法に対する批判を行った．Froment は運動失語でも発話が完全に出なくなる例はまれであり，きれいな構音の残語がある場合があることから，失語の本質は個々の音を作ることではない，というものであった．そして Froment はなるべく多くの聴覚刺激を与える方法を用いた．

第1次世界大戦後には多数の戦傷例に対し言語治療が盛んに行われた．なかでも **Goldstein**(1948)が現在のリハビリテーション医学の考え方を先取りしたような再教育組織を作り上げた．医師，心理学者，学校教員，言語療法士，職業訓練指導者が医学的治療，心理・教育学的訓練治療，作業療法を実施した．人格と有機体の全体を考えた包括的な治療を行うとの観点から，患者の障害に対する評価とともに，残された作業能力の評価も不可欠であると考えた．受傷前の機能がある程度残されている場合には，その機能の基礎にある心身的過程を直接訓練し，完全に失われたものについてはこれに代わる機能を学習，訓練することを論じた．運動失語，失文法，感覚失語，健忘失語，超皮質性運動失語，失書，失読，失算，視覚失認について治療記録を残した．

米国では Mills(1904) が失語症の言語治療には児童教育や聾唖教育とは異なった独自の方法を必要とすることを指摘した．1920年代に言語病理学が発展して大学に独立の講座ができ，American Speech and Hearing Association (ASHA) が1925年に結成され，Speech Pathologist が養成されるようになった．また Weisenberg, McBride(1935) は詳しい治療経験をまとめている．彼らは患者の個別性を重視し，無意味音節よりも語，句，文を用いることを勧めた．第2次世界大戦以降はリハビリテーション医療の発展とともに言語治療が広く行われるようになり，治療成績に関する実証的研究がなされるようになった[20,32]．

3　20世紀後半

20世紀後半における失語症治療法の原理については行動変容理論と刺激・促進理論とを分けるのが通常である．このほかに Luria[33] の機能再編成理論も特殊な立場とみなされ，また語用論の立

場からコミュニケーション行動・手段の変化をめざす立場が発展している[34].

a 行動変容理論

行動変容では最も単純なものから始めるという原則から,初期のオペラント条件づけを用いた検討で,視覚的弁別のような非言語課題が用いられた.Holland[35]は,失語症のリハビリテーションにおけるプログラム学習には,教育する言語要素の内容および呈示順序について心理言語学的分析が必要であるとした.学習の段階として再認,模倣,復唱,学習した反応レパートリーからの自発的選択をあげている.失語症者では健常者に比べ,より細かいステップ,より多くの反復,より体系的な課題構成が必要だとされる.

1960年代以降,失語症を対象とした多くの学習プログラムが考案された.理解,前置詞の選択,構音,文完成,口頭命令,書字などで,その後パーソナル・コンピューター・プログラムも開発された.行動変容学派の失語症治療に対する大きな貢献の1つは,単一症例に対する特定の治療の効果を検討するための実験計画を開発したことである.ベースラインやスモール・ステップなどによって,「いかに」アプローチするかを示すことができる[36].

b 刺激・促進理論

Wepman[37,38]は「刺激,促進,動機づけ」の3つにより言語に統合をもたらすことができることを主張した.具体的な治療は課題中心ではなく個々の患者に合わせること,「全人的」に扱うことがめざされた.Schuellら[39]は**刺激法**を提唱し聴覚的刺激を特に強調した.適切な聴覚刺激を強力に,反復して与えることを原則とし,反応を生じさせ,その反応の矯正は最小限に止めるべきだと述べた.Weigl[40]は**遮断除去法**を提唱した.失語症では健常な言語モダリティで特定の単語や文を反応した後一定時間では,それまで正答不可能であった言語モダリティで正答することができるようになることを遮断除去 deblocking 現象といい,これを言語治療に応用した.

c 機能再編成

Luria[33]は特定の機能には多くの神経組織が関与しており,それらはシステムをなしている,と論じた.この機能系の一部の損傷によって機能障害が生じるが,機能系の構成要素と,それらをつなぐ経路のどこが障害されているかを同定することが,機能を改善させる前提となる.

d 語用論的アプローチ

コミュニケーション機能の分析法として,語用論が適用されてきている.**失語症のコミュニケーションを効果的に促進する方法**(PACE)[34]と呼ばれる.PACEでは新しい情報の交換,コミュニケーション手段の自由な選択,会話における対等な役割分担,コミュニケーションの充足性に基づいたフィードバックの4原則に基づいて訓練が展開される.

e 認知神経心理学的アプローチ

各種検査や症状の分析を行った結果から,症状の障害メカニズムを推定することがその後の訓練プラン立案の基礎となる.症候学的タイプ分類だけでは訓練方針および課題は実際に決まらない.言語課題に内在する過程および表象のうち,いずれが障害され,いずれが保持されているかを同定するために言語処理過程のモデルを用いる.治療は障害された認知過程の改善,あるいは保存された認知過程を通じての代償を行う.

f 心理・社会的アプローチ

失語症はコミュニケーションに障害をきたし,社会参加が阻害されることから,失語症者を取り巻く社会環境の側に対するアプローチが試みられている.失語症者は社会人であり,個人として適切な活動に参加するように勧めていくことが社会的アプローチの目標である.個々人が会話の参加

者として技能と自信を向上させることを目標として会話訓練が行われる．また，会話のパートナーを対象とした訓練を行い，生活場面でのコミュニケーション活動を促進する．

わが国の失語症研究の歴史

わが国の失語症研究の歴史については，本シリーズの『言語聴覚障害学概論』に詳しく解説されているので，参照されたい．

わが国においても 19 世紀末から失語症の解説論文および症例報告がみられた．初期の失語症研究をいくつかをあげると，大西鍛「失語症（アファジー）ニ就イテ」，渡邊栄吉「皮質運動性失語症」症例報告（いずれも 1893 年），三浦謹之介の失語症解説論文（1895 年），細谷雄太により紹介された「ステハン・フウゴウ『神経疾患ニ来ル言語障碍ニ就イテ』」（1909 年），加藤による Marie の失語症理論の紹介と自家例の経験を通じて Broca 理論への疑問（1914 年），などであり，海外の潮流が刻々と紹介されている[40]．

評価方法の紹介としては，三浦が Head の系列テストを 1933 年に紹介した．1943 年には井村恒郎が日本語の特性に応じた失語症の特徴として初めて漢字・仮名問題を取り上げ，1952 年に大橋博司は失文法を取り上げた．この時期までの研究成果が大橋[21]によりまとめられ，本邦における神経心理学，失語症学の発展の基礎となった．

1960 年代に，米国から言語病理学が紹介され，失語症の検査・評価法，治療・訓練法などの知識が導入され，わが国で開発されていった．特にSchuell の刺激法が多大な影響を与えた．1963 年に「Schuell 笹沼失語症検査」，後に老研版失語症鑑別診断検査[41]，Schuell の刺激法に基づく訓練法および行動変容理論に基づく失語症言語訓練法が紹介された．1964 年に長野県の鹿教湯温泉療養所に言語室が設置され，笹沼澄子指導のもと言語治療法としては Schuell の刺激法が用いられた．1966 年には日本ベル福祉協会・言語障害部門で言語病理学入門初級講座が開始され，初めての言語聴覚士養成が始まった．さらに，1971 年国立聴力言語障害センター附属聴能言語専門職員養成所での養成が開始された．

1956 年に日本音声言語医学会が設立され，文字の読みに関する二重経路の研究（岩田）など失語症の病態機構の研究，仮名文字訓練（物井，1976；柏木，1978），構文訓練（藤田・1996）など失語症状に関する訓練法の開発研究も盛んになった．1969 年以降に韮山カンファレンスが開かれ，失語症検査法作成に向けての研究会が開始された．1977 年に日本失語症研究会が始まり，標準失語症検査の完成が報告され[42]，また失語症を専門的に対象とする学会活動が開始された．第 7 回より日本失語症学会となり，神経心理学の学会も設立されたことから，失語症研究は質量ともに著しく発展した．1997 年に言語聴覚士法が制定され，言語聴覚士養成教育が発展した．2000 年に日本言語聴覚士協会および日本言語聴覚学会が発足し，今日に至っている．

引用文献

1) Benton A：Aphasia：Historical Perspectives, In Acquired Aphasia, pp1-25, Academic Press, 1981
2) Brain L：Speech disorders, Aphasia, Apraxia and Agnosia 2nd ed, Butterworth & Co. Ltd, 1965〔秋元波留夫（監訳），松本秀夫，豊田純三（訳）：失語症．東京大学出版会，1978〕
3) Hécaen H, Lantéri-Laura G：Evolution des connaissances et des doctrines sur les localisations cérébrales, Desclée De Brouwer, 1977〔濱中淑彦，大東祥孝（訳）：大脳局在論の成立と展開．医学書院，1983〕
4) 濱中俊彦：失語の神経心理学史，理論と分類．長谷川恒雄（編）：失語症の基礎と臨床．pp173-199，金剛出版，1980
5) 波多野和夫：失語症をめぐる歴史．波多野和夫，中村光，道関京子，他（編）．言語聴覚士のための失語症学．pp2-29，医歯薬出版，2002
6) Goodglass H：Understanding Aphasia, Academic Press, 1993〔波多野和夫，藤田郁代（監訳）：失語症の理解のために．創造出版，2000〕
7) 秋元波留夫，大橋博司，杉下守弘，他（編）：神経心理学の源流，失語編 上．創造出版，1982
8) 萬年甫，岩田誠（編訳）：神経学の源流 3 ブロカ．東京

大学出版会，1992
9) 長谷川恒雄（編）：失語症の基礎と臨床．pp216-227, 金剛出版，1980
10) 大橋博司，濱中淑彦（編著）：Broca中枢の謎―言語中枢をめぐる失語研究の軌跡．金剛出版，1985
11) 秋元波留夫，大橋博司，杉下守弘（編）：神経心理学の源流―失語編　下．創造出版，1985
12) Geschwind N：Disconnexion syndromes in animals and man. I. Brain 88：237-94, 1965
13) Geschwind N：Disconnexion syndromes in animals and man. II. Brain 88：585-644, 1965
14) Benson DF：Fluency in aphasia：Correlation with radioactive scan localization, Cortex 3：373-394, 1967
15) Benson DF：Aphasia, alexia and agraphia. Churchill Livingstone, 1979
16) Patterson KE, Marshall JC, Coltheart M：Surface Dyslexia：Neuropsychological and cognitive studies of phonological reading. Lawrence Erlbaum Associates, 1985
17) Coltheart M, Patterson K, Marshall JC(eds)：Deep Dyslexia, Routledge & Kegan Paul, 1980
18) Mishkin M, Ungerleider LG, Macko K：Object vision and spatial vision：two cortical pathways. Trends Neurosci 6：414-417, 1983
19) Hickok G, Poeppel D：Dorsal and ventral streams：A framework for understanding aspects of the functional anatomy of language. Cognition 92(1-2)：67-99, 2004
20) Howard D, Hatfield FM：Aphasia therapy：Historical and Contemporary issues, Lawrence Erlbaum Associates. Hove, 1987
21) 大橋博司：臨床脳病理学．医学書院，1965
22) 鹿島晴雄：Luriaの失語理論．長谷川恒雄（編）：失語症の基礎と臨床．pp229-244, 金剛出版，1980
23) Head H：Aphasia and Kindred Disorders of Speech. Cambridge University Press, 1926
24) Weisenberg T, McBride K：Aphasia. a clinical and psychological study. Commonwealth Fund, 1935
25) Schuell HM, Jenkins JJ, Carol JB：A factor analysis of the Minnesota test for differential diagnosis of aphasia. J Speech Hear Res 5：349-369, 1962
26) Goodglass H, Kaplan E：The assessment of aphasia and related disorders. Lea & Febiger, Philadelphia, 1972
27) Kertesz A：Western Aphasia Battery. University of Western Ontario, 1980
28) Huber W, Poeck K, Weniger D, et al：Aachener Aphasie Test. Verlag für Psychologie, Göttingen, 1983
29) Kay J, Lesser R, Coltheart M：Psycholinguistic Assessments of Language Processing in Aphasia. Lawrence Erlbaum Associates, 1992
30) Taylor MA：A measurement of functional communication in aphasia. Arch Physical Med Rihab 46：101-107, 1965
31) Holland AL：Communicative Abilities in Daily Living. University Park Press, 1980
32) 濱中淑彦：失語症の言語治療について―歴史と現況．精神医学 15：120-143, 1973
33) Luria AR：Traumatic aphasia, Mouton. The Hague, 1970
34) Davis GA, Wilcox MJ：Adult aphasia rehabilitation, applied pragmatics. College Hill Press, 1985
35) Holland AL：Case studies in aphasia rehabilitation using programmed instruction. J Speech Hear Disord 35：377-390, 1970
36) La Pointe LL：Base-10 programmed stimulation, task specification scoring and plotting performance in aphasia therapy. J Speech Hear Disord 42：90-105, 1977
37) Wepman JM：Recovery from aphasia. Ronald Press, 1951
38) Wepman JM：Aphasia Therapy, a new look. J Speech Hear Disord 37：203-214, 1972
39) Schuell HM, Jenkins JJ, Jimenez-Pabon E：Aphasia in adults, diagnosis, prognosis and treatment. Harper & Row, 1964
40) Japan Speech Abstracts 刊行委員会：日本失語症文献集成．日本学術振興会，1972
40) Weigl E：Neuropsychology and Neuropsychology, Selected Papers. Mouton, The Hague, 1981
41) 笹沼澄子：失語症鑑別診断検査．日本ユニマック，1978
42) 標準失語症検査作成委員会：標準失語症検査．鳳鳴堂書店，1975

参考図書

第1章 失語症と言語聴覚士の役割
- Papathanasiou I, Coppens P：Aphasia and Related Neurogenic Communication Disorders. Jones & Bartlett Learning, Burlington, 2017

第2章 言語と脳
- 窪薗晴夫（編）：よくわかる言語学．ミネルヴァ書房，2019
- 佐久間淳一：本当にわかる言語学．日本実業出版社，2013

第3章 失語症の原因疾患
- 大森孝一，永井知代子，深浦順一，他（編著）：言語聴覚士テキスト 第3版．医歯薬出版，2018
- 廣實真弓，平林直次（編著）：Q&Aでひも解く高次脳機能障害．医歯薬出版，2013
- 廣瀬肇（監修）：発話障害へのアプローチ―診療の基礎と実際．インテルナ出版，2015

第4章 失語症の症状
- 石合純夫：高次脳機能障害学 第2版．医歯薬出版，2012
- 鹿島晴雄，大東祥孝，種村純（編）：よくわかる失語症セラピーと認知リハビリテーション．永井書店，2008
- 鈴木匡子（編著）：症例で学ぶ高次脳機能障害―病巣部位からのアプローチ．中外医学社，2014
- 武田克彦，村井俊哉（編著）：高次脳機能障害の考え方と画像診断．中外医学社，2016
- 平山和美（編著）：高次脳機能障害の理解と診察．中外医学社，2017
- 平山惠造，田川皓一（編）：脳血管障害と神経心理学 第2版．医学書院，2013
- 山鳥重：神経心理学入門．医学書院，1985

第5章 失語症候群
- 石合純夫：高次脳機能障害学 第2版．医歯薬出版，2012
- 一般社団法人日本高次脳機能障害学会教育・研修委員会（編）：進行性失語．新興医学出版社，2019
- 加我君孝（編）：中枢性聴覚障害の基礎と臨床．金原出版，2000
- 紺野加奈江：失語症言語治療の基礎―診断から治療理論まで．診断と治療社，2001
- 田川皓一（編）：神経心理学評価ハンドブック．西村書店，2004
- 種村純（編）：失語症Q&A 検査結果のみかたとリハビリテーション．新興医学出版社，2013
- 種村純（編著），前島伸一郎，宇野彰（著）：失語症臨床標準テキスト．医歯薬出版，2019
- 日本高次脳機能障害学会教育・研修委員会（編）：錯語とジャルゴン．新興医学出版社，2018
- 日本高次脳機能障害学会教育・研修委員会（編）：伝導失語－復唱障害，STM障害，音韻性錯語．新興医学出版社，2012

第 7 章　失語症の評価・診断

- Blake ML：The Right Hemisphere and Disorders of Cognition and Communication—Theory and Clinical Practice. Plural Publishing Inc, 2017
- Myers PS(著), 宮森孝史(監訳)：右半球損傷—認知とコミュニケーションの障害. 協同医書出版社, 2007
- Papathanasiou I, Coppens P：Aphasia and related neurogenic communication disorders 2nd ed. Jones & Bartlett Learning, 2017
- 田川皓一, 池田学(編)：神経心理学への誘い—高次脳機能障害の評価. 西村書店, 2020
- 日本認知症学会(編)：認知症テキストブック. 中外医学社, 2010

第 9 章　失語症の言語治療の理論と技法

- 今泉敏, 他(編)：言語聴覚士のための基礎知識—音声学・言語学. 医学書院, 2020
- 小木曽加奈子：医療職と福祉職のためのリスクマネジメント—介護・医療サービスの向上を視野に入れて. 学文社, 2012
- 河合伊六(編著)：リハビリテーションのための行動分析入門学. 医歯薬出版, 2006
- 杉山尚子, 他：行動分析学入門. 産業図書, 2007
- 鈴木勉(編)：重度失語症の言語訓練—その深さと広がり. 三輪書店, 2013
- 知念洋美(編著)：言語聴覚士のためのAAC入門. 協同医書出版社, 2017
- 日本リハビリテーション医学会診療ガイドライン委員会(編)：リハビリテーション医療における安全管理・推進のためのガイドライン 第2版. 診断と治療社, 2018
- 廣實真弓(編著)：気になるコミュニケーション障害の診かた. 医歯薬出版, 2015

第 10 章　失語症の言語治療の実際

- Beukelman DR, Mirenda P(eds)：Augmentative and Alternative Communication Supporting Children and Adults with Complex Communication Need, 4th ed. Paul H. Brookes Publishing, 2013
- Schuell HM, Jenkins JJ, Jimenez-Pabon E：Aphasia in adults：diagnosis, prognosis, and treatment. 1964〔笹沼澄子, 長江和久(訳)：成人の失語症—診断・予後・治療(復刻版). 医学出版ビューロー, 2002〕
- 上田敏：ICFの理解と活用—人が「生きること」「生きることの困難(障害)」をどうとらえるか. 萌文社, 2005
- 加藤正弘, 小嶋知幸(監修)：失語症のすべてがわかる本. 講談社, 2006
- 笹沼澄子(編)：言語コミュニケーション障害の新しい視点と介入理論. 医学書院, 2005
- 竹内愛子(編)：失語症者の実用コミュニケーション臨床ガイド. 協同医書出版社, 2005
- 種村純(編著)：失語症臨床標準テキスト. 医歯薬出版, 2019
- 波多野和夫, 中村光, 道関京子, 他：言語聴覚士のための失語症学. 医歯薬出版, 2002
- 里宇明元(監修)：自信がもてる！臨床実習. 医歯薬出版, 2015

第 11 章　失語症研究の歴史

- Hécaen H, Lantéri-Laura G：Evolution des connaissances et des doctrines sur les localisations cérébrales. Desclée, De Brouwer, 1977〔濱中淑彦, 大東祥孝(共訳)：大脳局在論の成立と展開. 医学書院, 1983〕
- 秋元波留夫, 大橋博司, 杉下守弘, 他(編)：神経心理学の源流, 失語編上, 下. 創造出版, 1982, 1984
- 大橋博司, 濱中淑彦：Broca中枢の謎, 言語機能局在をめぐる失語研究の軌跡. 金剛出版, 1985
- 萬年甫, 岩田誠：神経学の源流3 ブロカ. 東京大学出版会, 1992

索引

欧文

数字
8段階統合刺激法　223

A
α シヌクレイン　39
A-FROM(Living with Aphasia：Framework for Outcome Measurement)　204
AAC(Augmentative and Alternative Communication)　230, 306
AD(Alzheimer's disease)　39, 187
ADL(Activities of Daily Livings)　175
agnosia　65
agrammatism　47
akinetic mutism　57, 91
Alajouanine のジャルゴンの3型　48
alexia　53
ALS(amyotrophic lateral sclerosis)　38
amnesia　69
AMS(auditory verbal short term memory)　50
An Object & Action Naming Test　165
anarithmetia　56
anarthria　24, 45
anosognosia　66
anterograde amnesia　69
AOS(apraxia of speech)　24, 45, 113, 188
apathy　66
aphasia　2
apoplexy　34
apraxia　65
aprosodia　23
AQ(Aphasia Quotient)　161

B
asyntactic comprehension/syntactic comprehension deficits　273
auditory agnosia　66
—— for environmental sounds　66
auditory comprehension　49
auditory word form　93
autotopagnosia　66

Base-10 Programmed Stimulation　223
BDAE(Boston Diagnostic Aphasia Examination)　43, 318
Benson　344
BI(Barthel Index)　176
BIT 行動性無視検査日本版　168
Bock, Levelt の文産生モデル　274
BORB(Birmingham Object Recognition Battery)　168
Boston 失語症検査　346
brain tumor　37
Broca, Paul　341
Brodmann の大脳地図　12

C
CADL(Communicative Abilities in Daily Living)　163
canonical word order　277
cerebral hemorrhage　35
cerebral infarction　34
CETI(The Communicative Effectiveness Index)　165
CHIEF(Craig Hospital Inventory of Environmental Factors)日本語版　165
CI 言語療法(CILT)　205, 245
CIAT(constraint-induced aphasia therapy)　245
circumlocution　46
clumsiness　65
completion phenomenon　53

conduite d'approche　47
coping　331
CQ(Cortical Quotient)　161
crossed aphasia　101
CVD(cerebrovascular disease)　34

D
DAI(diffuse axonal injury)　36
deblocking 法　221
declarative memory　68
deep agraphia　130
deep alexia　130
deep dysphasia　84
Dejerine, Joseph-Jules　343
Dell　237
DLB(dementia with lewy bodies)　188
dysarthria　63

E
EBP(Evidence-based Practice)　146
echolalia　52
empty phrase　80
empty speech　46
epilepsy　37
episodic memory　68
EuroQol の5項目法における評価，日本語版　166

F
FAI(Frenchay Activities Index)　177
FAS(foreign accent syndrome)　60, 91
FIM(functional independent measure)　176
finger agnosia　66
formal paraphasia　46
FTD(fronto-temporal dementia)　188

F

FTLD(frontotemporal lobar degeneration)　**39**, 94, 132, 174

G

GCS(Glasgow Coma Scale)　61
Gerstmann's syndrome　66
Geschwind　15, 344
Goldstein　16, 87, 344, 347
Goodglass　88, 344
Gutzmann　347

H

Head の系列テスト　346
Heschl(横)回　26

I

IADL(instrumental ADL)　176
IADL 尺度の評価項目　176
ICF(International Classification of Functioning, Disability and Health)　2, 144, 329
irrelevant paraphasia　46

J

Jackson, John Hughlings　16, 343
jargon　48
JCS(Japan Coma Scale)　62
JSS-D〔Japan Stroke Scale (Depression Scale)〕　68

L

Landau-Kleffner 症候群　108
logoclonia　59
logorrhea　49, 80
Lawton らの IADL 尺度の評価項目　176
Luria　226
lvPPA(logopenic variant PPA)　135

M

Marie　16
　——の四方形図　344
memory disturbances　68
Minnesota 鑑別診断検査　346
MIT(Melodic Intonation Therapy)　231
mixed paraphasia　46
MRI 拡散テンソル画像　195
MTCA(mixed trans-cortical aphasia)　94
mutism　49, 90, 98

N

NCDs(Neurocognitive Disorders)　187
neologism　47
neurogenic FAS　60
nfvPPA(non-fluent variant)　39
nfvPPA/naPPA(non-fluent/agrammatic variant PPA)　133
non-invasive brain stimulation　246

P

PACE(Promoting Aphasics' Communicative Effectiveness)　229
palilalia　59
Papez circuit　69
paragrammatism　47
paraphasia　46
paraphasia monémique　47
Parkinson's disease　38
perseveration　57
PET(positron emission tomography)　173
phonological alexia　129
phonological paraphasia　47
phonological therapy　266
PNFA(progressive nonfluent aphasia)　132
pointing span　76
PPA(primary progressive aphasia)　39, 132
PPAOS(primary progressive apraxia of speech)　113
precentral knob　13
preisylvian language area　17
press of speech　49
priming　69
prospective memory　69
PSD(post-stroke depression)　67
pseudobulbar palsy　63
pure alexia　65, 116
pure motor aphasia　113
pure word deafness　49, 66, 108
pure word dumbness　113
pyramid and palm tree test　266

Q

QOL　165, 243
questioning repetition　53

R

RCPM(Raven's Colored Progressive Matrices)　167
reading aloud　53
reading cognition　53
reading comprehension　53
recurring utterances　48
reorganization　226
repetition　51
repetition type　52
retrograde amnesia　69
rTMS(repetitive TMS)　195, 246

S

SAH(subarachnoidal hemorrhage)　35
SALA 失語症検査　163
SAQOL-39(Stroke and Aphasia Quality of Life Scale-39)　165
SCA(Supported Conversation for adults of aphasia)　228
Schuell　346
　——らの刺激法　220
SD(semantic dementia)　94, 132
semantic constraint　277
semantic hub 仮説　27
semantic memory　69
semantic paraphasia　46
semantic therapy　266
sensory amusia　66
SLTA(Standard Language Test of Aphasia)　161
SLTA-ST　164
SPECT(single photon emission computed tomography)　173
SPTA(Standard Performance Test for Apraxia)　167
STA(Syntactic Processing Test of Aphasia-Revised)　163
stimulation approach　219
stroke　34
stuttering　59
subcortical aphasia　103
surface agraphia　129
surface alexia　128
svPPA(semantic variant PPA)　39, 134
sympathetic dyspraxia　77
syntactic comprehension deficits/asyntactic comprehension　50

T

TBI(traumatic brain injury)　36
TCMA(transcortical motor aphasia)　90
tDCS　247, 249

TDP43 プロテイノパチー　39
telegraphic speech　47
Teuber　16
thalamic aphasia　105
TIA（transient ischemic attack）　37
tip of the tongue 現象　88
TLPA（Test of Lexical Processing in Aphasia）　161
TMS（transcranial magnetic stimulation）　246, 249
Token Test　164
TUF（Treatment of Underlying Forms）　284

U

USN（unilateral spatial neglect）　70
UUMN（unilateral upper motor neuron dysarthria）　114

V

VaD（vascular dementia）　188
VAT（visual action therapy）　332
verbal paraphasia　46
visual agnosia　65
VLSM（voxel-based lesion symptom mapping）　16
VOCA-PEN　313
VPTA（Visual Perception Test for Agnosia）　168
vSTM（verbal short-term memory）　26, 69

W

WAB 失語症検査（The Western Aphasia Battery）　161
Warrington　84

Weigl　221
Wepman　219
Wernicke, Carl　342
Wernicke の失語図式　342
Wernicke の失語分類　74
Wernicke-Lichtheim の（失語）図式　74, 343
word deafness　26
word finding deficit　45
word finding difficulty　46

X・Y

X 線マイクロビームシステム　299
Yakovlev circuit　69

和文

あ

アウトカムの評価　148, 204
アクセント　7
アスペクト　10
アテローム血栓性脳梗塞　34
アパシー　66
アプロソディア　23
アミロイド蛋白　39
アルツハイマー型認知症（AD）　39, 175, 187
安全管理　215

い

異音　7
医学モデルと社会モデル　144
異形態　8
意識レベル　170
意思疎通支援事業　333
意思疎通支援者養成事業　244
異常度　301
一次皮質　12
一過性黒内障　37
一過性脳虚血発作　37
一側性上位ニューロン障害性構音障害　114
意図性と自動性の乖離　42, 84
意図性保続　58

意味型原発性進行性失語（svPPA）　39, 134
意味カテゴリ特異性　46
意味記憶　69
意味性錯語　46, 84, 238, 264
意味性錯書　56
意味性錯読　55, 126
意味性ジャルゴン　48
意味性認知症（SD）　39, 94, 132
意味セラピー　239, 266
意味素性分析（SFA）　240
意味的キュー　267
意味的語彙経路　128
意味役割　8, 272
意味理解を伴わない復唱　52
医療ソーシャルワーカー　177
医療における職種間連携　213
インシデント・レポート　218
陰性症状　16, 80
インテーク面接　155, 159
院内感染　217
インフォーマルな評価　157
韻律　7

う

ウィリス動脈輪閉塞症　35
ウェルニッケ-リヒトハイムの（失語）図式　74, 343
ウェルニッケ失語　79
ウェルニッケ野　18
ヴォイス　10

迂回反応（迂言）　45, 46
運動覚促通　117
運動障害　62
運動障害性構音障害　2, 45, 63, 186
　――のタイプ　186
運動性保続　58

え

衛生法規　212
エコラリア　52, 90, 92
エピソード記憶　69
エビデンスに基づく言語聴覚療法（EBP）　146, 206
遠隔記憶　69
遠隔機能障害　197
縁上回　20

お

押韻常同パターン　80
音韻　6
音韻失書　129
音韻失読　129
音韻出力辞書の2段階モデル　265
音韻性 STM　278
音韻性錯語　45-47, 76, 83, 265
　――の神経基盤　28
音韻性錯書　56, 85
音韻性錯読　54
音韻性失名詞　265
音韻セラピー　239, 266
音韻符号化　238

音響分析　298
音形　6
音声への符号化　77
音節　7
音節化構音　113
音素　6
音素結合　129
音素削除　129
音素性ジャルゴン　48
音読　53, 236
　──の障害　54

か

外国人様アクセント症候群（FAS）　60, 91
外シルヴィウス裂言語領域　17
回復期　149
　──の言語治療　209
会話能力の評価　160
会話パートナー　243, 321
書き取り　55, 56, 236
角回　21
拡大・代替コミュニケーション（AAC）　230, 306
数・計算の障害　56
仮説検証的アプローチ　157
仮説検証的治療　235
下前頭回弁蓋部　18
家族支援　321
活動・参加の評価　165
活動制限　3, 144
家庭復帰　332
カテゴリー（範疇）特異性失名辞　87
下頭頂小葉　21
構えの保続　58
カレンダーワーク　322
感覚性失音楽　66
環境因子　145
環境音失認　66
喚語困難　46
喚語障害　45
喚語を支える神経基盤　28
環シルヴィウス裂言語領域　17
間代性保続　58
観念運動失行　64, 87
観念失行　64

き

キーワード法　291
既往歴　170
記憶の処理過程　69
記憶障害　67
利き手　11

記号素性錯語　47
偽性球麻痺　63, 171
規則化錯書　128
吃音　59
基底核　22
機能回復訓練　261
機能再編成法　226, 348
機能障害　3, 144
機能的MRI検査　12
機能的自立評価法（FIM）　176
基本語順　9, 277
記銘　69
逆行性健忘　69
弓状束　20
急性期　148
　──の評価　252
急変時の対応　258
球麻痺　171
教育的アプローチ　218
境界領域失語症候群　18
鏡像型　102
鏡像書字　55, 77
局在論　15, 344
局所表象型コネクショニスト・モデル　237
筋萎縮性側索硬化症（ALS）　38
近時記憶　69

く

句　9
空間性失書　121
空語句　46, 80
空疎な発話　46
句構造　9, 272
屈折接辞　7
くも膜下出血（SAH）　35
クライエント中心のアプローチ　206, 242
クライエント中心の言語聴覚療法　145
グリオーマ　37
グリオブラストーマ　37
クリューバー・ビューシー症候群　36
クロイツフェルト・ヤコブ病　36
訓練・支援の終了　148

け

経験に依存した神経学的可塑性の原則　199, 205
形式性錯語　46, 84, 238
芸術療法　295
形態性錯書　56
形態性錯読　54

形態素　7
経頭蓋磁気刺激（TMS）　246, 249
経頭蓋直流電流刺激（tDCS）　247, 249
系列指示　76
ケースカンファレンス　184, 337
血管支配　31
血管症候群　31
ゲルストマン症候群　66
言語
　──・コミュニケーションの回復過程　196
　──と脳　5
　──の規則性　6
　──の構造　6
　──の恣意性　6
　──の神経学的基盤　11
　──の性質　6
　──を支える神経基盤　17, 29
言語機能の脳内分布　28
言語訓練記録　334
言語症状　42
言語処理　23
　──の二重経路モデル　23
言語性短期記憶　26, 69
言語側性化　11
言語聴覚士が関係するリスク　216
言語聴覚士の役割　2
言語聴覚士法　212
言語聴覚の日　244
言語聴覚療法の提供体制　149
言語治療
　──のストラテジー　198
　──の適応　210
　──の適応判断　179
　──の目標　204
　──の枠組み　204
言語治療計画　209
言語治療サマリー　335
言語治療方針の決定　179
言語野孤立症候群　94
言語野の孤立　90, 95
見当識障害　62
原発性進行性失語（症）（PPA）　39, 132, 174
　──の診断基準　133
原発性進行性発語失行（PPAOS）　113
健忘失語　86
健忘症　69

こ

語　7
　──と線画／物品のマッチング課題　49

――の意味ストラテジー　277
――の意味的制約　277
――の音韻形式　93
――の構造　7
――の読解　53
語彙化錯書　128
語彙化錯読　129
語彙訓練　261
構音運動　298
――のプログラミングの障害　114
構音とプロソディの障害　43
構音ループ　27
交感性失行　77
広義の聴覚性失認　108
項構造　8
交叉性失語　11, 101
構成失行　63
構成失書　121
構成障害　63
後天性吃音　59
行動変容アプローチ　218, 222
行動変容理論　348
公認心理師　177
口部顔面失行（口舌顔面失行，口腔顔面失行）　63, 98, 114
構文訓練　272
交連線維　15
語音認知　26, 52
――の障害　49
――を支える神経基盤　26
語音認知障害　82
語音弁別検査　164
語幹　8
語間代　59
語義失語　94
語義理解障害　92
語義聾　80
国際失語連合　244
国際生活機能分類（ICF）　144
語形変化　8
語順ストラテジー　277
呼称　236
呼称障害　238
個人因子　145
語性錯語　46
語長効果　51, 84, 85
古典的失語分類　23, 29, 30
古典論　74, 341
語頭音キュー　86
語尾　8
コミュニケーション・ブック　307
コミュニケーションスキル獲得訓練　229

コミュニケーションスクリーニング検査　162
コミュニケーションノート　332
コミュニケーションパートナー　308
語用論的アプローチ　227, 348
語聾　26, 80, 81, 85
語漏　49, 80
混合型超皮質性失語（MTCA）　31, 90, 94
混合性錯語　46

さ

サービス担当者会議　327
再帰性発話　48
再生産型伝導失語　84
再評価（アウトカムの評価）　184
再編成　226
作業記憶　50, 69
錯語　45, 46, 80
錯行為　64
錯語性ジャルゴン　48
錯書　56
錯読　54
錯文法　47, 80, 273
残遺失語　78
三角部　18
参加制約　3, 145

し

視覚情報処理　15
視覚性意味性錯読　126
視覚性錯読　54, 126
視覚性失認　65
視覚背側経路　15
視覚腹側経路　15
刺激・促進理論　348
刺激法　219
自己決定　243
視床　22
視床性失語　105
肢節運動失行　63
失演算　56
失外套症候群　57
失行　63, 64
失構音　24, 45, 76, 113, 188, 296
失行性失書　121
失語患者とのコミュニケーションの取り方　150
失語指数　161
失語症
――と区別されるコミュニケーション障害　2
――に随伴しやすい障害　61

――のある人の生活期の状況　330
――の回復過程　191
――の回復の仮説　193
――の近縁症状　57
――の原因疾患　33
――の言語治療プロセス　147
――の症状　41
――の定義　2
――の評価・診断プロセス　155
――をきたしやすい中枢神経疾患　34
失語症鑑別診断検査（D.D.2000）　161, 185
失語症研究の歴史　339
失語症語彙検査（TLPA）　164
失語症候群　73
――の成り立ち　74
失語症者への会話支援（SCA）　228
失語症友の会　321
失語性失書　121
失語性失読　287
失語分類　74
――における2つの軸　30
失読　53
失読失書　21, 125, 287
失認　65
失文法　47, 273
――の発症メカニズム　275
失名辞失語　78, 86
実用コミュニケーション能力　326
実用コミュニケーション能力検査　日本語版（CADL）　163
実用的コミュニケーション訓練　305
している活動　145, 307
自動性と意図性の解離　16
シニフィアン　6
シニフィエ　6
支配血管　35
自発書字　55
社会・心理面の情報　177
社会的アプローチ　241, 348
――の原則，Simmons-Mackie による　242
社会復帰　329
視野障害　62
遮断除去法　221
ジャルゴン　48
ジャルゴン失書　55, 81
収集する情報　158
集団（コミュニケーション）療法　315
重度失語症検査　163
重度失語症の訓練　318
手指失認　66

主題役割　8, 272
手段的 ADL　176
述語一項構造　273
純粋運動失語　113
純粋型　108
　――の発語失行　113, 188
純粋語唖　78, 113
純粋語聾　26, 49, 66, 108
純粋失構音　25
純粋失書　120
純粋失読　53, 65, 116, 287
純粋発語失行　24, 300
情報処理モデル　234
情報伝達度　160
情報の統合　178
省略　47
所記　6
職業復帰　329, 331
職種間連携　213
　――における留意点　215
書字　236
　――の障害　55
　――の神経機構　122
書字障害　55
助詞ストラテジー　278
シラブル　7
自立した生活　209
シルヴィウス周囲言語領域　17
神経学的可塑性　198
神経学的診察　170
神経原性吃音　59
神経膠腫　37
神経認知障害（NCDs）　187
神経変性疾患　174
心原性脳塞栓症　34
進行性失語　132
進行性非流暢性失語（PNFA）　132
新作文字　55
心像性　45, 49
心像性効果　130
新造語　47, 80
新造語性ジャルゴン　80
深層失語　84
深層失書　130
深層失読　130
新造文字　55
身体部位失認　65
心的辞書　8
新版失語症構文検査（R-STA）　163
親密度　45, 49
心理・社会的アプローチ　348
心理・社会的問題の支援　315

す
随伴しやすい症状　78
スクリーニング検査（鑑別検査）
　　　　　　　　　　　157, 160

せ
生活期（維持期）　149
　――の言語治療　209
生活適応期の訓練・支援　324
生活歴　170
責任病巣　16
接近行為　47
接辞　7
接頭辞　7
接尾辞　7
拙劣症　65
前向性記憶　69
前向性健忘　69
全失語　98
線条体失語　103
線条体内包梗塞　23
全体論　15
穿通枝動脈　105
前頭前野　15
前頭側頭型認知症（FTD）　188
前頭側頭葉変性症（FTLD）
　　　　　　　　39, 94, 132, 174
線分二等分試験　168
線分抹消試験　168

そ
想起　69
総合検査（包括的検査）　157, 185
総合的失語症検査　161
相互活性化モデル　237, 238, 262
相貌失認　65
相補分布　7
即時記憶　69
側性化　11
側頭葉　19, 21

た
態　10
ダイアスキシス　105, 197
第一次聴覚野　108
第一次皮質野　14
代償手段の獲得訓練　332
代償方略　284
体性感覚障害　62
体性局在　13, 14
滞続言語　59
対側半球への移動　192

大脳皮質基底核症候群　38
大脳皮質基底核変性症　38
大脳皮質指数　161
タウオパチー　39
タウ蛋白　39
多層ベースラインデザイン　223
多弁　49, 82
単一事例研究法　223
短期記憶　69, 84
単語
　――の意味理解障害　49
　――の情報処理モデル　236, 261
　――の属性　235
　――の聴覚的理解　236
単語産生の相互活性化モデル　237
単純ヘルペス脳炎　36
断片的発話　47
談話　10, 227

ち
地域生活支援事業　333
地域包括ケアシステム　214
チーム・アプローチ　146
チーム医療　213
知覚型（統覚型）視覚性失認　65
知覚性保続　58
置換　47
逐字読み　126, 288
知性論　343
中心溝の同定　15, 172
中心前回下部　78
聴覚言語性短期記憶（AMS）　50, 52
聴覚性失認　65
聴覚的印象　297
聴覚的理解の障害　49, 92
長期記憶　69
超皮質性運動失語（TCMA）　78, 90
超皮質性感覚失語（TCSA）　82, 92
超皮質性失語　90
直接的情報　255
陳述記憶　68

て
ディブロッキング法　221
できる活動　145, 307
テスト・バッテリー　157
手続き記憶　69
手続き談話　227
てんかん性失語　37
テンス　10
転置　47
伝導失語　82, 83
電文体発話　47

展望記憶 69

と

島 20
同音擬似語効果 129
統合型視覚性失認 65
統語機能障害 273
統語構造 272
　——の訓練 280
　——の評価 279
統語障害 47
統語理解 278
統語理解障害 50, 273, 276
動詞訓練 284
頭部外傷(TBI) 36, 175, 187
同名性半盲 62
トークンテスト(日本語版) 164
読字 287
　——の障害 53
特定検査(掘り下げ検査) 157, 162
閉じ込め症候群 57
読解 53, 236
　——の障害 53
トライアングル・モデル 262

な

内頸動脈閉塞 31
なぞり読み 288

に

二重乖離の原理 16
二重経路モデル 23, 128, 236
二重性 6
二重分節性 6
日常生活活動(ADL) 175
二方向性の失名辞 87
日本語話者の表層失読 131
日本版レーヴン色彩マトリックス検査
　(RCPM) 167
ニューラルネットワーク・モデル
　　262
認知機能訓練 205
認知機能の情報 167
認知症 187
認知神経心理学的アプローチ
　　205, 234, 348
　——, 失読および失書への 128

の

脳外傷 36
脳回の同定 172
脳回の名称 13
能記 6

脳血管撮影 172
脳血管障害(CVD) 34, 174
脳血管性認知症 188
脳溝 13
脳梗塞 34
脳出血 35
脳腫瘍 37, 174
脳卒中 34
脳卒中うつスケール 68
脳卒中後うつ(PSD) 67
脳動静脈奇形 35
脳波・脳磁図 173
脳梁 11
脳梁離断症状 11

は

パーキンソニズム 38
パーキンソン病 38
バーセル・インデックス(BI) 176
バーミンガム物体認知バッテリー
　(BORB) 168
バイスティック(Biestek)の7原則
　　316
バイタルサイン 254
拍 7
"箱と矢印"型モデル 235
派生接辞 7
発語失行(失構音)
　　24, 45, 76, 113, 188, 296
　——の特徴(Darley) 297
発話
　——の障害 42
　——の流暢性 43
　——の流暢性評価 44
発話開始困難 77
発話衝迫 49
パペッツの回路 69
般化 148, 227, 284
反響言語 52, 90, 92
半側空間無視 70
範疇的態度の障害 87
反復言語 59
反問性反響言語 53

ひ

非意味的語彙経路 128
非可逆文と可逆文 278
皮質下性失語 103
皮質脊髄路 62
非侵襲性脳刺激法 205, 246
びまん性軸索損傷(DAI) 36
非右利き(左利き，両手利き)の失語症
　　101

評価サマリー 179
表記妥当性 54
病期別リハビリテーション 207, 208
標準高次視知覚検査(VPTA)
　　167, 168
標準高次動作性検査(SPTA) 167
標準失語症検査(SLTA) 161, 185
標準失語症検査補助テスト(SLTA-ST)
　　164
標準抽象語理解力検査 164
標準予防策(スタンダードプリコー
　ション) 258
表層失書 128
表層失読 128
病巣周囲仮説 192
病態失認 66
ピラミッド・アンド・パームツリー・
　テスト 266
非流暢/失文法型原発性進行性失語
　(nfvPPA/naPPA) 39, 133
非流暢性失語 26

ふ

フォーマルな評価 157
付加詞 8
複合語 8
復唱 81, 236
　——の障害 51
復唱型伝導失語 84
復唱障害 51
　——の神経基盤 27
物体失認 65
物品と動作の呼称検査 165
部分読み 126
プライミング 68
プライミング法 240
プリオン病 36
ブルンストロームステージ分類 175
ブローカ失語 76
ブローカ野 18
ブローカ領域失語 28, 78
ブロードマンの大脳地図 12, 13
プログラム学習法 205, 222
プロソディ 7
文 9
　——の構造化訓練 283
　——の仕組み 272
　——の読解障害 54
　——の理解 50
　——の理解ストラテジー 277
文法障害 25
文法的形態素 273

へ

ヘシュル(横)回　26, 108
変性疾患　38
ベントン視覚記銘検査　168

ほ

包括的介入　204
包括的検査　157
傍シルヴィウス裂言語領域　17
補完現象　53
保持　69
ボストン学派　75, 344
ボストン失語症診断検査(BADE)　43, 318
──の失語症重症度尺度　319
保続　57, 80
──の言語治療　59
補足運動野　21
補足運動野失語　24
ホムンクルス　13
本人・家族への説明　338

ま

街並失認　65
マッチング　323
マッピング・セラピー　283
マッピング障害　276
マンブリングジャルゴン　48

み・む

未分化ジャルゴン　48
無意味ジャルゴン　48
無関連錯語　46, 264
無言症　90, 98
無動無言症　57, 91

め

明瞭度　301
メロディック・イントネーション・セラピー(MIT)　231
面接　160
メンタルレキシコン　8

も

モーラ　7
モーラ分解・抽出検査　164
文字・音韻訓練　287
文字処理経路　117
文字の形態認知　53
モダリティ　10
物語談話　227
もやもや病　35

や

ヤコブレフの回路　69
やる気スコア　67

よ

様式特異性失名辞　87
陽性症状　16
要約筆記　244
抑うつ　66
予後予測　179
予防的リハビリテーション　207

ら

ラクナ梗塞　34
ランドウ・クレフナー症候群　37, 108

り

リスク管理　208
リスクマネジメント　215
離断性失書　121
リハビリテーション会議　327
リハビリテーション実施計画書　210
リハビリテーションを中止する基準　258
流暢性失語　26
両耳側半盲　38
臨床心理士　177
倫理的配慮　217

る

類音性錯書　56
類音性錯読　55

れ

レイの複雑図形検査　168
レジリエンス　206
レビー小体型認知症(DLB)　188
連合型視覚性失認　65
連合線維　15
連合野　12, 14
連合野の連合野　15, 21
連濁　8

ろ

ロゴジェン・モデル　261
──, 単語処理の　235
ロゴペニック型原発性進行性失語(lvPPA)　39, 133, 135

わ

ワーキングメモリ　50, 91, 278
和田テスト　12